抗 美 援 朝

항미원조

상

향미원조 상

초판 1쇄 인쇄 | 2021년 3월 10일
초판 1쇄 발행 | 2021년 3월 15일

지은이 | 리펑(李峰)
옮긴이 | 이재연, 정명기
펴낸이 | 이재연

펴낸곳 | 다른생각
주소 | 경기도 고양시 덕양구 향기5로 55 102동 1106호
전화 | 010-3693-0979
팩스 | 02) 3159-0979
이메일 | darunbooks@naver.com
등록 | 제2020-000002호(2002년 11월 1일)

ISBN 978-89-92486-30-9 (세트)
978-89-92486-31-6 04910
값 18,000원

抗 美 援 朝

항미원조

상

리펑(李峰) 지음
이재연·정명기 옮김

다른생각

〈일러두기〉

1. 본문 하단에 있는 각주는 모두 독자들의 이해를 돕기 위해 옮긴이가 추가한 것이다.
2. 본문의 인명 뒤 ( ) 속에 생몰년과 영문명 역시 옮긴이가 추가한 것이다.
3. 원본에서 '南朝鮮'으로 표기한 것은, 문맥에 따라 '한국' 혹은 '남한'으로 바꿨다. 단 북한인과 중국인의 대화 내용이나 인용문 등에는 그대로 '남조선'으로 놔두었다. 그리고 북한을 지칭하는 표현은 원문대로 '조선' '북조선'으로 표기했으며, 화자(話者)에 따라 '북한'으로 고쳐 표기한 경우도 있다.
4. 중국의 지명과 인명은 모두 한어병음방안(漢語拼音方案)에 따라 표기했다. 단, 강(江)이나 산(山) 이름 등은 마지막 발음을 한국어 독음대로 '산'과 '강'으로 표기했다. 예를 들면, '長江'·'揚子江'의 경우 한어병음방안에 따르면 '창장'·'양쯔장'으로 표기해야 하지만, 이 책에서는 '창강'·'양쯔강'으로 표기했다.
5. 중국인 인명은 부록에 한자와 병기하여 〈중국인 인명록〉을 첨부했으니, 한자 독음을 확인하려면 이를 참조하기 바란다.

옮긴이 서문

"종전 선언"을 기다리며

우리 민족 역사상 가장 참혹한 비극이자, 인류 역사상 매우 해괴한 전쟁이 이 땅에서 일어난 지 70년이 지났다. 수백만 명의 군인과 민간인이 목숨을 잃었고, 다쳤고, 실종되었다. 일본 제국주의에게 35년 동안 수탈당하고 나서, 겨우 재건을 시작한 이 땅의 생산수단과 산업 시설은 초토화되었다. 그러나 우리는 이 땅에 그러한 참혹한 전쟁이 있었다는 사실은 알고 있으면서, 그 전쟁이 어떻게 진행되었는지에 대해서는 의외로 많이 알지 못한다. 우리 국군과 유엔군이 잘 싸운 몇몇 부분적인 전투 사례만 간략히 소개될 뿐, 전체 과정을 소개한 책은 없는 것 같다.

이 책은 바로 한국 전쟁 발발 70주년 되는 해에, 이 전쟁이 어떻게 해서 발발했고, 어떻게 진행되었으며, 어떻게 마무리되었는지 되새겨보자는 의도에서 기획되었다. 이런 취지에 맞는 집필자를 찾느라 고심하던 중에, 눈에 띈 책이 바로 이 책의 원본인 『決戰朝鮮』(李峰 지음, 중국 現代出版社, 2017년 개정판)이다. 중국은 한국 전쟁에서 우리의 적이었다. 따라서 이 책은 중국인이 저술하여 중국에서 출판된 이상, 당연히 중국의 시각에서 서술되어 있다. 이 책을 검토하면서 그 점이 마음에 걸렸다. 하지만 전체 내용을 검토해 본 결과, 비록 중국 '인민지원군'이 관여한 전투를 중심으로, 중화 민족주의적 시각과 사회주의적 입장에서 서술되긴 했지만, 구체적인 전쟁 진행 과정이나 맥락, 전투 사례, 통계 수치 등이 우리에게 알려진 역사적 사실들과 비교적 일치함을 알 수 있었다. 어차피 전쟁이란 적(敵)과 아(我)밖에 없는 비정한 것이다. 그렇다면 '적'의 시각에서는 이 전쟁을 어떻게 보고 있으며, 어떻게 평가하고 있는지를 이해하는 것도 우리에게 의미가 있다고 판단했다. 따라서 이 책을 읽는 독자에게는 민족적·이데올로기적 관점을 버리고, 객관적 사실만 냉철하게 추려서 볼 줄 아는 지혜가 요구된다.

70년이 지난 지금까지도 이 전쟁은 종료되지 못한 채, '정전(停戰)'이라는 불안정한 평화 상태로 계속되고 있다. 이 전쟁의 당사자는 한국과 미국(유엔군이라는 명칭으로 16개국이 참여했지만, 사실상 미국이 대부분의 전력을 차지했음은 쌍방 모두 인정하는 사실이다)을 한 편으로 하고, 조선민주주의인민공화국과 중화인민공화국을 한 편으로 하여 진행되었다. 사회주의 중국은 건국된 지 1년도 안 된 상태에서 이 전쟁에 참여하여, 37만 명 가까운 사상자가 발생했고, 엄청난 전쟁 비용을 소모했다. 그럼에도 그들은 이 전쟁을 승리한 전쟁으로 규정하면서, 엄청난 의미를 부여하고 있다.

이 책을 읽으면 알 수 있지만, 그 이유는 이렇다. 중국은 청나라 말기에 권력의 부패와 무능으로 서방 열강으로부터 끊임없이 침입을 당해왔다. 1840년, 제1차 아편 전쟁 이후, 1949년에 마오쩌둥이 이끄는 중국공산당이 중국 대륙을 통일하기까지 100여 년 동안, 근대 중국의 역사는 그야말로 패배와 굴욕의 역사였다. 국토의 일부를 할양하고, 국권의 일부를 양도하고, 황제가 난을 피해 도망가고, 군벌이 난무하여 중앙의 통치권이 미치지 못하는, 덩치만 커다란 종이호랑이였다. 그러나 중국은 한국 전쟁을 통해, 세계 최강국인 미국을 상대로 싸워 '승리'를 거두었다. 중국 대륙까지 넘보면서 압록강 인근까지 밀고 올라온 미군을 전쟁 이전의 상태보다 더 남쪽으로 밀어내고, 3년 가까이 전선을 유지하다가, 미국으로부터 '정전 협정'을 받아냈다는 것이 승리를 주장하는 근거이다. 이승만이 강력하게 휴전을 반대하는 데도 불구하고 미국이 정전 협정을 받아들인 것은, 사실상 더 이상 전쟁을 계속할 명분도 힘도 부족했기 때문이다. 그런 면에서 중국은 승리를 주장할 만하다. 그리고 이 승리로 인해 세계무대에서 미국과 어깨를 나란히 함으로써, 패배주의에 젖어 있던 중국 인민은 자신감을 되찾고, 옛 중화민족의 자부심을 되찾았으니, 이 전쟁은 중국에게 크게 유익한 전쟁이었다는 것이다. 오늘날의 시각에서 보면, 37만 명 가까운 인민을 희생시키고 민족의 자신감과 자부심을 되찾았다 해서, 과연 그 전쟁을 승리한 전쟁이라고 할 수 있는지는 의문이다.

그렇다면 당시 강력한 사회주의 국가의 맏형인 소련의 스탈린조차도 직접적인 개입을 거부했는데, 중국은 왜 이 전쟁에 개입했을까? 타이완을 제외하고, 대륙을 통일한 지 1년도 채 안 된 허약한 정권이, 무슨 이유로 이웃나라의 전쟁에 엄청난 인적·물적 자원을 쏟아 부었을까? 그들은 이 전쟁을 "항미원조(抗美援朝)"라고 정의한다. 즉 "미국에 대항하여 조선을 돕는다"는 뜻이다. 중국은 또한 한국 전쟁에 참여한 군대를 "지원군(志願軍)"이라고 명명했다. 즉 자발적으로 지원하여 입대한 군대라는 뜻이다. 하지만 그들은 중국의 정규군이었으며, 그것도 최정예 정규군이었음은 스스로도 인정하고 있다. 전쟁에 개입하기 전에 중국 지도부는 참전 여부를 놓고 많은 고민을 한다. 그러나 두 가지 이유에서 참전을 결정한다. 첫째는 김일성이 마오쩌둥의 홍군에게 많은 도움을 주었던 것에 대한 보은 차원에서 도와야 한다는 것이고, 둘째는 제국주의 세력인 미국이 압록강까지 밀고 올라와 한반도를 통일하게 되면, 미국이 바로 턱밑에서 자신들을 위협하는 위험한 국면이 초래되는 것을 우려했기 때문이다. 이렇게 본다면 중국은 사실상 전쟁에 참여한 목적을 이룬 셈이다. 북한을 도와 명분을 챙겼고, 미국이 자신들의 턱밑에서 총부리를 겨누는 상황을 막아냈으니 말이다.

북한도 정전 협정이 체결된 7월 27일을 전승일로 정하고, 대대적인 기념행사를 벌이고 있다. 80여만 명의 인명 피해를 입었고, 북한 전역의 산업 시설들이 초토화되었는데도 그들은 승리를 주장한다. 역시 막강한 '미 제국주의' 세력을 상대로 싸워서 지지 않았으니 승리라는 것이다.

우리 대한민국은 어떠한가? 우리는 전쟁이 발발한 6월 25일에도, 정전 협정이 체결된 7월 27일에도 별다른 기념식을 갖지 않고 있다. 6월 6일 '현충일'에 순국선열과 전몰장병들을 추모하고 있다. 매우 옹색한 느낌을 지울 수 없다. 한국 전쟁과 아무런 관련이 없는 6월 6일을 기념일로 정한 이유는, 이

날이 24절기 중 하나인 망종(芒種)으로, 모내기를 하고, 조상들에게 제사를 지내는 날이기 때문이라고 한다. 이것이 바로 한국 전쟁을 바라보는 우리의 입장을 대변한다고 생각된다. 차라리 6월 25일을 기념하는 것은 어떨까? 명칭이야 '현충일'이든 '평화의 날'이든 상관없을 것 같다.

인적 피해를 보면, 통계들마다 약간의 차이는 있지만, 군인만 하더라도 대한민국 국군은 사망자 13만여 명에다, 부상자와 실종자를 포함하면 약 61만 명, 미군은 사상자와 실종자를 합쳐 14만여 명, 조선인민군은 80여만 명에 달한다. 그 외에도 수십만 명의 민간인이 똑같은 피해를 입었다. 물적 피해를 보면, 첫머리에서도 언급했지만, 한반도 전역, 특히 북한의 산업 시설은 거의 초토화되었다. 그렇다면 이것은 무엇을 위한 전쟁이었는가? 어떤 명분과 어떤 목적이 이렇게 많은 인적·물적 손실을 정당화할 수 있을까? 이 질문에 답할 수 있는 사람은 아무도 없을 것이다.

이 책을 번역하면서 여러 번 씁쓸함 느끼지 않을 수 없었다. 전장에서 '장렬하게' 싸우다 죽어간 중국 병사를 영웅적으로 묘사한 부분을 번역할 때였다. 중국의 사회 체제를 감안할 때, 그들이 무엇 때문에, 누구 때문에 그 젊은 나이에 그렇게 죽어가야 했는지에 대한 성찰 없이, 애국주의적 입장에서 영웅적으로 묘사한 작가를 탓할 수만은 없는 일인지도 모른다. 누군가를 살리기 위해 또 다른 누군가를 죽여야 하는 게 전쟁이다. 그러나 그 전쟁을 일으키고 진행하는 사람은 결코 죽지 않는다. 무고한 병사들만이 최전선에서 죽어간다. 죽은 뒤에는 그들의 죽음이 전쟁 유발자들에 의해 정권 유지를 위한 선전 수단으로 이용당하기도 한다. 절대로 전쟁이 있어서는 안 되는 이유이다.

지금 문재인 정부가 〈정전 협정〉을 "종전 선언"으로 바꾸기 위해 많은 노력을 하고 있다. 그러나 정작 전쟁에서 가장 큰 피해를 입은 당사자 중 하나인 우리는 〈정전 협정〉에 서명도 하지 못했다. 아니, 서명을 하지 않았다. 정전을 반대하고, 끝까지 싸워 '통일'을 이루겠다고 오만을 부린 이승만이 정전 협정 도중에 대표단을 철수시켰기 때문이다. 그로 인해 우리는 "종전 선언"을 이끌어내는 데에서도 주도권을 쥐지 못하고 큰 어려움을 겪고 있다. 사실 이 책의 번역을 시작할 당시에는 이 책이 출간될 즈음에는 "종전 선언"이 이미 이루어져 있을 수도 있으리라는 기대를 갖게 할 만큼 분위가 좋았다. 그러나 전쟁의 발발도 기형적이었고, '정전'으로 일단락되는 과정도 기형적이었던 데다, 전쟁 당사자들 간에 이해관계가 복잡하게 얽혀 있기 때문에 쉽게 해결될 것 같지 않아 매우 안타깝다.

이 책에서 인명이나 지명의 표기에 관해 몇 가지 번역 원칙을 밝혀두어야 하는데, 그것에 대해서는 앞쪽에 있는 〈일러두기〉를 참조하기 바란다.

원래 전쟁 발발 70주년에 맞추어 2020년에 출간할 예정이었으나, 번역 분량이 많고, 확인할 내용도 많아 지체되는 바람에, 한 해 늦춰 출간하게 되었다. 덕분에 금년 2021년은, 전쟁 당사국들인 남·북한과 미국·중국이 합의하여, 이 비극적인 전쟁이 완전히 종식되었음을 선언하는 "종전 선언" 원년이 되기를 기대한다.

2021년 새해를 맞이하면서

옮긴이 이재연

항미원조 상 | 차례

항미원조 하 | 차례

지은이 서문

내가 글을 잘 쓴 게 아니고, 선배들이 잘 싸웠다

일찍이 이런 나라가 있었다. 그 나라는 가장 어두웠던 시기에, 황태후와 황제는 2만 명도 안 되는 8국 연합군에 의해 자기의 땅에서 쫓기며 허둥댔고, 이 나라의 인민들은 이후 꼬박 50년간 세계로부터 "동아병부(東亞病夫: 동아시아의 병자-옮긴이)"라고 불렸고, 이 나라는 전 세계에게 멸시되었다. 그러나 한 번의 위대한 전쟁 과정에서, 이 민족이 이웃 나라의 영토에서 100만 명이 넘는 16개국의 현대화된 유엔군을 분쇄하자, 전 세계 모두가 이 나라에 대해 숙연한 마음으로 존경하기 시작했으며, 모두가 이 민족의 역량과 가치에 대해 다시 평가하기 시작했다.

일찍이 이런 나라가 있었다. 그 나라는 그들의 근대 숙적인 일본에게 "지나(支那)"라고 멸시되어 불렸다. 그런데 한 번의 전쟁을 치르고 나자, "지나"라는 말은 일본인의 입에서 신속히 사라졌다. 손에서 온통 피비린내가 진동하는 일본 전범들조차도 이 전쟁 후에 진심으로 변화를 받아들이기 시작했다.

일찍이 한 전쟁이 있었다. 100년 동안 쇠퇴하여 허약해지고 식민지가 되어 온갖 능욕을 다 당했던 대국이, 3년의 격전을 치르고 나자, "자본주의 세계 최대 공업 강대국의 일류 군대로 하여금, 그들이 원래 침략을 개시했던 곳에 발이 묶여, 한 걸음도 넘어가지 못하게 했을 뿐만 아니라, 나날이 불리한 곤경에 빠져들게 했다. 이것은 중대한 국제적인 의의를 갖는 교훈이다. 그것은 서방의 침략자들이 수백 년 동안 동방의 한 해안에서 몇 대의 대포를 설치하기만 하면 곧 한 나라를 점령할 수 있었던 시대는 다시 돌아올 수 없다는 것을 설득력 있게 증명해주었다(펑더화이의 말)".

이는 바로 신중국의 "입국(立國) 전쟁"이라 할 수 있는 항미원조 전쟁이 우리의 이 나라에 대해 갖는 의의이다.

중요한 전쟁들마다, 물질적인 손실과 수확 말고도, 모두 당사국 사람들에게 무엇인가를 남겨주게 된다. 이렇게 남은 것들은 종종 한 민족의 정신·기질, 더 나아가 전승되는 민족 문화 전통의 사상적 기본 요인에까지 스며든다. 신중국이 성립되자마자 진행된 파란만장한 항미원조 전쟁은, 바로 이렇게 중화민족에게 모조리 다 누릴 수 없을 만큼 많은 정신적 자산을 남겨준 위대한 전쟁이었다.

역사는 잊혀져서는 안 되는 것이며, 문학 작품은 바로 역사를 기록하여 전하는 주요 수단들 중 하나이다. 항미원조 전쟁은 무수한 작품들이 기술하여 돌이켜 생각해볼 만한 가치가 있는 전쟁이었다. 왜냐하면 그것은 중화 민족의 현대화 과정에서 매우 중요한 의의가 있기 때문이다. 전하는 바에 따르면, 서방에서 3만여 종의 저작들이 서로 다른 각도에서, 조선 전쟁과 중국인들이 이 전쟁에서 전체 서방 세계를 벌벌 떨게 만들었던 장거를 기술하고 있다고 한다. 우리 중국인들은 마땅히 더 많은 더 좋은 작품들을 창작하여, 우리와 우리 후손들로 하여금 이 전쟁을 기억하게 해야 한다. 왜냐하면 우리야말로 이 전쟁의 진정한 주역이자 승리자이기 때문이다.

만약 이 책이 같은 주제를 다룬 국내의 다른 작품들과 어떤 차별성이 있다고 한다면, 내가 생각하기로는 다음 두 가지가 아닐까 싶다: 첫째, 이 책은 항미원조 전쟁의 전체 과정을 사실적으로 재현했고, 지원군이 싸울수록 강해지는 진짜 면모를 사람들이 믿고 수긍할 수 있도록 재현했으며, 중국 군대 각 군의 병종(兵種)들이 항미원조 전쟁 과정에서 현대화의 기초를 다진 전 과정을 보여주고 있는데, 이 장면들은 비교적 웅대하다. 반면 다른 몇 권의 영향력 있는 같은 분야의 책들은 모두 이 전쟁의 몇몇 부분들을 발췌해 놓았다. 나는 이것이 이 책 『決戰朝鮮』의 첫 번째 특징이라고 생각한다.

둘째, 나는 선배들의 진정한 혁명 영웅주의적인 정신과 풍모를 자신있게 써냈는데, 나는 이것이 나의 가정적 배경과 관련이 있다고 생각한다. 나는 후베이(湖北)의 훙안(紅安)에서 태어났다. 이 작은 현성(縣城: 현 정부 소재지-옮긴이)은 중국 혁명에 20여 명의 열사들을 봉헌했다. 우리 집안의 직계 친족들은 홍군(紅軍)과 신사군(新四軍)이었다가 곧바로 해방군이 되었으며, 이러한 상황은 훙안의 크고 작은 산골 마을에서 모두 마찬가지였다. 내가 그 시대의 사람들을 잘 이해하는 것은, 내가 영웅을 숭배하고 존경하며 영웅을 많이 배출한 환경에서 자랐기 때문이다. 중국에는 이 전쟁에 관한 작품들이 매우 많은데, 모두 무기와 물질의 각도에서 중국인들을 좀 처참하기 짝이 없게 묘사하고 있다. 그러나 내가 알기로는, 이 전쟁 과정에서 중국인들은 그렇지 않았다. 그 시대의 사람들은 결코 몇몇 책들이 묘사하고 있는 것처럼 그렇게 처참하지 않았다. 그들은 매우 충실하게 살았으며, 그들은 자신이 정의롭다는 것을 믿었다. 비록 그들 가운데 많은 사람들이 매우 짧은 삶을 살았지만, 그들의 행복감은 지금 사람들에 비해 모자라지 않았다. 이 점을 이해하지 못하면, 그 시대 사람들을 완전히 이해할 수 없고, 그 시대 사람들이 어째서 추샤오윈(邱少雲)이나 황지광(黃繼光) 같은 장렬한 행동을 할 수 있었는지 완전히 이해할 수 없으며, 격정으로 불타오르던 열렬한 시대를 완전히 이해할 수 없고, 더 나아가 우리의 이 나라가 어떻게 만들어졌는지 완전히 이해할 수 없다. 그들이 희생할 때, 그들은 희생한 국가를 보위하는 전쟁의 의의를 알았으며, 그들은 자신들의 희생이 가치 있다는 것을 알았기 때문에, 그들은 용감하게 희생했다. 비록 세상이 완전히 변했고, 비록 지금 사람들은 이해하지 못하지만, 그들은 확실히 이미 그렇게 진실하고도 숭고하게 싸우고 생활했다. 지금 사람들이 혹자는 물질적 향락에 빠져 있고, 혹자는 물질적 결핍으로 힘들어 하는데, 그들과 지금 사람들 중 누가 더 의의 있고, 누가 더 충실하게 살고 있는지는 매우 말하기가 어렵다.

만약 우리들 중 누군가가 역사의 화약 연기 속에 있는 그들의 위용이 넘치는 모습을 비웃는다면, 그들 또한 구름 속에서 우리가 사는 이 시대의 수없이 많은 천박함과 저열함을 차갑게 경멸할 것이다. 나는 저 구름 속의 영령들을 잘 알고 있기 때문에, 나는 그들에 대해 잘 쓸 수 있었다. 이것 또한 바로 이 책이 많은 독자들의 인정을 받는 근본적인 원인일 것이다.

한 사람, 한 집단, 한 민족, 한 국가, 더 나아가 한 시대가 다른 이들에게 존중받으려면, 언제나 하나의 정신이 필요하다.

사실은, 내가 잘 쓴 게 아니라, 선배들이 잘 싸웠다.

리펑(李峰)

■ 조선 전쟁 관련 주요 어록 ■

▶ 미 제국주의가 몇 년 동안이고 싸우기를 원한다면, 우리도 그들과 몇 년 동안이고 싸울 준비를 하고, 미 제국주의가 그만두고 싶어 할 때까지 싸울 것이며, 중국과 조선 인민들이 완전히 승리할 때까지 싸울 것이다!

— **마오쩌둥**

▶ 조선 전쟁은 우리 군이 미군과 대결하는 연병장이었다. 이 피와 불의 대결을 거쳐, 미군이 지금 정전에 서명한 건 그래도 현명한 편이다. 그러지 않았다면 곧바로 우리에게 쫓겨 임진강에서 자라의 먹이가 되어버렸을 것이다. ……3년의 격전을 치른 후, 자본주의 세계 최대 공업 강대국의 일류 군대로 하여금, 그들이 원래 침략을 개시했던 곳에 발이 묶여, 한 걸음도 넘어가지 못하게 했을 뿐만 아니라, 나날이 불리한 곤경에 빠져들게 했다. 이것은 중대한 국제적인 의의를 갖는 교훈이다. 그것은 서방의 침략자들이 수백 년 동안 동방의 한 해안에서 몇 문의 대포를 설치하기만 하면 곧 한 나라를 점령할 수 있었던 시대는 다시 돌아올 수 없다는 것을 설득력 있게 증명해주었다.

— **중국 인민지원군 총사령관 펑더화이 원수**

▶ 엄밀히 말해, 우리는 항미원조 전쟁에서부터, 비로소 병참보급 업무가 현대의 전쟁에서 갖는 중요성을 충분히 인식했다.

— **녜룽전(聶榮臻) 원수**

▶ 우리와 우리의 적들은 모두 그것(상감령)을 하나의 상징으로 여기며, 누구도 그것을 잊지 못할 것이다.

— **중국 인민지원군 부사령관 양더즈(楊得志) 상장**

▶ 누구라도 잘 싸운다면, 제1사단이라는 번호를 그에게 줄 것이다!

— **중국 초대 공군 사령관 류야러우(劉亞樓) 상장**

▶ 밴 플리트야! 밴 플린트야! 이 몸이 너를 오줌 지리게 했느냐? 하하하!

— **중국 인민지원군 제3병단 부사령관 왕진산(王近山) 중장**

▶ 제15군단은 피는 흘려도 눈물은 흘리지 않는다. 누구도 울어서는 안 된다! 천 일 동안 군대를 길러 일시에 군대를 쓰는 건, 전체 국면의 승리를 위해서인데, 제15군단은 아낌없이 싸웠다!

— **중국 인민지원군 제15군단장 친지웨이(秦基偉) 상장**

▶ 중국인들은 대량의 군대를 동원해 우리를 향해 진격했으며, 그러한 공격은 여전히 계속되고 있다. 그 결과 유엔군 부대는 대부분 어쩔 수 없이 철수했다. 지금 전장의 상황은 불안정하며, 우리는 연달아 패퇴할지도 모른다.

— **미국 대통령 트루먼**

▶ (미국은) 완전히 새로운 상황에 있다. 강대한 군사력을 갖춘 완전히 새로운 강대국과 완전히 새로운 전쟁을 진행하고 있다.

— **미국 5성 장군, 초대 유엔군 사령관 맥아더**

▶ 우리는 무엇이든지 다 알고 있다고 여기지만, 실제로는 아무것도 알지 못한다. 그러나 상대는 오히려 뭐든지 다 알고 있다. 그래서 전쟁이 시작되었다. ……중공군은 유령이라서 그림자조차 없다. 그들의 주요 비밀—실력, 위치 및 의도—은 매우 완벽하게 지켜지고 있기 때문에, 그들의 역량은 배나 증가되었는데, ……우리가 어떻게 떳떳하게 조선을 떠나겠는가?

— **미국 국방부 장관, 5성 장군, 마셜**

▶ 중국인은 완강하고도 매서운 투사이다. ……적들은 통상 밤에 행군을 하며, 또한 우리보다 지형 상황을 잘 숙지하고 있다. 그들은 이곳의 기후 조건과 가난한 생활에 익숙해 있고, ……중국인들이 야간에 진행하는 공격은 특히 신비하고 예측할 수 없으며, 불가사의하다. ……중국인은 용사이며, 그들은 언제나 다치거나 죽는 것을 돌보지 않고 공격한다. ……(한국군은) 종종 중국 군대에 대해 매우 두려워하는 마음을 갖고 있으며, 거의 이들을 무적의 군대로 여긴다. 고무 밑창 구두를 신고 있는 중공군 병사들이 만약 갑자기 한국 군대의 진지에 나타나면, 언제나 많은 한국 병사들은 놀라서 뒤도 안 돌아보고 재빨리 도망쳐 목숨을 보전한다. ……그들은 단지, 중군 군대로부터 도망쳐 멀어질수록 좋다는 하나의 생각뿐이다.

— **미국 4성 장군, 제2대 유엔군 사령관 리지웨이**

▶ 한반도의 전쟁은, 우리 미국이 잘못된 시간에, 잘못된 지점에서, 잘못된 상대와, 잘못된 전쟁을 치른 것이다. 그래서 나는 역사상 승리하지 못한 정전 협정에 서명한 최초의 미국 육군 사령관이 되었다. ……나는 고통을 느낀다. ……우리가 실패한 점은, 적을 아직 격파하지 못했는데, 적은 심지어 이전보다 더욱 강대해졌고, 더욱 위협적이었다는 데에 있다. 내가 더욱 강해졌다고 말하는 의미는, 공산주의의 아시아 육군이 이미 어떻게 근대적인 육지 전쟁을 해야 하는지를 배워서 알고 있었다는 것을 가리킨다.

— **미국 4성 장군, 제3대 유엔군 사령관 클라크**

▶ 개인으로 말하자면, 중국 병사는 완강한 적이었다. 중국 군인들이 북한에 2년 반 주둔하는 동안, 그들은 여러 차례 공격해 왔고, 또한 긴 거리를 밀고 나갔다…….

▶ 그들은 방탄조끼도 없고 철모도 없었다. ……그들이 휴대하고 있던 몇 개의 조악하게 제작된 수류탄은, 폭발력이 미군 것의 절반에도 미치지 못했다. 식량은 쌀과 잡곡을 갈아서 가루로 만든 것으로, 긴 관(管) 모양의

자루 속에 담았고, 필요한 때에는 16일도 버틸 수 있었다. 중국 군대의 의료 설비는 형편없어, 절대로 우리의 의무 부대나 전선의 구호소 및 완벽한 후방 병원과는 도저히 비교할 수 없었다. ……그러나 그들은 영원히 전진하며 싸웠으며, 목숨을 돌보지 않고 용감하게 앞으로 돌진했다.

— 미국 제8집단군 사령관, 4성 장군 밴 플리트

▶ 중국 음식 냄새를 맡기만 하면 철수하라.

▶ 중국 군대는 반드시 어디에서나 우리를 기다리고 있다.

— 미국 제8집단군 사령관, 4성 장군 워커

▶ 적은 매우 교활했으며, 그들은 전술을 잘 운용할 줄 알아, 우리의 화력 우세를 저하시켰다. ……그들이 우리와 한데 바짝 뒤엉켜 있을 때에도, 또한 마치 족제비처럼 도처에 땅굴을 팠는데, 수많은 곳에 수많은 흙을 파 놓아, 우리로 하여금 어디에 가서 그들을 찾아야 할지 전혀 알지 못하게 했다. ……그들은 무한한 인내심과 부지런함을 갖고 있었다…….

— 미국 제8집단군 사령관, 4성 장군 테일러

▶ 한국에 있을 때 우리는 이미, 중국의 지원군은 우리 미국이 두 차례의 세계대전 이래 맞닥뜨린 가장 강력한 적수라는 것을 깨닫고 있었다.

— 미국 중앙정보국 국장 · 준장 월터스

▶ 나는 평생을 보병으로서, 독일의 보병·중국의 보병과 싸워보았고, 또한 미국의 보병·소련의 보병이 싸우는 것도 보았다. 독일의 보병은 매우 우수하지만, 가장 우수한 건, 내가 생각하기엔 역시 중국 보병이었다.

— NATO 연합군 총사령관이자, 조선 전쟁 당시 중국군 포로였던 파라 호커리 대장

서막

1944년 9월 23일, 모스크바

인류 역사상 일찍이 존재한 적이 없었던 참혹한 대규모 전쟁이 이미 7년째에 접어들었다. 드넓은 태평양의 수많은 섬들에서, 오래된 유럽의 무수한 도시들에서, 대서양의 광풍과 파도 속에서, 북아프리카의 모래 먼지가 하늘을 덮는 사막에서, 동방의 나라 중국의 산야와 호수에서, 동남아시아의 습한 열대 우림에서, 한없이 푸른 하늘에서, 심지어 북극해의 차가운 물 아래에서도 수천만 명의 군인들이 두 개의 적대적인 진영으로 나뉘어 목숨을 걸고 싸우고 있었다. 그들은 적을 향해 미친 듯이 포탄·총탄·폭탄·어뢰를 쏟아 부었으며, 강철과 폭약을 다 쓰고 나면 총검으로 찔렀고, 총검이 구부러지면 이로 물어뜯거나 손으로 잡아 조르기도 하면서, 인류가 쓸 수 있는 모든 지능과 체력을 사용하여 적을 상대하고 있었지만, 사실 자신들도 사지에 놓여 있었다. 군인들의 뒤에는 몇 십 개 나라들에서 일찍이 이미 모든 생활과 생산을 전시(戰時)의 궤도에 바치고 있던 거의 20억 명의 인민들이 있었다. 비행기와 대포가 빵과 버터를 대체했고, 가마솥과 쟁기, 심지어 하수도의 철제 뚜껑마저 녹여서 기관총과 탱크를 만들었다. 온순한 부녀자는 위안부가 되었고, 선량한 노인은 전사가 되었으며, 꽃다운 나이의 소년들은 살인자가 되었다. 전쟁의 날개가 대지를 덮자, 고귀한 생명은 쓰레기보다도 가치가 없어졌다. 이제 마침내 충분히 많은 피를 흘렸을 때, 지구상의 어떤 사람들도, 심지어 바로 지금 목숨을 걸고 반대편에서 싸우고 있는 상대들마저도, 연합군이 곧 전쟁에서 승리할 것임을 의심하지 않았다. 그러나 이 시각, 곧 승리를 거둘 영국의 수상 처칠은 오히려 조금도 홀가분한 느낌이 없었다.

몸이 비대한 처칠은 소파에 깊숙이 들어박혀, 전쟁 초기에 차마 돌이켜 생각하고 싶지 않은 참패를 겪었는데, 소련과 미국이 잇달아 전쟁에 빠져들면서 맹방이 되자, 자신의 예지와 교활함에 의지하여, 떳떳하고 정당한 행위부터 비열하고 악착스러운 각종 수단들까지 종합적으로 운용한 후에, 그가 조종하는 영국이라는 배는 곧 승리의 피안을 향해 나아갔다. 처칠은 본래 기쁨과 즐거움을 느끼고 있어야 했지만, 그에게는 그런 것들이 전혀 없었다. 도리어 그는 깊은 무력감이 가슴속에 가득 차 있었다. 그의 제국은 늙었고 병들었다. 처칠은 영국이라는 사자가 비록 여전히 포효하고는 있지만, 그 힘은 고갈되었고, 온 몸에는 물고기 비늘처럼 많은 상처를 입었으며, 심지어 꼬리마저도 고름과 부스럼으로 가득하여 곧 흔들지도 못하게 될 것이라는 걸 누구보다도 잘 알고 있었다. 세계의 정상에 웅거한 지 200년 된 그레이트 브리튼 제국은 과거의 영광을 다시는 누리지 못하게 될 것이며, 장차 피할 수 없는 쇠락으로 2류 국가가 될 것이다. 위인의 무한한 포부와 지배할 수 있는 역량의 쇠퇴는, 처칠로 하여금 끝없는 비애와 고통을 느끼게 했다. 특히 그가 얼굴을 돌려 차 탁자 맞은편에서 담뱃대를 빨고 있는 조지아(Georgia)[1]인을 볼 때는 더욱 그러했다. 독일 제국의 폐허 위에, 머지않아 이 사람의 새로운 제국이 세워질 것이기 때문이었다.

처칠은 입에 물고 있던 아바나 시가를 내려놓고, 파이프 담배를 피우고 있는 스탈린의 저 담배 연기 뒤에 가려져 약간 몽롱해 보이는 얼굴을 바라보고 있자니, 약간의 분노가 느껴지는 걸 금할 수 없었다. 지금 이 시대에, 그의 면전에서 이처럼 거리낌 없이 담배를 피울 수 있는 사람이 몇 명 되지도 않겠지만, 혹시라도 단 한 명이 남는다고 한다면, 그건 바로 스탈린일 것이다. 솔직히 말하자면, 처칠은 내심 깊은 곳에서 스탈린을 증오하고 있었다. 그것은 일종의 천적 간의 원한이었다. 제1차 세계대전을 겪은 대국들 가운데 러시아를 증오하고 원망하지 않는 나라는 없었다. 영국과 프랑스는 러시아가 갑자기 전쟁에서 탈퇴한 것을 원망했고, 독일은 러시아가 전쟁의 가장 긴박한 순간에 갑자기 배후에서 칼로 찌른 것을 원망했다. 그리고 그들은 함께 러시아의 공산주의 제도를 증오했다. 제2차 세계대전이 발발하기

1 구소련을 구성했던 공화국들 중 하나인 그루지야를 가리킨다. 러시아어 표기인 그루지야 대신 영어식 표기인 조지아(Georgia)를 선호하기 때문에, 본문에서는 '조지아'라고 표기했다. 여기에서 조지아인이란 스탈린을 가리킨다.

얼마 전에, 처칠은 소련인들을 추악한 고릴라라고 매도했으며, 영국은 소련에 대해 '소멸'이라는 단 두 글자만을 갖고 있었다.

영원한 적도 없고, 영원한 친구도 없다. 단지 영원한 이익만 있을 뿐이다. 철저한 실용주의자인 처칠은 소련이 독일과 전쟁을 하자, 즉시 그는 소련을 저주했던 더럽고 지저분한 말들을 잊고 곧바로 시(詩)와 같은 말로 노래를 불렀다: "소련의 위험은 곧 우리의 위험이다. 소련인들이 국가를 지키기 위해서 싸우는 활동은, 바로 세계 각지의 자유로운 시민들과 자유로운 민족의 활동이다!"

처칠이 이번에 스탈린을 만난 것은 전후 세계의 재편을 위해서 스탈린과 기초적인 협의를 시작하기 위한 것이었다. 그는 내심 다시금 스탈린을 증오하고 있었음에도, 스탈린 휘하에 있는 소련 붉은 군대의 실력을 직시하지 않을 수 없었다. 천만 명의 소련 붉은 군대는 이미 체코슬로바키아·불가리아·루마니아·헝가리·유고슬라비아 등 중·동부 유럽 국가들을 석권했고, 현재 소련군은 이미 폴란드의 수도 바르샤바를 공격하고 있었다. 그러나 그의 영국 군대와 루스벨트의 미국 군대는 프랑스 중부와 이탈리아의 아펜니노 산맥(Apennine Mountains)에서 아직도 고전하고 있었다. 그와 루스벨트는 소련이 이렇게 싸우면 도나우 강 유역과 대부분의 유럽을 스탈린이 가져갈 것이라고 두려워했다. 이러한 형세는 그로 하여금 스탈린과 즉시 회담을 갖고, 유럽에서 승리의 과실을 나누는 문제를 협상하도록 압박했다. 간단히 말하자면, 이는 바로 '서방 세계와 소련이 유럽에서의 세력 범위를 어떻게 나눌 것인가'라는 것이었지만, 후대의 역사가들은 더욱 쉽게 설명하기를, 그들이 "장물 나누어먹기" 회담을 했다고 말한다.

처칠은 미소를 지으며 스탈린을 바라보았다: "우리는 우리의 이익이 있고, 당신들은 당신들의 이익이 있습니다. 어떻게 하면 우리 쌍방이 더불어 우리 각자의 이익이 손상되지 않도록 할 수 있겠습니까?"

스탈린도 마찬가지로 미소를 지으며 처칠을 바라보았다: "당신 의견은요?"

스탈린은 근본적으로 처칠을 신뢰하지 않았다. 그는 자신의 부하들에게 이렇게 말하며 훈계한 적이 있다: "루스벨트는 단지 자네들의 루블 지폐만 가져가겠지만, 처칠은 자네들 바지 주머니 속의 마지막 코페이카[2] 동전까지 훔쳐가 버릴 것이네!"

처칠은 반쪽짜리 종이를 손에 잡히는 대로 꺼내더니 다음과 같이 썼다.

루마니아

소련……90%

기타 국가……10%

그리스

영국(미국과 똑같이)……90%

러시아……10%

유고슬라비아……50%—50%

헝가리……50%—50%

불가리아

소련……75%

기타 국가……25%

처칠은 쪽지를 스탈린에게 건네주었다. 그는 훗날 이렇게 회고했다: "스탈린이 파란 연필을 들고 동의를 표시한 뒤, 그 쪽지를 돌려주었다. 모든 것이 그렇게 해결되었는데, 그것을 적는 것보다 훨씬 빨랐다."

유럽의 10여 개 나라들에 살고 있는 수억 명 사람들의 운명은 이 얇은 반쪽짜리 얇은 종이로 대표되는 강권(强權)에 의해 결정되었다. 그 기본 원칙은 바로 단 한 항목으로, 누구의 군대라도 어떤 지역을 점령할 수 있고, 그 지역은 점령한 자의 세력 범위가 되며, 어떤 식의 사회 제도를 세우는지

2 루블과 코페이카는 러시아의 화폐 단위로, 1루블은 100코페이카이다.

를 다른 사람은 관여할 수 없다는 것이었다.

회담은 쌍방 모두 어떤 양심의 가책이라도 느끼는 듯이, 쌍방 모두 겸연쩍어하며 침묵하기 시작했다. 연필로 적은 쪽지는 여전히 책상 가운데 놓여 있었는데, 처칠이 마침내 침묵을 깼다: "우리가 수천 수백만 명의 생사와 직접 관련이 있을 이런 문제를 처리한 것 같은데, 이렇게 성급한 태도로 해버린다면, 세상을 우습게 안다는 소리를 듣지 않겠습니까? 우리 이 쪽지를 태워 버립시다."

"아니오. 당신이 보관하십시오." 스탈린이 말했다.

스탈린이 이런 세력 분할에 동의한 것은 결코 처칠 때문만은 아니었다. 솔직히 말하자면, 처칠의 실력은 이미 그의 적수로 삼기에는 어울리지 않았지만, 처칠의 등 뒤에서는 다리를 저는 루스벨트가 앉아서 지지해주고 있었다. 누구나 다 알듯이, 제2차 세계대전은 두 개의 오래된 제국을 무너뜨렸고, 두 개의 새로운 제국을 우뚝 일어서게 만들었다. 독일의 폐허에는 소련이, 영국의 폐허에는 미국이 있었다. 스탈린은 처칠을 무시할 수는 있었지만, 루스벨트를 무시할 수는 없었다.

유럽의 전후(戰後) 문제는 기본적으로 이렇게 해결되었다. 이제 동방의 대(對)일본 작전과 아시아에서 어떻게 세력을 분할할 것인가 하는 문제가 남아 있었다. 그러나 골치 아픈 것은, 아시아 전쟁의 판세가 아직 최후의 결과를 보이지 않았고, 소련이 아직 대일본 작전에 참가하고 있지 않다는 것이었다. 그리고 누구나 모두 크게 골머리를 앓고 있는 중국 문제도 있어, 이것저것 시시콜콜 따져봐야 할 여지가 참으로 적지 않은 데다, 하물며 또 다른 주인공은 아직 무대에 오르지도 않고 있었다. 그렇다면 다음의 얄타 회담을 기다렸다가 해결할 수밖에 없었다. 다행히 장물을 나누어 갖는 원칙은 이미 세워졌으니, 그 문제도 어렵지 않게 해결될 것이다.

1945년 2월 4일, 소련 크림 반도의 얄타

말하자면 매우 이상하지만, 미국 유일의 4선 대통령인 프랭클린 델라노 루스벨트는 서른아홉에 소아마비를 앓았다. 이 질병은 그로 하여금 남은 반평생 동안 휠체어 신세를 지게 만들었다. 지금 그는 이미 늙었다. 루스벨트는 미국을 위해 승리의 월계관을 획득했지만, 승리는 그의 정력을 소모시켰다. 그는 몸이 허약하고, 얼굴이 누렇게 뜨고, 두 눈에는 빛도 없었다. 그의 생명이 막다른 지경에 이르렀지만, 누구도 감히 그렇다고 그를 경시하지는 못했다.

이때, 온 정력을 모두 소모해 버린 루스벨트는 자신감이 넘쳐났다. 그의 자신감은 미국의 막강한 실력과 호적수의 쇠락에서 비롯된 것이었다. 프랑스는 일찍이 1939년에 패배했고, 독일은 이제 곧 망할 것이다. 영국은 이미 쇠약해졌고, 일본은 수도마저 폭격을 받아 폐허가 되었다. 이탈리아는 붕괴되었고, 동방의 중국은 이미 100년간 전쟁을 겪고 있어서, 나폴레옹이 말한 잠자고 있는 사자(나폴레옹은 중국을 가리켜 "잠자는 사자를 건드리지 말라"고 했다-옮긴이)가 깨어날 것인지는 아무도 알지 못했다. 그러나 두 개의 대양(大洋)이 보호하는 미국은 두 차례 세계대전이 모두 본토에 미치지 않았고, 다른 이들이 죽을힘을 다해 기진맥진해 있을 때 다시 참전하여 승리의 과실을 탈취했으니, 전쟁의 단맛을 모두 맛보았다고 할 수 있었다. 이때 미국은 이미 전 지구의 절반에 해당하는 공업 생산력을 갖고 있었으며, 연간 철강 생산량만 해도 8천만 톤에 달했다(그로부터 50년 후에야 중국의 철강 생산량이 이 수준에 도달할 수 있었다). 전 지구를 둘러봐도 어느 나라가 미국에 견줄 수 있었겠는가? 솔직히 말하자면, 루스벨트는 이제야 겨우 스탈린을 좀 높이 보고 있었다. 어쨌거나 그는 그때 1,100만 명의 군대를 보유하고 있었다. 특히 그는 독일과의 전쟁에서 단련된 세계 최강의 육군을 갖고 있어, 다른 사람이 가볍게 볼 수 없었다.

그러나 루스벨트는 결코 스탈린을 두려워하지 않았고, 스탈린의 허약함을 간파했다. 큰 전쟁을 4년 동안 치르면서, 소련은 2,700만 명이 사망했는데, 이는 소련 전체 인구의 10분의 1보다 많았다. 전쟁 후의 소련은 모든 가정마다 식탁에 한두 개의 빈자리가 있었으며, 심지어 스탈린의 큰아들도 전쟁에서 사망했다. 전쟁의 참화를 심각하게 입은 소련의 국민경제는 거의 붕괴 직전이었고, 공업 생산량은 미국의 5분의 1에 지나지 않았으며, 철강 생산량은 겨우 1,200만 톤에 불과했다. 그는 얄타의 순환도로에서 보았던 소련 경찰 부대의 모습을 회상했다. ……그 부대의 대부분은 미성년의 아이들과 여자들이었다. 군복은 얇고 장갑조차 갖추고 있지 않아, 총을 소지하고 경례를 할 때는 몸이 찬바람 속에 떨리고 있었다. ……루스벨트는 입가에 냉소가 터져 나오는 것을 금할 수 없었다. 소련의 인력과 물자 공급 능력은 이미 바닥나 있었다. ……스탈린은 단지 그의 실력이 손에 넣도록 허락하는 만큼밖에 손에 쥘 수 없었다!

루스벨트가 씩 웃으며 말했다: "우리의 이번 회의로 평화롭고 안정적인 전후 체제를 확립할 수 있기를 희망합니다."

스탈린과 처칠은 고개를 끄덕였다.

회의는 7일 동안 진행되었다. 반파시스트 동맹의 3대 거두인 최고 소비에트 상임간부회의 주석 스탈린, 미국 대통령 루스벨트, 영국 수상 처칠이 역사적 의의가 큰 회의를 거행했다. 역사는 이를 "얄타 회담"이라고 부른다. 얄타 회담은 전후 세계, 특히 유럽의 기본적인 전략 구도를 확립했는데, 이 구도는 1989년 동유럽의 격변과 소련의 붕괴 이후에야 비로소 완전히 끝장났음을 선고했다.

얄타 회담의 내용은 두 가지로 나눌 수 있다. 첫째는 미국·소련·영국 3국이 전후 독일을 어떻게 처리하고, 유럽의 세력 범위를 어떻게 나눌 것인가 하는 점이다. 둘째는 미·소 양국이 어떻게 일본을 처리하고, 극동의 세력 범위를 어떻게 나눌 것인가 하는 점이다. 이 문제에 대해 논할 때, 처칠은 옆으로 내팽개쳐졌다. 그와 곧 붕괴될 그의 제국은 이미 이 문제를 처리할 능력이 없었다. 개탄스러운 것은, 일본과 가장 오랫동안 싸워왔고, 가장 많은 노력을 기울였고, 희생이 가장 많았던 중국이, 일본을 어떻게 처리할 것인가 하는 문제에서 완전히 배제되었다는 점이다. 이에 그치지 않고, 승전국인 중국이 미국과 소련의 거래 조건을 만족시키기 위해 150만 평방킬로미터의 토지[3]를 할양하는 데 동의하도록 압박을 받았다. 두 차례의 세계대전에서 중국은 모두 명목상의 승전국이었지만, 승리보다는 굴욕을 당했다. "다른 이들은 칼과 도마가 되었고, 우리는 생선이 되었다[人爲刀俎, 我爲魚肉]". 후세의 한 중국 역사학자는 얄타 회담을 이렇게 평가했다.

미국과 소련이 거래한 기본 내용은 소련의 일본에 대한 선전포고였다. 그 조건은 소련이 쿠예[庫頁] 섬(러시아가 '사할린 섬'이라고 부르는 곳으로, 한때는 중국의 영토였다) 남부 및 쿠릴 열도를 점유하고; 중국의 부동항인 다롄(大連)과 중장(中長) 철도[4]를 사용할 수 있으며; 외몽골의 정식 독립이었다. 전승국인 중국의 합법적 이익이 미·소 동맹국에 의해 거래되는 것을 중국은 전혀 알지 못했으니, 패전국만도 못했다.

미국과 소련의 회의 내용은 조선 문제도 다루었다. 이때 조선은 일본에게 멸망한 지 30여 년이 지났다. 미국과 소련 쌍방은 "조선의 신탁 통치"를 협의했다. 루스벨트는 "조선은 한 명의 소련 대표, 한 명의 미국 대표, 한 명의 중국 대표에 의해 신탁 통치를 받고, 신탁 통치 기간은 20년 내지 30년으로 하자"고 제의했다. 스탈린은 "신탁 통치 기간은 짧으면 짧을수록 좋다"는 뜻을 밝혔고, 아울러 전쟁이 끝나면 조선을 독립시켜야 한다고 주장했다. 이번 회담에서 조선 문제의 처리에 대해서는 쌍방 모두 애매했고, 전쟁이 여전히 지속되고 있었으므로 어떻게 될 것인지 아무도 모르는 상황이었다. 조선 문제는 아직 그다지 급박하지 않았고, 더욱 많은 큰일들이 여전히 거두들이 처리해주기를 기다리고 있었다.

3 150만 평방킬로미터의 토지란 외몽골에 해당하는 몽골인민공화국을 가리킨다(현재 몽골의 면적은 156만 4,116평방킬로미터이다). 이는 중국의 영토가 되거나, 적어도 중국의 영향력 하에 있어야 할 몽골이 친소 공산주의 국가가 된다는 것을 의미한다.

4 현재 중국 영토에 속하는 내몽골 자치구의 만저우리(滿洲里)를 기점으로 하고, 헤이룽장성(黑龍江省) 쉐이펀허(綏芬河)를 종점으로 하는 1,481킬로미터의 철도

1945년 2월 11일, 얄타 회담이 끝나고, 세 명의 거두들은 고급 장교들과 바짝 붙어 따라다니는 경호원들이 빼곡히 둘러싸고 있는 상태에서 러시아 제국 차르의 피서별장인 리바디아 궁전 앞에 앉아 흑해를 마주한 채 이야기꽃을 피우고 있었다.

"얄타는 정말 아름답습니다!" 처칠이 스탈린을 향해 감탄하며 말했다. "얄타 회담은 더욱 위대합니다!"(얄타에 오기 전, 처칠은 루스벨트에게 몰래 편지를 보내, "얄타는 발진티푸스와 빈대뿐이니, 어디에서 회의를 하더라도 얄타보다는 낫습니다"라고 화를 냈었다.)

스탈린이 웃으며 대답했다: "전후 평화가 영원히 유지되기를 바랍니다."

침묵하던 루스벨트는 파도가 넘실거리는 흑해를 보면서 태평양에 있는 육군 원수인 맥아더를 떠올렸다. 맥아더는 극단적 반공주의자로, 소련의 대일본 전쟁 참가를 절대 반대하고 있었다. 그는 일본의 붕괴는 이미 정해졌으며, 미국은 온전히 자신의 역량만으로 일본을 물리칠 수 있으므로, 근본적으로 음흉하고 속내를 알 수 없는 소련의 힘을 빌릴 필요가 없다고 생각했다. 그렇게 되면, 전체 동양의 전후 처리 문제는 간단했다. 즉 미국이 아시아 지역에서 대일본 전쟁의 모든 승리의 과실을 독차지하는 것이다!

맥아더를 조금도 좋아하지 않았고, 심지어 미워하기까지 했지만, 루스벨트는 그가 이치에 맞는 말을 했다는 것을 인정하지 않을 수 없었다. 그러나 문제는 맥아더가 정치를 모른다는 것이었다. 미국은 어떠한 문제라도 개의치 않을 수 있었지만, 사람이 죽는 문제에 대해서는 그럴 수 없었다. 일본은 이미 궁지에 몰려 있었지만, 미국의 최고 군사기구인 합동참모회의는, 만약 일본 본토에 진격한다면 미군이 적어도 100만 명 이상 사망하는 대가를 치러야 할 것이라고 추정하고 있었다. 비록 루스벨트는 직접 "맨해튼 프로젝트"(미국의 원자폭탄 제조 계획을 가리키는 암호명)를 가동했지만, 오직 하느님만이 이 장난감이 터질지 터지지 않을지 알고 있었고, 저 기상천외한 과학자들이 결국은 기껏해야 엄청나게 큰 감자(폭발하지 않는 원자폭탄을 비유한 말-옮긴이)밖에 만들어내지 못할지도 아직 알지 못했다. 루스벨트는 이 보물을 지금 같은 상황에서 판돈으로 감히 올릴 수는 없었다. 전쟁은 곧 끝나겠지만, 미국 정치와 미국 국민들은 전쟁의 마지막 단계에서, 이렇게 많은 미국의 자제들이 죽는 것을 허락하지 않을 것이다. 그래서 어쩔 수 없이, 설령 그것이 독을 마셔서 갈증을 푸는 짓이라 할지라도, 소련을 이 국면에서 끌어들여 대일본 전쟁에 참가시키지 않을 수 없었다. 다시 말하자면……루스벨트는 몸을 옆으로 하고 스탈린을 바라보며 속으로 자신에게 말했다: '이봐, 다시 말하지만 저 조지아인은 당신이 그를 초청하지 않더라도 그는 자발적으로 참전하여 한몫 잡을 걸세. 그러지 않으면 스탈린이 아니지! 그러느니, 대세에 따라 일을 처리하여 인정을 베푸는 게 낫잖아.' 어쨌든 간에, 소련의 참전은 결국 미국 태평양 부대의 부담을 크게 줄여줄 것이다.

"대통령 각하께서는 무슨 생각을 하십니까." 깊은 생각에 잠겨 있던 루스벨트는 문득 스탈린이 매우 심오하게 자신을 응시하고 있음을 알아챘다. 루스벨트는 크게 웃으며 말했다: "얄타 회담이 전후 세계 체제의 기초와 기본적인 세계 판도를 성공적으로 다졌으니, 그것은 역사에 길이 남을 것입니다."

세 거두들의 의기양양한 웃음소리가 흑해 해변에 메아리쳤고, 세상은 이미 그들이 처리한 궤적에 따라 움직이는 듯했다. 그들의 구상에 따르면, 세계는 몇 개의 다른 층차로 나뉘었다. 숫자가 가장 많은 발전도상 국가와 식민지 국가, 그리고 당연히 또한 패전국이 최하층 부분을 이루며, 그들의 역할은 자원과 시장을 제공하는 것이다. 영국과 프랑스 등 전통적인 서방의 강국들이 두 번째의 층차를 차지하며, 미국과 소련이 곧 피라미드의 꼭대기에 웅거하면서 전 지구를 오만하게 대하는 것이다.

안타깝게도 역사의 변천은 세 거두의 예측을 뛰어넘었다. 그들은 큰 시대의 변화를 소홀히 했던 것이다. 잔혹한 전쟁이 이미 제3세계를 각성시키는 종소리를 울리자, 민족주의와 반식민지주의의 거대한 물결이 머지않아 전 세계에서 폭풍처럼 거세게 일어나게 된다. 세 거두들의 제국주의적 사고로 충만한 전후(戰後) 처리는 장차 새로운 반식민주의 전쟁과 반제국주의 전쟁의 씨앗을 심어 놓았다. 루스벨트는 곧 사망하는 바람에, 그는 이러한 상황을 보지 못했다. 스탈린은 좀더 오래 살아서, 중국 인민들이 제국주의·식민주의 및 봉건주의를 뒤엎고, 동양에서 가장 먼저 얄타 회담의 구도를 타파하는 것을 보았다. 비록 이것은 그의 예상을 뛰어넘는 것이었지만, 그는 그 완고한 중국공산당 최고 지도자의 결심을 바꿀 방법이 없었다. 그 사람은 민족주의에 관련된 문제에서는 그(스탈린-옮긴이)보다 훨씬 고집이 셌다. 스탈린은 아직 사회주의 진영 전체의 이익을 위해 바라보고 있었는데, 중국은 결연하게 항미원조 전쟁에 뛰어들었다. 그리하여 이 전쟁은 마침내 중국공산당 사람들은 "단지 토지개혁가에 불과하다"라는 스탈린의 잘못된 시각을 바꿔놓았으며, 그로 하여금 중국공산당과 중국 인민에 대해 다시 존경심으로 충만하게 만들었다. 처칠은 더 오래 살아서, 그는 중국인들이 다시 일어서는 것을 보았을 뿐만 아니라, 100년이 넘는 시간 동안 압박을 받던 중국인들이 조선에서 최초로 자발적으로 나라의 문을 쇄도해 나가 자신이 뛰어난 능력을 갖고 있다고 여기던 서방의 군대를 맞아 싸우고, 또한 승리를 거두는 것을 보았다. 그는 오래 살았기 때문에, 그는 또한 자신이 그것을 위해 평생 동안 분투했던 대영 제국이 철저히 붕괴하는 것도 볼 수 있었다. 제국주의와 인종주의 사상으로 가득했고, 중국인들을 극단적으로 멸시하고 공산당을 원수로 여기던 처칠은 죽을 때까지도 다음 두 가지 문제들을 이해하지 못했다: 대영제국은 왜 해체되었는가? 수십 년 전에는 2만 명의 8국 연합군이 아무런 힘도 들이지 않고 베이징에 도달했는데, 똑같은 중국인이 서방에 비해 그때와 똑같이 열악한 무기들을 사용했음에도, 어째서 거의 200만 명에 달하는 16개국 유엔군은 왜 동양의 야만인들에 의해 압록강 강변으로부터 400킬로미터나 밀려났다가, 체면을 잃고 전쟁에서 물러날 수밖에 없었는가?

사실 이 모든 것들은 한 사람과 관련이 있다. 어떤 역사적 의미에서 말하자면, 이 사람은 세 명의 거두들을 한데 합친 것보다 더욱 패기 있고, 더욱 총명하고, 더욱 큰 재능이 있었다.

제1장

풍운의 시작

세 거두들이 흑해 해변에서 이야기꽃을 피우고 있을 때, 중국 서북쪽 황토 고원의 한 토굴집에서는 키가 크고 마른 데다, 머리는 길렀고, 옷에는 기운 자국이 가득한 마오쩌둥이 그의 전우들과 함께 중국의 앞날을 전망하고 있었다.

이때 미국의 원자폭탄은 로스앨러모스(Los Alamos)[5]의 철탑에 매달려 있었으며, 소련의 장갑 군단은 홍수처럼 독일로 진격하고 있었다. 전쟁으로 인해 생겨난 신기술들은 머지않아 전 인류에게 심지어 꿈에도 생각지 못한 세계를 열어줄 것이며, 완전히 새로운 시대가 이미 도래하고 있었다. 그러나 빈곤한 중국의 공산당 사람들은 해방구의 인민들을 배불리 먹이고, 현재 일본과 전쟁을 벌이는 최전선 부대의 각 병사들에게 한 자루의 소총을 지급할 수 있기 위해 분투하고 있었다.

"夫天, 未欲平治天下也. 如欲平治天下, 當今之世, 舍我其誰也?(무릇 하늘이 아직 천하를 태평하게 다스리고자 하지 않는다. 만약 천하를 태평하게 다스리고자 한다면, 지금 세상에 나 말고 누구이겠는가?)"[6] 마오쩌둥은 일찍이 창샤(長沙) 제1사범학교 시절에 맹자의 이 말을 자신의 교실에 반듯하게 써놓은 적이 있었다.

"중화의 굴기를 위해 공부하리라!" 저우언라이(周恩來, 1898~1976)는 10살 때 이렇게 맹세했다.

눈앞의 어려움이 어찌 중국공산당의 수많은 뛰어난 인물들의 깊고 깊은 뜻을 막을 수 있었겠는가?

"무솔리니는 교수형에 처해졌고, 이탈리아는 전쟁에서 물러났습니다. 소련 붉은 군대의 탱크는 곧 베를린에 도달할 것이고, 히틀러의 마지막은 아마도 무솔리니만도 못할 것입니다. 침략하는 것이 버릇이 된 세 개의 파시스트 국가들 가운데, 지금 일본 하나만이 외롭게 남았습니다. 우리 고향 말을 빌리자면, '일본은 가을을 지난 말벌'이니, 날뛸 날이 며칠 남지 않았습

5 미국 뉴멕시코 주에 있는 도시 이름
6 『맹자(孟子)』「공손추(公孫丑)」下에 나오는 구절이다.

니다."

마오쩌둥은 말을 할수록 흥분했다. 마오쩌둥은 좁은 토굴집에서 왔다 갔다 하며 말했다: "우리와 일본인들은 8년이나 혈전을 치렀고, 곧 항일 전쟁의 승리를 거둘 것입니다. 그렇다면 우리 당의 다음 공작의 중점 사항은 무엇이겠습니까? 일본 놈들을 무찌르면 곧 만사가 대길하고 천하가 태평해지는 것입니까?"

마오쩌둥의 전우인 저우언라이·주더(朱德, 1886~1976)·류사오치(劉少奇, 1898~1969)·런비스(任弼時, 1904~1950) 등은 캉(炕: 중국식 온돌-옮긴이) 옆에 앉아 마오쩌둥의 구상에 귀를 기울였다. 불세출의 영웅호걸임에도 불구하고, 그들은 외모에 신경을 쓰지 않는 이 중년 남성에게 깊은 감명을 받았다.

마오쩌둥은 이때 이미 당에서 확고한 신망을 확립하고 있었다. 그의 신망은 왕밍(王明, 1904~1974)[7]처럼 모스크바의 명령으로 유지되는 것이 아니라, 실천에 의해 검증되었다.

1936년, 그는 몇 천 명밖에 남지 않은 군대를 이끌고 산베이(陝北)에 이르렀다. 결국 그의 지도 아래, 단 몇 년 만에, 생존조차 힘겨웠던 이 군대는 9,500만의 인구, 91만의 군대, 225만의 민병(民兵)을 포함하는 강대한 해방구를 장악했다.

마오쩌둥은 중국 혁명이 스스로 배출한 최고 지도자로, 그의 전우들은 그를 깊이 신임하고 있었다.

"지금의 기회는 매우 좋습니다."

마오쩌둥은 입가에서 침에 젖은 담배꽁초를 뱉어냈다. 산시(陝西)·간쑤(甘肅)·닝샤(寧夏) 일대에서 독자적으로 생산했던 '대생산(大生產)'이라는 상표의 열악한 품질의 담배를 연신 피워댔기 때문에 그는 심한 기침을 했다. 그

7 중국공산당의 초기 지도자 중 한 사람으로, 모스크바에 유학했다가 귀국한 뒤, 중국공산당 내부에 교조주의 계파를 구축했다. 이후 계속 코민테른을 등에 업고 좌경 노선을 견지하면서 시종 마오쩌둥과 대립했다. 결국 1956년에 다시 소련으로 건너갔으며, 중소 분쟁 후에는 소련식으로 개명하고, 소련의 입장에서 마오쩌둥을 비판하다가, 모스크바에서 생을 마쳤다.

는 이어서 말했다:

"유럽에서 콧수염 히틀러는 곧 타도될 것이고, 그곳의 전쟁은 금방 승리할 것입니다. 그것은 소련의 붉은 군대가 노력한 결과입니다. 동방에서, 일본 제국주의를 쓰러뜨리는 전쟁도 승리의 시간에 다가가고 있습니다. 승리한 다음에는 어떻게 되겠습니까?"

마오쩌둥은 그의 전우들을 둘러보며 말했다: "중국 인민의 앞에는 두 갈래의 길, 즉 광명의 길과 암흑의 길이 놓여 있습니다. 두 가지 중국 운명, 즉 광명한 중국 운명과 암흑의 중국 운명이 있습니다. 독립되고, 자유롭고, 민주적이고, 통일되고, 부강한 중국은 광명의 중국이라고 할 수 있으며, 중국 인민은 해방된 신중국을 얻게 될 것입니다. 그렇지 않고 다른 중국이 있으니, 반식민지 반봉건의 분열되고 빈약한 중국입니다."

마오쩌둥은 흥분하여, 그는 손을 힘차게 휘둘렀다: "당의 제7차 전국대표대회가 곧 개막합니다. 중국공산당은 이미 1,200만 당원을 가진 큰 당이 되었는데, 그렇다면 우리가 하는 일들은 응당 어떠해야 할까요? 우리의 임무는 무엇일까요? 우리의 임무는 다른 것이 아닙니다. 철저하게 대중을 동원하고, 인민의 역량을 강대하게 하고, 온 나라의 모든 단결할 수 있는 역량을 단결시켜서, 우리 당의 영도하에 일본 침략자들을 무찌르고, 광명의 신중국을 건설하고, 독립되고, 자유롭고, 민주적이고, 통일되고, 부강한 신중국을 건설하기 위해 분투해야 합니다. 우리는 온 힘을 다해 밝은 앞날과 밝은 운명을 쟁취하고, 또 다른 어두운 앞날과 어두운 운명을 반대해야 합니다!"

"나는 제7회 전국대표대회 개막식에서 낭독할 글을 쓸 것입니다. 제목은 「두 가지 중국의 운명(兩個中國之運命)」입니다!" 마오쩌둥은 손을 연달아 휘둘렀다.

중국공산당 중앙정치국 회의와 동시에 중국·소련·조선 국경의 밀림에서는 영준하고 훤칠한 중년 남자가 그의 유격대원들을 주시하고 있었다. 그의 조국은 일본에 의해 멸망한 지 35년이 되었다. 조국은 비록 침략자의 손아귀에 떨어졌지만, 조국의 혼백은 죽지 않았고, 조국의 훌륭한 아들딸들은 줄곧 싸워왔다. 그는 가난했지만 민족주의 정서로 가득한 소작농 가정 출신으로, 어려서부터 강렬한 애국주의 교육을 받았으며, 14세 때에는 조선이 독립하지 못하면 영원히 고향에 돌아오지 않겠다고 맹세했다. 18세 때에는 조선혁명군을 조직하여, 성년도 되지 않았는데 총을 들고 중국과 조선 국경의 설산 밀림 속에서, 백두산과 흑룡강 사이에서 일본 침략자의 최정예 육군 부대인 관동군과 죽을 각오로 싸웠다. 그를 지도자로 하는 용사들은 조선의 독립을 위해 가장 단호하고 가장 용감하게 싸웠으며, 동시에 가장 처절하게 희생된 무리들 중 하나였다. 이때 그들은 이미 15년 동안이나 참으로 힘들고 어려운 게릴라전을 지속해왔고, 그도 소년에서 중년으로 성장했으며, 또한 피비린내 나는 전투 속에서 조선 공산주의의 지도자로 성장했다. 그가 바로 조선 인민들이 "한별"이라고 부르던 김일성이다.

모스크바와 긴밀한 관계를 유지하고 있었고, 소련 극동군에서 복무했던 김일성은 일본이 곧 멸망하리라는 것을 알자, 억제하기 힘든 격렬한 감정이 그를 자극했다. 멀리 있는 조국의 푸르른 산들을 바라보며, 김일성은 큰 소리로 그 주변에 있는 유격대원들에게 선언했다:

"일본 침략자들을 몰아내고, 우리는 독립되고, 민주적이고, 강성한 신조선을 건설할 것입니다!"

1945년 8월 8일 자정

중국 동북 지방의 쑹화강(松花江) 평원 상공에서는 큰비가 쏟아졌다. 밤하늘에는 끊임없이 여러 갈래로 쪼개는 칼끝과도 같은 빛줄기가 번뜩였으며, 우레 소리가 땅을 뒤흔드는 것이, 흡사 침략자의 종말을 예고하는 듯했다.

이때 중국과 소련 국경의 다싱안링(大興安嶺) 일선에서는 100만 명이 넘는 소련의 붉은 군대가 공격 개시선에 진입하여, 공격 신호가 떨어지기를 기다리고 있었다.

소련 붉은 군대의 최고 통수권자인 스탈린은 이 시각에 결코 소련군 총참모본부에서 지키고 있지 않았고, 그는 영화를 보고 있었다.

큰 전쟁이 임박했는데, 스탈린은 뜻밖에 매우 홀가분하여, 대일본 작전의 구체적인 업무에는 거의 신경 쓸 필요를 느끼지 않았다. 당연히 승리하리라는 자신감을 갖고 있어, 극동 총사령관인 바실레프스키(Aleksandr Vasilevsky, 1895~1977) 원수가 현지에 주재하여 지키면서 지휘하면 되었다. 비록 그의 눈앞에 있는 스크린에서는 '전함 포템킨'의 수병들이 폭동을 일으키고 있었지만, 스탈린은 바로 마치 6개월 전 포츠담 회담에서 미국 대통령 트루먼이 자신에게 발설한 핵 위협을 보는 것 같았다.

솔직히 말하자면, 스탈린은 트루먼을 무시했다. 많은 미국인들 스스로도 루스벨트의 갑작스런 죽음으로 인해 후임자가 된 이 전직 미국 부통령을 업신여겼다. 생각해보면, 포츠담 회담에서 트루먼은 뜻밖에도 스탈린과 처칠에게 말하기를, 자신 같은 미주리 시골 출신의 애송이가 원수와 수상이라는 두 명의 큰 인물들과 함께 있을 수 있어, 진실로 매우 즐겁다고 했었다. 트루먼이 이 말을 하자, 스탈린과 처칠은 함께 트루먼을 향해 미소를 지어 보였다. 당시 스탈린은 또한 이 미주리 출신의 애송이가 정말이지 매우 사랑스럽다고 느꼈다. 적어도 노회하고 교활한 루스벨트보다는 귀엽다고 느꼈다. 생각지 않게 포츠담 회담이 끝나는 날, 트루먼은 스탈린의 마음속에 있던 자신의 좋은 이미지를 단번에 깨뜨려버렸다.

그날 일을 생각하면 스탈린은 매우 화가 치밀었다. 당시 트루먼은 혼자서 득의양양하게 그에게 말했다:

"내가 당신에게 비밀을 하나 알려주고 싶은데, 우리 미국이 새로운 폭탄을 하나 만들었습니다."

스탈린은, 자신이 못 들은 체하며 대답을 하지 않자, 트루먼은 그가 그 말의 의미를 깨닫지 못했다고 여기고 계속해서 의기양양하게 자랑하던 것을 기억하고 있었다: "이 폭탄은 예사롭지 않고 상상하기 어려운 파괴력을 갖고 있습니다!" 스탈린은 일부러 못 들은 척하며, 두어 마디 얼버무리고 떠났다.

트루먼은 분명 스탈린 자신을 아무것도 모르는 바보라고 생각했으리라!

여기까지 생각하면서, 스탈린은 두 번의 냉소를 금치 못했다. 트루먼이야말로 바보지!

일찍이 1941년에 미국이 원자폭탄을 처음 개발하기 시작했을 때, 소련은 그 정보를 입수했다. 솔직히 말해, 스탈린은 트루먼보다 원자폭탄이라는 물건을 훨씬 먼저 알았다. 아마도 멸시해서 그랬는지, 루스벨트는 살아 있을 때 원자폭탄을 연구하여 만드는 일을 부통령에게 거의 말하지 않았는데, 루스벨트가 사망한 뒤 스팀슨(Henry Lewis Stimson, 1867~1950) 미국 육군성 장관이 마지못해 맨해튼 계획을 후임 대통령인 트루먼에게 알려주었다.

소련 정보원들은 미국의 원자폭탄이 7월 16일에 폭발 실험에 성공했다는 소식을 스탈린에게 전했고, KGB도 미국 핵폭탄의 핵심 기술 정보를 입수했다. 이런 정보와 베리야(Lavrentiy Pavlovich Beria, 1899~1953)[8]의 채찍이 있으니, 학술원 회원인 쿠르차토프(Igor Kurchatov, 1903~1960)[9]가 소련의 원자폭탄을 최대한 빨리 만들어낼 것이다.

스탈린은 조지아산 적포도주 한 잔을 모두 들이켰다. 트루먼이 감히 자신에게 인류 역사상 최초의 핵무기 위협을 하다니! 루스벨트가 자신과 그 자리에 있었다면 절대로 이렇게 하지 않았을 것이다. 나라의 가장 중요한 기물을 어찌 남에게 보여줄 수 있겠는가? 트루먼은 루스벨트라는 이 교활한 늙은 여우보다 한참 모자라구나!

이틀 전인 8월 6일, 미국은 일본의 히로시마에 원자폭탄을 투하했다. 전해지는 말에 따르면, 히로시마에 핵폭탄 연기가 4만 피트나 피어올랐고, 모든 도시의 생물들이 잿더미가 되어버렸다고 했다. 일본인들은 이미 버틸 수 없게 되었으니, 좀더 빨리 출병하여 일본을 상대로 전쟁을 벌임으로써 자신이 얄타 회담과 포츠담 회담에서 소련을 위해 쟁취한 이익을 획득해야 했다.

8 소련의 제1부주석으로, 스탈린의 최측근이었다. 내부 인민위원회에서 광범위한 대숙청을 주도했으나, 스탈린 사후에 흐루쇼프에게 체포당한 뒤 처형되었다.

9 소련의 핵물리학자

전화벨이 울리자, 스탈린은 일어나서 전화를 받았다. 그것은 주코프 원수의 사돈이자, 물통 같은 몸매를 가진 바실레프스키 원수가 건 전화였다:

"부대는 이미 모두 제자리에서, 최고 통수권자의 명령을 기다리고 있습니다."

"시작하시오." 스탈린은 전화를 끊었다.

1945년 8월 9일 0시, 중-소 국경에서 1만 발이 넘는 신호탄들이 한꺼번에 하늘로 날아올랐고, 2만 6천 문의 화포가 일제히 울부짖었다. 소련 붉은 군대의 11개 혼성 집단군, 1개 탱크 집단군, 3개 공군 집단군, 하나의 전역(戰役)에 집단을 이루어 편성된 3개 방면군이 대단한 기세로 중국 동북 지역을 40년간이나 불법으로 점거하고 있는 일본 황군(皇軍)의 꽃인 관동군을 향해서 맹렬한 공격을 퍼부었다. 소련이 일본에 전쟁을 선포한 것이다.

이날, 독일을 상대로 한 전쟁에서 시련을 겪었던 150여만 명의 소련 장병들이 5,500대의 탱크와 3,800대의 전투기를 가지고 다싱안링 산맥의 산악 밀림과 중국-몽골 변경의 사막 지대에서 일본군을 향해 맹렬한 공세를 시작했다. 전략 전술이든 무기와 장비든 막론하고, 소련군은 일본 군대에 비해 온전히 한 세대 앞서 있었다. 이미 독일의 국회의사당에 붉은 깃발을 꽂았던 붉은 군대의 사기는 불안한 나날을 보내고 있던 일본 관병(官兵)들보다 훨씬 높았다. 한 시대를 통치했던 일본 관동군은 순식간에 와해되었으며, 사무라이 정신은 절대적으로 우세한 소련군 탱크 기계화 집단에 의해 가루가 되어버렸다.

이와 동시에 소련 태평양 함대는 조선 북부의 항구들을 폭격함과 동시에 대량의 기뢰를 설치하기 시작했다. 같은 날, 또 하나의 사신(死神)을 가득 실은 버섯구름이 일본 나가사키에서 피어올랐다. 8월 10일, 완전히 절망한 일본 정부는 항복을 요청했다. 일본 군대와 정부의 붕괴는 너무나 빨라, 완전히 미국의 예측을 벗어났다.

소련군의 공세는 조류(潮流)와 같았으며, 미국인들은 이 상황을 보고 크게 놀랐다. 이때 미군은 아직 일본 본토에 진입하지 못하고 있었고, 조선으로 이동하기를 기다리고 있는 부대는 아직 1천 킬로미터 넘게 떨어진 오키나와에 있었다. 태평양에서 4년간 혈전을 벌인 성과가 소련군에게 넘어가는 것을 보자, 출신이 비천함에도 고위직에 올랐고, 성격이 비굴하면서도 잘난 체하는 트루먼은 초조하여 마구 욕설을 퍼부었다: "어리석은 루스벨트, 맥아더가 옳았어. 원래부터 소련을 대일본 작전에 참가시켜서는 안 되었어!"

훗날 한 미국 역사학자는 괴로워하며 이렇게 썼다: "대일본 전쟁에서 사실상 아무것도 한 것이 없는 소련인들이, 뜻밖에도 일본을 패배시킨 전쟁의 주요 수익자가 되었다. 미국은 대일본 전쟁에서 95퍼센트의 인력·물자·지적인 노력을 제공했지만, 승리의 과실을 대부분 잃어버렸고, 또한 공산주의의 확장을 위한 길을 열어주었다."

미국인들은 이때부터 소련을 극도로 적대시했고, 동시에 억측을 하면서 공산주의 확장에 대해 병적으로 많은 의심과 공포를 느껴, 괴팍한 조치들을 취했다.

혈안이 된 미국인들은 소련인의 조선 독점을 막기 위해, 소련군의 대일본 전쟁이 시작된 날 밤에 미국의 국무부·육군부·해군부 조정위원회가 긴급 회의를 열어, 어떻게 하면 소련이 극동의 전과에서 이득을 차지하지 못하게 할 것이며, 어떻게 하면 미국의 이익을 확보할 것인가를 논의했다.

이때 미국의 수뇌들은 조선의 중요성을 인식했다. 이전에 미국은 조선에 대한 인식이 모호하고 오락가락했었다. 미국 대통령 트루먼은 회고록에서, 미국은 독자적으로 조선을 점령하고 싶었으나, 아쉽게도 병력 전개 속도가 따라오지 못해서, 조선에 상륙하면 제때 전체 일본에 상륙할 수 없었다고 시인했다.

사실 이것은 핑계였다. 트루먼이 말하고 싶어 하지 않은 진짜 이유는, 일본군이 태평양의 여러 섬들에서 벌인 방어전에서 매우 맹렬하게 싸우면서, 전원이 "깨끗하게 목숨을 버리며[玉碎]" 사수하여, 미군에게 심대한 살상을 입혔다는 것이었다.

미군 공격 부대는 사이판 섬에서 2만 명의 사상자를 냈고, 이오지마에서도 2만 명의 사상자를 냈다. 오키나와에서는 더욱 참혹하여 사상자가 4만 명이었고, 공격 부대 사령관인 버크너(Simon Bolivar Buckner Jr., 1886~1945) 중장도 일본군 잔존 부대의 포격으로 전사했다. 미국은 사령관의 복수를 하고 싶었으나, 그 포를 쏘았던 일본군 병사는 아예 포를 다 쏘고 나서 자살해버렸다.

일본 병사들의 완강하고 포악한 태도는 미국인들을 매우 골치 아프게 했다. 미국인들은 실제로 이렇게 계속해 나간다면 얼마나 많은 사람들이 죽어야 하는지, 얼마나 많은 사람들이 죽임을 당해야 하는지 알지 못했다. 마셜(George Catlett Marshall, 1880~1959) 장군이 추진했던, 일본 규슈에 상륙하는 "올림픽 작전 계획"에서는 100만 명의 사상자가 발생할 것으로 예상되었다. 그리고 조선과 중국 동북 지방에는 일본인들이 수십 년간 유지해온 견고한 보루들이 있었다. 조선에만도 일본군 1개 방면군 20만 명의 정규군이 배치되어 있었는데, 이는 일본이 조선에서 동원할 수십만 명의 예비 인원은 계산하지 않은 것이다. 일본인들은 심지어 본토를 버리고 만주와 조선으로 나라를 옮겨서 끝까지 혈전을 치를 수도 있었다. 미국 군인들에게 이렇게 피가 강물을 이루는 타산에 맞지 않는 전쟁을 계속하도록 만든다면, 미국 국민들은 이에 대해 반대할 것이 분명했다. 그래서 루스벨트는 마침내 소련을 대일본 전쟁에 참가하도록 끌어들여 사상자를 내게 하고, 자신은 어부지리를 취하려고 했다. 이것이 바로 얄타 회담에서 있었던 스탈린과 루스벨트의 장물 나눠먹기였다.

미국인들은 한때 조선이 미국에 대해 그다지 큰 전략적 가치가 없다고 생각했다. 그들은 단지 일본만 점령하면 족하다고 생각했다. 그러나 그들은 뜻밖에 소련의 세력 범위 가장자리에서는 반드시 미국의 힘으로 억제해야 한다고 생각했기 때문에, 미국이 조선에 발을 들여놓아야 한다는 정부 당국의 이유—"조선은 소련이 일본을 침략하는 것을 저지하는 완충 지대가 되기를 희망한다"—는 듣기에 매우 가소로웠다.

불과 보름도 지나지 않은 포츠담 회담에서, 미국인들은 여전히 조선의 군사 점령 문제를 근본적으로 진지하게 고려하지 않고 있었다. 당시 미국인들은 단지 군사 분계선만을 준비하고 있었다. 미국 육군 작전처장 헐(John E. Hull, 1895~1975) 중장과 그의 참모들은 지도를 살펴보고 원칙적인 의견—미국은 적어도 한국에서 두 개의 항구를 차지해야 한다—을 제시했다.

말수가 적은 헐이 요구한 두 개의 항구란, 바로 한국의 최남단에 있는 부산과 중부 수도 서울의 항구인 인천이었다.—이들 두 항구는 5년 후의 조선 전쟁에서 결정적인 역할을 하게 되는 항구들이다.

미국 군관의 자질과 안목은 이러한 몇 가지 사실만 보더라도 잘 알 수 있다.

그러나 미국인들은 이것저것 여러 가지로 생각해보고는, 일본 정부와 일본 군대가 갑자기 붕괴할 거라고 판단하지 못했다. 그들은 원래 일본군과 그 정부는 본토를 잃으면 조선이나 중국 동북 지역에서 계속 항전할 것으로 예상하고 있었지만, 이때의 사실은 오히려 크게 달랐다. 일본 정부는 황급히 항복을 구걸하고 있었고, 최정예의 관동군은 소련군이 진공한 첫날 급속도로 궤멸되었다. 그러나 소련군 사상자는 오히려 매우 경미하여, 그야말로 무인지경에 들어가듯이, 아주 가끔씩만 진정한 저항을 받았을 뿐이다. 미국인들은 그제야 자신들이 크게 계산을 잘못했음을 깨달았다. 뒤늦은 긴급회의에서 미군 고위 장성들은 이미 소련군보다 먼저 조선을 점령할 수 없다는 것을 분명하게 깨닫고 있었다. 결국 두 명의 대령 참모들에게 회의장 옆에 있는 휴게실로 가서, 30분 안에 미국 정치권의 바람을 충족시켜줄 수 있으면서도 군사 상황에도 부합하는 절충안을 마련하라고 명령했다.

이 두 명의 참모들 중 한 명의 이름은 딘 러스크(Dean Rusk, 1909~1994)이다. 러스크 대령은 앞에 놓인 조선 지도를 멍하니 바라보았다. 그는 조선에 온 적이 없었는데도, 30분 안에 문명의 역사가 자신의 조국보다 10배는 더 오래된 나라의 운명을 결정해야 했다. 러스크는 이리저리 살펴보았지만 경계를 그어야 할 근거를 찾을 수 없었다. 시간이 되어, 상사에게 보고하지 않을 수 없자, 얼굴이 땀투성이가 된 러스크는 어쩔 수 없이 붉은 연필로 조선 중부를 가로지르는 북위 38도 선상에 하나의 직선을 그려야 했다.

이렇게 해서, 38선—세계 전쟁사에서 가장 유명한 위도선-이 탄생했다.

한 명의 미군 대령 참모가 30분 만에 3천 년 문명의 역사, 수천만 명의 인구를 가진 조선의 운명을 결정지었다.

조선인들에 대해 말하자면, 이것은 눈물의 선이자 분열의 선이었다. 통일된 나라와 무수한 혈육들이 이렇게 기형적으로 탄생한 선에 의해 단절되게 되었다. 이리하여 38선은 장차 한 줄기 피의 선이 될 운명으로 정해졌다.

미국인들은 즉각 조선 분할 방안을 스탈린에게 제출했다. 소련군은 바로 공세를 강화해 조선 북부를 선점하기 시작했고, 몇 개 사단의 지상군은 중국 동북 지방을 넘고 압록강을 건너 조선 북부의 험준한 산맥으로 빠르게 진격했다. 불쌍한 소련 보병들은 다리가 곧 부러질 것 같아, 끊임없이 힘들다고 비명을 질렀지만, 해군 형제들의 처지를 알았다면, 분명히 자신들은 정말 너무 행복하다고 생각했을 것이다.

두 척의 낡아빠진 호위함과 여덟 척의 작은 어뢰정이 파도가 거센 동해에서 힘겹게 요동치고 있었다. 배 위에는 900명의 소련 해병대원들이 구토를 하여 정신이 혼미해졌고, 바다에 뛰어들지 못하는 것을 한스러워 할 정도로 고통을 겪고 있었다. 그들의 임무는 조선의 웅기항(雄基港: 지금의 나진항-옮긴이)에 상륙하는 것이었다.

어뢰정을 상륙정으로 이용한 것은, 세계 해군의 역사를 살펴봐도 오로지 이 하나의 사례뿐이다. 스탈린은 제정신이 아니었던 것일까?

그렇지 않다. 스탈린의 정신은 아주 맑았다. 그러나 그는 확실히 병에 걸려 있었다. 그는 남의 성공을 시샘하고, 그것을 빼앗고 싶어 하는 병에 걸려 있었다. 이때 세력 범위를 빼앗지 않는다면, 다시 어느 때를 기다린단 말인가?

어뢰정은 말할 것도 없고, 만약 가능하다면, 필요할 때 스탈린은 조금도 망설이지 않고 부하들에게 욕조를 타고서라도 조선의 해안에 도달해야 한다고 명령했을 것이다.

소련군이 조선으로 밀려들어올 때, 미국인들도 왔다.

해안을 향해 질주하던 소련 해군은, 흰색 별 모양이 그려진 한 무리의 미국 폭격기들이 군함 위로 스쳐 지나가는 것을 보았다. 군함에 있던 소련 보병들은 'PPSh-41' 기관단총을 들고 항공기를 향해, 동맹국인 미국이 전쟁을 도우러 왔다고 환호했다.

잠시 후 소련 병사들은 어리둥절해졌다. 그들은 분명히 그 미국 폭격기들이 자신들이 곧 도착할 항구 상공으로 날아가서 폭탄을 하나 투하하는 걸 보았는데, 땅에서는 불빛도 보이지 않고 폭발 소리도 들리지 않았다. 도대체 어떻게 된 것일까?

소련 군함은 항구로 들어오고 나서야 알았다. 몇 척의 군함들이 기뢰에 파손되어 배의 바닥이 하늘을 향해 있었다. 불쌍한 소련 상륙병들은 뱃멀미의 고통이 끝나갈 무렵에, 다시 폭발에 의해 하늘로 어지럽게 날아가고 말았다.

맙소사! 동맹국 미국이 일본인의 머리에 폭탄을 투하한 것이 아니라, 소련 군함의 항로에 기뢰를 투하하다니!

이렇게 미군은 "약속대로" 적극적으로 소련군 형제의 행동에 보조를 맞추어, 소련군이 상륙할 해역에 수뢰 500발을 뿌려놓아 소련군 함정 여러 척을 폭파시켰다. 소련군은 매우 원망스러웠지만 뭐라고 말할 수가 없었다. 왜냐하면 이때의 항구는 여전히 일본군 수중에 있었기 때문이다.

어쩔 수 없는 소련인들은 미군을 향해 기뢰를 설치한 지도와 기뢰 자료를 요구했다. 결과는 짐작한 대로였다. 미국 육군은 기뢰를 설치하거나 철거한 좌표를 알지 못한다고 얼버무렸고, 미국 해군은 기뢰는 미국 육군 항공대가 설치하거나 철거하는 것이며, 성능은 알지 못한다고 회답했다. 스탈린은 트루먼을 한바탕 호되게 따지고 난 다음, 소련 해군 스스로 방법을 생각해내어 계속 공격하라고 명령할 수밖에 없었다.

24일, 소련군은 평양을 점령했다. 소련군의 공격 행렬 안에서 김일성이 이끄는 조선 인민 무장 세력은 매우 중요한 역할을 했다.

소련군은 평양을 점령한 이후에도 계속 공격을 했다. 남쪽으로 진격하여 38선 이남의 인천·서울을 점령하고 미군과 합류했다. 소련군이 평양을 점령한 그날, 미군 제7보병 사단이 인천에 상륙하여 북진했다. 9월 초, 소련군은 약속에 따라 38도선 이북으로 모두 돌아갔다. 함께 남진하던 조선 인민무장 세력의 실력이 충분치 않았고, 또한 소련공산당의 대국(大國) 정치에 제약을 받아, 어쩔 수 없이 눈물을 머금고 소련군을 따라 북쪽으로 철수했다. 조선이 분열되었다!

미국인들은 스탈린이 뜻밖에도 무리하게 그은 이 선에 동의하자, 기뻐하면서도 매우 놀라워했다. 상대하기 어려웠던 스탈린이 어째서 이번에는 이렇게 말이 잘 통했을까?

그들은 역사를 알지 못했다. 그 선은 바로 1905년 일본과 러시아가 조선에서의 세력 범위를 나눈 경계선이었다. 38도선은 조선 지도의 거의 중간을 지나가고 있으니, 얼마나 눈에 띄기 좋았을까! 그리고 스탈린 머릿속에는 옛 차르의 잔류물이 또한 너무 많았다.

이때 큰 이득을 얻고 있던 스탈린은, 그의 대러시아 쇼비니즘(배타적 애국주의-옮긴이)적인 태도가 이미 세계인의 반감을 불러일으켜, 세계 사회주의 운동에 심각하게 보이지 않는 폐해를 끼치고 있으며, 훗날 소련 패권도 함께 와해되는 도화선을 묻어두는 것이라고는 생각하지 못했을 것이다.

일단 일을 시작하면 끝을 봐야 하는 스탈린은 강대한 미국 해군이 아직 도착하지 않은 틈을 타, 시간을 재촉하여 북태평양에서 섬들을 공격하고 약탈하여, 남부 사할린과 쿠릴 열도까지 빼앗았다. 마지막에는 아예 미국과 소련 간에 미국이 일본을 독점하는 것에 관해 합의했던 허황된 말까지 내팽개치고, 전략적 위치가 중요한 일본의 북방 4개 섬들마저도 점령해버렸다. 일본 정부는 지금까지도 이 때문에 큰 골치를 앓고 있다.

이후 오래지 않아, 일본 주재 소련 연락관인 데레비안코(Kuzma Derevyanko, 1904~1954) 중장은 미국의 주일 사령관인 맥아더 5성 장군에게 소련군이 일본의 홋카이도를 점령하겠다는 의견을 제시하자, 오만한 맥아더는 곧바로 거절했다. 교만한 소련 해군 중장은 욕설을 퍼부으면서 또 이렇게 말했다: "맥아더 당신이 승인을 하든 말든, 소련군은 진격할 것이오!"

보스 노릇을 하는 데 익숙한 맥아더는 매우 표독스럽게 소련 해군 중장을 노려보며 말했다: "만약 단 한 명의 소련 병사라도 나의 동의 없이 일본에 출동한다면, 나는 당신을 포함하여 이 안의 모든 소련 대표단을 감옥에 가둬버릴 거요!"

데레비안코는 맥아더를 매서운 눈빛으로 바라보며 말했다: "맙소사! 나는 당신이 정말 그렇게 할 거라고 믿소!"

이 일은 결국 흐지부지되었다. 소련군이 만약 그렇게 했다면, 일본은 분명히 동·서독이나 남·북조선처럼 분열되었을 것이다.

소련군이 결국 포기한 것은, 홋카이도에 진주하고 싶지 않아서가 아니라 해군의 실력이 허락하지 않아서였다. 미국이 북조선을 뱉어낸 것도 조선을 독점하고 싶지 않아서가 아니라, 육군의 실력이 허락하지 않아서였다. 대국의 정치와 강력한 세력들이 세력 범위를 나누는 과정에서는 실력이 모든 것을 결정하므로, 약소 민족과 약소 국가들은 그들의 희생양이 되는 걸 피할 수 없다.

1945년 8월 9일 오전, 옌안(延安) 양자링(楊家嶺)의 중앙 대강당

소련군이 중국 동북 지역에 출병한다는 소식이 갑자기 옌안에 전해졌다. 마오쩌둥이 이때 무슨 생각을 했는지는 말하기 어렵다. 소련공산당은 중국공산당의 형제당이며, 또한 줄곧 무선으로 연락을 취하고 있었는데, 이렇게 큰일을 하면서도 아무런 연락을 하지 않았다는 건, 어쩌면…….

마오쩌둥은 공산당 창당 당원으로, 두 당의 관계를 잘 알고 있었다. 중국공산당은 창립일로부터 오랫동안 소련공산당을 수장으로 하는 코민테른(Comintern)[10]의 도움으로 공작을 전개해 왔다. 중국공산당은 줄곧 모스크바 코민테른 조직 계통의 한 지부였으며, 소련의 소중한 원조를 받아왔다.

10 Communist International의 줄임말로, 마르크스주의·레닌주의 정당의 국제적 조직체이다.

창당하고 처음 몇 년간의 경비는 대부분 코민테른으로부터 지급되었고, 간부의 훈련도 맡아주었다.

마오쩌둥은 구세대 소련 공산주의자들이 진정으로 사심 없이 중국의 혁명을 도왔음을 잘 알고 있었지만, 소련공산당의 뼛속에는 '패권주의적'인 사상이 있다는 것 또한 잘 알고 있었다. 그는 소련이 중국 혁명을 대하는 태도에서, 갈수록 자신의 이익을 가장 중시하고 있으며, 소련공산당의 "오야붕당[老子黨]" 같은 모습이 중국공산당원들로 하여금 아주 많은 피를 흘리게 만들었다는 것을 누구보다도 잘 알고 있었다. 저 왕밍도 그런 경우였다.

마오쩌둥은, 자신의 지도적 지위가 중국공산당 자신이 가장 위급했던 시기에 확립된 것으로, 스탈린이 자신을 인정하고 있고, 현실을 존중하고 있다는 걸 알고 있었다. 하지만 자신이 중국공산당의 이익을 확고히 지켜왔기 때문에, 몇몇 사안들에서는 스탈린을 매우 불만스럽게 했다.

불쾌한 분위기는 두 정당 사이에서 끊임없이 증폭되고 있었지만, 마오쩌둥은 두 집안이 결국은 모두 성이 '공(共: 공산주의-옮긴이)' 씨라는 걸 잘 알고 있었으며, 소련이 동북 지역으로 출병한 사실을 비록 옌안에 알리지는 않았더라도, 전략의 귀재인 마오쩌둥은 오히려 즉각 어렴풋이 매우 좋은 기회라는 걸 눈치챘다.

중국공산당 사람들은 오래 전부터 구(舊)중국에서 가장 발달된 공업 체계를 갖고 있던 동북 지역을 차지하려고 눈독을 들이고 있었다. 일찍이 1942년에 마오쩌둥은, 일본이 전쟁에서 패한 후, 모든 팔로군(八路軍)과 신사군(新四軍)이 "마땅히 동삼성(東三省)[11]에 집결해야만, 비로소 국공 합작이 계속될 수 있는 조건을 확보할 수 있다"고 생각하고 있었다. 지금 기회가 왔으니, 마오쩌둥은 즉시 결단을 내려야만 했다. 그는 곧바로 옌안에 있는 모든 중앙위원과 관련 부분 책임자들에게 제7회 중앙위원회 제1차 전체회의를 소집하라고 통지했다. 이는 이후 4년 동안 중앙위원의 수가 가장 많았던

11 '동북삼성'이라고도 하며, 지금의 랴오닝성·지린성·헤이룽장성을 가리킨다.

회의로, 회의가 있고 나서 얼마 지나지 않아 고위 간부들은 전국의 전장으로 나가 전투를 이끌었다.

마오쩌둥은 얄타 구도를 타파하려고 단단히 마음먹었다. 할까 말까 망설이는 큰 형님과는 약간 분명하지 않게 말했지만, 미국인들과는 그가 비교적 솔직하고 성실하게 이야기했다. 아, 어차피 미국인들이 무엇을 도와주리라고는 기대하지 않고, 도와준답시고 오히려 방해나 되지 않으면 감지덕지한 일이었다.

옌안에 주둔하고 있는 미군 감시단(Observer Group) 책임자인 예튼(Ivan D. Yeaton, 1908~1979) 대령이 마오쩌둥을 위협했다: "당신들의 가장 현명한 방법은 바로 자신의 정부를 해체하고 국민당 장제스(蔣介石, 1887~1975) 정부에 들어가 관리가 되는 것이오. 그러지 않고는 길이 없소."

줄곧 미국인들에게 예의를 차리던 마오쩌둥은 곧바로 안색이 싸늘하게 변했다: "다시 한번 말해보시오!"

눈치가 없는 미국인은 정말 다시 한번 반복했다.

마오쩌둥은 손바닥을 휘저어 격렬하게 치며, 노하여 소리쳤다: "그렇다면 내가 당신에게 알려주겠소. 장제스는 개자식이오!"

마오쩌둥은 화를 낼 때는 책상을 치지 않았고 욕설을 하지 않았다. 다만 말이 신랄하고 태도가 매서웠다고, 모두가 말한다.

이것은 검증할 수 있는 것으로는, 마오쩌둥이 욕설을 한 유일한 사례이다.

모두들 시간에 쫓겨 급히 서두르고 있었다.

류사오치는 토굴집에서 큰 소리로 외쳤다: "이것은 천재일우의 기회입니다!"

그는, 이러한 전략적 기회의 시기에는, 매순간이 거대한 가치가 있다는 것을 알고 있었다.

중국공산당의 5대(大) 서기(書記)[12]들은 모두 알고 있었다.

12 중화인민공화국 건립 전후에 중국공산당을 이끌던 5명의 핵심 지도자들인 마오쩌둥, 류사오치, 저우언라이, 주더, 런비스를 가리킨다.

마오쩌둥, 류사오치, 저우언라이의 업무는 금세 제정신이 아닐 정도로 긴박해졌다.

옌안의 대추나무 그늘 아래 있는 탁구 테이블의 한쪽에는 과일과 씨엔빙(餡餠: 중국식 파이-옮긴이)이 있었고, 다른 한쪽에는 서류 뭉치가 쌓여 있었다. 마오쩌둥은 탁자 옆에 앉아 있었고, 탁자의 몇 미터 앞에 있는 벤치에는 고급 장교들과 당정(黨政) 간부들로 가득했다. 아직도 끊임없이 몰려오는 간부들은 이미 앉을 의자가 없어 쪼그리고 앉거나 서 있을 수밖에 없었는데, 대오는 갈수록 길어졌다.

마오쩌둥은 간부들을 하나하나 불러내어 임무를 설명하느라, 입과 손이 쉴 틈 없이 매우 바쁘게 움직였다. 한 손으로는 쉬지 않고 각종 명령서·위임장·공문서·성명문을 쓰고 있었고, 다른 한 손으로는 과일을 집어 바람이 구름을 휘감듯이 순식간에 입으로 가져갔다. 그는 이미 식사를 하고 물을 마실 시간도 없었다. 기다리느라 배가 고파진 간부들도 마오쩌둥이 일하고 있는 테이블에서 먹을 것을 집어갔으며, 사무원들은 끊임없이 과일을 가져다 놓았다. 명령을 받은 간부들은 즉시 경례를 한 다음, 등에는 낡은 짐을 메고 몽고말·당나귀·노새 등 모든 가능한 교통수단을 타고 옌안을 떠나 황허를 건너 멀리 떨어져 있는 화베이(華北)·화둥(華東)·산시(山西) 등 여러 근거지들로 갔다.

나이가 많은 주더는 침착함을 잃지 않았고, 그의 업무는 질서정연하고 침착했다. 단지 늘 휴식 시간이 없었다.

국민당의 감옥에서 건강을 잃은 런비스는 침대에 누워 있었다. 그는 계속 일어나서 일을 하려고 발버둥쳤는데, 그때마다 잇달아 쓰러지자, 어쩔 수 없이 바빠서 교대하지 못하는 바쁜 전우들을 바라보며 안타까워만 했다. 그의 혈압은 이미 매우 위험한 정도까지 높았다.

시간을 벌기 위해, 배짱이 두둑한 마오쩌둥은 아예 사람들이 가슴을 졸일 만한 모험을 감행했다.

적군의 후방으로 낙하산을 타고 뛰어내렸던 한 무리의 미국 조종사들이 중국공산당 유격대에 의해 타이항산(太行山) 팔로군 본부로 호송되자, 미군은 급히 수송기 한 대를 보내 그들을 인수했다. 마오쩌둥은 관계가 좋았던 미국 감시단에게 이 수송기가 가는 길에 옌안에 들러서 몇 명의 간부들을 팔로군 본부에 태워다 줄 수 있기 바란다고 말했다. 아무것도 모르는 미군 조종사는 흔쾌히 응했다.

낡아빠진 미군 비행기 한 대가, 소가 끄는 롤러로 만든 옌안의 비행장에 멈춰 섰다. 20여 명이 등에 낙하산을 메고, 낡아서 객실 문도 꽉 닫히지 않는 이 C-3수송기에 걱정스럽게 올라탔다. 비행장을 지나가던 황화(黃華, 1913~2010)[13]는 무심코 이들의 얼굴을 알아보고는 놀라서 주저앉을 뻔했다.

이들은 류보청(劉伯承, 1892~1986)·덩샤오핑(鄧小平, 1904~1997)·천이(陳毅, 1901~1972)·린뱌오(林彪, 1907~1971)·보이보(薄一波, 1908~2007)·천겅(陳賡, 1903~1961)·양더즈(楊得志, 1911~1994)·덩화(鄧華, 1910~1980)·텅다이위안(滕代遠, 1904~1974)·천자이다오(陳再道, 1909~1993)·천시롄(陳錫聯, 1915~1999) 등 20여 명으로, 전쟁에서 승부를 결정할 전략 지구의 주요 장수들이었다. 일반 화물기 한 대에 이처럼 많은 고급 당정 지도부와 군대 지휘관들이 집결한 것은 중국공산당 역사상 전무후무했다.

놀란 황화는 지시에 주의를 기울일 새도 없이 곧바로 비행기에 뛰어올랐다. 그는 옌징(燕京)대학교를 졸업했고, 영어에 능통했다. 이들 장군들은 어느 누구도 미군 조종사와 대화를 할 수 없었으므로, 황화가 자진하여 용감하게 통역을 맡았다. 만일의 사태가 발생하면, 그가 조종사와 의사 소통을 할 수 있었기 때문이다. 이 비행기가 만약 추락한다면, 황화도 살 생각을 하지 않았다. 이 사람들을 잃는다면, 공산당은 아마도 곧 천하를 잃게 될 것이다.

사정을 전혀 모르는 미군 조종사가 비행기를 조종하여 이륙한 후, 옌안에 남아 있던 모든 고위 간부들은 바늘방석에 앉아 있는 듯했다. 예젠잉(葉

13 중국의 외교관으로, 한국 전쟁 때 정전 협상의 중국 측 대표로 참석했다.

劍英, 1897~1986)은 눈의 초점을 잃고 물끄러미 바라보면서 혼자 중얼거렸다: "마르크스의 하늘에 계신 영혼이 지켜주시기를! 이 비행기가 별일 없이 무사하기를! 그 안에는 우리 당, 우리 군대의 정화(精華)가 타고 있습니다!"

비행기가 안전하게 착륙했다는 소식이 전해지자, 중국공산당의 고위 간부들은 비로소 식은땀을 닦았고, 마오쩌둥은 비록 아무런 내색을 하지는 않았지만 온 몸이 나른해졌다.

마오쩌둥의 모험이 성공했다. 장차 전쟁의 운명을 결정할 각 전략 지구의 주요 장수들과 공산당에서 가장 잘 싸우는 장교들을 일거에 수송함으로써 두 달이 넘는 시간을 절약했다. 1분 1초가 비할 데 없이 소중한 순간에, 두 달은 무엇을 의미하는가?

류보청·덩샤오핑·천겅·천시롄·천자이다오가 비행기를 타고 가서 손을 쓸 수 없었던 창즈(上黨: 산시성 동남부에 있는 지명-옮긴이) 전투[14]를 지휘하여, 내전의 첫 번째 전투에서 승리를 거두었다는 것을 의미했다. 만약 말을 타고 갔다면, 그들은 적어도 한 달의 시간이 걸려서야 도착했을 것이다. 그리고 관할구가 훨씬 더 멀었던 천이·린뱌오에 대해 말하자면, 전략적 가치가 더욱 컸다. 뚱뚱한 천이는 때에 맞춰 산둥에 도착하자, 어선을 타고 동북 지역에서 온 뤄룽환(羅榮桓, 1902~1963)과 교대하여, 산둥·화중의 양대 야전군을 통일하여 지휘하기 시작했다. 실눈을 뜨고 손을 모은 린뱌오도 마침내 두위밍(杜聿明, 1904~1981)을 앞질러 비틀비틀하는 나귀를 타고서 동북 지역으로 들어갔다. 그리하여 마치 8명의 신선이 바다를 건너듯이,[15] 각자 동북 지역의 10만 명이 넘는 서로 예속되지 않은 부대들로 달려가 조직하여 통일된 작전을 전개하기 시작했다.

한마디로, 이번 모험은 공산당이 곧 천하를 차지한다는 것을 의미했다.

14 1945년 9월 산시성(山西省) 동남쪽에서 국민당 군대와 공산당 군대가 벌인 전투를 가리킨다.

15 8명의 신선이 바다를 건넜다는 팔선과해(八仙過海) 고사에 비유한 표현으로, 팔선이란 한종리(漢鍾離)·장과로(張果老)·한상자(韓湘子)·이철괴(李鐵拐)·조국구(曹國舅)·여동빈(呂洞賓)·남채화(藍采花)·하선고(何仙姑)를 가리킨다.

그러나 마오쩌둥으로 하여금 다시 한번 이렇게 하라고 한다면, 아마도 그는 감히 절대로 하지 못할 것이다. 천하를 다투는 것은 바로 인재를 다투는 것이 아니던가? 이 사람들을 잃었다면, 그는 아마도 모스크바로 도망갈 수밖에 없었을 것이다.

이렇게 중국공산당이 옌안에서 8년 동안 힘들게 양성한 많은 간부들이 마치 홍수처럼 북중국에 두루 퍼져, 4년 뒤에는 전국에서 승리를 거두고, 각지의 군웅(群雄)들이 대거 베이징으로 모여들었다.

세 거두들의 얄타 협정이 중국에서 세력 범위의 획정을 결정하자, 즉각 마오쩌둥을 우두머리로 하는 중국 공산군이 동북으로 진군하는 도전을 받았다. 이후에 비록 스탈린은 오직 소련의 이익만을 고려했음에도 불구하고 조리와 순서도 없이 갈팡질팡했다. 때로는 동북 지역을 국민당에게 넘겨주겠다고 했고, 심지어 마오쩌둥에게 충칭에 가서 국민당과 협상하라고 압박하면서(중국공산당은 이 일을 공산주의 진영의 수치라고 여겨, 매우 오랫동안 외부에 누설하지 않았다), 중국공산당은 내전을 해서는 안 된다고 위협했다. 그러지 않으면 중국이 장차 멸망할 것이라고 하면서, 음으로 양으로 중국공산당에게 얄타 회담에서 3개국 정상이 결정한 극동 계획 조치를 받아들이라고 압박했다. 때로는 팔로군이 관문을 넘어가 동북 지역의 각 요충지들을 점령하고, 관동군이 보유했던 10만여 정의 소총을 "빼앗아 가는 것"을 묵인하기도 했다. 때로는 탱크를 몰고 동북국(東北局)[16]을 쫓아내려 하자, 화가 난 펑전(彭眞, 1902~1997)은 이를 비난하면서 "한 공산당 군대가 탱크로 다른 공산당의 군대를 치는데, 이는 지금까지 들어본 적이 없는 일이다"라고 크게 비난했다. 분노한 황커청(黃克誠, 1902~1986) 대장은 무력으로 소련군에 대항하려고 했으며, 허베이(河北)에서 온 '토팔로(土八路)'[17]들은 심지어 이 서양 형님에게 비수를 꺼내기도 했다. 때로는 또한 자신이 먼저 도

16 1945년 6월에 결성하여, 1954년까지 존재했던, 중공중앙동북국(中共中央東北局)을 가리킨다. 중국 동북 지역에서 공산당의 군사와 행정을 맡아보던 조직이다.

17 팔로군 소속의 비정규군을 가리키는 말이다.

시 밖으로 철수할 때 뒤따라 돌진해온 한 동북 항일 연군에게 도시 안으로 돌진하도록 허락하자, 기뻐서 '토팔로'들은 "마오쩌둥 스탈린, 스탈린 마오쩌둥"이라고 크게 고함을 지르기도 했다.

비록 마오쩌둥은 죽을 때까지도 아마 스탈린이 이때 바로 마셜에게 이런 말을 했다는 것을 몰랐을 것이다: "이른바 중국공산당 사람들은 토비(土匪)에 불과하며, 나는 그들과 전혀 관계가 없습니다. 그러나 나는 그들을 대신해서 말할 수 있습니다. 중국공산당은 지금 이후로 장제스 정권의 중앙 정부에만 참가할 것이고, 기타 급이 다른 정부 안에서는 결코 자리를 차지하지 않을 것입니다." 그러나 그는 프랑스공산당 사람들이 스탈린과 미국의 공동 압력 하에 마지막 한 자루의 소총까지도 넘겨줄 수밖에 없었다는 것은 알고 있었다. 마오쩌둥은 그렇게 어리석지 않아, 인민의 소총은 단 한 자루도 건네주지 않았다!

정말로 장제스에게 무기를 건네준다면, 중국공산당 사람들인 류사오치·저우언라이·주더와 자신까지도 포함한 중국공산당 사람들은 장제스에 의해 기름 솥에 넣어져 삶아지지는 않는다 하더라도, 피부가 벗겨지고 근육이 뽑혀지는 처지가 될 것임은 분명했다. 마오쩌둥은 중국을 잘 알고 있었고, 장제스가 어떤 사람인지 잘 알고 있었다.

세계 최초로 용감하게 얄타 체제에 도전하는 사람으로서, 마오쩌둥은 자신이 얼마나 무서운 압력을 받게 될지 알고 있었다. 그는 입으로 말을 하지는 않았지만, 암암리에 최악의 상황에 대해 준비했다.

옌안을 떠날 때가 다가오자, 마오쩌둥은 토굴집 안을 이리저리 왔다갔다 했다. 아직 제대로 처리하지 못한 일이 있는가? 아, 맞다! 이렇게 중요한 일을 어떻게 잊고 있었지?

마오쩌둥은 서둘러 스탈린과의 비밀 전문 왕래를 전문적으로 맡아 보관해온 스저(師哲, 1905~1998)를 찾았다:

"'먼 곳'과 왕래했던 전문과 비밀번호 등은 어디에 보관했소?"

"전부 제가 보관하고 있습니다."

"지금 모두 태워버리게!" 마오쩌둥은 엄중하게 명령했다.

전쟁에서 정말 진다면, 이 전문들은 국민당의 손에 들어가게 될 것이고, 장제스는 분명히 자신의 머리 위에 "첩자[漢奸] 매국노"라는 불명예를 걸어놓지 않겠는가.

"정리를 해서, 가장 중요한 문건들 일부를 골라내어 보관할 만한 것들은 행군할 때 제가 휴대하면 안 되겠습니까?"

스저는 사실 이 진귀한 역사 문헌들을 불태우는 것을 아쉬워했다.

"안 되네."

마오쩌둥은 딱 잘라 말했다: "만약 부상을 당하거나 맞아 죽으면 어쩔 건가? 전부 불태우게!"

마오쩌둥은 중국공산당이 소련공산당과 여러 해 동안 주고받은 전문들을 직접 점검한 뒤, 그것들이 모두 이곳에 있다는 것을 확인한 다음에야 비로소 스저에게 전문들을 모두 난로에 던져 넣게 했고, 또 문서가 모두 잿더미로 변하는 것을 보고 나서야 자리를 떴다.

최악의 상황에 대한 준비는 모두 마쳤다. 그렇다면 무슨 일인들 감히 하지 못하겠는가?

장제스는 말할 것도 없고, 미국인과 소련인이 함께 나서서도 중국공산당의 결심을 막지 못한 셈이다. 마오쩌둥을 지도자로 하는 중국공산당은 한 치의 유리한 기회도 놓치지 않았으며, 심지어 있을 수 없는 기회까지도 움켜쥐었다. 그리하여 모든 교조주의를 배척하고, 보기 드문 유연성을 발휘했으며, 심지어 이름을 바꾸는 것까지도 마다하지 않으면서 동북 지역을 차지했다. 린뱌오는 잠시 '동북인민자치군' 사령관이 되었다가, 또 잠시 '동북민주연합군' 사령관도 되었는데, 거창하게 말하자면 '토팔로' 사령관이었다(1948년 관동 대결전[18]이 곧 시작될 무렵이 되자, 린뱌오는 '동북야전군' 사령관이 되었다). 공산당 사람들은 이렇게 공산당의 일을 하면서도 공산당의 깃발을 내

18 1948년 9월, 랴오닝성 일대에서 벌어진 국민당과의 전투를 가리킨다. 국공 내전의 향배를 가른 3대 전투 중 하나이다.

걸지 않는데, 마침내 적진의 후방에서 항전을 견지하면서 바꿔 놓은 지리적 우세를 이용하여, 수많은 간부와 10만 명의 정예 병력이 미국의 비행기와 수송선으로 실어 나르는 국민당 군대를 앞질러 동북 지역으로 진격했으며, 또한 그에 따라 초보적으로 근거지를 구축했다. 전선에서 멀리 떨어진 안전한 후방에 피해 있던 장제스는 자신의 군대가 소극적인 항전으로 인해 대서남(大西南)과 대서북(大西北)[19]에 숨어 있는 것을 눈을 뜨고 바라볼 수밖에 없었다. 이제는 설령 미국의 현대화된 교통수단의 도움을 받더라도 '토팔로'들의 큰 발바닥을 벗어날 수 없었다.

이렇게 동북 지방에서 기선을 제압해 유리한 입장을 차지한 린뱌오·가오강(高崗, 1905~1954)·천윈(陳雲, 1905~1995)·펑전 등은 비록 장비가 우수한 국민당 군대에 의해 대부분의 도시에서 쫓겨나긴 했지만, 도리어 일본군의 창고에서 빼앗은 군화와 코트들을 그러모았다. 그들은 기운 옷을 입고, 닳아빠진 헝겊신을 신었으면서도, 자신의 장기를 발휘해 농촌으로 가서 토지를 개혁하고, 농민들을 동원해서 확고한 근거지를 세웠다.

그 결과 기진맥진해 있던 린뱌오가 힘을 내자, 국민당의 최정예 부대는 3년도 되지 않아 동북에서 전멸하고 말았다.

이제 마오쩌둥은 미소를 짓기 시작했다. 관내(關內)[20]의 승전보가 빈번하게 전해지는 가운데, 관외(關外)의 구중국에서 경제적 기초가 가장 훌륭하고 공업이 가장 발달한 동북 지역이 모두 공산당의 소유가 되었다. 마오쩌둥은 허베이성 북부와 산시성 서부 지역, 강남수향(江南水鄕: 창강, 즉 양쯔강 이남의 물이 풍부한 지역-옮긴이), 푸른빛이 가득한 광둥(廣東) 지역, 각종 물산이 풍부한 쓰촨성 일대를 바라보며 미소를 지었다. 장제스는 이미 버틸 수 없었지만, 그의 수중에는 동북에서만 120만 명에 달하는 야전 정예 병력이 있어 동원

19 대서남(大西南)은 충칭(重慶)·스촨(四川)·윈난(雲南)·꾸이저우(貴州) 및 티베트 지역을 가리키며, 대서북(大西北)은 산시(陝西)·간쑤(甘肅)·닝샤(寧夏)·칭하이(青海)·신장(新疆) 등을 가리킨다.

20 만리장성의 관문 안쪽이라는 뜻으로, 중원 지역을 가리키며, 반대로 관외는 동북 지역과 서역을 포함한 중국의 외곽 지역을 가리킨다.

할 수 있었다. 그러나 인민해방군은 장비가 가장 좋고, 전술이 가장 뛰어나고, 인원이 가장 많은, 호랑이와 늑대 같은 용맹한 군대였다.

"린뱌오가 얼마나 장한가! 린뱌오가 얼마나 장한가!"

마오쩌둥이 거듭 말했다.

그는 매우 흥분해 있었다. 언제나 궁핍하기만 했던 중국공산당은 이미 역사에서 유례를 찾아볼 수 없는 전략 예비대를 보유하게 되었다. 이 철권(鐵拳)으로 관내를 무너뜨리기만 하면, 인민의 강산은 인민의 소유로 귀속될 것이다.

1949년 1월, 중국 허베이(河北) 시바이포(西柏坡)

마오쩌둥은 시바이포에서 전우들에게 미소를 지으며 말했다: "5년 안에 장제스를 무너뜨릴 거라고 예상했는데, 지금 보아하니 크게 앞당길 수 있겠습니다. 아마도 1년만 더 지나면 인민들이 강산을 차지할 수 있을 것입니다."

이때 그는 아마도 옌안에서 철수하기 전에 스저와 둘이서 그가 스탈린과 주고받았던 전문들을 모두 태우지 말았어야 했다고 진실로 후회하고 있었을 것이다. 그 자료들을 후세에 남길 수 있다면, 얼마나 귀중한 사료가 될 것인가!

"장제스가 이렇게 싸움을 버텨내지 못할 거라고는 생각지 못했습니다!" 마오쩌둥은 웃으면서 고개를 저었다.

매우 흥에 겨운 마오쩌둥은 곧바로 한마디 했다. 그 말은 너무 깊고 예리하며 심오했기 때문에, 여러 해가 지난 뒤에야 비로소 사람들에게 알려졌는데, 그 말이야말로 바로 중국 혁명이 승리하는 국제적인 원인이었다:

"현재 국제 정세를 보면 두 마리의 호랑이가 대치하고 있습니다. 한 마리는 붉은 호랑이이고, 다른 한 마리는 하얀 호랑이입니다. 우리는 이 사이의 틈을 이용해서 중국 혁명의 승리를 쟁취해야 합니다."

열강은 얄타 협정으로 중국을 지배하려 했지만, 도리어 전략의 천재인 마오쩌둥은 열강의 갈등을 이용하여 중국 혁명의 승리를 쟁취했다. 바로 이때 훼이하이(淮海)[21]의 전장에서 분투하던 덩샤오핑은 다음과 같이 말했다: "마오 주석이 없었더라면, 우리 중국인들이 얼마나 오랫동안 암중모색해야 했을지 알 수 없다." 불세출의 군정(軍政)의 천재 마오쩌둥을 지도자로 하는 중국공산당은 마침내 아편 전쟁으로부터 100년 후에, 100년 동안 무수한 지사(志士)들의 갈망이자 피투성이가 되어 분투했던 목표—중국의 독립 주권과 자유를 철저히 되찾는 것—를 실현했다. 이것 하나만으로도 그는 중국의 위대한 민족 영웅의 첫 번째 자리에 오르기에 족하다.

호방한 기백으로 충만한 마오쩌둥은 북쪽의 구름 낀 하늘을 바라보았다. 그는 스탈린의 사심을 간파했다. 스탈린이 동북 문제에 관해 오락가락했던 건, 그가 여전히 얄타 회담에서 정해진 동북의 권익을 지키고자 했기 때문이다. 장제스가 철저하게 미국인에게 의지하는 상황에서, 그는 중국 동북지역에서 미국-장제스에 맞서는 역량을 지지하는 것을 고려하지 않을 수 없었는데, 그 역량은 오직 중국공산당일 수밖에 없었다.

마오쩌둥은 스탈린의 뱃속까지 보았다고 말해야 할 것이다. 지금은 실력이 충분하지 못해, 그는 이러한 마음속의 말을 입 밖에 꺼낼 수 없었다. 여러 해가 지난 다음, 그는 마침내 자신의 진실한 감정을 드러냈다. 저속하게도 구두를 벗어 탁자를 두드리던[22] 흐루쇼프가 '연합 함대'를 만들자고 요구했을 때, 마오쩌둥은 화가 나 면전에서 둥근 머리의 흐루쇼프를 꾸짖었다: "어떻게 스탈린의 대국 쇼비니즘이 또 나옵니까!"

그러나 비록 마오쩌둥은 스탈린에게 많은 불만이 있었음에도, 스탈린에게 깊은 감사를 표했다. 스탈린은 비록 자신의 이익 때문에 중국 혁명을 억

21 지금의 산둥성 남부, 안후이성과 장쑤성 북부 일대를 가리킨다.

22 1960년 10월 12일, 흐루쇼프가 UN총회 본회의장에서 필리핀 대표의 발언을 막기 위해 구두를 벗어 탁자를 두드렸다는 이야기가 전해지고 있다. 2015년 10월 12일자 한국일보 기사에 따르면, 실제로 그와 같은 일은 없었으며, 흐루쇼프가 구두를 들고 있는 사진은 조작된 것이었다고 한다.

제했지만, 결국은 10월 혁명의 전통과 이상을 계승하고 있었고, 또한 중국 혁명을 동정하여, 중국 혁명에 많은 원조를 했다. 만약 미군이 동북 지역으로 들어온다면, 공산당이 발을 들여놓을 여지가 있겠는가? 중국 혁명의 승리가 언제까지 미뤄져야 할지 알 수 없었다.

지금, 28년의 악전고투를 거쳐 무수한 선혈이 중국의 대지를 비옥하게 만든 끝에, 중국 혁명 승리의 날이 곧 다가오고 있었다. 그 사람은 또 무슨 생각을 하고 있었을까?

1949년 1월 11일, 모스크바 크렘린 궁

스탈린은 이 무렵에 매우 변덕이 심해, 소련공산당 정치국 위원들은 저마다 겁에 질려, '주인'이 화를 내서 재수 없는 일을 당하지나 않을까 걱정하고 있었다.

소련의 역사가가 남겨 놓은 다음과 같은 귀중한 증언에 감사한다. 그들은 우리에게 이렇게 말해주었다. 1948년에 중국 해방 전쟁의 승전보가 마치 눈발처럼 모스크바에 날아들 무렵, 스탈린은 중국공산당이 전국적으로 승리를 거두고 미국이 극동에서 전면적으로 패배하여 기쁘기 그지없었지만, 동시에 독립적이고 자주적이며, 통일되고 강대하며, 그의 지휘를 따르지 않는 중국이 곧 소련의 남쪽에서 굳건히 일어설 것이기 때문에 우려해 마지않았다. 그는 유아독존적인 대러시아 쇼비니즘 때문에 우려했고, 그는 티토[23]보다 더 강대한 새로운 티토가 나타났기 때문에 우려했으며, 그는 또한 역사 때문에 우려했다. 그는 러시아가 중국에게 얼마나 많은 빚을 졌는지를 너무나 잘 알고 있었고, 그의 이론상의 스승인 마르크스와 엥겔스가 알고 있었으며, 그의 전우이자 스승인 레닌도 알고 있었다. 그는 또한 자신의 손으로 다시

23 요시프 브로즈 티토(Josip Broz Tito, 1892~1980)를 가리킨다. 유고슬라비아의 독립 운동가이자, 유고슬라비아 연방의 대통령이었다. 그는 스탈린의 영향에서 벗어나 서방 국가들과 교류하는 독자적인 공산주의 노선을 채택했다.

적지 않은 새로운 빚을 졌다는 것도 잘 알고 있었다.

이러한 우려 때문에 스탈린은 다시 한번 현명하지 못한 선택을 했다. 막다른 골목에 놓인 장제스가 동시에 몇몇 강대국들에게 제안하기를, 열강들이 국공 내전을 중재하여 창강(長江: 즉 양쯔강-옮긴이)을 경계로 중국을 분할 통치하기를 희망한다고 호소했을 때, 오로지 그만이 대단히 크지만 또한 대단히 가져서는 안 되는 흥미를 나타냈다. 그러나 아직 만나본 적도 없는 마오쩌둥이 1월 1일 새해 첫날, 즉시 「혁명을 끝까지 진행시키자[將革命進行到底]」라는 글을 발표했다. 이 글에서는 뜻밖에도 그리스의 우화인 「농부와 독사」[24]를 인용하면서, 이렇게 말했다: "중국 인민은 독사와 같은 악인을 결코 불쌍하게 여기지도 않으며, 또한 다음과 같은 사실을 매우 잘 인식하고 있다. 즉 무릇 달콤한 말로, 무슨 이런 악인들을 불쌍하게 여겨야 하며, 그러지 않으면 국가의 정세에 맞지 않고, 또 위대함도 부족하다는 따위의 말을 하는 사람들은 결코 중국 인민의 충실한 친구가 아니라는 것을……."

도대체 이게 누구를 말하는 것인가?

스탈린은 담배 파이프를 만지작거리며 고민하기 시작했다.

흑해 연안에서 온 마코르카 담배를 파이프에 채워서 두 번 피우고 난 다음, 스탈린은 보고서를 자세히 살펴보았다. 이 보고서에서, 마오쩌둥은 오늘 소련공산당에게 난징 정부[25]는 무조건 항복을 해야 하며, 중국을 탈취하는 데 다시는 복잡한 방식을 사용할 필요가 없다고 말했다.

이렇게 말했다는 건, 마오쩌둥이 아주 완곡하면서도 단호하게 자신의 요구를 거절한 것이다.

이 마오쩌둥은 도대체 어떤 사람인가? 그는 단 한 번도 모스크바의 유명

24 농부가 눈밭에서 얼어 죽어가는 뱀을 발견하자, 측은한 마음이 들어 품에 안아서 살려주었지만, 살아난 뱀은 도리어 농부를 물어 죽였다는 내용이다. 판본에 따라서는 농부의 집에 있던 농부의 아들과 딸을 물어 죽였다는 내용으로 바뀌기도 한다. 악인에 대한 친절과 호의는 헛된 일이라는 교훈을 담고 있다.

25 우한에 있던 공산당 정부에 맞서 장제스를 중심으로 하는 우파 세력이 난징에 수립한 국민 정부를 가리킨다.

한 공산당 지도자를 참배한 적이 없었다.

스탈린은 담뱃대를 꺼내 들더니, 다시 깊은 생각에 잠겼다.

1949년 4월 20일 밤 8시, 베이징 샹산(香山)[26]의 솽칭(雙淸) 별장

중난하이(中南海)[27]로 가기 전에 마오쩌둥은 여기에 잠시 머물렀다.

벽에 붙은 작전 지도를 보며 마오쩌둥은 생각에 잠겼다. 백만 대군이 몇 시간만 더 있으면 창강을 가로질러 강남을 차지할 것이다. 제2야전군과 제3야전군은 이미 소총에 착검을 한 채 탄약을 장전하고 있으며, 강둑에는 1천 문의 대포가 빼곡히 늘어서 있고, 강기슭에는 1만 척의 도강선(渡江船)이 돛을 올리고 출발 대기 상태로, 자신의 명령이 떨어지기를 기다리고 있었다.

마오쩌둥은 지도를 보다가 문 쪽으로 다가가 말없이 생각에 잠겼고, 직원들은 멀리서 둘러앉아 쥐 죽은 듯이 조용했다. 누구도 감히 마오쩌둥이 생각에 젖어 있거나 잠을 잘 때 그를 방해하지 않았지만, 마오쩌둥은 나라의 흥망과 안녕에 관한 일을 생각하느라, 잠이 너무 적었고 잠을 이루기도 매우 어려웠다.

밤하늘에 높게 걸린 달을 바라보면서, 마오쩌둥은 이 전투에서 반드시 이길 거라는 걸 알고 있었다. 강을 건너간 다음에는 다시 큰 전투는 없을 것이고, 장제스의 실력은 이미 거의 소멸되어, 아마도 곧장 해변까지 몰아낼 것이다. 단지, 단지 바로 그 나라가 개입하지만 않는다면 말이다. 그렇다. 단지 미국이 개입하지만 않는다면…….

미국이…….

마오쩌둥은 깊은 생각에 빠져들었다.

중국공산당은 일찍이 진심으로 미국 국민·미국 정부와 우호 관계를 맺

26 베이징 서쪽에 있는 산 이름

27 쯔진청(紫禁城) 서쪽에 있는 지역으로, 두 개의 호수 주변에 많은 건축군이 형성되어 있다. 여기에 중국 정부의 주요 기관들과 주석 등 요인들의 관저가 있다.

기를 희망했다. 미국인은 좋은 사람들이다! 목숨을 걸고 소비에트 구역[28]에 잠입하여 전 세계 인민들에게 처음으로 공정하게 중국공산당과 중국공농홍군(工農紅軍), 그리고 자신을 소개해주었던 에드거 스노(Edgar Snow, 1905~1972)[29]가 미국인 아니던가! 처음으로 전 세계에 주더 총사령관의 전기를 쓴 여성 기자 아그네스 스메들리(Agnes Smedley, 1892~1950)가 미국인 아니던가? 팔로군을 따라서 화베이의 적진으로 쳐들어간 칼슨(Evans Carlson, 1896~1947) 중령이 미국인 아니던가? 팔로군에게도 원조를 해야 한다고 옳은 소리를 했다가 미움을 받고 장제스에 의해 미국으로 쫓겨난 스틸웰(Joseph Warren Stilwell, 1883~1946) 장군이 미국인 아니던가? 그는 미국으로 돌아간 뒤에 일기장에서 말하기를, 농기구를 내려놓고 주더 총사령관과 같이 총을 메고 장제스를 치지 못해서 아쉽다고 하지 않았던가! 그는 의협심 넘치는 사나이이자, 4성 장군이지 않았던가! 그리고 국민당과 공산당의 충돌을 조정하려고 했던 마셜 장군은, 말할 것도 없이 미국의 5성 장군 중에서 첫 번째 가는 장군으로, 인품이 상당히 훌륭하지 않았던가! 그는 저우언라이와도 좋은 관계를 맺고 있었다. 그리고 티베트 고원의 '험프(The Hump)'[30] 항로에서 무수히 희생당한 미군 조종사들도 있었다. 그 항로는 세계에서 가장 험난하지만, 항일 전쟁 중에 중국이 외국의 원조를 받는 가장 중요한 항로였다.

마오쩌둥은 미간을 찌푸렸다. ……그러나 미국 정부는 또 얼마나 고약한가? ……당초 중국공산당은 진심을 다해 우호적으로 미국 정부와 교류했었다.

---

28 대장정 시기 공산당 소속 홍군이 차지한 지역

29 에드거 스노는 중국공산당을 취재하여 서방 세계에 처음으로 알린 작가이다. 주요 저서로 *Red Star Over China*(1937) 등이 있다. 그의 아내 님 웨일스(Nym Wales, 본명은 Helen Foster Snow, 1907~1997)는 옌안에서 조선인 독립 운동가 김산(본명은 장지락)을 취재한 내용을 담은 저서 *The Song of Arirang*을 쓰기도 했다.

30 제2차 세계대전 당시, 연합군 공군 조종사들은 히말라야 산맥 끝자락의 높은 산등성이가 낙타 혹처럼 생겨서 "The Hump"라고 불렀다. 이 지역의 항로는 일본의 버마 침공을 막고, 연합군의 중국 보급선을 지키기 위해 연합군이 반드시 확보해야 했다.

저 1944년 7월 22일, 제1진 미국 정부의 대표인 미군 감시단이 옌안에 오자, 저우언라이가 직접 가서 몇 명의 영관과 위관 장교들을 맞이했다. 8월 15일자 중앙 기관지인 『해방일보(解放日報)』는 그에 대해 특별히 사설을 발표한 적이 있다. 그 글을 수정할 때, 나(마오쩌둥)는 미국 감시단이라는 말 뒤에 친필로 "전우들"이라는 세 자를 붙였었다. 나 마오쩌둥으로 하여금 이 세 자로 부르게 하는 게 쉬운 일이던가? ……그러나 당신들(미국)은 왜 이렇게 금방 고약하게 변해버렸는가? 항전이 아직 끝나기도 전에, 당신들은 중국의 혁명을 적대시하기 시작했고, 당신들 스스로 부패가 극에 달하여 전혀 희망이 없다고 욕해대던 장제스 반동 정부를 적극적으로 지지했다. 당신들은 또한 중국 내정에 끊임없이 간섭하면서, 6만 대군을 중국의 연해에 상륙시켜 요충지를 제어하고, 국민당이 수십만 군대를 화둥(華東)·화베이·화난(華南)으로 싣고 가 근거지를 탈취하여 점거하도록 도왔다. 그러지 않았다면, 이 지방들은 모두 인민군대의 손에 들어왔을 것이다. 그렇게 되었다면 중국 백성들은 크나큰 고통을 조금이나마 덜 받았을 것이다. 당신들이 군사 고문단을 보내, 장제스에게 현대화된 무기를 줌으로써, 중국인들로 하여금 전에 없이 참혹한 내전을 벌이게 했다. 당신들 군대의 지원이 없었다면, 장제스가 내전을 치를 수 있었을까? 당신들은 중국에서 얼마나 많은 이들을 죽게 했는가? 당신들은 왜 이러는가? 당신들은 바로 당신들이 말하는 이익이라는 걸 취하려는 것인가? 어허, 그럼 중국 인민 자신의 이익은 어찌되는가? 당신들은 제국주의를 하려 하는데, 그렇다면 우리는 제국주의 침략 세력을 중국에서 내쫓을 것이다! 오직 이렇게 해야만 중국은 독립이 있을 수 있고, 민주주의가 있을 수 있고, 평화가 있을 수 있고, 자신의 합법적 이익이 있을 수 있다!

이제 중국 인민은 곧 승리할 것이다. 당신들이 더 이상 간섭하지 않으면 늦을 것이다. 당신들은 그렇게 고생해서 얻은 자본을 모조리 잃고 갈 수 있겠는가? 내가 보기엔 달갑지 않을 것이다. 당신들은 감히 그리하지 못할 것이다. 중국 인민의 역량은 이미 이제 예전과는 비교할 수 없다! 다시 말하지만, 당신들은 나 마오쩌둥을 간섭하는 것이 두려울 것이다. 타오용(陶勇,

1912~1967)[31]은 해방군이 강을 건너는 걸 감히 간섭하려던 네 척의 영국 군함을 포격하여 꼼짝 못하게 만들지 않았던가?[32] 당신들 미국인들이 감히 온다면, 나는 당신들을 더욱 별 볼 일 없게 만들어버릴 것이다.

저우언라이는 이렇게 말했다: "미군이 만약 정말로 감히 중국을 침략해 와서, 우리의 대도시를 점령한다면, 우리는 농촌을 이용하여 도시를 포위할 것이다. 그래서 그들로 하여금 어떠한 군수품도 미국으로부터 운반해 오도록 만들겠다. 화장지와 아이스크림까지도 포함해서 말이다. 또한 그들이 대도시라는 짐을 짊어진 채, 책임지고 부양하게 할 것이다!" 너희 미국 놈들과 싸우기로 우리 모두 결심했다!

그러나 나는 당신들이 당면한 형세를 좀 파악하여, 국민당 정부를 버리고 우리와 우호적으로 교류하기를 희망할 뿐이다. ……국민당 정부는 이미 광저우(廣州)로 옮겨갔는데, 미국 대사 스튜어트(John Leighton Stuart, 1876~1962)는 뜻밖에도 난징(南京)에 남았다.[33] '중화민국'의 '총통 권한 대행' 리중런(李宗仁, 1891~1969)이 여러 차례 광저우로 가자고 설득했지만, 그는 결단코 가지 않았다. 우와, 소련 대사 로쉬친(Nikolai Vasilievich Roshchin, 1901~1960)은 국민당 정부를 따라 광저우로 대사관을 옮겨버렸는데…….

마오쩌둥은 생각이 무르익자, 고개를 돌려 말했다: "도강을 개시하여, 전국으로 진군하시오! 감히 저항하는 국민당 반동파를 단호하고, 깨끗이, 철저하고, 완전하게 전부 소탕하여 전국의 인민을 해방시키고, 중국 영토 주권의 독립과 완전함을 보위하시오!"

기나긴 창강에서는 즉시 1만 개의 돛이 다투어 강을 건넜고, 포화는 봄날의 우레 소리처럼 대지를 흔들었다. 인민해방군 100만 명의 용맹한 군대가 창강을 건넜다. 국민당 군대는 마치 산이 무너지듯 패배했고, 난징을 포

31 중국 인민해방군 해군 부사령관이었다.

32 1949년 여름에 발생한 이 사건을 양쯔강 사건(Yangtse Incident) 혹은 애머시스트 사건(Amethyst Incident)이라고 부른다. 애머시스트는 당시 난징 부근에 있던 영국 군함 네 척 중 한 척의 이름이다.

33 미국 대사 스튜어트는 당시 마지막까지 국민당과 공산당의 전쟁을 중재하려고 했다.

기했다. 해방군은 군사 작전 3일 만에 난징을 점령했고, 창강을 건넌 지 6개월 만에 남쪽으로 거의 2천 리를 추격했다.

5월 25일, 천이와 수위(粟裕, 1907~1984)의 제3야전군이 상하이로 진격했다. 만약 미국이 군대를 사용하여 중국의 혁명에 간섭한다면, 상하이는 가장 마지막 폭발점이 될 것이다. 군대를 쓰지 않는다면, 미국은 장차 중국 대륙에서 영원히 군대를 쓸 기회를 상실할 것이다.

5월 26일, 중국 인민해방군의 팔일(八一)[34] 깃발이 상해 전체에 휘날렸다. 같은 날 줄곧 우송커우(吳淞口) 밖에서 한가로이 어슬렁거리던 미국과 영국 군함들은 모두 닻을 올리고 바깥 바다를 향해 나아갔다.

전국적인 전쟁의 형국은 승리가 비록 정해진 상황이었지만, 미국의 간섭을 막기 위해, 원래 스촨으로 들어가기로 정해져 있던 류보청과 덩샤오핑의 제2야전군은 줄곧 창강의 중·하류에서 그해 9월까지 머물다가 마침내 서쪽을 향해 공격했다.

1949년 4월, 일본 도쿄의 맥아더 공관

만약 그의 전공(戰功)·경력 및 나이만 아니라면, 일찍이 웨스트포인트 사관학교 25년 동안 가장 우수한 성적을 얻었던 맥아더는 정말이지 어릿광대 같았다. 게다가 노년이 되어 갈수록 그의 성격에서 어릿광대 같은 면모가 도 더욱 뚜렷해졌다. 이때 맥아더는 이미 70세가 되었지만, 그에게는 그 나이의 사람이 응당 가지고 있는 신중함과 성숙함이라고는 없었을 뿐만 아니라, 뭔가를 연기하고 싶어 하는 욕망과 오만방자함은 오히려 젊은 시절보다 더욱 강해졌다. 허영심은 이미 이 무수한 영예를 획득한 늙은 군인의 세포 하나하나마다에 스며들어 있었다. 그는 일장 연설을 할 때마다, "적어도 5마일은 걸어야 한다"라고 말했고, 그가 루스벨트를 맞이하러 갈 때는 대통령

34 중국 인민해방군이 1927년 8월 1일에 창군했음을 상징한다.

보다 겉치레가 더 요란했다. 그는 담배를 피우지 않는 트루먼의 얼굴에 가차 없이 담배연기를 내뿜어, 그로 하여금 깊은 모욕감을 느끼게 했다. 맥아더는 아버지가 자신에게 남긴, "반드시 두 가지 일은 평생 피해라. 허튼소리를 영원히 하지 말고, 시빗거리가 될 구설수를 영원히 만들지 마라"라는 교훈을 늘 기억하고 있었다. 그러나 후세 사람들은 이렇게 평가했다: "맥아더에게는 평생 두 가지 금기 사항이 있었으니, 그것은 허튼 소리를 하지 않는 것과 시빗거리를 만들지 않는 것이었다." 심지어 미국 대통령 아이젠하워도 자신이 이전에 맥아더 원수 밑에서 일하면서 얻은 것에 대해 말할 때, 감탄하면서 이렇게 말했다: "나는 그로부터 연기하는 예술을 적지 않게 배웠다!"

하느님이 첫째이고, 맥아더가 둘째다! 만약 당신이 이런 말로 맥아더에게 아첨했다면, 그는 화를 냈을 것이다. 왜냐하면 그는 이 순서가 마땅히 뒤바뀌어야 한다고 여겼기 때문이다. 그로부터 1년 후, 농민 출신의 지극히 소박한 중국의 원수가 평생 위세를 부린 맥아더로 하여금 자신의 깜냥을 정확히 알게 해줌과 아울러, 그의 일생을 이때부터 천지가 뒤집힐 정도로 역전시켜, 얼마 남지 않은 여생을 바람 앞의 촛불처럼 처량한 상태에 진입하게 만들었다.

미국의 군부와 정계 고위층에서 맥아더를 좋아하는 사람은 많지 않았지만, 누구도 그를 어찌할 수는 없었다. 맥아더는 미국 정계에 지대한 영향을 갖고 있었다. 제2차 세계대전 중 오스트레일리아 총리가 루스벨트를 만났을 때, 루스벨트에게 맥아더가 대통령 선거에 출마하지 않을 것이라고 말하자, 루스벨트는 손가락을 튕기고 휠체어를 돌려 원을 그릴 정도로 기뻐했다. 맥아더는 미군 중에서 가장 경력이 오래된 통솔자였으며, 그는 미군 중 어느 누구보다도 많은 전쟁을 치렀다. 그가 무지개 사단[35] 사단장을 맡아 제1차 세계대전을 치르기 전에, 그는 멕시코에서 단기필마로 서부 카우보이식

35 제1차 세계대전 당시 미국 육군 제42사단의 별칭이다.

전쟁을 치르기도 했다. 그 누구도 맥아더를 싫어했지만, 그가 아주 우수한 군인이라는 것은 인정했다. 패튼(Geroge Smith Patton Jr., 1885~1945)은 그렇게 광적으로 날뛰었지만, 오직 맥아더만큼은 존경했다.

맥아더와 그의 부친은 평생의 사업과 운명을 태평양과 아시아에 걸었다. 지금 태평양과 필리핀에서 욱일기를 저지한 용맹한 군대의 총사령관인 맥아더는 평생의 정점에 도달했다. 그는 일본의 총독이자 절대 통치자였으며, 마치 바쿠후 시대의 쇼군이나 러시아 차르 같았다. 그러나 철저한 제국주의자이자 반공주의자인 맥아더의 권력과 시야는 일본이라는 37만 평방킬로미터의 섬에 그치지 않았다. 그는 아시아의 일이라면 무엇이든지 관여하고 싶어 했고, 관여해야만 했다. 사람들은 그 때문에 그에게 완전히 동양적인 색채가 짙은 별명, 즉 "아시아의 태상황(太上皇)"이라는 별명을 붙여주었다.

맥아더는 그의 일생 중에 아마도 루스벨트만을 약간이나마 꺼리고 두려워했을 것이다. 루스벨트가 죽자, 그는 아무런 거리낌이 없었다. 지금 그의 말은 너무나 노골적이어서, 그에 의해 도쿄에 초청받아 온 국민당 장군은 긴장했고, 심지어 두려워할 정도였다. 비록 이 중국 장군은 미국인들이 자신의 손으로 길러냈음에도 말이다.

영국인들에 의해 "동방의 롬멜(Erwin Rommel, 1891~1944)"이라고 칭송받던 쑨리런(孫立人, 1900~1990) 장군은 맥아더의 사관학교 동문이자, 맥아더의 학생(맥아더는 웨스트포인트의 교장을 맡은 적이 있다)이기도 했다. 전쟁 중에 일본인들을 가장 많이 무찌른 중국의 고위 장교인 쑨리런은, 맥아더의 저 끊임없이 말을 하는 큰 입이 억지로 웃음 짓는 얼굴을 바라보면서, 마음속의 두려움을 드러내지 않으려고 온 힘을 다하고 있었다. 그 스승의 뜻은 이 항일의 명장이자 현재 국민당 타이완 신설 군대의 훈련 사령관을 맡고 있는 그로 하여금 민족의 배신자가 되고 매국노가 되라는 것이었다.

"워싱턴은 공산주의에 대해 너무 연약하여, 단지 일격을 당하자, 존 헤이(John Milton Hay, 1838~1905, 19세기 말의 국무장관으로, 중국에 대한 문호 개방 정책을 실행하라고 요구하는 등 미국의 해외 팽창 정책에 공헌했다) 시기에 애써 운영

했던 모든 것들을 잃어버렸소. 이것은 우리의 힘이 아시아에서 붕괴하는 시작이자, 사람들에게 놀림을 받는 '종이호랑이'의 탄생일이기도 하오. 그 결과는 수세기 동안 영향을 미칠 것이며, 또한 자유세계의 운명에 대한 마지막 재앙적인 영향을 미칠 것인데, 지금 아직 드러나지는 않았소."

맥아더는 좌불안석인 쑨리런에게 제국주의 사상을 마구 털어놓으면서, 쑨리런이 조금이라도 민족적 자존심이 있는지 없는지에 대해서는 전혀 개의치 않았다. 계속해서 그는 쑨리런에게 타이완의 전략적 중요성에 대해 이야기했다:

"타이완이 적대국의 수중에 들어가면, 타이완은 마치 위치가 이상적이면서 공격 전략을 실시할 수 있는 침몰하지 않는 항공모함이나 잠수함 지원함처럼 될 것이오. 그와 동시에, 또한 오키나와와 필리핀에 있는 우군의 방어나 반격을 좌절시킬 수도 있을 거요……."

웨스트포인트 사관학교에서 서방 국가들이 금과옥조로 여기는 머핸(Alfred Thayer Mahan, 1840~1914)[36]의 해양력(sea power) 이론을 체계적으로 배웠던 쑨리런은 당연히 타이완의 중요성을 알고 있었다. 그는 미국의 모든 육·해·공군 고급 장교들은 모두 중국의 저 복숭아나무 잎사귀 모양의 보물섬에 깊이 매료되어 있으며, 미국인들이 온갖 계략을 다 짜내어 그것을 손에 넣으려고 하고 있다는 걸 더욱 잘 알고 있었다. 만약 타이완을 소유하는 데 성공하여, 동아시아 대륙의 연해에서, 위로는 일본 열도, 가운데는 중국 타이완 군도, 아래로는 필리핀 군도까지, 이렇게 길게 섬들을 하나로 이으면, 아시아 대륙의 어떠한 잠재적 경쟁자의 목덜미라도 조일 수 있게 됨과 아울러, 이를 기지로 삼아 그를 공격할 수도 있다. 쑨리런은 맥아더가 무슨 이야기를 하려는지 예감했는데, 맥아더는 과연 그렇게 말했다:

"대륙은 곧 함락될 것이고, 국민당 정부는 반드시 무너질 거요. 미국은 그에 대해 그다지 큰 희망을 갖고 있지는 않지만, 미국은 타이완이라는 침

36 미국 해군 소속의 전쟁사학자이다. 그가 쓴 『해양력이 역사에 미치는 영향(*The Influence of Sea Power upon History*)』이라는 책은 전 세계 해군의 전략 수립에 큰 영향을 주었다.

몰하지 않는 항공모함을 빼앗길 수는 없소. 그래서 쑨 장군이 타이완을 지키는 중책을 맡아주기를 바라고 있습니다. 그리한다면 미국이 온 힘을 다해 지지할 거요. 돈이 필요하면 돈을 주고, 총이 필요하면 총을 주겠소……."

항일 전쟁의 명장인 쑨리런은 이 말을 듣고 눈이 튀어나올 것 같았다. 그의 미국인 스승이 그에게 "타이완 독립!"을 하라고 요구한 것이다. 쑨리런은 당연히, 아직 제2차 세계대전이 진행 중일 때, 미국이 동맹국인 중국의 영토 중에서 타이완을 뽑아가려고 획책하기 시작하여, 미국 정보기관이 본토에서 이미 대량으로 양성한 '타이완 독립 분자'들이 무장을 갖추고서 출발 준비를 하고 있었다는 것을 알 리가 없었다. 지금 장제스의 패배가 임박하자, 미국인들은 소매를 걷어붙이고 직접 무대 전면으로 뛰어나오기 시작했다. 맥아더가 쑨리런을 찾은 목적은 타이완의 병권을 쥐고 있는 쑨리런을 '타이완 독립'의 꼭두각시로 만들려는 것이었다. 그들의 계획에서는, 장제스가 타이완으로 철수하는 것을 결코 허락하지 않음으로써, 중국공산당을 불러들이는 사태를 피하려 했으며, 만약 실제로 오더라도 오직 정치적 난민의 신분으로만 타이완에 올 수 있게 하려 했다.

여전히 상당한 민족적 자존심을 갖고 있던 쑨리런은 이 일의 득실을 알고 있었다. 게다가 설령 '독립'을 하려고 시도하더라도 성공할 수 없었으니, 여전히 타이완에서는 천청(陳誠, 1954~1965)이 눈을 부릅뜬 채 그를 바라보고 있었기 때문이다. 쑨리런은 맥아더의 요구를 완곡하게 거절했다. 그는 타이완으로 돌아가 즉시 천청에게 보고했다. 그리고 장제스에게도 이 보고를 전해달라고 부탁했다. 마음이 매우 무거운 쑨리런은 그의 앞날이 순탄치 않을 것임을 예감하고 있었다…….

6년 후, 타이완에서 많은 사람들의 관심과 지지를 받던 쑨리런 장군은 명확히 알 수 없는 군사 반란 사건으로 인해, 극단적으로 의심이 많던 장제스에 의해 병권을 잃었으며, 평생을 반성하라는 강제 명령을 받았다. 그의 죄목은 "미국 점령군의 정권에 참가하려 했다"는 것이었다.

1949년 5월, 베이징 샹산의 솽칭 별장

마오쩌둥은 멀리서 온 손님을 매우 비밀스러우면서도 융숭하게 대접했는데, 이번 회담은 상당한 시간이 지난 후에야 사람들에게 알려졌다.

마오쩌둥이 만난 사람은 조선민주주의인민공화국 수상인 김일성의 밀사였다.

조선과 중국은 2천 년의 우호적인 역사를 갖고 있었는데, 역사를 잘 아는 마오쩌둥은 조선에 대해 좋은 감정을 갖고 있었다. 그리고 지금의 조선민주주의인민공화국과 중국공산당의 연원은 더욱 각별했다.

20세기 초에 일본이 조선을 침략한 이후, 많은 조선의 혁명가들이 중국에 와서 중국공산당 사람들과 어깨를 나란히 하고 싸웠다. 홍군의 제3군단이 처음으로 창샤를 공격했을 때, 홍군의 조선인 김무정(金武亭, 1904~1951)과 군단장 펑더화이(彭德懷, 1898~1974)가 함께 산포(山砲: 산악 지대 작전에 편리하게 만든 소형 화포-옮긴이)로 둥팅호(洞庭湖)에 있는 일본 군함을 공격했는데, 그것은 모든 홍군 중에서 처음으로 사용한 산포였다. 당시 모든 홍군에서 이렇게 단 두 사람만이 대포를 사용할 줄 알았다. 장정 기간 동안에 장궈타오(張國燾, 1897~1979)[37]가 분란을 일으켰을 때, 밤중에 그 소식을 긴급하게 전한 것도 김무정이었다.

"앞으로, 앞으로, 앞으로, 우리의 대오는 태양을 향한다[向前向前向前, 我們的隊伍向太陽]……." 적군을 혼비백산하게 만든 〈중국 인민해방군 군가〉[38]는 누가 만들었는가? 바로 조선인 정률성(鄭律成, 1914~1976)[39]이 옌안에서 만든 것이다.

해방 전쟁 시기에, 수만 명의 중국 거주 조선인들이 중국 인민해방군에

37 중국공산당 초창기의 지도자 중 한 명이다. 그는 마오쩌둥과의 권력 투쟁에서 패배한 후, 국민당으로 전향했다.

38 원래 제목은 〈팔로군 행진곡〉이다.

39 본명은 정부은(鄭富恩)이다. 1937년에 옌안으로 이주하여 중국공산당의 문예 부분에 종사하며 활동했다.

참여했고, 린뱌오의 동북 야전군에서는 아예 조선인 동지들을 주체로 하는 2개 독립 사단을 편성했다. 동부 야전군의 적지 않은 부상자들이 모두 조선으로 이송되어 치료를 받았다. 1946년, 동북 전장이 가장 위급한 때에는 남만주 지역 해방군의 가족들이 모두 조선으로 갔으며, 심지어 동북국도 조선으로 옮겨가서 위기를 모면하려고 했었다.

마오쩌둥은 일찍이 이렇게 평가했다: "우리 중화인민공화국의 찬란한 오성홍기(五星紅旗)는 조선 혁명 열사들의 선혈로 물들어 있다." 두 나라와 두 당은 견고한 친분과 피로써 맺은 우정이 있다고 할 수 있다.

특사는 마오쩌둥에게 김일성의 친서를 전달하고, 조선의 근황을 다음과 같은 내용으로 소개했다: 조선은 미군과 소련군에 의해 38선으로 양분되었으나, 조선은 줄곧 통일을 도모하고 있다. 김일성도 줄곧 얄타 회담이 조선에 강제로 덮어씌운 사슬에서 벗어나, 조선으로 하여금 독립된 통일 국가를 이룰 수 있게 하려고 한다. 그러나 미군은 조선을 '냉전'에서 중요한 역할을 할 수 있는 군사 기지로 만들기 위해 통일을 끊임없이 파괴하고 있다. 아시아의 태상황 맥아더는 미국에 장기간 망명했던 꼭두각시 이승만(李承晩, 1875~1965)을 찾아내어, 남·북조선 인민의 공통된 반대에도 불구하고 1948년 7월 12일 '대한민국'을 수립하고, 이승만을 대통령으로 삼았다. 북조선은 마지못해 1개월 정도 뒤에 조선민주주의인민공화국을 세웠으며, 김일성은 내각 수상이 되었다. 이렇게 조선은 정식으로 분열되었다.

여기까지 이야기하고 나서, 특사는 침울한 말투로 다음과 같이 말했다: "미국인과 이승만은 절대로 평화롭게 조선 문제를 해결하려 하지 않고 있습니다. 전쟁을 준비하기 위해, 1947년에 미군은 85만 명을 동원하여 서울에서부터 인천, 서울에서부터 부산, 그리고 38선을 횡단하는 전쟁 준비용 도로를 확대했으며, 김포비행장을 비롯한 비행 기지들을 확충했습니다. 많은 돈을 들여서 인천·포항·여수 등 항구들을 고쳐 짓고, 목포·묵호에는 해군 기지를 건설했습니다. 38선을 따라서 수백 킬로미터의 참호와 교통호를 구축했습니다. 1947년에 미국 대통령의 특사 웨드마이어(Abert Coady Wedemeyer, 1897~1989) 장군이 남조선을 시찰하고, 남조선 군대를 확대하는 계획을 최고 수준으로 밀어붙이고 있습니다…….”

여기까지 듣더니, 마오쩌둥이 냉랭하게 한마디 끼어들었다: “또 웨드마이어 그 전쟁의 역귀로군요! 그는 중국 내전에서 적지 않은 공을 세웠지요! 우리 군대가 모든 동북 지역을 탈취했을 때, 그는 미국 정부에게 보고하기를, 유엔에 동북 지역을 신탁 통치하도록 건의하자고 했습니다. 미국 정부마저도 그의 보고를 감히 공개하지 못했으니, 그는 미친놈입니다.”

특사가 계속하여 소개했다: “남조선의 이승만 정부는 매우 반동적인 정부입니다. 북조선 정부의 조선 문제를 평화롭게 해결하자는 건의를 무수히 거절하고, ‘남북 통일은 반드시 전쟁으로 해결해야 한다’고 선언했습니다. 미국의 지지하에 미친 듯이 군대를 확대하고 있으며, 2년 동안 15만 명의 국방군을 설립했습니다. 그의 병역법은 17세 소년부터 60세 노인까지를 병역 복무의 범위로 규정하고 있습니다. 내전을 준비하기 위해, 그는 미국에게 돈과 물자를 요구하고 있는데, 비위가 좋은 미국인들마저도 받아들일 수 없다고 느끼고 있습니다.”

“1948년 말, 조선인민회의는 소련군이 조선에서 철수할 것을 요구했으며, 특사를 보내 미군도 동시에 철군하기를 희망한다고 했습니다. 소련군이 철군한 후, 조선 반도의 형세는 갑자기 긴장되었습니다. 이승만은 미국인을 등에 업고 끊임없이 도발했고, 비밀리에 4만 1천 명을 소집하여 전선으로 보냈습니다. 38선에서는 총소리가 끊이지 않고 있으며, 수개월 동안 군사 충돌이 37회나 발생했습니다. 소련군이 철수한 지 반년이 지나자, 미국인들도 철군하기 시작했는데, 이승만에게 많은 무기와 장비를 주었습니다. 그 가운데 화포가 2천 문에 달합니다.” 특사는 여기까지 이야기했을 때, 심각하게 강조했다: “제 예상으로는 이승만이 전쟁을 일으킬 날이 머지않았습니다.”

마오쩌둥은 굳은 표정을 지으며 물었다: “당신들은 무엇에 근거하여 이런 판단을 합니까?”

특사가 대답했다: “올해 들어 이승만은 미국 고문단의 지휘하에 이미 남조

선에서 '후방을 안정시킨다'는 명목으로 14만 명을 죽였습니다. 우리의 정보 수집에 따르면, 지난달에 그는 유엔총회에 가는 조병옥(趙炳玉) 특사 편에 보낸 편지에서 말하기를, '통일을 위해, 부족한 무기와 탄약 말고도, 우리는 기타 방면의 준비를 갖추었다'라고 했습니다. 전쟁은 이미 일촉즉발입니다."

마오쩌둥은 깊이 생각한 다음 물었다: "당신들의 준비 상태는요?"

특사가 말했다: "우리의 준비는 부족합니다. 우리에게는 미국이 하는 것 같은 그런 원조가 없습니다. 이승만은 6개의 사단을 갖고 있지만, 우리는 지금 전쟁을 하기에 충분치 않은 부대들과 장비가 부족한 3개 사단밖에 갖고 있지 않습니다. 국가의 안전을 확보하기 위해, 김일성 수상은 두 차례나 스탈린에게 〈조·소 우호 및 상호 원조 조약〉을 체결하자고 제안했으며, 또한 소련이 군사 원조를 해주도록 요구했습니다. 2개월 전, 김일성 수상이 소련을 방문했을 때 직접 북조선의 안전 문제를 거론했습니다."

마오쩌둥이 급히 물었다: "스탈린은 뭐라고 합디까?"

특사는 고개를 저으며 말했다: "스탈린은 말로만 필요한 군사 원조를 해주겠다고 하면서, 우리에게 경화(硬貨)[40]로 소련의 무기를 구매하도록 요구했습니다(수개월 후 조선은 금 9톤, 은 40톤, 기타 광석 1만 5천 톤을 소련 화폐 39억 루블로 교환했고, 이 돈으로 3개 보병 사단의 무기와 장비를 구입할 수 있었다). 그 밖의 것은 명확한 답을 주지 않았습니다."

한동안 침묵하던 마오쩌둥은 김일성의 편지를 자세히 읽고 나서, 이렇게 말했다: "나는 김일성 수상이 서신에서 '조선 반도의 충돌은 피하기 어렵다'고 한 관점에 동의합니다. 당신들에 대해 말하자면, 특히 장기전을 하는 건 불리합니다. 왜냐하면 설령 미국이 간섭하지 않는다 해도, 일본으로 하여금 전쟁의 원조를 제공하도록 사주할 것이기 때문입니다. 그러나 당신들은 걱정할 필요가 없습니다."

마오쩌둥은 결연하게 말했다: "중국과 소련이 당신들 곁에 있습니다. 필요

40 국제 금융상 환 관리를 받지 않고, 금 또는 각국의 통화와 언제든지 바꿀 수 있는 화폐를 말한다.

한 상황이 되면, 중국은 군대를 파병하여 당신들과 어깨를 나란히 하고 함께 싸울 겁니다. 지금이라도 우리가 할 수 있는 만큼의 지원을 하겠습니다. 중국 인민해방군에는 2개 조선인 사단이 있지 않습니까? 우리는 이 2개 사단을 모든 무기와 함께 넘겨주겠습니다. 김일성 수상에게 우리는 한 푼의 돈도 원치 않는다고 전해주시오!"

이는 마오쩌둥이 처음으로 김일성에게, 조선에서 전쟁이 발발할 경우 중국이 참전할 수 있다고 밝힌 것이다.

이와 동시에 마오쩌둥은 명확한 태도를 표명했다: "우리는 조선에서 전쟁이 일어나지 않기를 바랍니다. 첫째, 국제 형세가 이를 용납하지 않을 것이고, 둘째, 우리는 아직 효과적으로 조선을 도울 수 없습니다. 우리 자신도 아직 전쟁을 하고 있습니다. 그러나……" 그는 다시 한번 강조했다: "일단 우리가 중국을 통일하는 임무를 완수하면 상황은 달라질 것입니다."

만족하여 돌아가는 조선 특사를 전송하고, 마오쩌둥은 깊은 생각에 잠겼다. 진실한 공산주의자로서, 그는 조선의 동지들에 대해 자연스러운 감정을 갖고 있었다. 민족주의자로서, 그는 중국과 마찬가지로 제국주의자들에게 식민 통치의 피해를 받은 조선에 대해 깊은 동정심을 갖고 있었다. 뛰어난 역사학자로서 그는 조선과 중국의 안전 관계를 손바닥 보듯이 잘 알고 있었다. 바로 순망치한(脣亡齒寒)이고 호파당위(戶破堂危: 대문이 부서지면 본채가 위험하다-옮긴이)였다.

그러나 대륙은 아직 완전히 해방되지 않았고, 타이완은 여전히 바다 밖에 홀로 남아 있으며, 하이난(海南) 섬도 있었다. ……국민당의 걸출한 전략 연구가이자, 일찍이 국민당 육군대학교 교장을 지낸 양지에(楊傑, 1889~1949) 장군은 그에게 편지를 보내, 현재 대륙에서 장제스가 차지하고 있는 지역은 이미 주머니 속의 물건과도 같다고 했다. 그리고 먼저 대군을 모아 타이완과 하이난을 공격함으로써, 미국과 일본이 수행할 수 있을 법한 해양의 음모를 깨부수고, 장제스를 항아리 속의 자라로 만들어버려야만, 국제 정세의 변화를 막을 수 있을 거라고 했다. 그리고 철저하게 장제스의 뒷길을 끊어버린 다음에, 대서남과 대서북을 공격해야 한다고 말했다. (그 계획은) 생각해볼 만한 것이었다.

오직 철저하게 장제스를 멸망시키고, 중국의 통일 문제를 해결해야만, 우리가 여력이 생겨 조선의 동지들을 도울 수 있다. 그 전에는 조선에서 가능하면 전쟁이 일어나지 말아야 한다. 그렇지 않으면 국제적으로 비상 사태가 될 것이다…….

마오쩌둥의 내심 깊은 곳에서는, 철저하게 중국의 통일을 완성하려던 계획에 대해 한 줄기 남모를 걱정이 생겨나기 시작했다.

물질적인 조건의 제한 때문에, 먼저 타이완과 하이난을 평정하고 나서 스촨과 신장을 평정한다는 양지에 장군의 전략 구상은 결국 실현되지 못했다. 제1기 정치협력위원이자 애국 민주 인사인 양지에 장군은 이 뛰어난 전략 계획으로 인해 장제스에게 큰 공포와 원한을 샀기 때문에, 그가 베이징의 개국대전(開國大典)에 참가하러 가기 전날 밤에 국민당의 특수 공작원에 의해 홍콩에서 암살당했다. 그리고 시국 역시 양지에 장군이 말했던 것처럼 불행해져서 타이완은 지금까지도 여전히 중국 인민의 아픔이 되고 있다.

오래지 않아, 중국 인민해방군 창건 행렬에 포함되어 있던 2개 독립 사단(조선인 사단)은 신비롭게 사라졌고, 중국 인민들과 함께 몇 년 동안 혈전을 같이 했던 영웅적이고 용감한 3만 명의 장병들은 중국 인민해방군이 선택할 수 있는 최고의 무기와 장비를 가지고 눈물을 흘리며 제2의 고향과 이별했다. 그들은 조선으로 돌아가 새롭게 만들어진 인민군의 근간이 되었으며, 조선 전쟁에서 아주 중요한 역할을 했다.

1949년 6월 29일, 타이완 타오위안(桃園) 다시전(大溪鎭)

1949년은 장제스에게 극도로 고통스러운 1년이었다. 참혹한 패배는 마치 잔인하고 포악한 권투 선수가 쉬지 않고 좌우를 번갈아가며 그를 두들겨 패는 것 같아, 그는 거의 버티지 못할 지경이었다. 그러나 그의 적수인 마오쩌둥을 생각할 때마다, 장제스의 내심에서 결연함이 생겨났다. 그해(1935년)에 마오쩌둥과 장궈타오가 초원에서 크게 분열했으며,[41] 뒷길은 끊겼고, 앞날은 캄캄했으며, 수하에는 겨우 8천 명밖에 없었다. 오직 수만 리가 넘는 중국과 소련의 변경으로 가야만 겨우 생존할 수 있었다. 한 무리의 패잔병들은 다시 5천 킬로미터를 정벌하여 멀리 막북(漠北: 고비 사막 이북 지역-옮긴이)까지 가야만 살길이 있었으니, 그게 얼마나 막막하고 처량한 꿈이었던가! 그렇게 마오쩌둥은 한 달을 더 걸어갔고, 그제야 오래된 신문지에서 앞쪽 산베이에 머물 수 있는 근거지[42]가 있음을 알게 되었다. 그로부터 15년도 지나지 않아, 마오쩌둥은 중국 대륙을 통일하려 하고 있었다. 장제스 자신은 지금 그 당시의 마오쩌둥보다 어디가 나은지는 모르겠는데, 적어도 아직 타이완은 남아 있었다. 그 마오쩌둥은 버텨냈는데, 나는 무슨 근거로 버틸 수 없단 말인가? 요 며칠 대륙을 떠나 타이완으로 온 것은, 첫째로 마음을 좀 안정시키고, 매우 피로에 지친 영혼을 좀 이완시키기 위한 것이었다. 둘째는 미국인들이 타이완을 향해 뻗치는 검은 손[43]을 차단함으로써, 절체절명의 위기를 벗어나, 이후 타이완으로 물러나기 위한 복선을 미리 남겨두려는 것이었다. 주한(駐韓) 대사 사오위린(邵毓麟, 1909~1984)에게 나라를 구할 묘책이 있다는 말을 듣자, 장제스는 곧바로 그를 불러 물었다. 장제스는 사오위린의 계책은 반드시 조선과 관계가 있다는 것을 알고 있었다. 그 장제스 또한 조선 문제 전문가였다.

1919년 조선에서 3·1운동이 발발하자, 애국지사들이 중국으로 망명하여 상하이에 '대한민국 임시정부'를 수립했다. 이 정부는 항일 전쟁에서 승리를 거둘 때까지 26년간이나 중국에 있었다. 쑨원(孫文, 1866~1925)이 호법(護法)

41 혁명 노선을 두고 갈등을 겪던 두 사람이, 대장정 과정에서도 옌안으로 가야 한다는 마오쩌둥과 스촨에서 중단하자는 장궈타오의 의견이 충돌하여, 두 집단으로 분열한 것을 가리킨다.

42 이 근거지는 시중쉰(習仲勛, 1913~2002)이 1935년 봄 무렵에 조직한 것이다. 시중쉰은 현재 중국의 주석인 시진핑의 아버지이다.

43 앞에서 언급한 바와 같이, 쑨리런 장군 등 다른 이를 내세워 타이완을 독립시키고 장제스가 멸망하는 것을 수수방관하려던 미국의 계획을 가리킨다.

운동[44]을 할 때, 그가 대한민국 임시정부를 승인하여, 중화민국 정부가 줄곧 지원했다. 그리고 황푸(黃埔)군관학교에서는 제3기부터 제6기까지 적지 않은 조선 청년들을 군사 인재로 길러냈다. 장제스 교장에게는 적지 않은 조선인 제자들이 있었다.

1931년 9·18사변(만주사변이라고도 함-옮긴이)이 일어나자, 중국의 암살대왕 왕야챠오(王亞樵, 1887~1936)는, 조선의 의사(義士) 윤봉길이 상하이 홍챠오(虹橋) 공원에서 온수병으로 위장한 은색 케이스의 폭탄으로 상하이를 침략한 일본의 사령관 시라카와 요시노리(白川義則, 1869~1932) 대장을 폭사시킨 계획을 세웠다. 이때 중상을 입고 후에 일본 외상(外相)이 된 시게미츠 마모루(重光 葵, 1887~1957)는 14년 후에 의족을 끌면서 '미주리' 호 전함에서 일본을 대표하여 맥아더에게 항복하기로 서명했다.

조선 의사의 저격 사건 이후, 장제스는 이 때문에 조선의 망명 지도자 김구를 직접 불러 대규모의 조직적인 자원을 시작했다. 1942년에는 〈한국 독립 운동을 돕는 지도 방침[扶助韓國復國運動指導方針]〉이라는 특별한 법령을 제정하여 한국광복군과 조선의용군 창설을 도왔다. 1945년에는 2천여 명으로 발전하여, 현재의 한국군 창건의 기초를 제공했다. 재정적인 면에서는 한국 임시정부의 모든 재정은 오로지 국민당 정부에 의해 공급되었다.(20세기 말, 한국 대통령 김영삼은, "이번 세기 초반, 한국이 일본에게 침략을 당하자, 중국은 한국 독립 운동의 근거지가 되었습니다. 당시 중국 국민이 보여준 깊은 우의와 사심 없는 지원은 우리 한국 국민에게 지금도 생생하게 기억되고 있으며, 그 일은 잊을 수가 없을 것입니다!"라고 감탄했다. 지금까지도 한국 정부의 요인들이 상하이를 방문할 때면, 반드시 자신들의 망명 정부 유적지에 들러 조상의 충의와 절개를 기리고, 중국 인민들의 조선 독립 운동에 대한 동정과 도움에 감사하고 있다. 조선 독립 운동 지도자

44 신해 혁명이 발발하고, 쑨원과 위안스카이(袁世凱)의 합의에 의해, 새로 세워진 중화민국 정부의 제1대 총통은 위안스카이가 되었다. 그러나 위안스카이는 총통에 만족하지 않고 독재 권력을 휘두르면서 황제가 되려고 했다. 이에 쑨원이 중화민국의 헌법을 지키기 위한 투쟁을 개시했다. 이를 호법 운동이라고 하며, 모두 두 차례(1913~1916, 1920~1922) 있었다.

들의 일부는 영국과 미국에 의존했으며, 이들은 이후 한국 건국의 핵심이 되었다. 일부는 코민테른에 접근하기도 했으며, 이들은 김일성을 따라 귀국했다.) 1945년에 미국과 소련이 경계를 그어 조선을 남북으로 나누어 다스리자, 김구는 한국의 임시정부에 의지하여 귀국했고, 장기간 미국에 있으면서 미국의 도움을 받던 꼭두각시 이승만과 회합하여 새로운 한국 정부의 핵심이 되었다. 1948년 5월 10일, 한국은 총선거를 실시했다. 8월 15일에 이승만을 '대통령'으로 하는 '대한민국'을 수립했다. 비록 이승만이 일본인들과 결탁하여 민족반역자 짓을 하고 8년 동안 감옥에 있다가 미국으로 갔던 데다[45], 이후 조선 독립기금을 횡령하여 악명이 높았으므로, 장제스는 그를 그다지 대단치 않다고 여겼지만, 중화민국은 한국에 대단히 큰 영향력을 가지고 있지 않던가!

자신이 한국에 대해 이렇게 잘 알고 있는데, 사오위린이 또 무슨 좋은 방법을 생각해내어 철저하게 붕괴하려는 패배 국면을 구제할 수 있단 말인가? 장제스는 약간 의혹을 갖고 있었다. 병이 급하니 아무 의사에게나 보이는 셈 치기로 했다.

마흔 살도 안 된 사오위린은 국민당 외교의 귀재로 불렸는데, 사람들은 "작은 노숙(魯肅: 삼국 시대 오나라 손권의 유능한 책사-옮긴이)"이라고 불렀다. 천청은 그를 "우리 당의 뛰어난 외교 인재"라고 불렀다. 사오위린은 일찍이 1944년에 미국과 소련이 '냉전'을 할 것이라는 전조를 알아채기도 했다.

부름을 받고 온 사오위린은 장제스를 보자마자, "전 대륙의 함락은 단지 시간문제일 뿐입니다"라는 말로 장제스를 제압했다. 모름지기 이때의 면적을 살펴보면, 대서남·대서북과 적지 않은 연해 지역, 그리고 티베트도 명목상으로는 모두 장제스에게 속해 있어서, 장제스는 중국의 거의 절반을 차지하고 있었다. 그래서 입으로는 여전히 "대서남에 의지하여 대중국(大中國)에 반격하자"는 구호를 외치면서 사기를 북돋웠다.

---

45 박영효 등 친일파 인사들과 고종 폐위 운동을 벌이다가 구속되어, 처음에는 사형을 선고받았으나, 곧 종신형으로 감형되었고, 다시 미국 공사 알렌 등의 구명 운동에 따라 10년형으로 감형되었다가, 사면되어 미국으로 갔다.

장제스는 비록 사오위린의 말이 진실이라는 것을 알고는 있었지만, 여전히 벼락을 맞는 듯했다. 사오위린은 감히 장제스의 면전에서 그가 인정하고 싶지 않은 현실을 말한 최초의 사람이었다.

사오위린은 이후 더욱 괴상한 말을 했다. 그 핵심 내용은 남·북조선이 반드시 곧 전쟁을 할 것이고, 국민당이 퇴각한 후에 목숨을 보전하는 땅인 타이완은 이로 인해 구원을 받는다는 것이었다. 장제스는 이 말을 듣고 크게 놀랐다.

사오위린은 회고록에서 장제스에게 했던 말을 상세하게 기록했다: "전략의 형세에 대해 논하자면, 우리나라는 동북 및 대륙의 해안 지방을 모두 공산당에게 점령당했기 때문에, 남한은 이미 아시아 대륙에서 유일하게 돌출된 지역이 되었고, 그 형세가 매우 좋지 않습니다. 만약 공산당이 대륙을 함락시킨 뒤에 타이완을 선제 공격한다면, 우리로서는 상상조차 할 수 없는 최악의 상황입니다만, 남한은 코민테른의 정치 침투와 무장 부대의 협공을 받아, 조만간 반드시 재난을 당할 것입니다. 반대로, 만약 공산당이 남한을 선제 공격한다면, 남한은 국제적인 명성이 있는 데다, 맥아더 총사령부도 가까이 지척에 있으니, 어찌 좌시하고 구하지 않을 수 있겠습니까? 남한이 만약 구해질 수 있다면, 우리 타이완은 세계 각국의 공산당이 남한을 침략하는 걸 제지해야 한다는 목소리들 속에서, 한 가닥 희망을 찾을 수 있게 되어, 위기를 벗어나 안전해질 수 있을 것입니다."

장제스는 갑자기 정수리에 우레를 맞은 듯이, 한 줄기 살아날 기회를 보았다. 당시 그는 미군이 즉시 중국에 참전하여 대륙에서 매우 화급한 상황을 해소할 수 있을지에 가장 관심을 갖고 있었다. 사오위린은 다시 분석했다: "미국은 유럽을 중시하고, 아시아를 가볍게 여깁니다. ……그리고 미국은 군비를 재정비하고 있는데, 아직 마치지 못했고, 민중들 사이에서 전쟁을 준비해야 한다는 심리도 아직 성숙되지 않았습니다. 그래서 금년 안에 미국은 절대로 전쟁을 할 수 없습니다. 또한 전쟁을 피하는 것이 불가능하다 해도, 그들의 대외 정책은, 남한과 중국에 대해서는 군사적으로 지원을 하다가 전쟁에 말려들어가는 것을 피하려고, 외교와 경제 원조에 치중하고 있습니다."

정치적 입장을 고려하지 않는다면, 국민당의 외교 귀재인 사오위린은 국제 정세가 매우 세밀하고 조리 있게 발전한다고 예측했는데, 1년 후의 실제 국제 정세는 그가 예측한 대로 발전했다. 그가 미군은 중국 대륙의 전쟁 국면에 감히 개입할 것인가 개입하지 않을 것인가의 문제를 분석한 것과 중국공산당의 고위층이 분석한 것은, 실제 상황과 완전히 똑같았다.

장제스는 곧바로 사오위린에게 세 번째 질문을 던졌다: "외교적 곤경을 타개하기 위해, 중화민국·대한민국·필리핀으로 반공 삼각동맹을 조직함으로써, 기세를 강화하고 외국의 원조를 받아낼 수는 없소?"

사오위린은 깊이 생각하더니, 대답했다: "총재님의 원대한 구상은 대단히 정확합니다. 그러나 어쩌면 이 동맹의 확립이 매우 짧은 기간 내에 이루어지지 않을지도 모릅니다. 그래서 저는, 한편으로는 외교적 노력을 기울이고, 다른 한편으로는 비상수단으로 모략을 함께 운용함으로써, 정세를 우리에게 유리하도록 전개해야 할 것 같다고 건의드립니다……."

장제스는 깨달은 바가 있어, 묵묵히 고개를 끄덕였다.

이날 사오위린을 떠나보내고 나서, 장제스는 조선에 대한 전후(戰後)의 수많은 자료들을 자세히 살펴보았다.

소련군은 조선에 들어온 다음 이렇게 선포했다: "조선은 이미 자유로운 국가가 되었다. 소련은 조선의 일본을 반대하는 모든 민주 정당들과 폭넓게 협력하는 기초 위에서, 조선 인민이 자신들의 민주 정부를 세우는 것을 돕겠다."

그러나 이와 동시에, 미국의 태평양 지역 주둔 총사령관인 맥아더는 다음과 같이 포고했다: "한국의 북위 38도 이남 및 그 지역의 주민들에 대한 모든 정부 권력은 며칠 전부터 임시로 본인이 행사한다." 이렇게 적나라한 식민지 언어는, "일본 총독이 가고, 미국의 국왕이 왔다"고 선포한 것과 다를 것이 없었으니, 곧바로 한국 국민들로부터 극도의 반감을 불러일으켰다.

맥아더는 또한 이전에 일본 식민지 정부에서 일했던 인원들이 계속하여 공무를 수행하게 될 거라고 선포했다. 장제스는 이것을 보고 쓴웃음이 나오는 것을 참을 수 없었다. 그는 이 조치가 한국 국민들로부터 커다란 분노를 불러일으키게 되리라는 걸 잘 알고 있었다. 솔직히 말하자면, 일본과의 전쟁이 끝난 후, 장제스의 명성은 중국 백성들 사이에서 정점에 도달했다. 많은 사람들이 그의 초상화 앞에서 "위원장님 만세!"라고 소리치기도 했다. 그러나 공산당의 땅을 빼앗기 위해서 그는 일제에 협력했던 수많은 민족 반역자들을 임용하여 본토의 치안을 맡겼다. 이 조치는 즉시 그로 하여금 민심을 잃게 만들었다. 맥아더가 조선의 민족반역자들을 임용하여 통치를 유지한다면, 한국의 백성들에게 어떤 인상을 남길 것인가?

장제스는 다시 계속 읽어 나가다가 황당무계함을 금할 수 없었는데, 맥아더는 뜻밖에도 또한 이렇게 규정하고 있었다: "미국 군대가 관리하는 기간 동안에는 영어가 관청에서 통용되는 공식 언어이다!"

그는 한국 국민이 자신의 언어를 사용할 권리마저도 박탈했으니, 그가 일본인과 무엇이 다른가?

미군은 남한에 들어온 이후, 즉시 현지의 인민들이 세운 인민위원회를 해산시키고, 이전 일본 총독부의 기초 위에 남한의 군정(軍政) 정부를 수립했다. 그리고 이전 일본 식민지 정부의 모든 법률은 계속 유효하며, 각급 관리들은 미군 장교들이 담당한다고 선언했다. 이는 파괴된 옛날 일본 식민지의 기관들을 이용하여 미국의 새로운 식민 통치를 유지한다는 것이었다.

이러한 정치적 조치들 외에도, 미국 점령군은 일본 식민 정부의 모든 재산을 빼앗아 자신의 것으로 삼았다. 맥아더는 일본 동양척식회사를 신한공사(新韓公司)로 바꾸고, 미군 정부가 관할했으며, 또한 31만 정보(町步, 1정보는 1헥타르: 대략 1만 평방미터-옮긴이)의 땅도 차지했다. 이렇게 남한의 농업과 공업의 전체 자산의 80%가 미국의 주머니에 들어갔다. 여기까지 보고 나자, 비록 장제스가 아는 것이 많고 식견이 넓다 하더라도, 미국의 탐욕과 간교함에 혀를 내두르지 않을 수 없었다. 장제스는 고개를 돌리며 닝보(寧波) 사

투리로 낮게 탄식했다:

"미국이 이렇게 엉망으로 일을 처리하니, 한국은 틀림없이 난리가 나겠군."

과연 장제스의 말대로, 미국인들이 실시한 식민 통치는 남한을 아수라장으로 만들었고, 맥아더 자신도 "이것은 재난이다"라고 말했다. 리지웨이(Matthew Bunker Ridgway, 1895~1993)처럼 고집이 센 미국 장교도 그의 회고록에서, "미국의 군사 점령 정책과 조치들은 인심을 잃게 만들었고, 남한 국민들의 신임과 협력을 잃게 만들었다"고 인정하지 않을 수 없었다. 남한 백성들은 미국인들의 통치에 목숨을 걸고 저항했다. 노동자들의 파업과 학생들의 수업 거부가 매일 끊이지 않았으며, 군중들은 집회를 열고 도처에서 시위를 벌였다. 1946년 9월에 있었던 한 번의 파업에는 228만 명이 참가했으며, 마침내 무장 봉기하여 게릴라전으로 발전했다. 그해 10월 2일, 대구에서 무장 봉기가 폭발하자, 남한 각지에서 봉기에 호응하여, 순식간에 봉기에 참여한 백성들이 남한의 절반이 넘는 지역을 차지하기도 했는데, 두 달여 만에 미국인에 의해 진압되었다. 이것이 한국 역사에서 그 유명한 10월 항쟁(대구 10·1사건, 대구 10월 사건, 대구 소요, 영남 소요 등으로도 불린다-옮긴이)이다.

"공비들이 간사한 수작으로 인심을 혼란시키는구나." 장제스는 여기까지 보고는 낮은 목소리로 중얼거렸다.

다시 살펴보니 여전히 한국의 정국은 어수선했고, 경제는 붕괴하여 난장판이었다. 오직 하나의 소식만은 장제스를 깜짝 놀라게 했다.

바로 김구가 평화 통일을 주장했기 때문에, 이승만은 결국 김구마저도 암살해버린 것이다.

김구는 장제스와 매우 좋은 개인적 친분이 있는, 조선의 우익 민족주의자이자, 전설적인 인물이었다. 그는 평생을 조선의 독립 운동에 바쳤다. 망명 정부를 수립하고 암살과 폭파, 독살과 방화 등, 사람들로 하여금 눈이 휘둥그레져 말문이 막히게 한 반일 대사건들을 무수히 많이 일으켰다. 장제스는 그를 매우 존경했고, 남조선이든 북조선이든 막론하고 모두가 그를 영웅으로 여겼다. 김구가 없었으면, 이승만은 거의 대통령이 될 수 없었다. 조선의 독립 운동에서 김구는 높은 명망을 가진, 모두가 공인하는 지도자급 인물이었으니, 맥아더마저도 조선 문제에 관해서는 김구의 의견을 듣지 않을 수 없었다. 맥아더는 이전에 이승만이라는 이름을 들어보지도 못했었다. 이승만은 속임수로 김구의 신임을 얻었고, 김구는 결국 맥아더에게 이승만을 추천했다. 그러지 않았다면, 어디 이승만이 두각을 나타내는 날이 있을 수 있었겠는가? 이승만이 뜻밖에도 감히 김구를 죽인다는 건 생각할 수 없는 일이었다.

좋은 친구인 김구의 기개와 호기로운 모습을 떠올리고는, 장제스는 참담한 마음을 금할 수 없었다: "영웅호걸이 결국 소인배에게 해를 입었구나."

장제스는 더 이상 남한의 어수선한 자료들을 넘기기가 싫어지자, 북한의 자료를 열람했다.

조선은 사실상 김일성을 지도자로 하는 조선공산당이 이끌고 있었다. 조선공산당은 오랫동안 반일 투쟁을 계속하여, 조선 인민들의 지지를 받고 있었다. 1946년, 조선공산당과 조선신민당이 합당하여 조선노동당을 만들고, 통치 기반을 확대하여, 북조선임시인민위원회를 수립했는데, 이는 철저히 공산당이 이끄는 사회주의 체제의 정권이었다.

경제적으로, 북조선은 대대적인 토지 개혁을 실시하자, 70만 명의 빈농들은 꿈에 그리던 토지를 무상으로 얻었다. 김일성은 감사 편지만도 3만여 통이나 받았는데, 그 중에 적지 않은 편지는 피로 쓴 것이었다. 동시에 중요한 기업들은 모두 국유화되었고, 이때부터 전쟁의 피해를 빠르게 회복하고 무너진 경제를 진흥시켰다. 조선인민위원회는 또한 사회 개혁 법령들, 예를 들어 남녀평등법이나 8시간 노동제 등을 반포하여, 나라의 정치·경제 상황이 전도유망했다. 한마디로 조선공산당이 이끄는 조선은, 정치가 잘 이루어지자 인심이 안정되었고, 경제는 번창하여, 미국인과 이승만이 이끄는 남쪽과는 선명하게 대조되었다(오늘날 조선보다 훨씬 발달한 한국도 당시는 북쪽보다 훨씬 못했다는 사실을 공개적으로 인정하고 있다).

조선의 자료를 본 다음, 장제스는 깊은 생각에 잠겼다. 그는 중국공산당과 조선이 실시한 토지 개혁에서 많은 것들을 배웠고, 이후 타이완으로 후퇴하여 자리를 잡자, 천청으로 하여금 국민당 특색의 타이완 토지 개혁을 실시하게 했다. 이는 정부가 출자하여 지주의 토지를 구매한 뒤 농민들에게 나누어주고, 다시 지주로 하여금 토지를 팔아 얻은 자금을 상공업에 투자하게 하여 자본가로 변신시킴으로써, 타이완을 안정시키는 것이었다.

심사숙고한 다음, 장제스는 이틀 뒤인 7월 1일에 다시 사오위린을 부르더니, 단도직입적으로 물었다: "나는 남·북한의 최신 상황이 어떠한지 알고 싶소."

국민당의 주한 대사인 사오위린은 조선의 상황에 정통했으므로, 즉시 막힘없이 흥미진진하게 이야기했다:

"그제 말씀 드렸듯이, 남한은 이미 돌출되었는데, 돌출되었다는 건, 반드시 먼저 공격받는다는 겁니다. 남·북한의 정세는 이미 폭발하기 직전입니다. 미군 철수 이후에 정치적으로나 군사적으로 몇 가지 요소만 더해지면, 남·북한의 정세에는 반드시 변화가 생길 것입니다."

"이달부터, 38선에서는 이미 소규모 충돌 사건들이 발생했는데, 이 사건들은 장차 갈수록 빈번해지고 갈수록 격렬해질 것입니다."

평생을 정치와 군사에 관련한 일을 해온 장제스는 무엇이 모든 것을 결정할 수 있는지를 알고 있었으므로, 단도직입적으로 물었다: "쌍방의 실력 차이는 어떻소?"

"경제를 보면, 소련군이 조선에 들어간 뒤, 북한 공산당은 토지 개혁을 실행했습니다. 일본인과 민족반역자들의 재산을 몰수했고, 공업은 소련 측이 직접 관리하고 있는데, 그 회복이 사람들의 주목을 끌고 있습니다. 소련군은 북한에서 결코 우리나라의 동북 지역에서처럼, 공업 설비를 전리품으로 삼아, 분해하고 포장하여 소련으로 실어가지 않습니다. 그러나 남한은 식량이 부족한 데다, 전력과 석탄 같은 자원 공업이 모두 북부에 있어, 남부의 공장들은 거의 가동되지 못하고 있습니다. 평균 공업 생산력은 아직 정상

능력의 20%에도 미치지 못하고, 인플레이션이 극심하여, 경제 상황이 비참합니다."

남·북한 경제의 현 상황에 대한 사오위린의 견해는 각 방면의 정보와 완전히 일치했다. 장제스는 묵묵히 고개를 끄덕이면서 다시 물었다: "그렇다면 군사적으로는 어떻소?"

"군사 역량을 보면, 소련군이 1948년에 철군할 때, 자신의 무기와 장비를 훈련이 잘된 북한 군대에게 주었고, 또한 끊임없이 대량으로 현대화된 무기장비를 제공하고 있습니다. 북한은 각 사단마다 15명의 소련 군사 고문단을 배치했으며, 북한군에는 일찍이 스탈린그라드 포위전에 참여했던 병력 5천명이 포함되어 있고, 사단장 이상의 지휘관들은 제2차 대전 중에 소련군에서 장교로 근무하여 공을 세운 적이 있는 공산당 분자들이 담당하고 있다고 전해집니다. 항일 전쟁 시기에 소련은 극동에 특별 여단을 설립하여, 유격전 과정에서 소련 국경으로 철수한 중국공산당과 조선공산당 요원들을 훈련시켰습니다. 또 필요시에, 북한은 중국공산당 군대로부터 북한 국적의 병력 약 3만 명 내지 4만 명을 소환할 수 있는데, 이들은 풍부한 실전 경험이 있는 군대의 핵심입니다."

"최근 북한은 군사적 동원을 시작했는데, 제1진의 추가 징집한 병력이 병영으로 들어갔습니다. 북한군은 장갑 부대 1개 여단(혹은 사단) 약 150대의 탱크, 156문의 120밀리 유탄포, 1천 문의 박격포, 650문의 36야전포, 1개 비행 사단 약 200대의 비행기, 30척의 중소형 전함을 보유하고 있습니다. 만약 준비가 끝나면, 20만 명 정도의 병력을 보유할 것으로 추정됩니다. 그 중 13만 명 정도가 육군이며, 주력은 7개 사단 9만 명으로 편성될 것입니다."(사오위린의 회고록에서는 정확한 사실을 혼동하여, 1년 후의 인민군 실력 상황을 1949년의 상황으로 채워넣고 있다.)

"남한군은 무기가 부족하고, 훈련받은 장교가 부족하여, 이는 미국인들이 심지어 그들을 감히 군대라고 부르지도 못하는 가련한 부대입니다. 보병의 무기는 제2차 대전이 남겨놓은 것들이며, 탱크도 없고, 전투기도 없으며,

단지 50문의 105밀리 유탄포와 10여 대의 훈련기뿐입니다. 절반의 전투 병영은 병영의 1급 전투 훈련을 완료하지도 못했으며, 많은 부대는 곳곳에 흩어져 공비들—남한에는 상당히 많은 공산당 유격대가 있었다—을 토벌하고 있습니다. 1949년 3월, 미국이 원조를 결정하여 6만 5천 명의 보안 부대가 장비를 갖출 수 있게 되었습니다. 남한 군대가 총동원되고 나면, 대략 14만의 병력을 갖게 될 것이며, 그 중 9만 명의 육군이 8개 사단으로 편성될 것입니다."

쌍방의 실력을 비교한 뒤, 사오위린은 다음과 같이 결정적인 결론을 내렸다:

"남·북한의 차이가 뚜렷한데, 더욱 기이한 것은 미국 군부가 북한의 실력을 대단히 낮게 평가하고 있다는 점입니다. 남한 쪽에서는 더구나 '북진통일'의 물결이 크게 일어, 시도 때도 없이 북한을 자극하면서, 하루가 멀다 하고 공개적으로 '군대를 이끌고 북상하자'·'멸공통일'이라는 말을 함으로써, 북한에게 남침할 합리적인 구실을 선사하고 있습니다. 이승만은 일찍이 이런 생각을 하고 있었습니다. 그것은 바로 중국공산당이 중국에서 아직 자리를 잡지 못한 틈을 타, 반드시 남·북한을 갈라놓은 38선을 없애버리고, 기선을 제압하는 타격을 가해야 한다는 것입니다. 병력이 부족하지만, 그는 결코 그런 것들을 걱정하지 않고 있으며, 미국인들은 때가 되면 반드시 자신을 원조할 거라고 생각하고 있습니다. 북한 김일성은 중국공산당이 승리한 것에 영향을 받은 데다, 자신들의 실력 수준에 의지하여, 기필코 통일 전쟁을 일으키고 싶어 안달입니다. 그래서 한국 전쟁은 필연적으로 일어날 것입니다."

장제스와 사오위린이 대화를 하는 과정에서, 사오위린은 시국의 전개와 완전히 부합하는 판단을 내렸다. 장제스는 이 판단에 대해 믿어 의심치 않았으며, 그 자신도 읽어본 자료에서 완전히 같은 결론을 내렸다. 이미 궁지에 몰린 장제스는 본래 제3차 세계대전의 발발을 마지막 한 가닥의 목숨을 구할 지푸라기로 삼았다. 미국과 소련이 분열되어 서로 싸우면, 자신은 그 기회를 틈타 중국공산당에게 반격하기를 희망했다. 이후로 장제스는 도처에서 강연하면서, 국민당과 중국공산당의 투쟁은 중국 내부의 일이 아니라, 국제적 공비라는 사악한 세력과 전체 자유세계의 일이므로, 대륙의 실패에 대해 장 아무개(장제스-옮긴이)를 탓해서는 안 되고, 어느 누구를 탓해서도 안 되며, 국제적 '공비'의 음모가 매우 지독함을 탓해야 한다고 했다. 그리고 '자유세계' 모두가 언젠가는 앞에 나설 것이고, 제3차 세계대전은 틀림없이 일어날 것이며, 그날은 바로 국민당이 대반격을 하는 날이라고 말했다.

장제스는 매일 세계대전이 발발하기를 기도하기 시작했다. 세계대전은 비록 장제스가 사망할 때까지 일어나지 않았지만, 1년 후, 머지않아 수위(粟裕) 대장이 통솔하는 타이완 공격 부대의 최후의 일격을 앞두고 있을 때, 장제스는 마침내 기다리고 바라던 대로 조선 전쟁이 일어나는 것을 보았다.

숭메이링(宋美齡, 1897~2003)에게 "공자를 등에 업고 예배당에 간다"고 비웃음을 사던 건실한 크리스천인 장제스는 이때 결국 흥분해서 이렇게 소리쳤다: "이는 하느님과 성령이 나와 함께한다는 상징이다."

장제스는 흥분하면서도 매우 진지하게 생각하기를, 하느님이 여전히 자신을 사랑한다는 표시가 바로 자신에게 조선 전쟁을 주신 거라고 여겼다. 그는 또한 온 힘을 다해 이번 기회를 틀어쥐고, 미국인들로 하여금 자신의 가치를 다시 보게 해주어, 타이완에서의 자신의 지위를 승인하지 않을 없게 했다. 그리고 그것을 교환 조건으로 삼아, 도처에서 전투가 벌어지고 있는 조선의 전쟁터에서 장제스는 온갖 음모의 수단을 다 사용했다.

1949년 9월 11일 밤, 모스크바 오스트로프스카야 거리 8호 아파트

비밀리에 소련을 방문한 중국공산당 대표단 단장 류사오치는 모스크바의 수많은 집들에 켜진 등불을 보자, 마음이 설레는 것을 억제할 수 없었다. 이날 밤, 스탈린은 마침내 그에게, 신중국 정부가 세워지면 소련은 곧 승인할 거라고 분명히 밝혔다. 그와 그의 동지들이 피투성이가 되면서 분투했던 성과가 마침내 국제 공산당을 운영하는 우두머리인 스탈린의 승인을 얻었고, 스탈린의 뒤에는 방대한 사회주의 진영이 서 있었다. 신중국은 고립무원의 지경에 빠지지 않을 것이며, 신중국 건설 사업은 장차 이 진영으로부터 상당히 많은 도움을 받을 수 있을 것이다. 스탈린의 의사 표시가 있었으니, 그는 이번에 모스크바에 와서 거둔 성과에 대해, 중앙(중국공산당의 최고 기구인 중앙위원회-옮긴이)에 만족스럽게 설명을 할 수 있을 것이다.

지금, 스탈린이 그를 만났을 때 한 그 말을 떠올리면서, 성격이 돈후하고 침착한 공산주의자 류사오치는 여전히 매우 감동했다.

스탈린이 말했다: "우리가 당신들을 방해했습니까?"

류사오치가 이어서 대답했다: "아닙니다. 그렇지 않습니다."

스탈린이 바로 말했다: "방해했지요. 방해했습니다."

류사오치는 스탈린이 이러는 것은 다른 형태로 중국공산당에게 사과하고 있다는 것을 알았다. 그런데 알아야 한다. 스탈린이 국제 공산주의 운동에서, 사회주의 진영에서, 그리고 세계 역사에서 어떤 지위에 있는지를!

류사오치가 이번에 비밀리에 모스크바를 방문한 주요 목적은 두 가지였다: 하나는, 소련에게 외교상에서 곧 수립될 신중국에 대해 진행할 지원을 얻어내고, 국민당 정부와 소련 사이에 남겨진 몇 가지 문제들을 해결하여, 쌍방의 우의를 깊게 하는 것이었다. 다른 한 가지 목적은, 스탈린이 공군과 해군을 파견하여 해방군이 타이완을 공격하는 것을 도와주도록 하는 것이었다. 이 일을 생각하자, 흥분해 있던 류사오치는 다시 한숨이 나왔다.

지난달, 중앙군사위원회는 제3야전군 부사령관인 수위가 지휘하는 타이완 공격군 사령부를 설립했는데, 수위 사령관은 이미 다음과 같이 타이완 전쟁 계획을 수립했다. 맨 먼저 장쑤(江蘇)·저장(浙江)·푸젠(福建) 등 3개 성을 공격하여, 타이완을 공격하기 위한 견실한 기초로 삼고, 다시 진먼(金門)·샤먼(廈門) 등 연해의 도서들을 소탕하여 타이완 공격의 출발지로 삼는다. 이어서 펑후(澎湖) 등 타이완을 둘러싸고 있는 도서들을 손에 넣어서 철저하게 타이완을 고립시키고, 마지막으로 타이완에 상륙하여 총공격을 가

함으로써 철저하게 장제스를 소멸시킨다는 것이다.

타이완 전쟁 계획은 순조롭게 진행되었다. 수위가 중국 동남해안 지역을 공략하는 것은 마치 무인지경에 들어가듯이, 매우 빠르게 해안의 도서들에 대해 공격을 진행했다. 그러나 타이완과 대륙은 사이에 100여 해리의 바다를 두고 서로 떨어져 있어, 필요한 해군과 공군의 지원이 없으면, 아무리 험난한 조건에서 싸우는 데 익숙한 수위 사령관이라 할지라도 단지 몇 십만 명의 보병과 소량의 포병만을 범선에 태우고 가서 타이완을 공격할 결심을 할 수는 없었다. 당중앙은 큰형님이 해군과 공군을 파견하여 우리 군대가 타이완을 점령하는 것을 지원해주기를 간절히 희망했다. 그러나 류사오치가 스탈린에게 소련군의 원조를 요구했을 때, 스탈린은 단지 200대의 비행기를 제공해줌과 아울러, 중국공산당이 조종사들을 훈련시키는 것을 돕겠다고 매우 빠르게 응답했지만, 비행기와 군함을 파견하여 중국공산당이 타이완을 공격하는 것을 지원하는 것은 명확히 거절했다.

스탈린이 말했다: "서부 국경에서 볼가 강까지의 소련 국토는 이미 온통 폐허가 되었습니다. 만약 소련이 군사적으로 타이완에 대한 공격을 지원한다면, 그것은 미국의 비행기나 군함과 충돌이 발생한다는 것을 의미하고, 또한 이것은 바로 장차 새로운 세계대전의 빌미가 된다는 걸 의미합니다. 만약 우리가 이런 일을 한다면, 러시아 인민이 우리를 용서치 않을 것이고, 그들이 우리를 끌어내릴 것입니다. 왜냐하면 우리가 그들이 전시와 전후에 겪은 고통과 그들이 지불한 노력을 무시하기 때문이며, 우리의 경솔함 때문입니다……."

이때의 소련은 확실히 대단히 허약했다. 제2차 세계대전에서 승리하자마자 곧 대기근이 발생하여, 독일인들의 총탄을 피해 도망쳐온 수많은 백성들이 굶어 죽었으며, 중국공산당 대표단마저도 소련을 방문하여 항상 검은 빵을 먹어야 했고, 환영회에 궐련을 마련하는 것조차도 사치스런 행위에 속했다.

스탈린은 지금 감히 피둥피둥하여 몸집이 건장한 미국과 대항할 힘이 실제로 없었다. 그러나 더 중요한 것은, 사회주의라는 가정의 가장으로서 국제주의(國際主義)[46]의 의무와 소련의 이익이 충돌할 때마다, 스탈린은 모두 후자를 선택했다는 점이다.

"보아하니 타이완을 공격하는 전쟁은 연기하고, 우리 스스로 배출해낸 비행사들이 수위의 상륙 함대를 보호하러 갈 때까지 기다릴 수밖에 없다!" 류사오치는 유감스러워하며 한숨을 쉬었다.

다음날 저녁, 스탈린은 자신의 쿤체보(Kuntsevo) 별장 2층에서 중국공산당 대표단을 환대했는데, 이는 중국공산당의 체면을 크게 세워주는 것이었다. 스탈린의 딸 스베틀라나(Svetlana Alliuyeva, 1926~2011)가 훗날 서방으로 망명한 후에 회고하기를, 이 연회는 스탈린이 처음이자 마지막으로 쿤체보 별장 2층에서 연회를 연 것이라고 했다.

말년의 스탈린은 고독을 극도로 두려워해, 거의 밤마다 소련 정치국 상무위원들을 별장 1층으로 불러들여 새벽까지 술을 마셨다. 소련공산당은 수년 동안 당대회·중앙상무위원회 회의를 열지 않았으며, 심지어 정치국 회의마저도 열지 않았다. 당시 소련의 거의 모든 중대한 결정은 쿤체보의 식탁에서 이루어졌으니, 소련공산당의 정치 행태는 이미 극도로 정상이 아니었다. 그러나 적어도 이날 밤만은 스탈린이 고독함을 느끼지 않았을 것이다.

화려한 크리스탈 샹들리에가 일제히 켜졌고, 손님들은 즐겁게 이야기하며 웃어댔으며, 흰옷을 입은 시중드는 사람들이 오가면서, 쿤체보 2층의 분위기는 매우 떠들썩했다.

각양각색의 이름난 술들이 들어오자, 분위기는 절정에 달했다.

마오쩌둥의 젊고 아름다운 아내인 장칭(江青)이 먼저 잔을 들고 일어나서 정성스럽게 준비한 축사를 낭독했다:

"스탈린의 건강은 바로 우리의 행복입니다. 저는 스탈린 동지께서 영원히

46 국제 사회에서 개별 국가들의 이해를 초월하여 모든 민족과 국가 간에 협조·연대·통일을 지향하는 사상이나 운동을 가리킨다. 여기에서는 공산주의 국가들 간의 국제주의를 가리킨다.

건강하시길 축원합니다. 모두들 저와 함께 스탈린을 위해 건배합시다!"

스탈린은 마음을 열고 크게 웃었다: "나는 이런 말을 처음 들어봅니다. 나의 건강이 뜻밖에도 모두의 행복이라니요! 하하! 하하하!"

모든 참석자들은 웃으면서 건배했다.

한 번 더 마시고 나서, 스탈린은 매우 기뻐하면서도 자못 흥분하여 말했다: "……내가 중국 마르크스주의자들은 성숙했다고 말한 것은, 소련인과 유럽인들이 당신들에게 배워야 한다는 말이지, 결코 당신들에게 아첨하는 말이 아니며, 예의상 한 말도 아닙니다. 서유럽인들은 교만하기 때문에, 마르크스와 엥겔스 사후에, 그들은 낙후하여, 혁명의 중심이 서양에서 동양으로 옮겨갔고, 이제는 중국과 동아시아로 옮겨갔습니다. ……오늘 여러분들은 우리를 큰형님이라고 불렀습니다. 하지만 나는 동생이 큰형을 따라잡고 추월할 수 있기를 바랍니다. 이것은 우리 모두의 소망일 뿐만 아니라, 발전의 법칙에도 부합하는 것이니, 나중에 온 자가 위에 있습니다. 모두 잔을 들어, 동생이 큰형을 능가하고, 진보를 가속화하도록 건배합시다!"

말을 마치고, 스탈린은 류사오치를 향해 술잔을 높이 들었다.

모든 사람의 예상과는 달리, 류사오치는 스탈린이 권하는 술을 받기를 거절했다. 이것은 극도로 무례한 행위였다.

뜨거웠던 분위기는 곧 냉랭해졌고, 온 연회장 안이 순식간에 고요해졌는데, 모두들 무슨 일이 일어났는지 몰랐다. 원래 천성이 근엄했던 류사오치는 동방의 전통 풍습에 따라 생각하기를, 자신이 만약 스탈린이 권하는 술을 받는다면, 곧 스탈린이 말한 바대로 혁명의 중심이 중국으로 옮겨갔고, 동생이 큰형님을 뛰어넘었다는 말을 사실로 인정하는 것이라고 여겼다. 그러니 이 술을 어떻게 감히 마실 수 있었겠는가?

류사오치는 결국 스탈린이 권한 이 술을 마셨을까? 1958년에 마오쩌둥은 비로소 모두에게 이렇게 말했다:

"120분을 버티다가, 결국 류사오치는 마셨습니다. 선생이 학생을 가르쳤는데, 학생이 선생을 넘어서지 못하면 그건 분발하지 않은 겁니다. 분발하려고, 그 술을 마셔야 했습니다!"

류사오치가 마침내 많은 사람들의 권유로 이 술을 마셨을 때, 이미 참을 수 없던 소련 정치국의 술고래들은 모두 눈살을 찌푸리며 자신의 보드카를 마시고 내려갔고, 즐거운 분위기는 이렇게 사라져버렸다.

사실, 당시 연회장에 있었던 스저는 소련에서 여러 해 동안 살아 러시아의 풍습을 잘 알고 있어서, 스탈린이 한 그 말은 어떠한 다른 의도도 없고, 단지 모든 소련 사람들이 술을 권하기 전에 분위기를 띄우는 말일 뿐이라는 것을 알고 있었다.

동·서양 관습의 차이라는 이 한 가지가 바로 중국과 소련 쌍방이 협력하는 길이 절대로 평탄할 수 없도록 결정해버렸다.

류사오치가 모스크바를 떠나기 전에, 스탈린은 류사오치에게 영화 한 편을 보자고 청했다. 스크린 위에서 소련이 처음으로 만든 원자폭탄의 버섯구름이 유유히 솟아오를 때, 중국공산당 대표단은 놀라 어리둥절했다. 이것은 정말이지 소련 군사력이 극비 중의 극비로 개발한 것이었다.

중국공산당 대표단의 표정을 보고 스탈린은 만족하여 웃었다. 그는 마침내 트루먼이 4년 전 포츠담 회담에서 그에게 준 치욕을 설욕했다. 소련이 마침내 자신의 원자폭탄을 갖게 된 것이다. 그리고 류사오치도 마침내, 왜 5월에 소련 대사관이 국민당 정부를 따라 광저우로 갔는데, 7월에는 스탈린이 중국공산당과 수교를 맺겠다고 감히 표명했는지를 알았다.

1949년 10월 1일, 베이징 톈안먼(天安門) 성루

마오쩌둥이 짙은 후난성(湖南省) 억양으로 "중국 인민이 일어섰습니다!"라고 외쳤을 때, 광장의 백만 군중은 즉각 엄청난 기세로 호응했다: "마오 주석 만세!"

감격한 마오쩌둥도 연신 팔을 들어올리며 소리쳤다: "인민 만세!"

발걸음이 분주하고 희색이 만면한 저우언라이는 의식에 참석한 사람들 사이에서 비집고 나오더니, 그가 손 안에 있는 얇은 전보 용지를 흔들면서 말했다: "주석님, 좋은 조식입니다. 소련이 전보를 보내 우리의 건국을 축하하면서, 그들이 3일 후에 정식으로 우리를 승인한답니다!"

흥분한 마오쩌둥은 소련의 축전을 받자, 흡족하게 웃었다.

이어서 유고슬라비아, 폴란드, 독일민주공화국 등등 사회주의 진영 각 나라들의 축하 전문이 잇달아 도착했다. 그들은 신중국을 승인했다. 마오쩌둥은 기뻐하며 축하 전신을 다 보고 나서, 낮은 목소리로 저우언라이에게 말했다: "미국과 서방 국가들은 어떤 입장을 보였습니까?"

저우언라이는 고개를 저으며 말했다: "저는 총리와 외무장관 명의로 세계 각국과 정상적 외교 관계를 수립하고 싶다는 공문을 보냈습니다. 이 공문은 베이핑(北平: 베이징의 옛 명칭-옮긴이) 주재 미국 영사관에도 보냈습니다만, 그들의 반응은 국민당 정부를 계속 승인하겠다고 선포했습니다."

저우언라이는 다른 서방 국가들의 상황에 대해서는 더 이상 말하지 않았고, 마오쩌둥도 더 이상 묻지 않았다. 미국이 승인하지 않는데, 그의 어린 형제들이 감히 어떻게 다른 입장을 보일 수 있겠는가?

마오쩌둥의 시야는 갈수록 미친 듯이 기뻐하는 군중들을 넘어 먼 하늘을 바라보았다. 그는 미국과 같이 두는 장기에서 지고 싶은 생각이 없었고, 그는 또한 미국인들도 장기를 질 생각이 없다는 것을 알고 있었다. 이미 6월에, 주중 미국 대사이자 그 유명한 '중국통'인 스튜어트는 중국국민당 혁명위원회의 천밍수(陳銘樞, 1889~1965)를 통해 중국공산당과 접촉하면서, 중국공산당에게 다섯 가지 의견을 전달했다. 그것은 중국의 외교 정책에 간섭하는 조건을 제시한 것으로, 신중국이 국민당 정부의 '국제적 의무'를 계승하도록 요구했다. 중국공산당은 당연히 받아들일 수 없었지만, 중국과 미국 사이의 연락 채널은 줄곧 원활했다.

스튜어트는 또한 예전 옌징(燕京)대학교 총장의 신분으로 베이징을 방문하고 싶다는 뜻을 표명하자, 그의 학생이었던 황화가 당중앙을 대표해서 가능하다고 통지했다. 바로 이때, 워싱턴에서 스튜어트에게 전문을 보냈다: "최고위층에서는 당신이 베이징에 갈 수 없다고 결정했습니다." 트루먼은 중국 공산당에게 약한 모습을 보여서는 안 된다고 생각했다. 반면 노련한 외교관이자 중국통인 스튜어트는 관찰을 통해 다음과 같은 결론을 도출해냈다. 즉 중국공산당은 사상적 정통성과 외교적 유연성을 모두 중시하는 입장을 취하고 있어, 마오쩌둥과 저우언라이 모두 오직 소련에만 묶여 있기를 바라지 않으며, 그들은 미국과 외교적·경제적 관계를 맺어 소련의 동맹과 균형을 맞추고 싶어 한다는 것이다.

유감스러운 것은, 중국을 알지 못하고 병적으로 반공적이었던 트루먼이 스튜어트를 속박하자, 8월 초에 이 심모원려(深謀遠慮)한 외교관이 결국 중국을 떠났다는 것이다. 어느 누구에게도 고개를 숙이지 않는 마오쩌둥은 즉시 「잘 가시오, 스튜어트」라는 글을 발표했다. 미국 정부 내부에 있는 반공 매파의 방해로, 중국과 미국 사이의 연결선이 끊어져버렸다.

점점 맑아지는 먼 쪽 하늘을 바라보며, 만감이 교차하는 마오쩌둥은 미소를 짓기 시작했다: "언라이(恩來), 나는 이렇게 큰 중국이 미국에 의지해서 일어설 수 있다고 믿지 않네. 나는 결국 누가 누구를 필요로 하게 되는지 두고 보겠네."

과연 마오쩌둥의 말대로, 22년 후 닉슨은 자진해서 저우언라이의 손을 잡지 않을 수 없었다.

1949년 10월 28일 밤, 샤먼(廈門) 해변의 백사장

3만 명의 장병들이 해변의 백사장에 조용히 엎드린 채, 몇 킬로미터 밖의 진먼다오(金門島)에서 들려오는 총포 소리에 귀를 기울이고 있었다. 그것은 이미 3일 밤낮 동안 울리고 있었다. 이미 매우 격렬하게 매우 멀리서 울린 다음, 더욱 격렬하지만 점점 가까워지고 있었다. 지금은 총포 소리가 들리지 않을 정도로 미약해졌다. 최후의 총성이 울려 퍼진 이후, 3만 명의 산둥(山東)에서부터 푸젠(福建)까지 과감하게 전투를 치르면서 달려온, 호랑이처럼 용맹한 사나이들은 일어나서 늑대 같은 큰 울음을 터뜨렸다. 그들은 해안을 향해 무릎을 꿇고 울었으며, 바다에 뛰어들어 울었고, 자신의 무기를 두드리거나 머리를 치면서 울었다. 그들은 맞은편의 불과 몇 킬로미터밖에 떨어지지 않은 곳에서 9천 명의 형제들이 분전하다 죽어가는 것을 두 눈으로 바라보면서도 어찌할 도리가 없었다. 그들이 몇 킬로미터만 걸어갈 수 있었다면, 그들은 9천 명의 형제들을 구할 수 있었을 뿐만 아니라, 가볍고도 쉽게 후롄(胡璉, 1907~1977)[47]의 머리를 땅바닥에 떨어뜨려 개에게 먹일 수 있었을 것이다. 그들은 수천 킬로미터를 달릴 수 있었고, 산둥에서부터 푸젠까지 걸어갈 수 있었으며, 그들을 가로막는 자들은 누구나 죽었는데, 이 몇 킬로미터를 그들은 갈 수 없었다. 이것은 바다 위의 몇 킬로미터였던 것이다. 그들은 배를 타야만 갈 수 있었는데, 배가 없었다. 비행기에게 폭격당해 침몰했고, 군함에게 포격당해 침몰했기 때문에, 그들은 9천 명의 형제들이 지척에서 전사하는 것을 눈으로 바라볼 수밖에 없었다.

3만 정의 총들이 밤하늘을 향해 미친 듯이 사격을 하자, 무수한 화염들이 하늘에서 울부짖으며 섬 위의 9천 명 영령들을 배웅했다.

1949년 10월 28일, 진먼 전투는 끝났고, 제28군단은 패배했으며, 9천 명이 전사했다. 이 전투는 해방 전쟁 이래로 중국공산당 군대에게 가장 큰 패배였다. 3년의 혈전을 벌이는 동안, 상대방에게 설령 한 개의 연대라도 편성부대를 통째로 잃어본 적이 없었는데, 이번에는 불과 124평방킬로미터에 불과한 진먼에서 3개의 연대를 잃어, 상륙 작전의 잔혹함이 여지없이 드러났다. 이 소식이 전해지자 전군이 크게 놀랐으며, 수위는 타이완 공격 계획을 수정했다.

이제 강대한 해군·공군의 엄호와 충분한 수송선이 없이 수십만 명의 육군이 무모하게 공격하면, 해협을 피로 물들일 뿐이라는 것을 누구나 알게

47 항일 전쟁 당시 제11사단장을 맡아 큰 전공을 세웠다. 국공 내전 과정에서는 국민당 제18군단을 이끌고 내전에 참가하여 공산당과 맞서 싸웠다. 그 후 장제스를 따라 타이완으로 갔으며, 진먼 해전에 참전했다.

되었다. 전군이 눈시울을 붉히며 필사적으로 준비에 들어갔고, 이듬해에 타이완 섬에서 철저하게 복수할 수밖에 없었다.

1949년 10월 30일 오후, 베이징, 공군 대강당

중국공산당 사람들이 무장 봉기한 이래로, 아름다운 하늘은 그들의 악몽이었다. 사신(死神)은 언제나 머리 위의 광활한 푸른색 가운데에서 불쑥 튀어나와 동지들의 생명을 빼앗아갔다.

적들은 공군이 있었지만, 그들은 공군이 없었기 때문이다.

공산당 사람들은 더없이 원대한 안목을 갖고 있었다. 일찍이 옌안에 있던 시기에, 중국공산당은 43명의 귀중한 간부들을 신장(新疆)에 보내 항공을 배우게 했으며, 해방 전쟁 때는 동북 지역에서 낡아빠져 형편없는 일본의 비행기들을 주워다 최초의 항공학교를 설립했다. 그러나 항공의 복잡성 때문에, 진정한 공군의 건립은 전국 정권을 탈취하고 나서 할 수밖에 없었다.

이 사람은 부하와 적들을 벌벌 떨게 할 정도의 무서운 장군으로, 마오쩌둥조차 그에게 "그대는 가진 재주를 모두 다 과시하려 하지 마시오. 절반만 보여 주는 게 어떻소!"라고 권할 정도였다. 그러나 마오쩌둥은 굳이 이 천둥번개 같은 사람을 선택하여 인민공군을 조직하게 했다.

류야러우(劉亞樓, 1910~1965)는 린뱌오 제4야전군의 전 참모장이자 제14병단 사령관으로, 현직 중국 공군 제1사단 사령관이었다. 그는 장차 공화국의 하늘을 여는 사람이 된다. 그는 1년 반 만에, 미국 공군 참모총장 반덴버그(Hoyt Vandenberg, 1899~1954)가 세계를 향해 "거의 하룻밤 사이에 중국공산당은 세계 하늘의 강국이 되었다!"라고 경탄할 정도의 거대한 공적을 세웠다.

이때의 류야러우는 사실 "텅 빈[空]" 군대의 사령관이었다. 수천 명의 인원, 일본인과 국민당이 남겨놓은 수십 대의 파괴된 비행기, 몇 개의 부서진 정비창(整備廠) 이외에는 아무것도 가진 것이 없었다. "텅 빈" 군대의 사령관이 지금 인민공군의 역사에서 첫 번째 새로운 시대를 여는 회의를 소집했다. 이것은 인민공군의 첫 번째 간부 회의로, 참가자는 공군의 최고 사령관과 조종사의 훈련을 책임지는 여섯 개 항공학교 교장 및 정치위원(政治委員)[48]들이었다. 이 교장들과 정치위원들은 류야러우와 마찬가지로 유명무실한 직함만 갖고 있을 뿐이었다. 그들의 학교는 그들 자신 말고는 아무것도 가진 것이 없었다.

지금까지 허튼소리라고는 해본 적이 없는 류야러우는 그의 부하들과 여섯 개 항공학교 교장 및 정치위원들에게 단도직입적으로 말했다: "타이완과 연안의 섬들을 해방하는 데에는 공군이 시급하게 필요합니다. 당중앙과 마오 주석께서는 공군이 전투기 조종사들을 훈련시키기를 간절하게 바라고 있으며, 많으면 많을수록 좋고, 빠르면 빠를수록 좋다고 하셨습니다. 오늘 여러분들이 항공학교를 창설하라는 명령을 받고 모두 정식으로 개교하기까지, 여러분들은 단지 1개월의 시간밖에 없습니다. 단 하루, 단 한 시간도 뒤로 미룰 수 없습니다. 즉, 1개월 뒤인 12월 1일에는 여러분들의 여섯 개 항공학교들이 동시에 개교해야 합니다!"

그 자리에 참석한 모든 간부들은 크게 놀랐다. 이것은 막 눈을 뜬 병아리에게 알을 낳으라고 하는 격이었다. 류야러우는 모두를 둘러보았다.

"1개월 이내에 거의 아무것도 없는 조건에서, 거의 1천 명씩이나 되는 현대화된 학교를 개교한다는 건, 어려움이 대단히 많을 겁니다. 어려움이 산과도 같을 것입니다! 그러나, 우리는 제1세대의 하늘을 여는 사람이자, 공군의 창업자이자, 늠름하기가 철골과도 같은 공산당 사람들입니다. 그러므로 우리는 마땅히 용기를 갖고, 패기를 갖고, 세계 공군 창설 역사에서 가장 빠른 속도로 창조해야 합니다. 12월 1일에 개교할 수 있는지 없는지는, 여러분들 각 항공학교 책임 간부들에 대한 시험입니다. 12월 1일에 맞추어 개교를 하면 영웅이 될 것이고, 개교일을 늦추면 못난이가 될 겁니다. 여러분들

48 중국 군대의 연대급 이상 부대 및 연대급 이상에 해당하는 단위에서, 당의 업무와 정치 업무를 담당하는 고위 간부이다. 대대급에는 정치교도원, 중대급에는 정치지도원을 두고 있다. 동급의 군사 지휘관과 함께 보대의 우두머리이다.

이 영웅인지 못난이인지, 우리는 12월 1일에 알 수 있을 겁니다. 회의를 마치겠습니다."

놀란 간부들은 정신을 차리고, 기백이 비범한 자신들의 사령관에게 열렬하게 박수를 치기 시작했다.

이때 박수를 치던 사람들은, 자신들의 첫 번째 상대가 장제스가 아니라 3만 대의 비행기와 50만 명의 병력을 가진 세계 최강의 미국 공군이 되리라고는 생각하지 못했을 것이다. 그들은, 1년 후에 자신이 가르친 학생들이 조선의 하늘에서 미국인들과 전투를 벌여야 하고, 또 공중전을 치르면서 어떻게 공중전을 해야 하는지를 배우게 될 거라고는 전혀 생각하지 못했을 것이다. 공군 군복을 입은 지 불과 1년도 안 된 그들의 육군 전투 영웅들이 조선의 하늘에서 미국 공군의 에이스들을 물리치고, 또한 3년도 되지 않는 시간에 자신들의 공중전 실력을 향상시켜 세계 제3위의 강대한 공군 역량을 갖출 정도로 발전하게 되리라고는 더욱 생각조차 하지 못했을 것이다.

1949년 12월 16일 오후 6시, 모스크바 크렘린 궁 스탈린의 접견실

마오쩌둥은 약속 시간보다 3분 일찍 도착했다. 스탈린의 사무실 문이 굳게 닫혀 있어, 마오쩌둥과 그의 수행원들은 그곳에 앉아 조용히 기다렸다. 이번 소련 방문은 마오쩌둥이 일생에서 첫 번째이자 마지막으로 중국을 떠난 것이었다. 그의 이번 방문은 수없이 많은 개혁을 해야 하는 신중국이 원조를 얻기 위한 것이었으며, 또한 스탈린의 70세 생일을 축하하기 위한 것이었다. 이를 위해 그는 장시(江西)의 죽순, 치먼(祁門)의 홍차, 후난의 자수 공예품 등 중국 특산품들을 가져와서 선물했다. 내세우기를 좋아하는 장칭은 고집스럽게 그녀의 고향인 산둥의 배추·대파·무를 자동차에 싣고 가져와서 스탈린에게 맛을 보여주기도 했다. 만약 실제로 보존할 방법이 없지만 않았다면, 장칭은 분명히 자동차에 두부도 싣고 가려 했을 것이다.

6시 정각, 문이 열리고 마오쩌둥이 들어서자, 입구에는 스탈린을 비롯해 몰로토프(Vyachelslav Molotov, 1890~1986), 말렌코프(Georgy Malenkov, 1902~1988), 베리야, 불가닌(Nikolai Alexandrovich Bulganin, 1895~1975), 카가노비치(Lazar Moiseyevich Kaganovich, 1893~1991), 비신스키(Andrey Vyshinsky, 1883~1954) 등 소련 정치국 상무위원들이 자리를 잡았다. 스탈린은 문간에 서서 손님을 맞이하는 법이 없었다.

스탈린은 빠른 걸음으로 앞으로 나아가 마오쩌둥의 손을 꼭 잡고 마오쩌둥의 얼굴을 자세히 보았다: "당신은 아직 매우 젊고 건강하군요. 얼굴에 붉은 빛이 돌고, 얼굴이 환하군요. 대단합니다!"

두 명의 역사적 거인들은 손을 굳게 맞잡았다.

당시 유일하게 그 자리에 있었던 중국의 통역사 스저의 회상에 따르면, 다음과 같은 대화가 오갔다.

스탈린은 매우 감격하여 마오쩌둥에 대해 칭찬을 아끼지 않았다: "위대합니다. 정말 위대합니다! 당신의 중국 인민에 대한 공헌은 큽니다. 당신은 중국 인민의 훌륭한 아들입니다! 우리는 당신이 건강하기를 바랍니다!"

마오쩌둥은 만감이 교차하여 이렇게 말했다: "나는 오랫동안 타격을 받고 따돌림당한 사람이라, 할말이 있어도 말할 데가 없습니다……."

마오쩌둥이 감회를 토로하자, 스탈린이 그 말을 이어갔는데, 마오쩌둥으로 하여금 울지도 못하고 웃지도 못하게 만드는 러시아 속담 하나를 말했다: "승리자는 비난받지 않는 것. 이것이 일반적인 당연한 이치입니다."

스저는 이에 대해 이렇게 평가했다: "스탈린의 이 말은 마오 주석의 말문을 막히게 했지만, 그는 마오 주석이 결국 마음속 말을 하지 않았다는 걸 알지 못했다."

거대한 문화적 차이 때문에, 두 명의 위대한 혁명 지도자의 첫 만남은 그다지 순탄치 않은 편이었는데, 이는 향후 양국 관계의 굴곡을 예고하는 듯했다.

마오써둥의 방눈은 '중소우호동맹상호원조조약[中蘇友好同盟互助條約]'의 체결을 위한 것이었다. 첫 회담에서 마오쩌둥은 유머러스하게 이 문제를 제

기했다: "아마 쌍방의 협상을 거치면 뭔가가 나올 터인데, 그것은 틀림없이 보기도 좋고 맛도 있을 겁니다."

마오쩌둥은 소련인들이 동양 언어의 유머와 의미를 완전히 이해하지는 못한다는 것을 전혀 생각하지 못하여, 이 말을 하자, 회담장에 있던 소련인들은 모두 어안이 벙벙해져, 마오쩌둥이 무슨 말을 하는지 전혀 알아듣지 못했다. 단지 특무(特務)위원 베리야만이 그 자리에서 웃음을 지어 보였다. 아마도 그들은 마오쩌둥이 갑자기 화제를 바꿔 중국 요리를 어떻게 하는가에 대해 말했다고 생각했을 것이다.

무슨 뜻인지 이해하지 못한 스탈린이 계속 완곡하게 물었지만, 마오쩌둥은 뜻밖에 설명하려 하지 않았다. 아마도 그는 중국의 관습에 따라 소련이 마땅히 주도적으로 중국을 돕겠다고 제안해야 하며, 그러지 않으면 그건 성실하지 않은 것이라고 여겼을 것이다. 그 밖에 이는 서양이 영원히 이해할 수 없는 동양의 체면 문제에 관련된 것으로, 결국 마오쩌둥은 스탈린에게 도움을 청해야 하는데, 남에게 도움을 구하는 건 의심할 바 없이 평생을 강직하게 살아온 마오쩌둥이 가장 하고 싶지 않는 일이었을 것이다.

더 이상 무엇인가 말하려 하지 않은 마오쩌둥은 저우언라이 총리를 한 번 오게 하여 구체적인 문제를 해결하자고 제안했다. 스탈린이 이번에는 완전히 어리둥절해졌다. 만약 그와 마오쩌둥이라는 최고 등급에 있는 사람들조차 문제를 해결하지 못한다면, 저우언라이가 온들 또 무엇을 할 수 있겠는가?

스탈린은 마음속으로 중국과 소련 사이에 어떠한 조약이 체결되든지 간에 모두 그 자신이 직접 서명을 해야 하고, 상대방은 반드시 마오쩌둥이어야만 격이 맞다고 생각하고 있었다. 그는 마오쩌둥이 왜 저우언라이를 모스크바로 오게 해서 문제를 해결하려 하는지 도무지 이해할 수 없었다. 전략기획에 뛰어난 마오쩌둥은 평생 동안 세세한 실무를 처리하지 않았다는 걸, 스탈린이 어찌 알았겠는가. 엄격하고 신중하며 치밀한 저우언라이야말로 당내에서 구체적인 실무를 전문으로 관리하는 총체적 관리자였다. 까닭을 알지 못하는 스탈린이 끝까지 물어보았지만, 마오 주석은 대답하지 않았다.

이때부터 두 위인은 자신의 사고방식대로 문제를 생각하기 시작했다.

회담이 이렇게 끝나자, 깊은 수심에 잠겨 있던 스탈린은 끊임없이 사람을 보내 마오쩌둥의 속내를 들어보려고 했고, 심지어 자신을 낮춰가며 직접 스저에게 전화를 하기도 했다. 그러나 스저가 무슨 말을 할 수 있었겠는가? 그러자 그 옆에 있던 마오쩌둥이 화를 냈다. 그는 중국 측 숙소에 와서 사정을 알아보고 있던 코발레프(Ivan Kovalev, 1901~1993)에게 큰 소리로 호통을 쳤다: "당신들은 나를 모스크바로 불러놓고 아무 일도 처리하지 않고 있으니, 나는 무엇을 하러 온 거요? 설마 내가 여기에 온 것이 매일 밥이나 먹고, 똥이나 싸고, 잠이나 자려고 왔겠소?"

코발레프에게 호통을 친 마오쩌둥이 스저에게 기뻐하며 말했다: "내가 코발레프를 훈계했네. 목적은 그로 하여금 스탈린에게 이 상황을 알게 하려는 것이야."

소련의 관습을 잘 알고 있던 스저는 말문이 막혔다.—소련과 중국의 관습은 완전히 달랐다. 중국인들의 전통적인 생각에 따르면, 하급자에 대한 태도는 바로 상급자에 대한 태도였다. 이른바 "개를 때리는 건 바로 그 주인을 업신여기고 모욕하는 것이다[打狗欺主]". 그러나 소련의 하급자가 밖에서 수모를 당한다는 건, 단지 그 하급자가 일을 잘하지 못한다는 것을 말하는 것이어서, 상급자는 곧 그 하급자에 대해 불만을 갖게 된다. 그러니 코발레프는 절대로 스탈린으로 하여금 자신이 마오쩌둥에게 한바탕 호통을 들었다는 사실을 알게 하지 않을 것이었다.

과연 스저가 예상했던 대로, 코발레프는 돌아간 뒤 정말로 터무니없는 소리로 스탈린에게 장황한 보고를 했는데, 결코 호락호락하지 않은 스탈린이 뜻밖에 또 터무니없는 말을 해대면서 중국 측에게 빈정댔다: "코발레프는 기술 요원입니다. 그는 정치를 모르면서 정치 안으로 들어왔습니다. 그가 정치 안으로 들어온 것은, 마치 쥐가 풀무 안으로 들어온 것이나 같습니다……." 이 비유는 더 이상 정확할 수 없었으니, 코발레프는 정말로 두 명의 위대한 인물 사이에 끼어서 스트레스를 받는 쥐와 같았다.

날짜는 두 거인이 양보 없이 대치하고 있는 가운데 하루하루 지나가고 있었는데, 스탈린은 끝내 저우언라이를 모스크바로 오게 하라는 말을 하지 않았다. 마오쩌둥 또한 한 발짝도 물러서지 않고, 매일 유럽과 러시아의 역사적 인물들에 관한 전기 영화들을 보러 갔다. 어쩔 도리가 없던 스탈린이 스저에게 한탄하며 말했다: "마오쩌둥은 아주 총명합니다. 틈나는 대로 인물 전기 기록 영화들을 보고 있는데, 이것은 역사를 이해하는 가장 간단하면서도 빠른 방법입니다……." 곧 놀라운 소식이 영국 통신사를 통해 전 세계로 퍼졌다: "마오쩌둥이 스탈린에 의해 모스크바에 연금되었다!" 중국과 소련 양측은 모두 다급해지자, 마오쩌둥을 모스크바로 데려간 지혜 주머니 왕자샹(王稼祥, 1906~1974)은 급히 마오쩌둥이 답하고 기자가 질문하는 방식의 글을 발표했다. 유언비어는 저절로 사라졌지만, 세계가 그것으로 인해 크게 흔들리면서, 정치적 분위기가 일신되자, 스탈린은 마침내 저우언라이가 모스크바를 방문하는 데 동의했다. 1950년 1월 2일 저녁 11시, 마오쩌둥은 즉각 저우언라이 총리에게 소련으로 오라고 전보로 통지했다.

좋은 일이 겹쳐 일어났다. 기뻐하고 있던 마오쩌둥은 또한 티베트로 공격할 준비를 하던 펑더화이의 전보를 받았다. 펑더화이의 전보를 받자, 마오쩌둥은 눈앞에 다부지고 솔직한 대장군의 위엄에 찬 모습을 떠올렸다.

"누가 감히 용감하게 싸우겠는가. 오직 우리 펑 대장군뿐이지!" 마오쩌둥은 혼잣말로 중얼거렸다.

3년 동안 인민해방군 부총사령관이자, 서북 방면 전쟁의 신(神)인 펑더화이는 2만 명으로 산베이(陝北)에서 군대를 일으켜, 기적적으로 서북 지역에서 100만 명의 국민당 군대를 무너뜨리고, 중국 영토의 5분의 2에 달하는 땅을 점령했다. 마오쩌둥은 펑더화이의 전보를 자세히 읽었다. 펑더화이는 전보에서, 서북 방면의 제1야전군을 주력으로 삼아 칭하이(青海)로부터 티베트를 공격하여 빼앗으려는 결정을 마오쩌둥이 바꾸기를 희망하면서, 지형 등 각 방면의 요소들을 고려해보건대, 티베트로 진격하는 군대는 마땅히 류보청·덩샤오핑의 제2야전군이 스촨에서 출발하는 것이 가장 적절하며, 서북 방면은 오직 보조적인 역할만 할 수 있을 뿐이라고 지적했다.

"펑더화이가 대담하게 진실을 말하는군!" 마오쩌둥은 전문을 보며 가볍게 고개를 끄덕이더니, 답전을 보내 펑더화이의 의견에 동의했다.

오래지 않아 펑더화이의 병력은 두 방면으로 나뉘어, 한 방면은 칭하이로부터 티베트로 들어가 류보청·덩샤오핑의 제18군과 라싸(拉薩)에서 합류했고, 다른 한 방면은 엄선된 연대급 간부 리디산(李狄三, 1914~1951)이 정예 기병 중대를 이끌고 잇달아 신장 위톈(于闐)에서 출발하여 창탕(Changtang, 藏北)[49]을 탈취했다. 이 임무는 서북 방면이 아니면 안 되었다. 티베트의 지형은 복잡하여 라싸로부터 창탕으로 가는 것은 신장에서 창탕으로 가는 것보다 훨씬 어려웠다.

기병은 출발하자마자 9명이 동사했다. 지도도 없는 상황에서, 중화인민공화국이 지금도 여전히 사용하고 있는 지명들을 따라 걸어서 내려갔다. 마지막에는 낡아빠진 나침반에 의지하여 카라코람(Karakoram) 설산의 해발 6천 미터 빙산 절벽을 넘어갔다. 이러한 천신만고를 겪으면서 창탕 고원에 올랐다. 그 후 큰 눈이 산을 뒤덮고, 후방의 원조는 끊기고, 식량과 소금은 모두 바닥나고, 티베트 병사들은 소요를 일으키고, 고산병이 극심한 상황에서, 수렵에 의지하여 무려 반년을 견뎌냈다. 마침내 원조가 도착했을 때, 기병의 인원은 절반 이하로 줄어 있었다. 리디산은 증원 부대가 도착하는 것을 보고서야 마지막 숨을 거두었다. 사람들에 의해 영구 보존된 열사의 유물들 가운데에는, 리디산이 생전에 입었던 짐승가죽으로 만든 옷도 있는데, 무게가 무려 20여 근(약 10킬로그램-옮긴이)에 달한다. 그리하여 이 수십 명의 사람들이 중국을 위해 무려 30만 평방킬로미터에 달하는 창탕의 은가리 지구(Ngari Prefecture, 阿里地區)[50]를 탈취하여 지켜냈다. 135명의 사나이들과 240마리의 군마들이 은가리 지역을 용감하게 탈취한 이야기는 이때부

49 티베트 고원의 서북쪽에 해당하며, 중국에서는 짱베이(藏北) 혹은 짱베이 고원(藏北高原)이라고도 부른다.

50 티베트의 가장 서쪽 지역이다. 중국에서는 아리 지구(阿里地區)라고 부른다.

터 서사시처럼 군대 내에서 전설이 되었다. 서북의 통솔자인 펑더화이는 조선에 들어가 전쟁을 하기 전에, 국내의 군사 역사에서 찬란한 마지막 문장을 강렬하게 완성했다.

1월 20일, 저우언라이가 모스크바에 도착했다. 아무리 어려운 문제에서도 실패하는 일이 드물었던 저우언라이는 신속하게 회담의 모든 문제를 해결했다. 2월 14일, 〈중소우호동맹조약〉에 서명하면서, 중국과 소련은 동맹을 맺고 중국과 미국은 극동에서 대립하는 전략적 구도가 마침내 형성되었다. 마오쩌둥은 비록 외국의 원조를 얻게 되어 기쁘기는 했지만, 여전히 아쉬움이 마음속에 남아 있었다. 그는 미국과 사이가 틀어지기를 원치 않았다. 미국이 공개적으로 중국공산당에 반대하는 것은 의심할 여지 없이 대단히 현명치 못한 짓이지만, 그래도 이해할 수는 있었다. 소련의 태도는 그를 크게 불쾌하게 했지만, 그는 오히려 정면으로 반대할 수가 없었다. 미국의 매파가 광적으로 신중국을 적대시하고 있어, 단기간에 관계를 개선할 가능성은 없어 보였다. 그러나 100년의 전쟁으로 경제가 파탄나, 거의 19세기 상태인 중국이 외부의 원조를 받을 수 없었으니, "한쪽 진영에 속하겠다"고 선언하고, 소련과 동맹을 맺어 안심하는 것 이외에 다른 좋은 방법이 있었을까?

동맹 조인식에서 스탈린이 갑자기 마오쩌둥에게 말했다: "당신들의 번역 작업이 끝나지 않아 무역 협정문의 인쇄가 늦어지고 있습니다. 그러지 않았으면 오늘 여기에서 동시에 무역 협정도 체결할 수 있었을 텐데, 그랬다면 얼마나 좋았을까요." 부하에게 속아 넘어간 스탈린은, 중국인들은 번역 임무를 이미 마쳤는데, 자신들이 번역 임무의 절반밖에 하지 못했다는 것을 전혀 모르고 있었다.

이유를 잘 아는 마오쩌둥은 즉시 스저에게 말했다: "오류와 잘못은 모두 중국인 탓이로군."

스탈린이 스저에게 마오쩌둥이 뭐라고 말했는지 묻자, 스저는 급하게 얼버무렸다: "이것은 우리 사이의 사적인 이야기입니다."

두 위인 사이에 어떤 불쾌함이 있었든지 간에, 역사는 이미 우리에게 다음과 같은 사실을 말해주고 있다: 마오쩌둥과 스탈린이 중·소 우호를 처음 수립하고, 신중국이 설립된 초기의 이렇게 가장 힘든 시기에, 소련이 중국에게 소중한 원조를 했다. 그들의 원조 가운데 공업 항목은 폐허가 되어버린 중국에게 공업화의 기초를 마련해주어, 신중국으로 하여금 단지 3년 만에 100년에 걸친 전쟁의 상처를 초보적이나마 회복하고, 경제 생활에서 완전히 새로운 시대를 열게 해주었다. 오늘날까지도 그들이 원조한 공업 항목들은 여전히 중국 국민경제에서 근간이 되는 주축 기업들이 되었다. 이익은 상호적인 것으로, 중국 또한 마찬가지로 소련에게 많은 경제적 도움을 주었다. 특히 머지않아 발발하는 조선 전쟁 중에 중국은 소련을 비롯한 사회주의 진영 전체의 이익과 명예를 선혈로써 지켜냈다.

말년이 되어, 마오쩌둥은 닉슨에게 익살스럽게 말하기를, 자신은 평생 누구에게도 빚을 지지 않았다고 했다. 스탈린은 중국에 원조를 해주었고, 자신은 스탈린의 생일에 많은 배추로 돌려주었다고 했다.

1950년 2월 17일, 마오쩌둥은 소련에서 62일을 보내고 귀국했다. 열차 밖으로 쏜살같이 지나가는 소련의 국토를 바라보면서 마오쩌둥은 가슴속 가득 흥분되었다: 얄타 회담 체제는 중국에서 철저히 끝장났으며, 국민당 정부와 소련 정부 사이의 많은 불평등 조약들은 이미 폐기되었다. 트루먼이 장제스에게서 손을 떼겠다고 선언한 이후, 스탈린은 배짱이 두둑해져, 이미 아직 강보 속에 있는 중국 공군을 건립하는 일을 온 힘을 다해 돕겠다고 동의했다. 500여 대의 소련 항공기들이 곧 인민해방군에 배치될 것이고, 11개의 소련 공군 사단과 하나의 혼합 공중 집단이 장차 신중국을 도와 영공을 지킬 것이다. 또한 중국인들의 100여 년에 걸친 꿈이 곧 실현될 것이다. 즉, 신중국의 대규모 경제 건설이 곧 시작되어, 우리는 독립·자유·민주를 얻게 될 것이고, 우리는 또한 부강해질 것이며, 이와 동시에 타이완·티베트 문제를 철저하게 해결하여, 중국의 통일을 완성할 것이다…….

새로운 정사진이 이미 마오쩌둥의 눈앞에 펼쳐졌다. 그는 흥분한 듯 담배 한 개비를 손가락 사이에 끼우고 창밖의 경치를 바라보며 동경하고 있었다.

1950년 4월 15일 밤, 남방 어느 지역의 제40군단 사령부

정찰과장 정쉬판(鄭需凡, 1922~)이 사령부에 들어갔는데, 그는 광둥 군구(軍區) 제1부사령관 겸 제15병단 사령관인 덩화와 제12병단 부사령관 겸 제40군단장 한셴추(韓先楚, 1913~1986), 이 두 제4야전군의 명장들이 함께 분노한 얼굴로 표독스럽게 바라보고 있는 것을 발견했다.

덩화는 다짜고짜 이렇게 말했다: "자네가 곡우(穀雨: 24절기 중 6번째로, 대략 양력 4월 20일 무렵-옮긴이) 전에 북풍이나 동북풍이 있을 거라고 장담했나? 맞지 않으면 자네의 목을 베어 버리겠네!"

정쉬판은 '철썩'하는 소리를 내면서 똑바로 섰다: "저는 곡우 전에 남풍이 없을 거라고 했습니다. 맞지 않으면 제 목을 치셔도 좋습니다!"

정쉬판은 그가 보증한 말의 무게를 알고 있었다. 그가 틀렸다면 해방군의 가장 강력한 군대가 충저우(瓊州)[51] 해협을 피로 물들일 것이고, 그는 백 개의 머리가 달렸다 해도 군사 법정에서 남아나지 못할 것이다.

덩화는 군사와 정치를 겸비한 명장으로, 신중국 성립 초기에 중국 군부에서 가장 빛나는 새로운 별이었다. 이후 조선 전쟁에서 지원군 사령관 대리 역할을 하게 되는 이 군인은 이때 책임의 중대함을 깊게 느꼈다. 그의 오랜 전우인 한셴추가 곡우 전에 하이난다오에 상륙 작전을 강행하겠다고 고집을 부렸다. 이 때문에, 고집이 센 한셴추는 심지어 병단 부사령관 자격으로 자신의 의견을 당중앙에 밝혔다. 그는 한셴추의 작전 계획을 심사하기 위해 일부러 온 것이다.

몸이 야위고 키가 작은 한셴추는 5일 이내, 즉 곡우 전에 하이난에 상륙하지 않는다면, 하이난을 공격하는 것을 1년 더 미뤄야 한다고 생각했다. 상륙하는 부대가 바다를 건너는 도구는 기본적으로 동력이 없는 범선이므로, 곡우 이전의 계절풍이 부는 기간에 의지하여 바다를 건너지 않으면 안

51 중국 하이난다오(海南島) 동북쪽에 있는 도시

되었다. 그는 하이난에서 전투를 하기로 결심했고, 이를 위해 당중앙에 전보를 보냈다: "만약 형제 부대인 제43군단이 준비를 잘 하지 못했다면, 제가 직접 제40군단 주력을 이끌고 단독으로 도해 작전을 하기를 원합니다."

한셴추는 자기가 세운 계획은 승리가 아니면 죽음의 군령장이라는 것을 알고 있었다. 그는 누구보다도 진먼에서의 실패로 인해 군 전체가 받았던 충격과 심리적인 그늘을 잘 알고 있었다. 그는 지금 제4야전군에서 가장 잘 싸우는 '선풍 종대(旋風縱隊)'[52]의 전사들조차도 마음속으로 투덜대고 있다는 것을 알고 있었다. 늑대 같고 호랑이 같은 이 장병들은 지금 "혁명이 결국 바다 밑바닥까지 바꿀 것이다", "오늘은 우리가 물고기를 먹지만, 내일은 물고기가 우리를 먹을 거야", "듣자하니 바다 속 자라들이 모두 회의를 열고, 회식을 하려 한다네", "이렇게 몇 년간 싸웠으니, 자라에게 관(棺)을 구해오라 해야지"와 같은 낙담하는 말들을 수군대고 있었다. 심지어 그의 참모장인 닝셴원(寧賢文, 1914~1994)마저도 큰 돌을 사용해 스스로 자신의 다리를 부러뜨림으로써 도해 작전을 회피했다. 누구도 두려움이라고는 모르던 용사의 군대인 제40군단이 이번에는 마음속으로 '진먼이라는, 대륙에서 몇 킬로미터밖에 떨어져 있지 않은 그다지 크지 않은 그 섬조차도 차지하지 못했는데, 지금 공격하려는 건 대륙에서 100킬로미터나 떨어진,[53] 중국에서 두 번째로 큰 섬이 아닌가!'라며 조바심하고 있었다.

전쟁의 천재 한셴추의 믿음에 근거하여, 그의 하이난 작전 계획은 승인되었다.

1950년 4월 16일 19시 30분, 한 시대의 명장 한셴추는 개인의 생사와 군사적인 명예를 도외시한 채, 해군과 공군의 협력이 없는 상황에서, 충저우해협에서 군대를 상실할 수도 있는 위험을 무릅쓰고, 직접 제40군단부터

52 종대(縱隊)는 과거 중국 군대의 1급 편제 단위이다.

53 광둥성 레이저우(雷州) 반도와 하이난 섬의 사이의 최단 거리는 대략 20킬로미터 정도밖에 되지 않는다. 그러나 상륙에 적합한 지역으로 가야 했기 때문에 짧게는 약 32킬로미터를 가야 했고, 우회하는 항로를 통해 상륙 작전을 했던 병사들은 약 106킬로미터를 이동해야 했다.

제43군단까지 4개 군단의 수만 명에 달하는 관둥(關東)의 자제들을 400대의 범선에 싣고 레이저우(雷州) 반도 덩러우쟈오(燈樓角)[54]로부터 하이난 섬을 향해 바다를 건너 진격해 나갔다.

1950년 4월 17일 새벽 3시, 제40군단은 목선을 이용하여 국민당의 포함(砲艦)이 저지하는 것을 물리친 다음, 하이난의 린가오쟈오(臨高角) 모래사장을 빼앗는 승리를 거두었다. 그리고 국민당이 해변에 구축한 진지를 향해 공격해 들어가기 시작했다. 한셴추가 선두 부대와 함께 적의 포화 공격을 받으면서 물을 건너 백사장을 점령해 나가는데, 한 중대의 병사가 다급히 포화를 무릅쓰고 달려들어 필사적으로 그를 커다란 바위 뒤로 끌고 가, 그를 다시 돌진하지 못하게 하고는, 자신의 몸을 그에게 포갬으로써 인간 토치카가 되었다.

당일 새벽 6시, 베이징의 총참모부 작전실의 총참모장 대리 녜룽전(聶榮臻, 1899~1992)은 한 처장(處長)의 전투 보고를 중단시키고는 다급하게 물었다: "한셴추는 어디에 있나?" 처장이 이미 섬에 상륙했다고 대답하자, 밤새 작전 지도 앞에 서 있던 녜룽전은 무겁게 의자에 앉으면서 말했다: "그 한마디면 충분하네." 한셴추 같은 이런 장수가 섬에 갔다면 승리한 것이나 다름없었다.

과연 국민당의 명장 쉐웨(薛岳, 1896~1998)가 1년 가까이 고심하여 유지하던 '보링(伯陵) 방어선'은 순식간에 무너졌다. 단지 3일 만에, 중국을 침략한 일본군들에 의해 '창샤(長沙)의 호랑이'라고 불리던 쉐웨는 늘 글자를 틀리게 쓰는 한셴추 상장에 의해 아득히 먼 곳(타이완-옮긴이)으로 쫓겨나고 말았다.

하이난을 함락시키고 나서, 사람들은 어느 날 장군이 혼자서 바다를 마주한 채 밤새도록 앉아 있는 것을 발견했다. 그가 무슨 생각을 하고 있었는지는 아무도 몰랐다.

54 1890년, 레이저우 반도 남서쪽에 있는 최남단 지역에 등대[燈樓]가 세워졌다. 그 이후로 그 지역은 덩러우쟈오(燈樓角)이라는 이름으로 불렸다.

불과 3개월 뒤, 조선에서 전쟁이 발발하자, 사람들은 그제야 비로소 장군의 전략적 안목을 알게 되었다. 만약 그가 힘으로 다수의 의견을 물리치고, 자신의 모든 것을 걸고, 그가 마지막으로 사용할 수 있는 3일 만에 하이난을 치지 않았더라면, 중국에는 두 개의 타이완이 있었을 것이며, 끝내 바다로 나가는 입구를 상실했을 것이다.

한 작가는 그에 대해 이렇게 기록했다: 중국 인민해방군의 자랑이자 훙안현(紅安縣) 출신의 개국 상장 한셴추는 사병·부분대장·분대장·부소대장·소대장……모든 단계를 빠짐없이 올라 대군구(大軍區) 사령관, 군사위원회 상임위원의 자리에 올랐다. 하이난을 함락시킨 뒤, 그는 타이완 전역에 참가하기 위해 적극적으로 준비했다. 그러나 1986년에 세상을 떠나, 그 또한 타이완의 해방을 기다리지 못했다. 그는 임종 직전 혼수상태에서도 여전히 고함을 치고 있었다: "타이완! 타이완!"

운명적으로, 중국 인민지원군 부사령관 한셴추 상장은 장차 조선의 전장에서 더욱 찬란한 군사적 업적을 세운다.

1950년 6월 초, 칭다오(靑島)의 한 요양소

오랫동안 긴장된 전쟁터에서 살아온, 이 파리하고 작은 체구의 장군은 피로가 누적되어 병을 얻었다. 당중앙의 거듭된 촉구로, 타이완 공격 부대 사령관인 수위는 군무를 내려놓고 요양을 시작할 수밖에 없었다.

몸은 비록 요양원에 들어갔지만, 마음만은 전쟁터에 있었다. 이날, 수위는 병든 몸을 지탱하며 높은 등받이가 있는 의자에 거꾸로 앉아서, 팔꿈치로는 등받이 위에 얼굴을 받친 채, 온 정신을 집중하여 벽에 걸린 5만 분의 1 축적의 타이완 군사용 지도를 보며 연구하고 있었다. 이것은 그의 습관적인 자세였다. 평생을 군사와 국방 사업에 바친 수위는 언제나 전쟁을 준비하고 있었으며, 행군 시간을 이용해서 문제를 토론하기 위해 그는 심지어 말을 거꾸로 타는 독보적인 기술까지도 연마했다. 수위가 지도를 보고 있을 때에는 아무도 감히 그를 방해할 수 없었다. 그의 오랜 지도자이자 전우인 천이(陳毅) 원수는 이 때문에 특별히 제3야전군 사령부의 부하들에게 명령했다: "수위가 지도를 보고 있을 때에는 어느 누구도 방해해서는 안 된다. 나도 그 안에 포함된다." 지도를 보는 것 말고, 명장 수위는 일생 동안 어떠한 취미도 없었다. 말년에 그의 딸이 그에게 왜 그렇게 지도를 좋아하냐고 묻자, 수위는 이렇게 대답했다: "지도를 능숙하게 알지 못하고 어떻게 뛰어난 장군이 되겠느냐?"

벽에 걸린 타이완 지도를 바라보며, 수위는 오래도록 깊은 생각에 빠져들었다.

수위가 타이완을 공격하라는 명령을 받았던 초기에는 형세가 상당히 유리했다. 당시 타이완에는 단지 7개 군단 14만 명의 패잔병들과 패장들만이 있었는데, 수위는 8개 군단 20만 명의 병력으로 타이완 공격 부대를 편성하여 공격할 예정이었다. 타이완 공격 계획이 아직 상부에 보고되어 비준을 기다리고 있던 도중에, 타이완 공격 부대는 이미 저장(浙江)의 톈무산(天目山)·자오둥(膠東)[55]의 연해 및 창강(長江) 하구에서 도해(渡海) 상륙 작전과 타이완 산지 작전을 위한 대규모 모의 훈련을 하고 있었다. 장제스는 타이완의 병력이 비어 있음을 재빨리 깨닫고, 다급히 오카무라 야스지(岡村寧次, 1884~1966) 등 대전범(大戰犯)들을 통해 일본으로부터 타이완을 수비할 2만 명의 용병 부대를 사들였다. 일본 군대와 8년 동안 혈전을 벌였던 수위는 일본 병사들의 전투력을 잘 알고 있었다. 한 명의 일본 병사가 세 명의 장제스 군대를 감당할 수 있었으니, 그렇다면 타이완 섬에는 20만 명에 달하는 적군이 있는 셈이었다. 수위는 어쩔 수 없이 첫 번째 작전 계획을 바꾸어, 타이완 공격 부대의 병력을 12만 명에서 50만 명으로 증원하기로 했다. 뜻밖에 한셴추가 하이난을 공격하여 점령했는데, 해군과 공군의 봉쇄가 없었기 때문에, 쉐웨는 7만여 명의 병력을 이끌고 하이난에서 타이완으로 철수

55 산둥성 동부에 있는 지역이다.

하여 달아났다. 동시에 장제스는 괴로워하며 고민한 끝에, 모든 병력을 집결시켜 마지막으로 목숨을 부지할 땅인 타이완을 확보하기로 결정하고, 3일 내에 갑자기 저우산 군도(舟山群島)에 있던 12만 명의 수비군을 타이완으로 철수시켰다. 타이완 섬 안에 있는 장제스 군대는 단기간에 배나 증가하여 40만 명에 달했다. 이밖에도 장제스는 또한 모든 해군과 공군을 타이완으로 집중시켰다. 수위는 어쩔 수 없이 두 번째로 계획을 바꿔서, 당초에 정한 첫 번째 상륙 부대를 4개 군단에서 6개 군단으로 늘리기로 했다. 얼마 지나지 않아 새로운 첩보가 수집되었는데, 타이완은 지금 군대를 보충하고 있으므로 단기간에 병력이 50만 명에 달할 수도 있고, 해군과 공군도 강화되고 있다는 것이었다. 수위는 즉시 보고하기를, 병력면에서는 우리가 우세를 점하고 있지 못하지만, 상륙할 수만 있다면 승리할 수 있으며, 승리를 확실히 보장하기 위해, 다시 3~4개 군단을 증원하여 예비대로 삼을 수 있으면 가장 좋다고 했다. 그러나 문제의 관건은 결코 병력이 아니었다. 수위가 8개의 군단이 필요하다고 했다면, 마오쩌둥은 그것도 그에게 줄 수 있었다. 진짜 문제는 선박이 없다는 것이었다. 수위가 계산해보니, 승리를 보장하기 위해서는 상륙 작전의 처음 5시간 내에 반드시 선박으로 제1진 15만 명을 섬에 상륙시켜야 하고, 또한 그만큼의 제2진을 싣고 갈 선박들도 확보해야만 했다. 그런데 그의 수중에 있는 모든 배들은 제1진에게 필요한 양의 절반에도 미치지 못했다.

육지에서 싸울 때, 수위는 단지 60%의 승률만 있어도 싸울 만하다고 여겼다. 심지어 누구도 싸울 수 없다고 생각하는 전쟁도 그는 감히 싸웠고, 또한 싸워서 승리를 쟁취할 수 있었다. 멍량구(孟良崮) 전투[56]에서는 적들에게 포위된 상태에서도 적들의 비장의 무기를 해치웠고, 훼이하이 전투에서는 60만 명의 병력으로 상대방의 80만 명을 해치웠다. 그러나 지금은, 이렇게 냉혹한 현실을 맞이하자, 평생 동안 위험과 곤란한 일에도 굴하지 않고

---

56 1947년 5월, 산둥성에서 국민당과 공산당이 벌인 전투

평지를 걷는 것처럼 쉽게 결정을 내리던 수위조차도 망설였다. 여러 번 생각하더니, 수위는 타이완 전투의 시간을 늦추고 더 충분한 준비를 하기로 결심했다. 나중에 고위 장교들이 비공식적으로 평가하기를, 만약 당시 결사의 각오로 조선 전쟁이 일어나기 전에 군사를 일으켜 타이완을 공격했다면, 타이완도 손에 넣을 수 있었을 거라고 했다. 그러자 수위는 이렇게 대답했다: "안 됩니다! 진먼에서 패배한 교훈은 너무나 준엄합니다. 피의 가르침을 중시하지 않으면 더 많은 피를 흘릴 것입니다. ……바다를 사이에 두고 떨어져 있는 곳에서 전투를 할 경우, 60~70%의 성공 가능성이 있더라도 절대로 해서는 안 되며, 80~90%의 성공 가능성이 있어도 해서는 안 됩니다. 100% 성공 가능성이 있지 않으면 안 됩니다. ……바다는 평평하여, 한눈에 다 볼 수 있으니, 미래의 진먼을 공격하고 타이완을 공격하는 전쟁은 특별한 방법이 없고, 바로 맷돌로 저울추를 갈아 만들 듯이 치밀하고 강력해야 됩니다. 적의 화력이나 숫자보다 몇 배는 우세해야 할 뿐만 아니라, 충분한 선박도 있어야 합니다. 제1진, 제2진, 심지어 제3진의 부대를 실어 나를 선박도 확보해야 합니다. 그리고 조수·풍향·상륙 지점의 선택도 알아야 합니다. 우리는 강적을 공격하는 야전에는 전문가들이지만, 바다를 건너는 작전에는 비전문가들이니, 오랜 경험에 의지하려고 해서는 당연히 안 되며, 큰 손해를 당할 것입니다. 수십만 명의 병력이 가서, 어쩌면 단숨에 해치우고 단번에 승리하여 끝낼 수도 있겠지만, 그러지 못하고 상대에게 되치기를 당하면, 퇴로도 없이 전군이 전멸할 것입니다……."

수위는 병든 몸으로 업무에 박차를 가하기 시작하다가, 갑자기 쓰러져 일어나지 못했다. 타이완 공격 부대 사령관과 항미원조 전쟁 총사령관 후보 1순위인 수위의 이 병은 거의 1년 동안 치료에 전념하고 나서야 겨우 완치될 수 있었다. 이때부터 그에게는 평생 두 가지 커다란 한이 남았다.

1950년 6월 25일, 타이베이 스린(士林)에 있는 관저

장제스는 눈빛이 흐리멍덩한 채, 아무 맛도 없는 밀랍을 씹듯이 아침 식사를 하고 있었다. 그는 자신이 몇 번의 아침 식사를 할 수 있을지 알지 못했다. 60만 명의 패잔병과 수백만 명의 난민이 그와 함께 황급히 타이완으로 도망쳐 오자, 작은 타이완은 즉시 물가가 치솟고 온갖 물건들이 부족해졌다. 미국은 "타이완을 포기할 것"이고, 해방군이 공격할 거라는 소식은, 이미 혼란한 타이완을 더욱 동요하게 만들었다.

민심은 이미 붕괴했고, 지위가 높고 명성과 위세가 대단한 사람들은 잇달아 외국으로 도망쳤다. 일급 상장(上將)이던 류즈(劉峙, 1892~1971)는 필리핀으로 도망친 뒤, 화교 자제들을 가르치는 소학교 교사 노릇을 하고 있었다. 섬으로 피신한 병사들의 옷은 남루했고, 배는 곯은 데다, 가족들은 모두 대륙에 있어, 군심이 극도로 흔들렸다. 그들의 진짜 작전 계획은 온통 어떻게 하면 투항하여 목숨을 보전할 것인가였다.

장제스는 힘없이 스푼을 움직였는데, 스푼은 닭국을 절반 정도 뜨고는 움직이지 않았다. 그는 무엇을 더 할 수 있을지 알지 못했다. 그는 이미 모든 섬을 폐쇄하라는 명령을 내렸으므로, 어느 누구도 허가 없이는 섬을 반 걸음도 떠날 수 없었다. 그는 타이완에서 죽기로 마음먹었다. 끝장날 거면 함께 모두 끝장나자! 그가 할 수 있는 일은 이미 다 했고, 칠 수 있는 허풍도 다 쳐서, 지금은 단지 앉아서 종말이 오기만을 기다릴 수밖에 없었다. 그의 정보원들은 그에게 보고하기를, 해방군은 지금 공군과 해군 건설에 박차를 가하고 있으며, 이미 화중(華中)의 내륙과 화난(華南)의 연해에 수십 곳의 비행장을 복구했다고 전해왔다. 또 적어도 400대의 소련이 지원한 전투기들이 도해 작전에 투입될 수 있을 것이며, 홍콩과 마카오에서 다양한 선박들과 상륙정들도 사 모으고 있다고 했다. 게다가 강과 바다의 연안에 있는 조선소들에서는 밤낮없이 일을 하고 있다고도 했다.

장제스는 마음속으로 자신의 최후 결말을 매우 잘 알고 있었는데, 그는 맥아더와 완전히 같은 결론을 얻었다. 10일 전, 맥아더가 트루먼에게 비망록을 제출하면서, 타이완은 한 달 안에 중국공산당에게 점령당할 것이라고 지적했다. 장제스는 해방군이 진격하기만 하면, 타이완은 즉시 한 무더기의 장작이 되어버릴 것임을 알고 있었다. 그러나 그는 여전히 절망하지 않았으며, 그는 하루만 더 버티면, 또 하루만 더 버티면, 또 하루만 더 버티면…… 미국인들이 손을 뻗어 자신을 구해줄 것이라고 굳게 믿고 있었다. 그는 미국 국무장관 애치슨(Dean Gooderham Acheson, 1893~1971)이 했던, "타이완은 미국 국방 권역의 밖에 있다!"라는 말을 믿지 않았다. 비록 미국인들은 단지 한 명의 대사관 비서만을 대만에 파견했고, 비록 미국인들이 그에게 준 모든 외교 문서들이 다 인색하여 그것들을 비망록이라고나 불러야 하고, '각서'라는 말조차도 쓰기 아까웠지만. 아니야! 그는 여전히 믿지 않았다. 그는 저 탐욕스러운 미국인들을 잘 알고 있었다. 그들의 입에서 나오는 말, 그들이 하는 짓들을! 그는 미국인들이 비록 그 장 아무개라는 사람에게는 흥미가 없지만, 그들은 타이완에 대해서는 흥미를 느끼고 있다는 것을 알고 있었다.

정보들은 이미 그에게 다음과 같은 사실을 알려주었다. 즉 맥아더를 비롯한 미국 장성들과 덜레스(John Foster Dulles, 1888~1959)를 비롯한 미국 정부의 매파들이 이미 "타이완을 보위"하기로 결정했고, 단지 언제 출병할 것인지 아직 구실만을 필요로 하고 있을 뿐이라는 것을. 맥아더는 그의 비망록에서 미국 극동 최고 사령관 명의로 공산당이 타이완을 점령하지 못하게 해야 하는 중요한 의의를 지적했다.

당신들 미국인이 "타이완을 보위"하려 하면서도 이 장 아무개라는 사람을 통하지 않으려 하는데, 후레자식들아[娘希匹]![57], 그게 가능할 줄 알아? 이것이 바로 나의 카드야! 너희 미국인들은 타이완을 이용해 미국인의 계책을 만들 수 있고, 나 장 아무개도 타이완을 이용해 나 장 아무개의 계책

57 이는 장제스가 입버릇처럼 말하던 방언 욕설이었다고 한다.

을 만들 수 있어. 그렇게 되는 날, 우리는 또 서로 이용할 수 있겠지. 하지만 너희가 그러지 않아 늦어버리면…….

장제스가 이렇게 입맛이 없을 때, 장징궈(蔣經國, 1910~1988)가 미친 듯이 뛰어 들어오며 크게 소리쳤다.

"아버지! 한국 전쟁이 발발했습니다!"

"하느님은 위대하시구나!" 장제스는 보기 드물게 예의를 잃고 자리에서 일어나 큰 소리로 말했다.

닭국물이 그의 몸으로 튀었다…….

제2장

파죽지세

1

조선 영토의 대부분은 산이며, 경치가 수려하고 마음에 든다. 대부분의 인구는 동아시아 국가의 백성들과 마찬가지로 농업에 종사했다. 각각의 작은 마을들은 마치 아직 가공하지 않은 옥돌처럼, 녹색 들판의 풍경 위에 뿔뿔이 흩어져 있고, 사방 주위에는 숲이 우거진 높은 산들이 둘러싸고 있어, 사람들의 마음을 감동시키는 순박하고 꾸밈없는 아름다움을 지니고 있다. 어떤 조선 작가는 다음과 같이 감동적으로 썼다: "오랜 세월 동안 사람들의 의식주나 풍속이 바뀌지 않았고, 마을 사람들은 항상 즐겁게 생활하고 있다. 산 위에서 흘러내리는 시냇물은 그들 가운데 유일하게 비교적 멀리 갈 수 있는 자유로운 유람자이다."

비가 이미 온 종일 주룩주룩 내려, 조선 중부 전체는 모두 실 같기도 하고 안개 같기도 한 안개비 속에 휩싸여 있어서, 삼천리금수강산이라고 불리는 조선은 더욱 아름다워 보였다. 이 나라는 본래 이렇게 전원시 같은 나라였으니, 이토록 아름다운 경치 속에 장차 3년을 끌면서, 수백만 명의 생명을 앗아가고, 세계의 세력 구도를 바꾸도록 운명적으로 정해져 있는 전쟁이 잠복해 있으리라는 것을 아무도 생각하지 못했다.

밤이 되자 비가 많이 내렸다. 나중에 누구라도 이 전쟁을 거론하려면, 반드시 이 호우를 먼저 언급해야 할 것이다.

비는 갈수록 많이 내렸다. 천둥 번개의 요란한 소리가 귓가에서 끊이지 않았다. 이때, 억수같이 내리는 빗속에서 주황색 불꽃이 갑자기 나타나더니, 이어서 거대한 폭발음이 들렸다.

그것은 포화(砲火)였다.

순간 총성과 포성이 요란하게 울리면서, 크게 무리지어 흥건하게 비에 젖은 군녹색(軍綠色)의 사람 그림자들이 불빛 속에서 번뜩이고 있었고, 탱크의 무한궤도는 진흙을 말아 올려 사방으로 흩뿌렸으며, 각종 화포들은 끊임없이 불을 토해내고 있었다. 공중을 선회하는 무수한 탄도들이 밤하늘을 붉게 물들이고 있었다. 전쟁은 마치 전류처럼 순식간에 38선을 활활 타오르게 만들었다. 옹진반도에서부터 시작하여 전선은 신호탄을 따라 확대되었으며, 한 시간 후에는 38선의 곳곳에서 격전이 벌어졌다.

1950년 6월 25일 새벽, 조선 전쟁이 발발했다.

누가 전투를 시작했는지는 아무도 정확히 알지 못한다. 남북 쌍방은 모두 상대방이 먼저 전쟁을 시작했다고 말하는데, 쌍방의 관련 문서들은 아직도 기밀이 해제되지 않고 있다. 더욱 기이한 것은, 이후 쌍방 각자의 맹방들에서는 또한 모두 어떤 사람은 서로 자기편이 먼저 전쟁을 일으켰다고 말한다는 것이다. 흐루쇼프는 회고록에서 이렇게 말했다: "북조선 사람들은 총검의 끝부분으로 남조선을 찌르려고 했는데, 김일성은 이렇게 한번 찌르면 남조선 내부에서 한바탕 폭발을 일으킬 거라고 말했다."

흐루쇼프는 심지어 마오쩌둥도 조선이 전쟁을 일으키려는 의도를 알았고, 또 김일성이 전쟁을 일으키는 것을 지지했다고 밝혔지만, 미국인들조차도 그건 불가능하다고 여기고 있다. 그들은 말하기를, 이때 마오쩌둥은 조선이 전쟁을 일으켜서 중국이 타이완을 수복하려는 계획에 영향을 주는 것을 가장 두려워했다고 한다. 그런데 심지어 전쟁이 진행 중일 때, 미국의 저명한 기자는 이승만이 먼저 도발했다고 보도했다. 그 이유는 이승만이 전쟁을 핑계로 미국인들을 끌어들여 물에 빠뜨림으로써, 자기가 국내 정치에서 이미 잃어버린 권력을 되찾으려 했기 때문이라는 것이다. 수많은 잡다한 사료들이 만화경처럼 눈을 어지럽히고 있지만, 사람들이 모두 인정하는 말은, 미국과 소련의 '냉전'이라는 배경하에서 남측과 북측이 모두 전쟁을 하고 싶어 했다는 것이다.

전쟁 발발의 진상은 영원히 어느 누구도 명확히 알지 못할 것이다. 사람들이 유일하게 확실히 알고 있는 것은, 전쟁 발발 7일 전에 '불길한 새'라고 불리면서 가는 곳마다 전쟁과 동란을 일으키던 미국 국무장관 덜레스(이때는 트루먼의 외교 고문이었다)가 직접 38선을 시찰하고 한국의 북진 계획을 심사하여 결정했으며, 아울러 이후 전 세계로 퍼져나가, 조선에 의해 그들의

'불길한 새'라고 불리던 미국 국무장관 덜레스가 '북진 계획'을 심사하여 결정했다.

범죄 증거로 간주되는 사진 한장을 남겼다는 것이다.[58]

그러나 사진에서 온 정신을 집중하여 조선의 군사용 지도를 검토하고 있는 덜레스는, 미국인들이 아주 빨리 끝날 것이라고 생각했던 전쟁이 뜻밖에도 3년이나 지속되고, 결국은 미국이 5만 명의 시신을 버려둔 채 굴욕적으로 종전을 요구하여, 건국 이래 최초로 패전으로 종말을 고할 거라고는 아무래도 예상하지 못했을 것이다. 덜레스는, 이 전쟁이 또한 자신이 가장 증오하던 공산당의 중국으로 하여금 이웃 나라의 영토에서 16개국 연합군을 물리치는 가장 간결한 방식으로 100년의 국치를 씻어냄과 아울러, 전쟁의 승리라는 가장 의심할 수 없는 수단을 통해 하나의 새로운 강국이 세계무

58 브루스 커밍스(Bruce Cumings, 1943~) 교수에 따르면, 당시 덜레스는 이승만 대통령에게 대북 도발을 하지 말라는 분명한 입장을 전했다고 한다(VOA, 2016년 6월 25일자 기사, 「『한국 전쟁의 기원』 저자, 미 커밍스 교수 "6.25는 분명한 남침"」 참조).

대에서 굴기했음을 선언하리라고는 더더욱 알지 못했을 것이다.

2

전쟁이 일어난 다음날, 비비안(Vivian) 농장에서 자신의 형제가 준비한 가족 연회에서 식사를 한 다음, 맥아더에게 "미주리 촌놈"이라고 불리던 미국 대통령 트루먼은 즉시 워싱턴으로 돌아가더니, 기뻐서 어쩔 줄 몰라 하며 미국 해군 제7함대를 타이완 해협으로 이동시켜 중국 군대가 타이완을 침공하는 것을 저지하라고 명령했다. 곧이어, 키가 작고 뚱뚱한 트루먼은 미소를 지으며 백악관의 브리핑 룸으로 와서 하나의 성명을 발표했다. 이 성명은 이처럼 앞뒤가 맞지 않고 모순되었기 때문에, 중국공산당은 이때부터 미국 정부에 대해 비록 털끝만한 신뢰마저도 잃어버렸다. 그리고 그 논리 또한 이렇게 터무니없어서, 수많은 미국인 자신들조차도 고개를 가로젓게 만들었다. 중국인들은 아예 그것이 "20세기 세계 외교사에서 가장 파렴치한 성명"이라고까지 말했다.

중국인들의 비난은 조금도 지나치지 않았다. 왜냐하면 히틀러라도 감히 트루먼처럼 하지는 않았을 것이기 때문이다. 트루먼은 전 세계에 명확히 알렸다: 한국에서 내전이 발생했기 때문에, 미국은 출병하여 중국 타이완을 점거할 것이다.

트루먼은 세계 각국의 기자들에게 이렇게 말했다:

"……나는 이미 미국의 해군과 공군 부대에게 명령하여, 한국 정부의 부대에게 엄호와 지지를 보내도록 했습니다."

"한국에 대한 공격은 의심의 여지 없이, 공산주의가 전복적인 수단을 사용하여 독립 국가를 정복하는 데 그치지 않을 뿐 아니라, 또한 무력을 사용한 공격과 전쟁도 할 수 있다는 것을 말해주고 있습니다."

"그래서 나는 제7함대에게 타이완에 대한 어떠한 공격도 저지하라고 명령했습니다. 이 행동에 상응하는 결과로서, 나는 이미 타이완에 있는 중국 정부에게 대륙에 대한 모든 상응하는 공격을 중지하도록 요구했습니다. 제7함대가 이 일의 실행을 감독할 것입니다. 타이완의 미래의 지위에 대한 결정은 반드시 태평양 안전의 회복과 대일본 평화 조약이 체결되기를 기다리거나 혹은 유엔의 고려를 거쳐야 합니다."

이 후안무치한 성명에서 트루먼은 공정함을 나타내 보이기 위해, 앞으로 장제스의 대륙에 대한 공격을 저지하겠다고 했다. 이 행위는 또한 극도로 분노한 중국공산당 사람들을 대단히 불쾌하게 만들었다—궁지에 몰린 장제스가 대륙을 공격할 능력이나 있단 말인가?

이렇게 트루먼은 조선의 내전을 구실로 미국 매파들이 음모를 꾸며온 지 오래된 전략 계획을 완성하고는, 하룻밤 사이에 타이완이 중국의 영토라는 국제적으로 공인된 이 사실을 완전히 부정하면서, '제2차 세계대전' 동안에 있었던 타이완 문제에 관련된 모든 국제 문서들을 뒤엎고, 자신이 며칠 전에 자신의 입으로 타이완 문제에 개입하지 않겠다고 철석같이 했던 약속도 어겼다. 그 뻔뻔한 정도가 사람들로 하여금 입이 벌어지게 할 정도였다. 현대 미국 육군의 권위 있는 역사가이자 직접 조선 전쟁에 참전했던 베빈 알렉산더(Bevin Alexander, 1929~)도 미국의 사악함을 인정했다: "우리는 무엇을 하든지 막론하고, 그 일이 얼마나 엄혹하든, 얼마나 불공정하든, 혹은 얼마나 앞뒤가 모순되든 막론하고, 어쨌든 항상 합법적인 외투를 걸칠 방도를 강구하려 한다. 타이완에 대한 트루먼의 성명은 아마도 애치슨이 대신 썼을 텐데, 이러한 유형의 걸작이라고 할 만하다. ……(중국공산당 사람들도) 미국이 왜 다른 나라 인민들을 해치기 위해 합법적인 구실을 만들어낼 필요가 있는지 이해하지 못한다. 이런 상황에서 공산당 중국의 영도자들은 그들이 상대하는 나라가 필시 믿을 수도 없고 의지할 수도 없는 나라라고 느낀다. 설마 이것이 또 뭐가 이상하기라도 하단 말인가? 원래부터 붉은 중국은 단 한 명의 병사도 보내지 않았고, 중국공산당 정부는 단 한마디의 위협적인 말도 한 적이 없음에도, 공산당 중국은 오히려 침략자라는 누명을 썼고, 제7함대는 중국 대륙과 타이완성(臺灣省) 사이에 배치되었다. ……(붉은 중국인들은) 그것을 중국의 주권에 대한 직접적인 도발이라고 여기며, 또한 이것은 단지 미국이 국민당의 대륙 탈환 음모를 돕는 첫 걸음일 뿐이라고 우려하고 있다."

이때부터 타이완은 중국의 몸에 있는 오랫동안 치유되지 않는 궤양이 되기 시작했다. 그리고 중국인들은 또한 미국에 대해 뼈에 사무치는 원한을 갖기 시작했다. 기회가 무르익었을 때, 그들은 주저 없이 미국인들에게 보복을 할 것이다.

트루먼의 이 조치는 그의 정치 인생에서 가장 큰 잘못을 저지른 것이다. 미국 육군이 중국 육군에게 참혹한 패배를 당한 다음, 그 자신 또한 이 어리석은 결정으로 인해 자신의 정치 생애를 마칠 수밖에 없었고, 또 이때부터 암담한 상황에 처하고 말았다. 그리고 중국에서 트루먼은 중국 정치가들이 가장 미워하는 미국 대통령이 되었으므로, 그 명성이 멀리 퍼져 나갔다. 그가 중국에서 이렇게 이름이 널리 알려지자, 얼마 지나지 않아 중국 인민지원군의 농민 출신 병사들은 전장에서 그를 소재로 많은 노래로 만들어 부르면서, 그를 빈대나 세계 각국의 병사들이 모두 싫어하는 것—벼룩—에 비유했다. 중국 국내에서 중국공산당이 곧 벌일 애국 위생 운동을 벌일 때는, 낫 놓고 기역자도 모르는 노인들이 날마다 파리와 모기를 쫓을 때조차도 어색한 발음으로 "이 때려죽일 트루먼 놈!"이라고 고함을 쳤다. 중국 아이들이 부르는 노래에는 "호랑이는 사람을 안 잡아먹고, 오직 트루먼만 잡아먹는다네[老虎不吃人, 專吃杜魯門]……"라는 가사도 있다.

3

트루먼이 타이완을 점거한다는 발표를 한 지 사흘째인 이날 밤, 검은색 승용차 한 대가 소리 없이 중난하이로 들어왔다. 이 차 안에는 신중국 출범 초기의 '장군대사(將軍大使)'[59]들 가운데 한 명인 차이청원(柴成文, 1915~

59 1949년 이전에 중국의 외교를 담당한 고위 관료들은 대부분 국민당 정부 소속이었기 때문에, 새로 설립된 중국공산당 정부는 이들을 받아들일 수 없었다. 이러한 이유로 일부

2011)이 타고 있었다.

당중앙은 이미 차이청원을 독일민주공화국(동독-옮긴이) 대사로 내정했다.

그때 차이청원은 여러 가지 번잡한 외교 예절을 배우느라 골머리를 앓고 있었는데, 그때마다 그는 마오쩌둥이 임시로 새로운 직무를 맡은 군인 출신 외교관들을 불러서 했던 말들을 떠올리며 빙긋이 웃음을 짓곤 했다: "그대들을 밖으로 보내야 최소한 조금이나마 안심할 수 있으니, 그대들은 빠져나갈 수 없어요!"

'총리께서 이렇게 늦게 나를 만나자고 부르신 건, 아마도 독일민주공화국에 외교관으로 보내는 임무를 바꾸시려는 것이겠지.' 차이청원은 마음속으로 이렇게 생각했다.

시화팅(西花廳)[60]에 도착해 보니, 그곳은 총리 집무실 옆에 있는 응접실 겸 소회의실이었다. 실내는 매우 간소한 인테리어만 되어 있었고, 긴 탁자 옆에는 천을 덧씌운 등받이가 달린 푹신한 의자가 있었다. 그리고 벽에는 중국 지도와 세계 지도가 걸려 있었다.

야간 업무에 익숙한 저우언라이는 양 소매에 토시를 낀 채 사무실에서 나오더니, 차이청원을 깜짝 놀라게 하는 말을 했다: "조선에서 전쟁이 일어나자, 미국 트루먼 정부는 병력을 파견하여 조선을 침입하고 타이완을 침략한다고 선언했을 뿐만 아니라, 한 걸음 더 아시아를 침략하는 데 맞게 전면적인 배치를 했습니다. 그들은 조선 문제를 타이완 문제와 함께 연계시키고 있고, 극동 문제와도 연계시키고 있습니다. 그래서 우리는 김일성 동지와 연락을 유지할 인원을 파견해야 합니다. 니즈량(倪志亮, 1900~1965) 대사는 아직 우한(武漢)에서 요양하고 있어 한동안 갈 수 없으니, 지금 당신이 몇 명의 군사 간부들을 데리고 먼저 가시오."

고급 장교들을 선발하여 교육시켜 외교 업무를 담당하게 했는데, 이들을 "장군대사"라고 불렀다.

60 중난하이의 서북쪽에 있는 건물로, 당시에는 저우언라이 부부가 거주하면서 근무했다고 한다.

다른 이의 인격을 매우 존중하는 저우언라이가 차이청원에게 물었다: “당신은 어떻게 생각하시오?”

20년 동안 군대에서 생활한 차이청원은 모범적인 군인의 말투로 대답했다: “조직의 결정에 결연히 복종하겠습니다.”

일련의 지시를 받고 나서, 차이청원은 한 가지 민감한 문제를 질문했다: “듣기에는 조선인민군 안에는 소련 고문단이 있고, 조선 주재 소련대사 스티코프(Terentii Fomich Shtykov, 1907~1964)가 총(總)고문이라 하니, 업무 과정에서 분명히 접촉하게 될 것입니다. 그렇다면 그들에 대해 우리는 어떤 태도를 취해야 합니까?”

저우언라이는 조금도 머뭇거리지 않고 대답했다: “조선에 주둔한 소련군 고문단들이 여러분들을 어떻게 대하든 간에, 여러분도 똑같이 그들을 대하도록 하시오.”

오래지 않아 차이청원을 대리대사로 하는 조선 주재 중국 대사관 인원들이 평양에 도착하여, 즉시 김일성의 접견을 받았다. 그해에 김일성은 38세로, 젊고 정력이 넘치는 때였는데, 승리의 기쁨은 이 조선 지도자의 안색을 더욱 환히 빛나게 해주었다.

쌍방이 인사말을 나누고 난 뒤, 김일성이 차이청원에게 말했다: “조선 전쟁이 발발한 후, 나는 저우 총리에게 군사 간부를 이곳에 파견해주시라고 청했습니다. 이렇게 당신께서 오시니 정말 좋습니다. 당신을 환영합니다! 마오 주석과 저우 총리가 발표한 담화에 감사드립니다. 이치가 바르고 말이 엄숙하며 태도가 분명하시니, 이는 우리에 대한 격려이자 성원입니다.”

차이청원은 곧바로, 중국의 당과 정부는 조선 인민들이 과거 중국 인민들에게 보내준 원조에 대해 감사한다고 전했다. 특히 자신이 임지로 출발하기 전에 저우 총리가 자신에게 들려준 이야기, 즉 1947년에 남만주 해방군의 많은 가족들이 조선 북부로 철수했을 때, 조선 인민들에게 큰 폐를 끼쳤다는 말을 전했다.

김일성은 쾌활하게 웃으면서 말했다: “그것은 우리가 마땅히 해야 할 일이었습니다. 다만 우리가 막 해방되었기 때문에, 우리 동지들이 잘 준비하지 못해, 일부 동지들을 고생시켰습니다."

쌍방의 회담은 화기애애했고, 동지간의 믿음으로 가득 차 있었다.

마지막으로 김일성은 차이청원에게 이렇게 말했다: "일이 있으면 수시로 나를 찾아오십시오. 나는 곧 총정치국 부국장 서휘(徐輝, 1916~1993)[61]로 하여금 당신들에게 연락하여, 정기적으로 전장의 상황을 설명하도록 지정하겠습니다." 또 통신병에게 차이청원을 위한 직통 전화를 설치하도록 명령했다. 이렇게 중국과 조선의 두 당과 지도자들 사이에 빠르고 편리한 정보 통로가 마련되었다. 업무 관련 회담이 끝나자, 김일성은 연회를 열어 차이청원을 대접했고, 차이청원은 저우 총리가 특별히 준비한 선물인 담비 가죽 코트를 김일성에게 주었다. 김일성은 두 손으로 선물을 건네받고 이어서 말했다: "저우언라이 동지에게 감사의 뜻을 전해주시오!"

이날 중국 대사관은 업무를 시작했고, 조선 전장의 군사 정보는 저우언라이 총리가 세심하게 설치한 붉은 통로를 통해 끊임없이 중국으로 전해지기 시작했다.

4

미국 뉴욕 롱아일랜드의 레이크석세스(Lake Success) 호숫가에는 대략 18 에이커 면적의 땅이 있다. 이 땅은 미국 영토 중에서 경제와 정치의 중심이지만, 미국에 속하지도 않으며, 세계 어느 나라에도 속하지 않는다. 1946년 이래로, 이곳은 유엔 본부의 영구적인 소재지가 되었다.

유엔 본부의 입구에는 국기 게양대가 있는데, 그곳에는 형형색색의 회원국 국기들이 나부끼고 있다. 1950년 6월 25일, 이 깃발들 가운데 유난히 눈에 거슬리는 것은 당연히 중국 인민들이 "개 이빨 깃발"이라고 부르는 "중화

61 조선노동당 중앙위원회 부부장, 조선직업총동맹 위원장 등을 역임했다. 1956년에 '8월 종파 사건'에서 종파 분자로 지목되었고, 숙청당할 위기를 맞자 중국으로 망명했다.

민국" 겸 중국국민당의 깃발이었다. 이 깃발은 이와 같이 사람들이 싫어했기 때문에, 소련의 유엔 주재 대표 말리크(Yakov Malik, 1906~1980)는 곧 그해 1월 13일부터 유엔의 어떠한 회의에도 참석을 거부함으로써, 장제스의 '중화민국'이 유엔에서 신생 중화인민공화국의 자리를 계속해서 부당하게 차지하고 있는 것에 대해 항의했다.

큰 실수는 바로 이렇게 빚어졌다.

소련 대표가 부재하여 아무도 반대하지 않은 틈을 타, 세계에서 처음으로 '유엔' 설립의 구상을 제기했던 노르웨이인 트뤼그베 리(Trygve Halvdan Lie, 1896~1968) 유엔 사무총장은 유엔의 규정을 어기면서 업무를 처리하고, 미국의 조종을 받아 안전보장이사회를 열었다.

그 결과 조선의 침략 행위를 규탄한다는 그해(1950년)의 결의안 제83호는 무난히 통과되었다. 이 결의는 우스꽝스럽게도 국제적인 상식을 위반했다. 왜냐하면 세계는 단지 한 나라의 내전을 혁명과 반혁명으로 나누는 것만 공인하고 있으며, 또한 지금까지 국내의 일부 인민이 다른 일부 인민을 침략했다는 표현은 없었기 때문이다.

이틀 뒤 소련 대표는 거듭해서 잘못을 저질렀다. 뜻밖에 그는 또 불참했고, 결의안 제84호는 또 통과되었다. 이 결의안에서는 "유엔 회원국들은 대한민국을 향한 무장 공격을 물리치고, 이 지역의 평화와 안전을 회복하기 위해 모든 필요한 원조를 제공해야 한다"고 요구했다.

만약 제83호 결의가 가소로웠다면, 제84호 결의는 치욕스러웠다. 이것은 유엔이 국내 정치에 간섭하지 못하도록 한 〈유엔 헌장〉을 철저하게 위반하고, 미국의 침략 전쟁에 합법적인 겉옷을 입혀주기 시작했다. 회의 후 트뤼그베 리는 즉시 회원국들에게 전화를 걸어, 그들에게 한국을 어떻게 지원할 것인지를 물었다. 초대 유엔 사무총장 트뤼그베 리는 미국인들의 가장 유능한 하수인이 되었다.

사실 이것은 이상한 일이 아니었다. 트뤼그베 리의 조국 노르웨이는 북유럽에 있는데, 북유럽의 여러 나라들은 소련에 대해 모두 뿌리 깊은 혐오감을 갖고 있었다. 노르웨이는 '제2차 세계대전' 중에 독일인들에게 침략을 당해 만신창이가 되어, 지금도 미국 '마셜 플랜'의 경제 원조에 의지하여 살아가야 했다. 트뤼그베 리는 자신이 노르웨이인이라는 사실을 감히 잊을 수 없었다. 미국은 이렇게 유엔군이라는 아주 아름다운 전투복을 자신의 몸에 걸치게 되었다.

이로부터 트루먼은 뻔뻔하고 자신만만하게 조선 전쟁은 '경찰 행위'라고 말했고, 그는 이후의 미국 대통령들이 모두 따르게 되는 선례—미국 의회로 하여금 선전포고를 하게 하여, 미국을 전체 전쟁의 위기 국면에 빠져드는 것을 피하게 하려면, 최대한 유엔을 끌어들여 호랑이 가죽[虎皮]으로 삼고, 동맹국들을 무기로 삼아 이용한다—를 만들었다.

이후 중국이 참전하여 트루먼을 흠씬 두들겨 팰수록, 그는 "조선에서 진행하는 일은 유엔의 권한을 부여받은 경찰 행동"이라고 더욱 소리 높여 외치자, 심지어 미국인들도 스스로 그를 모래에 머리를 파묻은 타조처럼 우스꽝스럽게 풍자할 정도였다.

7월 7일, 안전보장이사회에서는 여전히 이치를 깨닫지 못한 소련 대표 말리크의 모습이 보이지 않았다. 노련하고 용의주도하며 다양한 술책을 부리는 영국인들은 이렇게 추측했다. 즉 말리크가 회의에 참석하여 거부권을 행사하지 않는 것은 스탈린의 책략으로, 스탈린이 이번 기회에 중국과 조선을 철저하게 철의 장막 뒤에 차단시켜, 그들과 다른 국가들의 관계를 단절시킴으로써, 그들로 하여금 소련에 의지하는 것 이외에는 다른 길이 없게 만들려 한다는 것이다. 아마도 이것은 이런 종류의 음험한 짓들을 많이 행했던 영국 놈들이 소인배의 마음으로 군자의 속마음을 헤아리는 것일 텐데, 그렇다면 우선 말하는 대로 적당히 들어두자. 그러나 스탈린은 이것 때문에 말리크를 크게 꾸짖었고, 소련의 외교가들과 역사학자들은 이것이 소련의 중대한 외교적 실책이라고 공인하고 있다.

거부권을 가진 소련의 부재로 인해 안전보장이사회는 또 유엔군이라는 이름으로 미국과 영국 등의 군대가 조선에서 전쟁을 벌이는 결의안을 통과시켰다. 미국의 패거리들은 미국의 경제 지원을 받기 위해 벌거벗고 나섰고, 영국과 프랑스 등 15개국은 전투 부대 파병에 동의했다. 그리고 인도 등 4개국은 의료진을 파견하여 의료 활동을 책임졌다. 맥아더는 또 승진하여, 그는 첫 번째 유엔군 사령관이 되었다. 그의 이 직위는 최고에 이른 것으로, 지구상에서 그의 직위보다 높은 군사 지휘관은 아마도 없었을 것이다. 그러나 미국 정부의 말만 듣는 유엔군 사령관의 현재 상황이 결코 좋지만은 않았다. 조선인민군은 한국 군대를 물리치고 대거 남하했는데, 군대의 기세가 파죽지세와 같아서 공세의 예봉을 당해내지 못했다. 맥아더가 미국 고문단을 파견해서 훈련시켰던 한국 군대는 일패도지하여 개전한 지 3일 만에 수도 서울을 내주고 말았다.

5

미국 잡지 『라이프(*LIFE*)』 지 기자는 맥아더가 조선 전쟁이 발발했다는 것을 알고 난 후의 정신 상태를 생생하게 묘사했다:

"맥아더는 정신이 번쩍 들어, 두 눈에 빛이 번득였는데, 마치 내가 보았던 고열병 환자의 얼굴을 보는 것 같았다."

그는 매우 흥분했다. 전쟁, 전쟁 말고 무엇이 맥아더의 가치를 잘 들어낼 수 있을 것이며, 그의 갈수록 강해지는 허영심을 만족시킬 수 있을 것이며, 그의 연기 욕구를 더욱 발산하게 할 수 있겠는가?

전쟁이 발발한 지 12시간 뒤, 맥아더는 파이프를 문 채 다리를 꼬고 앉아서 덜레스에게 말했다: "만약 워싱턴이 나에게 방해가 되지 않는다면, 나는 한 손을 등 뒤에 묶고 한 손만으로도 대처할 수 있습니다."

이어서 맥아더가 다시 습관적으로 천천히 걸으면서 연설을 시작하자, 노회한 덜레스는 내색을 하지는 않았지만, 내심으로 이렇게 결론지었다: '종잡을 수 없고, 시건방지고, 다루기 어려운 황소 같은 자로군.'

맥아더가 스스로 매우 잘했다고 여기며 만족해 한 연기는 덜레스의 호감을 얻지 못했다. 워싱턴으로 돌아간 덜레스는 즉시 트루먼에게 그 녀석의 직무를 면직시키라고 건의했다. 그는 맥아더가 큰 골칫거리가 될 것임을 예감했다. 트루먼은 그 말에 깊이 동감했지만, 감히 그렇게 하지 못했다.

맥아더가 스스로를 위대하게 여기고 있을 때, 조선인민군은 이미 홍수가 제방을 무너뜨리듯이 한국군의 방어선을 하나하나 돌파하고 있었으며, 이승만은 천도하여 목숨을 보전하기로 결정했다.

어느 군대가 스스로 "아시아의 최강자[亞洲之雄]"라고 할 수 있을까? 세 개의 답안을 말하더라도, 아마 한국 군대에게 차례가 돌아가지 못할 것은 분명했다. '8월 15일'에 일본이 항복할 때까지, 이 군대의 대다수 장교들은 여전히 일본도를 차고 있었다. 일본인들조차 인정했듯이, 한국 군대의 인원 구성은 매우 복잡했다. 일본 육군사관학교를 졸업한 이들도 있었고, 일본 지원병 출신들도 있었으며, 일본 학도병 출신들도 있었다. 이들은 모두 일본파라고 불린다. 그 중에 일본 육군사관학교를 졸업한 유승렬(劉升烈, 1893~1968)·채병덕(蔡秉德, 1916~1950) 등 7명은 한국 군대 안에서 핵심 역량이라고 할 수 있었다. 이 밖에 백선엽(白善燁, 1920~2020) 같은 괴뢰 만주국 출신 장군들도 있었다. 하급의 일반 군인들 중에는 징집에 응해 일본군에서 복무한 사람들도 있었고, 원래 일본 식민지 시기의 경찰도 있었는데, 대부분의 군인들은 징집에 응해 일본 군대 안에서 군인이 된 사람들이었다. 북조선에서는 이 군대를 "조선 매국노"의 군대라고 욕을 퍼부었고, 이는 조금도 틀린 것이 아니었다. 그러나 이들 조선 매국노들이 골간을 이루고 있고, 강제로 끌려간 장정들로 구성된 군대가, 뜻밖에도 당연하다는 듯이 사양하지 않고 자신에게 "아시아의 최강자"라는 모자를 씌워주었다. 더욱 이상한 것은, 그들을 훈련시켰던 미국인들조차도 그렇게 생각했다는 점이다.

한국 군대가 털끝만한 이유도 없이 자신이 가장 강하다고 우쭐대는 것보다 더욱 위험한 것은, 그들이 인민군의 역량을 낮게 평가하고 있었다는 점이다. 이때 조선인민군의 야전 부대는 보병 사단 10개, 탱크 여단 1개, 모터사이클 연대 1개로 편성되어 있었는데, 병력은 많지 않았지만, 장비가 현대화되어 있었고, 투지가 높은 정예 군대였다. 일본인의 말에 따르면, 인민군의 핵심은 김일성을 따라 소련에서 돌아온 500명의 항일 노전사(老戰士)들이었고, 이후에 다시 중국의 전쟁터에서 귀국한 인원들과 자신들이 훈련시켜 양성해낸 직업 장교들을 보충했다고 한다.

일본의 사료에 따르면, 인민군에서 가장 먼저 조직된 주력 보병 제1사단에 소속된 한 연대는 모두 중국에서 귀국한 전사들이었으며, 그 장교들의 대부분은 중국 인민해방군에서 귀국한 장교들이었다. 이 밖에 제2사단장 최현(崔現, 1907~1982) 소장과 참모장 허파(許波) 상교(上校: 우리의 중령과 대령 사이에 해당-옮긴이), 제3사단장 방호산(方虎山, 1916~1959) 소장, 제7사단장 최인(崔仁, 1911~?) 소장, 제16여단장 최인덕(崔仁德, 1917~2003) 상교는 모두 중국공산당의 팔로군 출신이었다. 제5사단과 제6사단, 이들 주력 사단은 중국 인민해방군의 편제에서 신비롭게 사라진 제164사단과 제166사단이었고, 제7사단은 중국 군대 4개 사단의 조선인들이 귀국하여 모여 편성한 것이었다. 제10사단과 제13사단도 중국 동북 지역에서 귀국한 부대를 기초로 편성되었다.

이 일본 사료에 따르면, 또한 인민군에서 공격 임무를 맡은 7개 사단들 가운데, 절반의 병사들은 항일 전쟁과 중국 해방 전쟁을 겪은 노련한 군인들이며, 또한 많은 이들은 일찍이 김일성과 함께 소련군에서 복무했던 노련한 유격대원들이었다고 한다. 조금도 의심할 여지 없이, 정치적인 소질에서 조선인민군은 절대적인 우위를 차지하고 있어, 한국 군대와는 비교할 수 없었다. 군사적 소질에서도 인민군은 크게 우위를 차지하고 있었는데, 그들 중 고위 장교들은 거의 전쟁터에서 모든 청년 시절을 보냈으며, 대부분의 병사들마저도 전투가 끊이지 않던 중국의 항일 전장과 해방 전쟁의 전장에서 실전을 통해 단련되었다. 이처럼 인민군은 군대를 건립한 기간이 길지 않았고, 숫자도 13만 5천 명에 불과한 신생 군대였지만, 풍부한 실전 경험과 높은 응집력을 갖춘 노련한 부대라고 할 수 있었다. 게다가 건립된 이후에는 다시 소련 장교들로부터 엄격한 훈련도 받았다. 이런 군대는 아무도 감히 가볍게 여기지 않았지만, 미국인들과 한국군은 아무것도 모르면서 이들을 "김일성의 촌놈 부대" 혹은 "오합지졸"이라고 부르고 있었다. 이렇게 오만방자하고, 상대방뿐 아니라 자기 자신도 모르는 상태에서 전쟁에 뛰어들었으니, 한국이 어찌 패배하지 않을 도리가 있었으랴? 더욱이 김일성의 손에는 또 한 장의 비장의 무기—그 당시 전체 유럽 대륙의 전쟁터를 휩쓸었던 비밀 무기—가 있지 않았던가?

한국군을 격퇴한 후, 인민군은 즉각 전체 전선에 진입하여 대반격을 개시했다.

6월 25일 새벽, 한국의 제12연대에는 5명의 미국 고문단 중 한 명이 있었다. 조셉 다리고(Joseph R. Darrigo) 대위는 사무실을 향해 쏘아대는 총포에 깜짝 놀라 깨어나, 신발도 신지 못한 채, 지프를 타고 개성의 거리 쪽으로 탈출했다. 인삼이 많이 생산되는 개성은 조선의 오래된 도시로, 마치 중국의 시안(西安)처럼 그 전략적 위치가 중요하다. 이곳은 북쪽에서 서울로 가기 위해서는 반드시 지나가야 하는 곳이기 때문이다. 개성의 송악산은 38선 위에 있는데, 인민군 제6사단의 1개 연대가 산에서 내려오면서 개성에 대해 정면으로 공격을 가하자, 다리고 대위는 송악산에서 전해진 총포 소리에 놀라 잠을 깬 것이다.

어디로 가야 할까?

대위는 생각하다가, 즉시 서울로 철수하기로 결정했다. 다른 4명의 고문들은 모두 어제 회의에 참석하기 위해 서울에 갔다. 시급히 그들과 만나 다시 이야기를 해야 한다. 제12연대에 가서, 그들로 하여금 먼저 싸우게 해야지.

다리고 대위는 이렇게 결심한 다음 즉시 지프를 타고 서울로 향했다.

다리고 대위의 결정은 정확했다. 그가 막 개성 남쪽 근교의 서울로 통하는 길목에 도착하자, 뒤쪽의 개성역 방향에서 빗발 치듯이 탄환들이 날아들었다. 대위가 놀라서 고개를 돌리니, 2~3개 대대의 조선 군인들이 기차역에서 나오고 있었다.

이것은 불가능한 일이었다. 경의선 철도는 이미 38선 지점에서 차단되었는데, 조선 군대가 어떻게 기차를 타고 개성의 배후까지 올 수 있었단 말인가!

겁에 질린 대위는 가속 페달을 밟아 전 속력으로 달려, 간신히 목숨을 건졌다. 개성을 지키던 한국 제12연대는 앞뒤로 포위당해 자연스럽게 전멸했다. 탈출한 것은 연대장과 2개 중대뿐이었다. 개성은 곧바로 인민군의 손에 넘어갔다.

인민군은 분명히 기차를 타고 왔다. 제6사단장 방호산 소장은 팔로군 출신으로, 중국 군대의 불시에 공격하는 전술에 대해 당연히 익숙했다. 방호산은 공격하기 전에 대담한 계획을 세우고, 몰래 경의선 38선 구간의 파괴된 궤도를 수리하게 했다. 공격 개시 후, 그는 1개 연대로 하여금 송악산 정면에서 한국군 제12연대의 주력을 견제하게 하고, 또 다른 1개 연대를 기차에 태워 개성역으로 돌진하게 했다. 순식간에 포위된 한국군은 미처 손을 쓸 수 없었고, 인민군은 아주 순조롭게 첫 번째 공격 계획을 완수했다.

한국군이 혼비백산한 곳은 개성 한 곳에 그치지 않았다. 인민군의 공격은 한국군의 전선에 있던 부대들을 눈 깜짝할 사이에 거의 붕괴 상황으로 몰아넣었다. 왜냐하면 인민군이 비장의 비밀 무기—150대의 T-34 탱크—를 꺼냈기 때문이다.

6

제2차 세계대전은 탱크와 비행기의 전쟁이었다. 탱크가 지상전에서 결정적인 지위에 있다는 것은 이미 무수한 전투에 의해 증명되었다. 방어력·화력·기동력이 한 몸에 집중된 이 장갑 괴물은 제2차 세계대전의 '총아'였다. 그리고 T-34는 이 '총아' 가운데에서도 스타였다. 소련군은 이것에 의지하여 전쟁에서 승리를 거두었다.

1940년에 형태가 고정된 이 탱크는 세계가 공인하는 현대식 탱크의 선구자로, "모스크바의 수호신"이라고 불렸다. T-34의 적들마저도 이것이 제2차 세계대전에서 가장 우수한 탱크라는 것을 인정했다.

제2차 세계대전 이후, 소련군은 이를 개량하고 강화하여, 주포를 85밀리 강선포로 교체했으며, 포탑의 장갑도 90밀리로 더 두껍게 하여, 방호력과 화력 모두 당시의 "초일류"라고 할 만했다. 소련 군대는 공인된 탱크 전술의 고수들이었다. 소련군의 영향을 깊이 받은 조선인민군은 자연스럽게 지상의 전장을 좌지우지하는 이 무기에 눈을 돌렸다. 조선인민군에는 1개 장갑 여단과 1개 독립 장갑 연대가 있었고, 모두 150대의 T-34 탱크를 보유하고 있었다. 이들 장갑 부대의 대부분 인원은 소련에서 귀국한 탱크병들이었고, 특히 독립 장갑 연대의 구성원들은 소련 하바로프스크의 탱크 학교를 졸업한 조선계 소련인들이었다. 조선어를 할 줄 모르는 이들 탱크병들은 "소조인(蘇朝人)"이라고 불렸으며, 모두 훈련이 잘 되어 있었으며, 또한 소련과 독일의 전장에서 비범한 솜씨를 갈고 닦았다. 그러나 인민군과 소련인들조차 이 탱크 150대가 조선 전쟁 초기에 결정적인 역할을 하리라고는 예상치 못했고, 미국의 군사 전문가들은 더구나 얻어맞고 아연실색했다.

조선 전쟁이 시작되었을 때, 쌍방의 장갑 역량은 철저하게 불균형적이었다. 미국 군사 고문단의 어리석음 때문에 한국군에는 단 한 대의 탱크도 없었다. 전쟁 직전에 한국군은 여러 차례 미국인들에게 탱크를 제공해달라고 요청했지만, 미국인들은 "남한의 지형과 도로망, 특히 교량은 탱크를 사용하기에 적합하지 않다"고 독단적으로 판단하고, 한국의 요구를 거절했다.

한국군은 인민군이 이미 T-34를 갖추고 있음을 정찰하고 나서, 한국의 '국방부장관' 신성모(申星模, 1891~1960)가 다시 193대의 미제 M26 중형 탱크를 요구했다. 미국인들은 반대로 "인민군의 탱크는 제2차 세계대전 당시 일본군이 쓰던 낡은 탱크"라고 주관적으로 억측하고, 결국은 140문의 57밀리 대전차포와 190문의 로켓포를 한국군에게 주어 무장하도록 하고는, 일을 마무리했다.

전쟁이 시작되자마자 미국인들은 엄청난 실수를 저질렀다는 것을 알게 되었다. 김일성은 제105장갑 여단의 3개 탱크 연대를 각각 서울로 공격해 들어가는 3개 사단에 배속시켜, 서울로 통하는 각 도로를 따라 돌격해 나가도록 했는데, 이 120대의 탱크는 곧 인민군 지상 공격력의 핵심이 되었다.

우르릉거리며 다가오는 T-34를 대하자, 한국 병사들은 깜짝 놀랐다. 그 강철 괴물은 무기가 뚫을 수 없을 만큼 튼튼했다. 57밀리 대전차포의 포탄은 T-34의 장갑에 맞으면 바로 튕겨나가 버렸으며, 로켓포는 더욱 아무 소용이 없었다. 반면, T-34의 대포와 2정의 기관총은 반대로 사람을 다치게 하고 생명을 앗아가는 불을 끊임없이 내뿜으면서, 탱크에 맞서는 병사들을 몸이 크게 휘청거리도록 때렸다.

이후 서방의 역사 자료들은 분분히 "태연자약"이라는 말로 공격을 당하는 T-34를 묘사했지만, 한국군에 대해서는 이렇게 묘사했다: "한국 병사들은 도로 양 옆의 산 위에서, 눈앞의 도로 위를 용맹하게 달려가는 난생 처음 보는 탱크를 무기력하게 내려다보았다."

소수의 용감한 한국 병사들이 폭파조를 결성하여, 목숨을 걸고 T-34에 필사적으로 접근하여 캐터필러를 폭파시키려 했지만, 이런 전술의 결과는 생각해보면 알 수 있을 것이다.

소수의 용감한 자들이 마치 탱크를 향해 돌격하는 폴란드의 후사르(Hussar) 기병 부대처럼 사살되자, 한국 부대들은 붕괴되기 시작했다. 이때의 T-34는 조선의 전장에서 마치 독일 탱크가 제2차 세계대전 초기에 서유럽의 전장에서 했던 것처럼 종횡무진 활개를 치면서, 결정적인 힘이 되었다.

『한국의 동란』이라는 책은 다음과 같이 피비린내 나는 묘사를 했다: "국군의 청년 장병들은 무시무시한 소련제 탱크의 전진을 저지하기 위해 육탄공격을 했다. 그러나 탱크 속의 야수들은 오히려 캐터필러가 동포의 골육을 짓눌러 으깨는 소리를 들으면서 서울을 향해 돌진했다. 탱크 속 승무원들은 조선말을 못 알아듣는 조선인들이었다."

동두천에서 수십 문의 화포와 탱크의 지원을 받은 인민군 제16연대는 전(前) 중국군 연대장이었던 최인덕 상교의 인솔 하에 한국군 제3연대의 방어선을 돌파하고, 개전 첫날 8킬로미터를 돌진했다.

서울로 직통하는 '의정부 회랑(回廊)'은 산이 많은 조선에서는 보기 드문 평원의 회랑 지대인데, 평원이라고는 해도, 사실은 폭이 500미터 내지 1천 미터에 불과하다. 그러나 이곳은 거의 조선이 탱크로 공격을 전개하기에 가장 적합한 구역이었다. 김일성은 최정예 제3사단과 제109탱크 연대를 이곳에 풀어놓고 서울로 맹렬히 돌진하게 했다. 사단장 리영호(李英鎬, 1909~?) 소장과 팔로군 출신의 참모장 장평산(張平山, 1916~?) 상교의 인솔하에 제3사단은 단 하루 만에 한국군 진영으로 10킬로미터 깊이까지 돌진하여, 그날 밤 서울로 통하는 가장 관건이 되는 포천(抱川)의 도로에 들어섰다.

오직 동부전선의 한국군 제6사단만이 춘천에서 인민군 제2사단의 공격을 잠시 견뎌냈을 뿐이다.

한국군 제6사단장인 김종오(金鍾五, 1921~1966) 대령은 한국 군대의 인원들 중에서 제법 싸울 줄 아는 장교였는데, 그는 전쟁 발발 2주 전에야 제6사단을 넘겨받았다. 그 전까지 제6사단은 한국 군대에서 전투력이 부족하고 군심이 불안하기로 유명했다. 1년 전에 이 사단에서는 갑자기 2개 대대가 김일성에게 투항했고,[62] 반년 전에는 사단의 고위급 부관인 송 모 소령이 "반란"을 준비하다가 적발되기도 했다. 그러나 남북 쌍방 모두 전쟁이 시작되자, 뜻밖에도 한국 군대에서 이 사단이 가장 잘 싸우는 모습을 보여주리라고는 전혀 예상하지 못했다. 김종오의 지휘 능력은 이를 통해 잘 알 수 있을 것이다. 전쟁이 일어나기 며칠 전에 불길한 낌새를 느낀 김종오는 모든 장병들에게 외출과 휴가를 금지시키고, 모든 인원에게 장비를 갖추고 진지로 들어가게 하여, 서둘러 작전 준비를 마쳤다.

춘천의 지형은 지키기는 쉽고 공격하기는 어렵다. 춘천은 조선에 가장 아름다운 도시로, "조선의 교토(京都)"라고 불렸다고 한다. 그러나 가장 아름다운 도시의 대부분은 산간 지대로, 여기에서는 탱크를 사용할 수 없자, 인민군은 보병 공격만 할 수 있었다. 한국군은 도시 주위의 산 정상에 있는

62 김창룡(金昌龍, 1920~1956) 등이 주도한 숙군 작업에 걸려들자, 2개 대대가 월북했다.

철근 콘크리트로 만든 참호와 토치카를 이용하여 사투를 벌이면서 물러서지 않고, 잇달아 인민군 제2사단의 공격을 격퇴했다. 제2사단의 두 명의 주요 지휘관인 최현 소장과 참모장 허파 대령은 모두 중국 팔로군 출신으로, 이 두 명의 잘 싸우는 장교들이 인솔하는 부대는 하루 종일 공격을 했지만 한 치도 나아가지 못했다.

그러나 한국군 제6사단도 겨우 춘천에서 이틀을 지켜냈는데, 인민군 제2군단장 김광협(金光俠, 1915~?) 중장이 이미 파죽지세로 남진하던 제7사단을 이동시켜 춘천을 협공하게 했다.

개전 첫 날, 인민군이 남쪽으로 돌진하면서 가장 멀리 나아간 것은 제7사단이었다. 서방의 역사 자료에서는, 이 사단의 1만 2천 명은 모두 중국 군대에서 복무했으며, 사단장은 팔로군 출신의 최인 소장이라고 밝히고 있다. 중국에서 돌아온 이 정예군은 개전 당일에 38선에서 남쪽으로 거의 30킬로미터 떨어진 홍천까지 진격했다. 만약 그들이 수비가 약한 홍천을 공격했다면, 김종오는 독 안에 든 쥐가 될 뻔했다. 이 긴요한 때 제2사단의 공격이 실패하자, 김광협 중장은 제7사단에게 춘천으로 방향을 돌려 제2사단과 함께 한국군 제6사단을 협공하라고 명령을 내릴 수밖에 없었다.

비록 춘천은 결국 빼앗기고 말았지만, 한국군 제6사단은 기회를 틈타 홍천에 있던 남쪽의 방어 진지로 무사히 후퇴했으며, 또한 동해안에서 패배하고 후퇴하는 한국군 제8사단을 엄호했다. 이 전투 이후, 한국군 제6사단은 이 때문에 "춘천 바위"라고 불리게 되었고, "혁혁한 공을 세운 제6사단"이라는 명예를 얻었다. 김광협 중장이 제7사단을 되돌아오게 한 것은 당연히 실수였으며, 바로 그는 이 때문에 김일성에게 징벌을 받았다.

한 일본인은 이 전투에 대해 이렇게 말했다: "인민군의 모든 작전 방안은 김광협 군단장이 전쟁 전에 인민군 작전국장을 맡고 있을 때 제정한 것이다. 그래서 이 방안의 성과, 즉 춘천을 통과하는 돌진의 성패는, 군단장이 가장 관심을 갖고 있던 문제였다."

26일 새벽, 서울에는 이미 포성이 들리기 시작했다. 거리 도처에는 전선에서부터 도망친 패잔병·부상병과 피난민들로 붐볐는데, 그들은 곳곳에서 놀라 소리쳤다: "탱크다! 탱크다! 무시무시한 탱크가 온다! 우리는 탱크가 없다!"

문제 없이 태평하다고 꾸며낸 지 겨우 하루 만에 한국군이 대패했다는 소식은 숨길 수가 없었다. 전쟁이 발발한 이튿날, 전선에서 패배했다는 소식은 마침내 서울 시민들 사이에서 퍼지기 시작했다. 한국 대통령 이승만과 일본 육군사관학교를 제49기로 졸업한 한국군 참모총장 채병덕은 이제 수도를 옮겨야 했다.

서울 시민들은 매우 놀랍고 두려워, 분분히 거리의 난민 행렬에 들어갈 준비를 했다. 계속해서 백성들은 직접 전쟁을 느끼기 시작했다. 인민군의 전투기 몇 대가 서울에 나타나 대통령 관저를 향해 기관총을 쏘았다. 한국 공군 비행 조종사 1명이 무장이 없는 훈련기를 타고 날아와서, 서울 시민들이 보고 있는 가운데 소련제 야크 전투기 한 대와 충돌하여, 함께 희생되었다.

이때, 서울의 관문이라고 할 수 있는 의정부는 이미 인민군에게 돌파되어, 수많은 한국군이 밀물처럼 서울로 패주했다. 최초로 전장에 가서 취재한 기자 중 한 명인 런던의 『데일리 익스프레스(*Daily Express*)』 기자 시드니 스미스(Sydney "Bill" Smith, 1912~2002)는 한국군의 낭패를 생생하게 묘사했다:

"나는 트럭 위에서 고위 지휘관이 병사들 사이에 앉아 있는 것을 보았다. 눈처럼 하얀 장갑을 낀 채, 한 손으로는 허리에 찬 긴 칼을 쥐고 있었고, 다른 한 손은 나뭇가지를 들어 우산으로 삼고 있었다. 기괴한 현상은 곳곳에서 볼 수 있었다. 일부 남한 사람들은 전선에서 군마를 타고 달아났는데, 짐승들이 총포 소리에 놀라 고삐를 끊거나 발길질을 하며 발을 동동 구르고 있었다. 남한 병사는 총으로 백성을 위협하여 옷을 벗기고는, 피난민 대열에 뒤섞이기 편리하도록 자기 몸에 걸쳐 군복을 감췄는데, 장교는 이런 것을 보면서도 한쪽에 무관심하게 서 있었다."

"그러나 전선의 미국 군사 고문들은 가끔씩 무전으로 사람의 마음을 진작시키는 보고를 하기도 했다. 남한 부대는 의정부 인근의 몇몇 대대에서 반격을 조직하고 있다. 소수의 남한 부대는 견고한 진지에 의지하고 있으며, 이미 북한의 공격을 막아내려고 노력하고 있다. 예비대가 전선으로 달려가고 있고, 예정된 계획에 따라 도로와 다리를 파괴하고 있다. 한국 육군은 패배한 뒤 다시 진용을 재정비할 수 있도록 버텨낼 수 있을 것인가, 아니면 미국 군사 고문이 거듭 견지한 방안에 따라, 미국으로 하여금 제때 작전 부대를 파견하여 그들을 구원하러 오게 할 것인가. 이것은 여전히 수수께끼다."

7

온통 공포에 질린 가운데, 주한 미국 대사 무초(John Joseph Muccio, 1900~1989)가 대통령 관저를 찾았다. 비록 "남의 결점을 억지로 찾아내고", "이랬다 저랬다" 하는 이승만에 대해 잘 알고는 있었지만, 무초는 이승만이 비겁하게 죽음을 무서워하는 것을 보고 매우 놀랐다. 군대가 아직 전선에서 저항하고 있는데, 대통령은 이미 도망가기로 결정을 내리고 있었다.

이승만이 도망가야 할 이유는 매우 충분했다. 그는 자신이 일단 포로로 잡히면, 자신이 평생을 다해 분투해온 조선 독립 사업은 물거품이 될 것이라고 말했다.

이승만의 이런 핑계는 미국인들마저도 감탄할 정도로 허울 좋은 것이었다.

무초는 이때를 회상하며 이렇게 말했다: "내가 도착하자, 이 대통령이 나에게 말하기를, 내각이 지금 막 개회했는데, 만약 이 내각이 공산당의 손에 들어간다면, 한국에 대한 사업들은 장차 재난을 맞게 될 것이라고 말했다."

매우 놀란 무초는 비록 이 죽음을 두려워하는 꼭두각시를 극도로 경멸했지만, 그를 이용해 군심을 안정시킬 수밖에 없었다. 무초는 마음을 다해 이승만의 군대가 얼마나 용감한지—심지어 저항을 포기하는 부대가 하나도 없다고 하면서까지—과장하며 치켜세웠다. 나중에 무초 자신도 이것은 허풍을 친 것이라고 인정했다.

이승만으로 하여금 서울에 머물게 하려는 목적을 달성하기 위해, 무초는 강경책과 온건책을 번갈아 쓰면서, 애걸하기도 하고 꾸짖기도 하는 등 모든 수단을 다 사용했다.

그는 이승만의 생각을 이해한다고 했다: "이 세계에서 가장 나쁜 일들 가운데 공산당의 손에 들어가는 것보다 더한 것은 없습니다. 우리는 까다로운 시간의 문제에 직면하고 있지만, 그래도 가능하면 서울에 머물면서 우리의 부대를 격려하고, 동시에 적에게 포로로 잡혀가지 말아야 합니다." 그러나 무초의 공산당에 포로로 잡혀가지 말아야 한다는 훌륭한 주장이 초래한 효과는 완전히 정반대로 나타났다. 이승만은 이 말을 듣고는 온 몸을 부들부들 떨면서, 도망가야겠다는 결심을 더욱 굳혔다.

무초는 어쩔 수 없이 얼굴을 찌푸리며 이승만에게 훈계하기를, 만약 당신이 감히 도망간다면, 그 소식이 전해지자마자 북한의 공격에 저항하는 남한 병사는 단 한 명도 없을 거라고 했다.

무초는 또 틀렸다. 투기와 권세에 빌붙어 이익을 꾀하고 음모와 속임수에 의지하여 집안을 일으킨 이승만은 일본인들과도 영합하여 민족 반역자가 되는 일도 마다하지 않았는데(1899년에 박영효 등 개화파 세력에 가담하여 고종 폐위 운동을 벌인 일을 가리키는 것 같음-옮긴이), 어찌 그의 마음속에 진정 한국의 안위가 있을 수 있겠는가? 이 세상에서 정말 중요한 것은 이승만 자신의 이익과 안전뿐이었고, 기껏해야 다시 미국으로 가서 망명 정부의 대통령이 되는 것이었다. 아무튼 망명 정부의 대통령 노릇을 하는 데에는 익숙해져 있었다.

무초가 입에 거품을 물고 설득했는데, 이승만은 기어코 따르지 않았다. 무초의 인내심이 마침내 한계에 이르자, 그는 극도로 경멸적인 어조로 이승만에게 말했다: "당신이 가고 싶다면, 당신 뜻대로 하시오. 어쨌든 나는 안 갑니다!"

잔뜩 겁에 질린 이승만은 할 수 없이 애처롭게 대답하기를, 오늘 밤에는 가지 않겠다고 했다.

논쟁에서 승리를 거두어 신바람이 난 무초는 대통령 관저를 떠난 후, 기분 좋게 서울의 중앙 라디오 방송국에 가서 민심을 달래는 담화를 발표했다. 그가 서둘러 심야에 대사관에 돌아갔을 때, 나쁜 소식 하나가 무초를 한참 동안 아무 말도 할 수 없을 정도로 놀라게 했다. 그 소식이란, 바로 27일 새벽 2시에 이승만이 몰래 많은 금은보화와 몇 명의 측근들을 데리고 열차를 타고 대전 방향으로 도망쳤다는 것이었다. 그리고 이때는 전쟁이 벌어진 지 아직 50시간도 되지 않았다. 이 순간, 무초는 아무리 성격이 좋더라도, 아마 몹시 화를 내며 "개새끼"라고 욕을 했을 것이다.

엄밀히 말하자면, 이승만은 이때 이미 한국의 대통령을 맡을 자격이 없었다. 그가 도망치고 나서 한 시간 뒤에야, 한국 내각은 '비상국무회의'를 열고, 수도를 수원으로 옮긴다고 결정했다. 국방부는 더욱 떠들썩하여 온통 엉망진창이었다. 국방부장관 신성모와 참모총장 채병덕이 서울을 포기하자고 주장하자, 일부 소장파 장교들은 이를 단호히 반대했다. 한바탕 소란을 피운 뒤, 신성모와 채병덕은 "수도를 포기한" 책임을 지게 될까 두려워, 어쩔 수 없이 다시 논의하기로 동의했다.

27일은 서울의 가장 비참한 날이었다. 이날 새벽 6시, 당황하고 불안해하는 서울 시민들은 "적들이 서울 교외에 침입해 들어왔고, 정부와 국회는 임시로 수원으로 이전한다"는 내용의 방송을 들었다. 서울은 즉각 혼란에 빠졌고, 백만 명이 넘는 난민들은 벌떼처럼 기차역으로 몰려갔다. 그러나 철도는 이미 마비되어 있었다. 이들은 어쩔 수 없이 걷거나 자전거·화물차·소달구지·자동차로 가져갈 수 있는 짐들을 싣고 한강 다리를 통해 남하하자, 서울의 도로들은 즉시 물샐 틈도 없이 막혀버렸다. 나중의 통계에 따르면, 이날 서울을 탈출한 난민은 40여만 명에 이르는 것으로 집계되었다. 이 애처로운 난민들과 동행하는 것은 공포 말고는, 단지 북쪽에서 갈수록 가까워지고 있는 포성뿐이었다.

이른 아침부터 시작하여, 인민군은 탱크를 앞세우고 의정부에서 서울에 이르는 도로를 따라 맹렬하게 돌진했고, 한국 병사들은 부질없이 양 옆의 산 위에서 T-34를 향해 아프지도 않고 가렵지도 않을 폭발물들을 던져댔다. T-34는 포문을 돌려 도리어 폭발물을 던진 한국 병사들을 무참하게 폭파시켜버렸다.

갈수록 가까워지는 T-34를 마주하자, 한국군 수뇌들의 의지는 붕괴되었다. 그들은 아침 일찍부터 국방부를 서울 남쪽 7마일 지점에 있는 시흥리(始興里)로 옮겼다. 시흥리와 서울 사이에는 한강이 가로막고 있어서, 한국군 수뇌부들로 하여금 다소나마 안도감을 갖게 해주었다. 그들은 이렇게 황급히 도망쳤기 때문에, 미국인들마저도 돌보지 않고 내팽개쳤다. 한국 주재 미국 군사 고문단 단장 대리를 맡고 있던 라이트(William Henry Sterling Wright) 대령은 심지어 철수 통보조차도 받지 못했다.

마침내 이러한 사실을 안 라이트도 지프를 타고 도망갈 준비를 하고 있을 때, 지프에 실려 있던 무전기로 도쿄의 미국 극동 사령부에서 직접 보내온 무전을 받았다.

맥아더 자신이 라이트에게 전보를 보냈다: "여러분이 원래 있던 곳으로 돌아가라. 중요한 결정이 곧 내려질 것이다. 낙심하지 말라."

미국이 참전한 것이다!

8

라이트 대령이 무전을 받았을 때, 4대의 미국 극동 공군 F-82 전투기가 3대의 인민군 야크(Yak)-9 프로펠러 전투기를 김포와 수원 상공에서 격추시켰다. 조금 뒤에 F-82가 다시 4대의 야크 전투기를 격추시켰다. 결과적으로 하루 동안에 미국 전투기가 인민군 공군력의 6분의 1을 날려버린 것이다. 이는 F-82라는 과도기의 전투기가 최초이자 유일하게 공중전에서 전과를 거둔 것이라고 한다. 처음으로 야크 전투기를 격추시켰다는 소식이 워싱턴에 전해지자, 트루먼은 웃으면서 말했다: "나는 이것이 마지막이 아니었으면 좋겠소."

맥아더는 마침내 꿈에도 바라던 전쟁을 얻었다.

귀국하는 덜레스를 공항에 배웅하러 갔을 때, 맥아더의 기밀 담당 참모가 급히 달려와서는 지금 즉시 사령부로 돌아가서 합동참모회의의 무선전신회의(오늘날의 전화 회의와 유사함)에 참가하도록 요청했다. 지금까지 워싱턴을 안중에 두지 않던 맥아더는 극도로 번거로운 것을 참지 못하고 말했다: "그들에게 나는 지금 덜레스 고문을 마중하느라 바쁘다고 말하게. 만약 내가 못 돌아가면, 내 참모장에게 그들과 통화하라고 하게."

그런데 공교롭게도 이때 덜레스가 탄 비행기가 또 고장이 나서, 적어도 3시간은 걸려야 수리할 수 있었다. 어쩔 수 없던 참모는 비행장 책임자와 덜레스에게 몰래 귓속말을 한번 나누더니, 잠시 후 비행장 방송실에서 탑승객들에게 탑승하도록 통지했다. 다정한 맥아더는 덜레스가 비행기에 탑승하는 것을 배웅하면서, 다시 한번 정열적으로 작별 인사를 하고 나서야, 차를 몰고 사령부로 돌아와 회의에 참가했다. 맥아더가 떠난 후에, 덜레스는 즉시 비행기에서 다시 내려 귀빈실로 가서 비행기가 수리되기를 기다렸다. 맥아더는 사령부로 돌아온 후 트루먼의 지시를 받았다: "해군력과 공군력을 동원하여 퇴각하는 남한 부대를 지원하시오."

"왜 육군을 동원하지 않습니까?" 이것은 맥아더가 트루먼의 지시를 받은 뒤 보인 첫 반응이었다.

비록 달갑지 않은 마음도 있었지만, 맥아더는 "희색이 만면하고 득의양양하게" 제5항공대 사령관 파트리지(Earle E. Partridge, 1900~1990)에게 명령했다: "운용할 수 있는 모든 수단을 동원하여, 북한인들을 호되게 두들겨, 그들에게 미국 공군의 무서움을 맛보게 하시오."

맥아더는 지금 바로 극동 공군이 북한에 가서 폭탄을 퍼붓게 하고 싶어서 견딜 수가 없었다. 그래서 그는 파트리지에게 말했다: "바로 지금, 당장! 맹렬한 폭격으로 북한 놈들이 오늘밤 식탁에서 우리 미국 공군의 맛을 볼 수 있게 하시오."

공군의 대규모 행동은 그렇게 간단한 일이 아니었다. 26일 온 종일 극동공군은 전장 정찰·연료·탄약 등 필수불가결한 번거로운 일들에 매달렸다. 27일, 폭격기들이 마침내 출동했으나 두터운 구름이 목표를 가리는 바람에, 두 차례나 폭탄을 가득 채운 폭격기들은 급하게 일본으로 돌아갔다. 단지 미국 교민의 철수를 엄호하는 전투기만이 인민군의 야크 전투기 7대를 격추시켰다.

한국군은 미국의 비행기를 기다렸지만 오지 않았고, 도리어 T-34가 오기를 기다렸다.

27일 오후, 인민군 제3사단 제9연대가 30대의 탱크와 함께 서울 동북쪽을 향해 돌진하자, 한국의 아무런 경험이 없는 무능한 국방부는 우왕좌왕하며 극도로 어리석은 결정을 내렸다. 돌진해 온 것은 단지 위협이 그다지 크지 않은 인민군의 소부대일 뿐이었고, 한국군 주력 제2·제3·제5·제7사단과 수도사단 같이 여전히 상당한 전투력을 갖추고 있던 부대들이 서울의 외곽 방어선에서 저항을 계속하고 있었다. 그런데 한국의 국방부는 뜻밖에 이 부대들의 유일한 퇴로인 한강대교를 폭파하기로 결정했다.

이 바보 같은 폭파는 하마터면 한국에 주재하는 미국 군사 고문단 전체를 인민군에게 보내버릴 뻔했을 뿐만 아니라, 전체 '대한민국'과 한국군 전부를 저세상으로 보낼 뻔했다.

'뚱보'라는 별명을 가진 참모총장 채병덕이 미국 군사 고문단에게 알리지도 않고 육군 본부를 시흥리의 보병학교로 옮기자, 라이트는 맥아더가 보내온 〈낙담하지 마시오〉라는 전문을 들고 가서 온갖 방법으로 설득하고서야 비로소 채병덕 등 한국군 수뇌부로 하여금 오후 6시에 한때 포기되었던 서울로 돌아오게 만들었다. 라이트는 아무리 해도 자신이 권유하여 이들 한 무리의 역귀들을 돌아오게 했다고 생각되지 않았다.

밤중에, 라이트는 시흥리에서 서울로 돌아온 다음, 미국 고문들에게 가서 휴식을 취하라고 명령했다. 그린우드(Walter Greenwood Jr.) 소령도 잠을 청하는 사람들 중 한 명이었다. 그린우드가 침상에 눕자, 한국 국방부에 파견되어 있던 군사 고문 조지 세드베리 소령이 겁에 질려 전화를 했다: "남한군이 한강대교를 폭파한답니다!"

이미 이틀이나 잠을 자지 못한 그린우드였지만, 놀라서 잠이 오지 않았다. 한강 다리가 폭파되면 한국 주력 부대의 퇴로가 없어질 뿐만 아니라, 미국 고문단마저 독 안에 든 쥐가 된다.

그린우드는 급히 육군 본부로 달려갔다. 한국 사람들이 "용맹한 장군"이라고 부르던 만주국 군관학교를 졸업한 작전국장(한국 자료에 따르면 행정참모부장-옮긴이) 김백일(金白一, 1917~1951) 소장이 그에게 말하기를, 새벽 1시 30분에 한강대교를 폭파하겠다고 했다. 그린우드는 다급하여, 할 수만 있다면 김백일에게 큰절이라도 하면서 만류하고 싶었다. 급히 달려온 제2사단장 이형근(李亨根, 1920~2002)도 다리를 폭파하지 말라고 애원했다. 그의 부대는 아직 서울 시내에 있어서, 다리가 폭파되면 그는 부하를 모두 잃은 지휘관이 될 판이었다. 이때 다리를 폭파하라고 명령한 채병덕은 시흥리 방향으로 도주했는데, 김백일은 그린우드와 이형근의 양면 협공을 견디지 못하고, 어쩔 수 없이 장창국(張昌國, 1924~1996) 대령에게 폭파를 중지하라고 명령했다.

장창국은 급히 차를 몰고 피난민들 사이를 헤집고 한강대교로 향했는데, 다리까지 150미터를 남긴 곳에 갔을 때, 장창국은 한강대교 위에서 번쩍이며 솟아오르는 거대한 오렌지색 불덩이를 아연실색하며 바라보았다. 이어서 거대한 폭발음이 들리더니, 한강대교 위의 하늘에서 쏟아져 내리는 피난민의 잔해들이 장창국을 거의 압사시킬 뻔했다.

10분 뒤인 28일 새벽 2시 15분, 다시 한번 큰 소리가 울려 퍼졌고, 한강대교는 철저하게 파괴되었다.

한강대교가 파괴되었을 때, 다리 위에는 3열의 자동차들과 무수히 많은 난민들이 혼잡하게 섞여서 남하하고 있었다. 다리 북쪽 길에는 8열로 서서 강을 건너기를 기다리는 차량들과 포차(砲車)들이 있었고, 패잔병들과 민간인들이 "몸조차 돌릴 수 없을 정도로" 꽉 들어 차 있었으니, 이번 폭발로 인한 손실은 가히 짐작할 수 있었다. 최소 500명 내지 800명의 피난민·차량·군대와 두 칸의 다리가 함께 하늘로 날아올랐다고 한다.

미국에서 당시 가장 명성이 높던 주간지 『타임(*TIME*)』 기자 프랭크 기브니(Frank Gibney, 1924~2006)는 다리 위에 있다가 다행스럽게도 목숨을 건졌는데, 그는 다음과 같이 보도했다: "나와 나의 동료는 한 대의 지프를 타고, 매우 오랜 시간이 걸려서야 비로소 피난민과 차량들로 가득 찬 서울의 거리를 힘겹게 벗어난 다음, 도로에서 머리 위에 짐을 이고 있는 피난민들 사이에서 간신히 앞으로 나아가고 있었다. 마침내 우리의 지프가 다리 위로 올라섰는데, 다리 위에서 지프차는 한 발짝도 앞으로 나아가기가 힘들었고, 우리 앞에는 6개의 바퀴가 달린 트럭으로 이루어진 차량 행렬이 있었다. 나는 차에서 내려 도대체 무슨 이유로 움직이지 못하는지 보려고 했지만, 나는 다리 위에 피난민들이 꽉 차서 내가 발을 디딜 틈조차 없다는 것을 알았다. 내가 차 안으로 돌아와서 기다리고 있는데, 순식간에 하늘이 병에 걸린 것처럼 주황색 불꽃으로 환해지더니, 앞쪽의 멀지 않는 곳에서 거대한 폭발음이 들려왔고, 우리가 탄 지프는 15피트 위로 솟구쳤다."

안경까지 날아가버린 기브니는 정신이 든 다음 마치 도살장 위에 누워 있는 것 같은 자신을 발견했다.

폭발음이 울리자, 한강 북안에 있던 미국 고문단은 당황했다. 그들은 한강 쪽으로 달려가 몇 발의 총을 발사하여 한국 선부(船夫)들을 제압하고는 몇 척의 목선에 의지하여 서울을 떠났다. 미국 고문단마저 이렇게 낭패를 당했으니, 전선에서 저항하던 한국군은 말할 필요도 없었다. 이날 오전까지 아무것도 모르던 한국군 전선의 부대들은 여전히 서울 외곽에서 인민군과 혈전을 벌이고 있었는데, 한강대교가 폭파되었다는 소식이 전해지자, 즉시 마지막 투지를 상실하고 순식간에 와르르 무너졌다. 그들은 진지·화포·소총을 내던지고 뒤쳐질세라 한강변으로 달려갔다. 많은 사람들이 수영을 하여 탈출했다. 일부 절망에 빠진 피난민들 중에는 심지어 온 가족이 물에 몸을 던져 자살하는 경우도 있었다.

모든 서방의 전쟁 역사가들은 한강대교 폭파를 시작으로 한국 군대의 주력은 믿을 수 없을 정도로 빠르게 와해되었다는 것을 인정하고 있다. 그 원인은 물론 조선 군대의 강대한 압력을 받았기 때문이지만, 그러나 스스로 너무 일찍 퇴로를 차단한 것이 결정적인 역할을 했다.

이리하여, 전쟁 전에 9만 8천 명을 보유하고 있던 한국 군대는 전쟁이 발발한 지 4일째에는, 모두 다 합쳐야 고작 2만 2천 명의 패잔병만 남게 되었다. 게다가 이 2만여 명은 거의 모든 장비를 잃어버린 상태였다. 의정부에서 혈전을 벌이던 한국군 제7사단의 경우 잔여 병력 1,200명이 가진 모든 장비가 고작 기관총 4정에 불과했다. 이제 미국인들이 손을 대지 않으면, 한국은 분명 깃발을 바꾸어야만 할 판이었다.

이날 오후, 인민군 제3·제4사단과 제105장갑 여단 장병들이 서울 전역을 누볐다. 이후 제3사단과 제4사단은 김일성에 의해 '서울 사단'이라는 칭호를 받았으며, 장갑 여단은 '서울 제105장갑 여단'으로 이름을 바꿨다. 이로써 인민군은 한국 수도를 포함한 한강 이북의 광대한 지역을 이미 장악했다. 조선의 역사는 이 단계의 전투를 '서울 전역(戰役)'[63]이라고 부르며, 인민군이 남정(南征)하여 벌인 다섯 번의 전역들 중 첫 번째로 삼고 있다.

한국 제1사단에는 겨우 28세에 대령으로 사단장이 된 백선엽이 있었는데, 그는 만주국 군대의 장교였다. 그는 이후 한국 군대의 첫 번째 대장이 되었다. 인민군이 서울을 공격하던 때, 백선엽은 잔존 부대를 이끌고 서울 서쪽에 있는 김포비행장으로 달아났다가, 그곳에서 남쪽으로 목숨만 보전하여 도망갈 준비를 했다. 그의 부대가 목숨을 걸고 한강의 제방을 향해 가고 있을 때, 하늘에서 갑자기 거대한 굉음이 들려왔다. 대형 폭격기에 그려진 흰색 별 모양을 보자, 한국 병사들은 미친 듯이 기뻐하며 소리를 질렀다: "미국 비행기다. 미국 비행기가 우리를 구하러 왔다!"

분명히 미국 비행기가 맞았다. 그러나 학수고대하던 한국군은 미군 비행기를 원했을 뿐만 아니라, 비행기에 폭탄도 가득 싣고 오기를 원하고 있었다.

'날아다니는 요새(Super Fortress)'라는 별명을 가진 4대의 B-29는 적군과 아군을 구분하지 못하여, 이미 집결을 완료하고 강을 건너기 시작한 한국군

63 '전역'이란, 일정한 전략 목적을 실현하기 위해, 통일된 작전 계획에 의해 일정한 방향과 시간 내에 행하는 전투를 일컫는 말이다. 따라서 단발성 전투가 아니라, 기간이 길고 규모가 큰 전투라고 할 수 있다.

제1사단의 머리 위에 폭탄을 떨어뜨렸다. 인민군의 총탄을 피해 도망쳤던 수많은 한국 병사들이 도리어 미국 동맹국의 폭탄에 쓰러졌다. 간신히 목숨을 건진 백선엽은 온갖 욕설을 퍼부으며 미국인들을 호되게 저주한 다음, 상심하여 주변 참모들에게 말했다: "미군이 우리를 구하러 올 거라고 생각하지 마라. 지금 본 것처럼, 우리는 반드시 스스로 우리를 지켜야 한다."

사실 백선엽은 정말 틀렸다. 비록 유감스럽고 슬픈 오폭을 하긴 했지만, 미국인들은 그들은 구하러 왔으며, 비행기만 온 것이 아니라, 맥아더 본인도 왔다.

9

29일 새벽, 맥아더는 이미 비행기를 타고 한국의 수원비행장으로 가던 도중에, 비행기 안에서 자신을 수행하고 있던 극동 공군 사령관 스트레이트마이어(George Edward Stratemeyer, 1890~1969) 중장에게 조선의 비행장을 공격하라고 요구했다. 스트레이트마이어 중장은 머리가 얼떨떨했다. 맥아더가 38선 이북 지역을 폭격하라는 명령을 내릴 자격이 어디에 있는가? 이것은 트루먼이 할 일이었다.

그러나 맥아더는 감히 주제넘게 나서서 남의 일을 대신했다. 그는 공군 중장에게, "만약 내가 당신에게 38선 이북 지역을 폭격하도록 허가한들, 워싱턴이 나를 목매달아 죽이지는 못하겠지?"라고 불평을 하면서, 한편으로는 조금도 주저하지 않고 도쿄의 극동 공군 부사령관인 파트리지에게 보낼 전보 명령문을 구술하여 받아 적게 했다:

"스트레이트마이어가 극동 공군 부사령관 파트리지에게: 즉시 북한의 비행장을 파괴하고, 이 사실을 밖에 알리지 말 것. 맥아더 장군이 이미 승인했음."

맥아더는 먼저 일을 저지르고 나서 다시 이야기할 속셈이었다.

파트리지는 즉시 B-29를 38선 너머로 출동시켜, 20여 대의 인민군 야크 전투기들을 조선의 수도인 평양비행장에서 파괴했다. 이로써 맥아더는 조선 전쟁 발발 5일 만에, 트루먼 정부가 공군의 공격 범위를 38선 이남으로 엄격히 제한했던 한계선을 넘어, 자기 마음대로 전쟁을 확대했다. 맥아더는 실제로 전쟁광이었고, 그는 일부러 그렇게 한 것이다. 사실대로 말하자면, 맥아더는 제3차 세계대전을 일으키려 했다 해도 과언이 아니다. 그는 사적인 대화를 하면서 명명백백하게 진짜 마음속의 실제 생각을 드러냈다: "만약 습격이 소련인들과의 전쟁을 초래하게 되면, 가서 싸우면 돼!"

맥아더가 탄 '바탄(Bataan)' 호는 매우 빠르게 수원비행장 상공에 도착했는데, 조종사 스토리 중령의 바로 위에서는 두 대의 C-54 수송기가 연기를 내뿜으며 추락하고 있었다. 이 두 대의 비행기는 인민군의 야크 전투기에게 격추당한 것이었다.

바탄 호가 랜딩기어를 내리고 있을 때, 하늘에서 갑자기 한 대의 야크 전투기가 나타났다. 이 인민군 전투기가 맥아더가 탄 비행기를 향해 돌진해 오자, 그 비행기의 모든 인원들이 비명을 질렀다. 오직 맥아더만이 비행기의 창문을 보고 매우 흥분하여 소리를 질렀다: "이봐, 우리의 비행기가 지금 그걸 공격하고 있네!"

호위하던 몇 대의 P-51 머스탱 전투기가 맥아더의 목숨을 구한 셈이다.

맥아더는 비행기에서 내린 뒤, 이승만을 끌어안고서 크게 놀란 한국의 대통령을 부드럽게 위로했다. 고개를 돌려 "머리에 기름만 가득 차 있을 것 같은" 참모총장 채병덕 소장을 보는 순간 혐오감을 느꼈다.

"한국 부대에는 마땅히 새로운 참모총장이 있어야 합니다." 그는 이승만에게 단도직입적으로 말했다.

불쌍한 채병덕은 즉각 직위에서 해제되었고, 한국 부대의 '참모총장'은 며칠 만에 경남 지구 편성군 사령관이라는 한직으로 좌천되었다.

전선의 전황에 대해 보고를 들은 맥아더와 한국 주재 미군 군사 고문단의 처치(John H. Church, 1892~1953) 소장은 피난민의 물결을 거슬러가며 북상했다. 그들은 한강변의 작은 산 위로 올라갔다. 거기에서는 강 맞은편의 불길이 치솟는 서울을 뚜렷하게 볼 수 있었는데, 그곳은 이미 인민군이 점령하고 있었다.

맥아더의 유명한 아첨꾼 부관인 휘트니(Courtney Whitney, 1897~1969)는 이렇게 회상했다: "하늘에서는 스쳐 지나가는 총알의 날카로운 소리가 메아리쳤고, 도처에는 악취가 진동하면서, 재난을 당하고 난 전장의 처량한 모습을 드러냈다. 모든 도로에는 온갖 고통을 다 당한 채 온 몸에 먼지를 뒤집어쓴 피난민 무리들로 가득했다. 이 장면은 맥아더로 하여금 남한의 방위 잠재력이 이미 모두 바닥났음을 믿도록 하기에 충분했다."

패배하여 뿔뿔이 흩어진 한국 군대가 형성한 끔직한 역류(逆流)를 바라보면서, 작은 산 위에 서서 맥아더는 한참 동안 말이 없었다. 그는 미국 지상군을 직접 동원하여 이 형세를 구제하지 않는다면, 한국은 곧 끝장날 것임을 확실히 알았다. 맥아더는 작은 산 위에서 한 시간 동안이나 서 있었다고 하는데, 그 한 시간 동안에 그는 단지 한강 다리의 남은 잔해를 가리키며 딱 한마디만 했다고 한다:

"그걸 폭파시켜 버려라!"

이 한 시간의 나머지 시간 동안 맥아더는 서울을 바라보며 깊은 생각에 잠겼다. 맥아더는 나중에 말하기를, 이 작은 산 위에서 자신은 패배를 승리로 되돌려, 철저하게 전세를 뒤집을 영감을 얻어냈다고 한다.

한국에서 도쿄로 돌아온 뒤, 맥아더는 또 트루먼에게 말썽을 일으키기 시작했다. 그는 기자회견을 열고 이렇게 말했다: "나에게 미군 2개 사단을 준다면, 나는 한국을 지킬 수 있소."

이것은 권력 이양을 요구하는 것과 다름없었다. 워싱턴은 이 시각에도 여전히 지상군을 동원할지 말지를 머뭇거리며 결정하지 못하고 있었다.

이 말을 마치고, 맥아더는 직접적으로 트루먼의 엉덩이에 불을 질렀다: "나는 대통령 각하에게 2개 미군 사단을 출동시킬 것을 건의하겠지만, 대통령 각하께서 나의 의견을 받아들일지는 잘 모르겠소."

머리에 반골 기질이 생겨난 맥아더는 노골적으로 트루먼에게 대들었다.

이것으로 끝난 게 아니었다. 풍파를 한번 일으키고 나더니, 맥아더는 아예 미국인 자신들까지도 포함하여 전 세계를 깜짝 놀라게 할 곳으로 가서, 크게 한번 주제넘는 짓을 했다.

10

전쟁이 일어나자, 맥아더보다 더 기뻐하는 사람이 있었다. 그에 대해 말하자면, 이 순간 기뻐서 미칠 것 같았는데, 그건 조금도 과장한 것이 아니다.

장제스는 바람에 펄럭이는 검은색 외투를 걸친 채, 몇 년 동안의 불행을 단번에 떨쳐버리고, 만면에 웃음을 지으며 맥아더를 영접하러 갔다. 비록 트루먼이 "타이완의 지위는 아직 정해지지 않았다"라고 말하여 장제스의 민족적 자존심에 작은 상처를 입혔으나, 그는 미친 듯이 기뻐하지 않을 이유가 없었다. 조선 전쟁이 그로 하여금 타이완으로 철수한 이후 사면초가가 된 외교적 곤경에서 완전히 벗어날 수 있게 해주었기 때문이다. 조선에서 전쟁이 일어난 이튿날, 장제스는 미국인들에게 자신의 최정예 군대인 제52군단 3만 명을 조선에 보내 이승만을 돕겠다고 제의했다. 그 부대는 맥아더의 지휘에 귀속될 것이며, 미국인들은 단지 수송과 장비만 책임지면 된다고 했다. 하하, 이제 다시 미국인들이 자신에게 도움을 청해야 할 차례가 된 것이다.

"존경하는 대원수 각하. 우리는 지금 또 같은 참호 안에서 함께 전투를 하게 되었습니다. 일찍이 지난번 대전(大戰)에서 나는 바로 장 선생의 오랜 협력자였습니다."

맥아더는 얼굴 가득 웃음을 지으면서 장제스의 손을 꽉 잡았는데, 그는 마치 장제스의 의형제라도 되는 것처럼 다정했다. 비록 얼마 전까지만 해도 그는 여전히 어떻게 하면 장제스를 제거하고 타이완을 통제할 것인가를 획책하고 있었지만 말이다.

정치계에서 미모로 유명한 숭메이링이 곧바로 장제스에게 통역했다:

"미국 맹우(盟友)의 지지가 있다면, 우리는 반드시 공산주의에 맞선 전쟁에서 승리를 거둘 것입니다."

장제스는 웃으면서 대답했다. 사실 그는 이때 맥아더와 비로소 처음 만났는데, 이전에 그는 줄곧 온갖 머리를 다 짜내어 이 사람의 음모와 모략에 맞서왔었다.

맥아더는 이번 타이완행에서 자신의 포악하고 오만불손한 모습을 충분히 보여주었고, 또한 미국 군대 안에 있는 매파들의 진짜 생각도 그대로 드러났다. 맥아더는 자신이 타이완에 가서 국방 관련 사무들을 시찰하겠다고 주장하자, 미국 합동참모회의는 그에게 다른 고위 장성을 파견하라고 건의했다. 그러나 전문(電文)의 마지막에서는 이렇게 말했다: "뜻대로 하십시오. 이것은 당신의 직권입니다."

맥아더는 이 전문을 다 읽고 나서 의기양양하게 자신의 상징물—항상 손에서 놓지 않는 옥수수 속대로 만든 담배 파이프—을 두드리더니, 웃으면서 부관 휘트니에게 말했다: "나는 이것이 두 가지 의견을 갖고 있다고 이해하네. 합동참모회의 의장은 그렇지 않았는데 국무부는 나의 이번 타이완행에 대해 보류 의견을 갖고 있었지만, 합동참모회의가 교묘하게 나에게 '마음 놓고 가시오'라고 말했다는 것이네."

맥아더는 타이완을 방문하여 장제스의 열렬한 환영을 받았고, 얼마 전까지만 해도 서로를 물과 불처럼 여기던 두 늙은 여우들은 일련의 비밀 거래를 달성했다. 장제스는 다시 파병하여 한국을 돕겠다고 제의했고, 심지어 50만 명도 파병할 수 있다고 크게 허풍을 떨었다. 이때 수중에 병력이 부족했던 맥아더는 기대 이상으로 크게 기뻐했다. 두 사람은 함께 유쾌하게 타이완의 대륙 쪽을 마주하고 있는 해변을 한가롭게 거닐었는데, 맞은편 대륙을 가리키며 즐겁게 이야기하면서 웃었다.

트루먼을 거의 안중에 두지 않았고, 그의 외교 정책을 경멸하던 맥아더는 일본으로 돌아온 다음, 아무런 내용도 없는 타이완 방문 보고서를 워싱턴에 제출했는데, 장제스와 체결한 각종 거래에 대해서는 단 한 글자도 신지 않아, 트루먼을 매우 분노하게 했다. 맥아더의 타이완행은 전 세계적으로 큰 파장을 일으켜, 미국 정부를 난처하게 만들었다. 애치슨은 회고록에서 기록하기를, 자신과 트루먼은 모두 신문을 보고서야 맥아더의 타이완 방문을 알았다고 했다.

벌컥 화가 난 트루먼은 내심으로 줄곧 이 허풍 떨기 좋아하고 다른 사람을 깔보는 늙은이를 미워하고 있었는데, 그는 훗날 널리 전해진 유명한 말로 매섭게 저주했다: "미국은 어찌하여 맥아더를 제2차 대전 동안에 열사가 되게 하지 못했단 말인가!" 이와 동시에 맥아더는 또한 도쿄에서 트루먼이 "아시아를 중시하지 않는다"고 호되게 꾸짖었다. 미국 역사상 지금까지 트루먼과 맥아더처럼 서로 어울리지 않는 지도자와 장군은 있은 적이 없었다.

그러나 트루먼은 단지 욕밖에 할 수 없었고, 심지어는 맥아더의 비위를 맞추어야 했다. 맥아더는 전쟁에서 싸워 이길 줄 알았고, 맥아더는 미국의 전쟁 영웅이었고, 맥아더는 전국에서 가장 인기 있는 대중 스타였으며, 맥아더는 가장 공산주의를 반대하고 가장 호전적인 미국 국회의원들의 총아여서, 루스벨트조차도 그가 대통령에 출마할까봐 두려워했었다. 루스벨트가 살아 있을 때, 그는 매일 밤마다 맥아더가 자신의 침상 밑에 있는지 살폈고, 그러지 않으면 잠을 잘 수 없었다고 한다. 맥아더와 잘 지내지 못하면, 트루먼 자신의 정치적 앞날에 좋지 않았다.

'잠시만 먼저 화를 참자!'

미주리 주 농민 출신으로, 작은 옷가게 주인이기도 했던 트루먼은 맥아더의 보고서를 보고 분개하며 생각했다.

'그러나 단 한 가지, 맥아더의 미치광이 같은 일은 허락하지 않을 거야. 장제스는 절대로 남한에 참전해서는 안 돼! 장제스가 출병하여 남한을 지킬 힘이 있다면, 내가 왜 제7함대를 파견해서 타이완을 지켜줘야 한단 말이야? 그럼 전 세계가 나를 미치광이로 여길 걸! 게다가 장제스가 한국에 가면 중국공산당도 그를 따라갈 게 아닌가? 안 돼. 절대 안 돼!'

이렇게 장제스가 처음으로 남한에 파병하려던 계획은 시작도 못 해보고

어그러졌다. 그러나 트루먼과 맥아더는, 장제스가 군대를 한국에 보내든 안 보내든, 완전히 격노한 중국공산당 사람들은 이미 전쟁 준비를 시작했으며, 조선에서 미국과 한바탕 큰 싸움을 벌일 준비를 하고 있다는 것을 전혀 알지 못했다.

11

한번은 어떤 동지가 마오쩌둥에게 이렇게 말했다: "주석님의 수양이 참으로 훌륭함에 감복했습니다. 줄곧 화를 내지 않으시더군요." 그러자 마오쩌둥이 대답했다: "내가 화를 내지 않은 게 아니오. 한번은 거의 화를 낼 뻔했지만, 나는 최선을 다해 억제하고 참아야 하며, 절대로 말이나 표정에 드러내서는 안 된다는 걸 알고 있었던 것이오." 마오쩌둥은 이때 바로 이렇게 억제하기 힘든 격노 상태에 있었다.

"조선의 남북 쌍방이 민족 내부의 갈등을 해결하는 것은 그들의 내부 사정이다. 소련과 미국은 조선을 분열시킨 장본인이며, 38선은 그들이 나눈 세력 범위의 경계선이다. 조선의 분열이 없었다면 조선의 전쟁도 없었을 것이다. 당신들 미국이 원흉인데, 무엇에 의거하여 다른 나라의 내정에 간섭하는가? 가장 무고한 것은 중국이다. 당신들 미국은 조선에서 내전이 발발한 것을 이유로 삼아 우리나라의 타이완을 점거했고, 당신들은 무슨 근거로 조선 전쟁과 아무 상관이 없는 중국을 끌어들여 놓고서, 장제스가 대륙에 대해 전쟁을 일으키는 것을 막으려 한다는 그럴듯한 명분을 내세우는가! 사마소(司馬昭, 211~265)의 마음은 길가는 사람 모두가 알 것이다![64]"

조선 전쟁이 갑작스럽게 초래한 국제 정세의 변화를 맞이하자, 중국공산

---

64 삼국 시대 위(魏)나라의 실권자인 사마소가 조정을 장악하고, 반대파들을 제거하여 정치적 야심을 키우면서 황위를 탈취하려고 했다. 바로 이처럼 사마소가 황위를 탈취하려 한다는 것은 공공연하여, 당시 사람들이 모두 알고 있었기 때문에, "사마소의 마음은 길가는 사람도 다 안다"는 말이 생겨났다. 결국 사마 씨는 위나라 황위를 탈취하여 신(晉)나라를 건립했다.

당 중앙은 신속하게 반응했고, 마오쩌둥은 전국의 인민에게 다음과 같은 담화를 발표했다:

"트루먼은 금년 1월 5일에 여전히 미국은 타이완에 간섭하지 않겠다고 성명을 발표했는데, 지금 그 자신이 그것은 거짓이었음을 증명했다. 그리고 또한 동시에 미국은 중국의 내정에 간섭하지 않겠다는 모든 국제적인 합의를 파기했다."

대외적으로, 저우언라이도 중국 정부를 대표하여 전 세계를 향해, 트루먼의 담화와 미국 해군의 행동은 중국 영토에 대한 무력 침략이라는 성명을 발표했다.

저우언라이는 세계에 다음과 같이 명확히 밝혔다: "우리나라의 모든 인민은 반드시 일치단결하여, 미국 침략자의 손에서 타이완을 해방시키기 위해 끝까지 분투할 것이다."

마오쩌둥을 깊이 만족시킨 것은, 이제 막 일어난 중국 인민이 100년 동안에 있어본 적이 없는 단결을 보여주고 있었다는 점이었다. 전국의 각 민주당파·각 정치 단체·무당파(無黨派) 인사·저명 인사·각계각층의 인민 군중들이 잇달아 성명과 담화를 발표하고, 신중국 최초로 전국 규모의 군중 항의 시위 활동을 거행했는데, 그 기세가 이전에는 있어본 적이 없을 만큼 거대했다.

대내외적으로 마땅히 해야 할 말은 다했고, 항의 시위도 했다. 그러나 제국주의 침략자들은 말과 항의만으로 쫓아낼 수 있는 건 아니었다.

중난하이의 쥐샹수우(菊香書屋)[65] 마당에 앉아 있던 마오쩌둥은 천천히 손에 있는 담배를 모질게 비벼 부스러뜨렸다. 다음에는 어떤 대책을 취해야 할 것인가?

"빗자루로 쓸지 않으면, 쌓여 있는 먼지는 저절로 사라지지 않지!" 마오쩌둥은 등나무 의자에서 일어서면서, "저우언라이와 정치국의 각 동지들에게

65 중난하이 안에 있는 건물로, 당시 마오쩌둥이 거주하던 곳이다.

통지하고, 회의 개최를 준비하시오!"라고 말했다.

여러 해가 지난 뒤, 1950년 6월 29일부터 7월 6일까지 조선 전쟁이 일어나 국제 정세가 급격히 변화하던 이 긴장된 나날들 동안, 공화국의 정무로 몹시 바빠 한시도 쉴 틈이 없던 초대 총리의 업무 스케줄 가운데에는 단 한순간의 공백조차 없었다는 사실을 발견하고는, 사람들은 놀랍고도 의아해 했다.

이 무렵, 전체 중국이 막 해방되어, 아직 환희에 빠져 있던 백성들은 또한 미국에 대한 분노에도 휩싸여 있어, 항의의 물결이 중국의 대지 위에 출렁이고 있었다. 그런데 중국 정치 신경의 중추인 중난하이는 도리어 이례적으로 평온했다. 당중앙·국무원(國務院)의 각종 회의들을 취소하거나 연기하는 등, 중국공산당 중앙의 겉모습은 이상하게도 평온한 모습이었다.

오직 정말로 경험 많은 노련한 병사들만이, 이것은 큰 싸움이 있기 전의 특유한 평온함이며, 이러한 평온 속에는 천둥 번개를 축적하고 있다는 것을 알았다. 이 평온함 속에 중대한 정책 결정이 배태되어 숙성되고 있었다. 신중국의 국방 전략 중점 방향이 90도 이동하여, 동남쪽의 타이완으로부터 조용히 동북쪽의 조선으로 옮겨가고 있었다.

공군이 조직되고, 해군도 조직되자, 대단히 빠듯한 재정 자금에서 많은 돈을 빼내 비행기와 군함을 구입하고, 인원들을 훈련시켰다. 2월부터 6월까지, 스탈린에게 알 수 없을 만큼 많은 전보를 보내, 해군과 공군에서 주문한 물건들을 가능한 한 빨리 보내달라고 재촉했다. 타이완 해방을 위한 준비 작업에 박차를 가하고 있을 때, 조선 전쟁이 발발했고, 미국인들이 타이완으로 왔으니, 이제 어떻게 해야 할까?

만약 동북에서 전쟁을 준비하여, 조선에 개입할 준비를 한다면, 타이완을 해방시키는 데 사용할 비행기와 병력들을 빼와야 하므로, 타이완을 해방시키는 것을 연기하지 않을 수 없었다. 그러면 장제스는 한숨 돌리게 되어, 다시 타이완을 공격하기가 어려워질 것이다.

만약 타이완 문제를 빨리 해결하려면, 인력·물자·재력·군사력을 동남

연해로 집중시키지 않을 수 없는데, 갑자기 조선의 정세가 악화된다면, 먼 곳의 물로 가까운 불을 끌 수 없으니, 다시 시간에 맞춰 이동할 수가 없게 된다.

신중국의 당시의 여러 가지 조건들을 고려하면, 두 가지 전략 방향 가운데 단지 하나만 선택하여 준비할 수밖에 없었다. 남쪽을 선택할 것인가, 아니면 북쪽을 선택할 것인가? 단 한 수를 잘못 두면 전체의 바둑 승부에서 질 수도 있었다. 이 바둑의 한 수는 중국의 국가 이익과 안전에 관련된 사안이자, 전체 세계 정세의 변화와도 관련이 있었다.

산과 같은 중압감이 신중국의 무수한 전투를 겪은 지도자들의 몸을 짓누르고 있었다. 그들에게 이것은 완전히 새로운 과제였다. 이전에 그들의 무대는 단지 국내로 한정되어 있었는데, 하룻밤 사이에 역사는 그들을 처음으로 세계무대의 가장 중심 위치에 올려놓았다. 그러나 그들은, 사람들의 눈과 마음을 즐겁게 해주고, 전 세계를 어안이 벙벙하게 해주는, 그러나 또한 매우 어려운 최고 수준의 정치적·군사적 능력을 보여주기 시작했다.

미군은 지룽(基隆)과 가오슝(高雄)[66]을 점거하고, 타이완의 바다에서 순찰을 시작했다. 또 미군은 비행기와 함포를 사용하여 조선인민군에게 포격을 가했으며, 트루먼은 일본 주둔 지상군을 한국의 전장에 투입하라고 명령했다.

조수(潮水) 같은 소식들이 전해옴과 동시에, 중난하이 안에서는 무수한 논증과 무수한 긍정과 무수한 부정이 진행되었으며, 얼굴이 벌게지고 목에 핏대를 올리는 말다툼과 평온하고 조용한 연구 토론이 진행되고 있었다.

8일 후, 마오쩌둥을 비롯한 중국공산당 중앙은 세계의 운명과 중국의 운명이 걸린 중대한 결정을 내렸다. 이 정책 결정은 너무나도 현명하여, 항미원조를 연구하는 서적이라면 모두가 그것을 자세하게 기술하고 있다. 그리고 그것은 또한 너무나 중요하여, 후세 사람들이 이 시기의 역사를 자세히 살펴볼 때, 이 정책 결정으로 전체 조선 전쟁의 결과는 이미 결정되었으며,

66 타이완의 주요 항구들이다.

또한 중국의 안전과 전체 세계의 역사 모두에 대해 중대하고 심대한 영향을 미쳤다는 것을 발견하게 될 것이다.

1950년 7월 6일, 중국공산당 중앙의 주석 마오쩌둥은 한 가지 결정을 내렸다. 즉 국방 전략 배치를 조정하여, 타이완의 해방을 미루고, 동북변방군(東北邊防軍: 동북 지역 국경 수비군-옮긴이)을 조직하기로 한 것이다.

교통수단과 각종 물자가 턱없이 부족했던 신중국 수립 초기에, 바로 이 조치는 중국인들로 하여금 3개월의 시간을 벌어 전쟁 준비를 할 수 있도록 해주었으며, 또한 중국의 군대가 승리할 수 있는 기회를 얻게 해주었다. 3개월 후, 조선인민군이 일패도지하자, 스탈린이 김일성에게 중국 동북 지방에 망명 정부를 세우라고 요구했을 때, 비밀리에 조직된 동북변방군 수십만 명의 병력이 갑자기 거세게 조선에 들어가 엄청난 기세로 싸웠다. 그러나 첫 번째 전투에서 승리를 거두고 나서야, 사람들은 비로소 100년 동안에 걸쳐 누적된 궁핍함 때문에 3개월의 준비 기간은 너무나 부족했다는 것을 사후에야 두려워하며 발견했다.

"노선이 확정되고 나면, 간부가 바로 결정적인 요인이다."

마오쩌둥은 자신의 이 명언을 생각하면서 웃음을 짓지 않을 수 없었으니, 또 사람을 골라 쓸 때가 되었다.

그가 모여 있는 사람들을 둘러보니, 이 사람들 가운데 어느 누구라도 모두 전쟁터에서 단련되었고, 혼자서 당·국가·군대를 다스릴 수 있는 영재들이었다. 그렇다면 도대체 누구를 선택해야 할까?

마오쩌둥은 저우언라이를 바라보며, 짙은 후난(湖南) 말투로 묵직하게 말했다: "내가 보기에는 저우언라이를 보내 동북변방군을 조직하게 하는 것이 좋겠습니다!"

세상 사람들은 모두 저우언라이가 걸출한 혁명가·정치가·외교관·군인이라는 것을 알고 있었지만, 오직 소수의 사람들만이 그가 중국공산당에서 군사 문제에 대해 가장 일찍 깨닫고 있던 사람(또한 가장 이른 시기에 군사 관련 일에 종사한 지도자)이라는 사실을 알고 있었다.

저우언라이는 진정으로 위대한 군사 전문가였으나, 그는 늘 승리의 그늘 안에 숨어서 묵묵히 일했다. 그리고 더욱 소수의 사람들만이 그가 걸출한 정보의 대가라는 것을 알고 있었다. 저우언라이는 자신이 원하기만 한다면, 어떤 영역에서도 최고의 인물이 될 수 있었다. 그는 바로 이러한 천부적 재능과 능력을 가지고 있었다.

마오쩌둥은 저우언라이의 군사적 재능과 그가 인민해방군에 있으면서 세계인들을 깜짝 놀라게 한 전투에서 했던 역할들을 잘 알고 있었고, 동지들도 이 사실을 분명하게 알고 있었으므로, 아무런 이의 없이 만장일치로 통과되었다.

엄격하고 신속한 저우언라이는 즉각 최고 책임자로 명령을 받았다. 그 다음날, 즉 1950년 7월 7일 오후 2시, 저우언라이는 중난하이의 쥐런탕(居仁堂)[67]에서 보위와 국방 문제에 관한 회의를 개최하여 주재했다.

쥐런탕 내부는 장성들의 별들이 번뜩였다. 인민해방군 총사령관 주더, 총사령관 대리 녜룽전, 제4야전군 사령관 린뱌오 및 부정치위원 탄정(譚政, 1906~1988), 인민해방군 총정치부 주임 뤄룽환 및 부주임 샤오화(蕭華, 1916~1985), 총참모부 정보부장 리커농(李克農, 1899~1962), 총병참부장[總後勤部長] 양리산(楊立三, 1900~1954), 작전부장 리타오(李濤, 1905~1970), 군사훈련부장 샤오커(蕭克, 1907~2008), 공군 사령관 류야러우, 해군 사령관 샤오징광(蕭勁光, 1903~1989), 철도 사령관 텅다이위안 등 베이징에 있던 장성들이 한 자리에 모여, 3시간 이내에 동북변방군의 소속 부대·인원수·지도기구 설치·지휘관 인선·배치·정치 동원·병참 확보·수송 계획 및 병력 보충 등 일련의 문제들을 해결했다.

저우언라이가 그날 밤 회의의 내용을 정리하여 마오쩌둥에게 보고하자, 마오쩌둥은 즉각 보고서를 열람하고는, 한 글자도 고치지 않고 즉시 회답했다: "동의함. 이대로 실행할 것." 회답 시각은 뜻밖에 당일 24시였다. 개국 지

67 중난하이 서쪽에 있는 서양식 건물.

도자들의 비범한 박력과 작업 효율은 이것만 봐도 잘 알 수 있다.

7월 13일, 중앙군사위원회는 〈동북 변방의 보위에 관한 결정[關於保衛東北邊防的決定]〉(이하 〈결정(決定)〉으로 약칭한다)이 정식으로 확정되었다. 이 〈결정〉에서 타이완 공격 사령관인 수위를 동북변방군 사령관 겸 정치위원, 샤오징광을 부사령관, 샤오화를 부정치위원, 리쥐궤이(李聚奎, 1904~1995)를 병참 사령관에 임명하기로 결정했다.

마오쩌둥은 이 〈결정〉을 읽더니, 또 한 글자도 고치지 않고, "동의함"이라고 회답했다.

이날 〈결정〉이 내려지고, 곳곳에 발령되자, 천군만마가 이에 호응하여, 인민군대 역사상 전무후무한 대규모의 병력 이동이 시작되었다.

12

후세 사람들은, 이것은 군대와 전쟁의 경주라고 평가했다. 기나긴 철로 위에서는 군용 열차가 밤낮으로 달리기 시작했고, 수십만 명의 대군이 전국 각지로부터 동시에 동북 지방을 향해 진군했다.

가장 먼저 움직인 것은 제13병단(兵團)[68]이었다. 병단 사령관 황융성(黃永勝, 1910~1983)은 린뱌오가 아끼는 장교로, 전투할 때는 용맹하고도 교활했다. 하지만 "공격하면 용맹하게 싸우다가도, 전투가 끝나면 매춘을 하는" 나쁜 버릇이 있어서, 린뱌오 본인도 그가 "아주 훌륭한 지휘관은 아니다"라고 인정했다.

녜룽전은 결국 군사와 정치 능력을 겸비한 제15병단 사령관 덩화를 임명하여 그를 교체하자고 건의했다. 이 조치는 전쟁을 앞두고 장수를 바꾸는 것이라고 할 수 있었다.

68 병단이란, 군단과 사단을 통칭하는 말로, 집단군과 비슷한 개념이다. 중국 인민해방군 내에서, 군단은 전역(戰役) 전술 병단이고, 사단은 기본 전술 병단이다. 중국 인민해방군은 해방 전쟁 후기에 17개의 병단을 창설했다.

덩화는 자신의 제15병단 사령부를 데리고 가서 제13병단의 사령부를 조직했는데, 오직 병단의 부사령관 겸 참모장인 홍쉐즈(洪學智, 1913~2006)만 예젠잉에 의해 강제로 남게 되었다. 황용성은 광둥(廣東) 군구 부사령관으로 임명되었는데, 며칠 지나지 않아 나쁜 버릇이 다시 발동하여, 결국 한 명의 부하를 데리고 몰래 홍콩에 가서 3일간 실컷 놀았다. 이 때문에 노련하고 신중하며 사람에게 관대한 뤄룽환 원수를 크게 노하게 했다.

덩화는 곧바로 홍쉐즈가 함께 가서 자신의 부사령관직을 맡아야 한다고 건의했으나, 홍쉐즈는 어디에서도 놓아주려고 하지 않는 유능한 인재였기 때문에, 광둥 군구 사령관 겸 정치위원인 예젠잉이 결코 놓아주지 않고, 자신의 부사령관이 되어야 한다고 했다.

덩화가 속을 태우며 안달하고 있는데, 홍쉐즈가 뜻밖에 직접 찾아왔다.

원래 홍쉐즈는 예젠잉 사령관의 명을 받고 광동 군구의 일을 보고하러 베이징에 올라온 것이다. 이 소식을 듣고 크게 기뻐한 덩화는 즉시 기차역으로 달려갔다. 당시는 무더위가 참기 어려울 정도여서, 홍쉐즈는 온 몸에 물집이 생겨났다. 기차에 내려 몹시 피로함을 느끼고 있을 때, 덩화가 크게 웃으며 다가와 아무것도 모르고 있는 홍쉐즈를 린뱌오의 집으로 데려갔다. 식사를 하고 있을 때 린뱌오는 홍쉐즈에게 비로소 그가 동북으로 전출가게 되었다는 사실을 알려주었다. 홍쉐즈는 크게 놀랐다. 그는 베이징에 광동 군구의 일을 보고하러 온 것이고, 심지어 갈아입을 옷조차도 가져오지 않은 데다, 예젠잉 장군은 또한 그가 돌아와 보고하기를 기다리고 있었다.

린뱌오는 그의 이런 모습을 보고 껄껄 웃으면서 말했다: "옷은 자네가 동북에 가서 구하고, 피부병은 동북에서 치료받도록 하게."

덩화도 웃으면서 말했다: "그를 돌아가게 해서는 안 됩니다. 그가 돌아가서 돌아오지 않으면 어떡합니까?"

이러지도 저러지도 못하는 홍쉐즈가 어쩔 수 없이 린뱌오의 전화를 빌려서 예젠잉에게 보고하자, 예젠잉 사령관은 급하게 말했다: "자네 우선 돌아와서 다시 얘기하세!"

되돌리기에는 너무 늦었다는 것을 알고, 예젠잉은 발을 구르며 탄식했다: "이럴 줄 알았으면, 내가 자네를 베이징에 가게 하지 않았을 거네."

그날 오후 1시, 덩화와 홍쉐즈는 동북으로 가는 기차를 탔으니, 그는 생각지도 못하게 행선지를 바꿔야만 했다. 이 백전백승의 군사 간부는 장차 중국 인민지원군의 병참 사령관이 되었다. 그는 직접 자신의 손으로 중국 군대의 현대화된 병참 체계를 수립했으며, 또한 신중국에서 유일하게 두 차례 상장 계급을 받은 장군이 되었다.[69]

매일 확대되는 조선의 전장에서, 홍쉐즈는 수십만 명의 병참 부대 병사들을 이끌고 미국 공군과 싸웠다. 공습의 강도가 제2차 세계대전을 뛰어넘는 상황에서, 그와 그의 병사들은 미국 공군의 교살 작전(중국 지원군의 보급로를 차단함으로써 전투력을 약화시켜 고사시키려는 미군의 작전-옮긴이)을 분쇄했고, 무너지지 않고 폭파되어 끊어지지 않는 강철 같은 보급로를 확립하여, 전방으로 끊임없이 식량과 탄약을 실어 날랐다. 그의 공훈은 이처럼 탁월하여, 펑더화이 원수는 농담처럼 그를 칭찬했다: "나 펑 아무개가 잘 싸웠던 건, 사실 내가 두 명의 곰보에 의지하여 미국인들을 무찔렀기 때문이오. 앞쪽에서 나는 홍 곰보(홍쉐즈-옮긴이)에 의지했고, 뒤쪽은 가오(高) 곰보(가오강은 항미원조 전쟁에서 동북 지역의 병참을 책임졌다)에게 의지했소."

덩화와 홍쉐즈에 앞서, 훗날 펑더화이에게 "우리 군에 있는 제갈량(諸葛亮)"이라고 칭찬을 듣게 되는 지원군 참모장이자, 이 당시 제13병단 참모장이던 제팡(解方, 1908~1984)이 이미 압록강 강변에 도착해 있었다. 그들 뒤에는 중국 인민지원군의 부사령관이 되는 명장 한셴추가 짐을 싸면서 길을 떠날 준비를 하고 있었다.

이렇게 공화국의 용맹한 장군들 몇 명이 전쟁을 하러 떠날 준비를 하고 있을 때, 산전수전을 다 겪은 장병들도 유성의 불꽃처럼 급히 전방으로 이

69 한국 전쟁에 참여했던 중국의 고위 장교들은 펑더화이가 정치적으로 몰락하면서 대부분 핍박을 받았다. 홍쉐즈는 문화 혁명 기간 동안에 비판을 받고 강제로 군대를 떠났다가, 1977년 이후에야 다시 군에 복귀할 수 있었다. 그 때문에 그는 상장 계급을 두 번 받았다.

동하고 있었다.

덩화를 사령관으로 하는 동북변방군 제13병단은 제38·제39·제40군단 등 모두 3개 군단을 거느리고 있었는데, 이들은 중국 군대에서 가장 뛰어난 정예병들이었다. 제38군단은 제4야전군의 "천하제일 종대(縱隊)"라고 불렸으며, 제40군단은 국민당으로부터 "선풍(旋風) 종대"라고 불렸다. 제39군단도 전쟁에 아주 능숙했으므로, 사람들은 그들을 "린뱌오의 세 마리 호랑이"라고 불렀다. 얼마 지나지 않아 제42군단도 제13병단 휘하에 분리 편입되었다.

이 뛰어난 병단은 원래 중앙군사위원회에서 전략 예비 부대로 삼아, 허난(河南)에 주둔하게 하여, 동서남북 어디든지 일이 생기면 갈 수 있게 하려고 계획되어 있었다. 그러나 대륙이 해방되자, 제38군단과 제39군단의 주력 장병들은 생산 활동에 전념하여, "창과 칼을 창고에 넣어두고, 말은 남산에 풀어놓는" 평화로운 모습이었다. 수년 동안 전쟁을 치른 장병들은 제대하여 집으로 돌아가 결혼할 준비를 했고, 홀아비로 살던 장교들도 당연히 그러고 싶어 안달이었다. 제42군단은 동북 지방 곳곳에서 황무지를 개척하고 있었다. 이런 상황에서 부대가 갑자기 명령을 받자 한바탕 소동을 겪지 않을 수 없었다. 돼지를 키우고 농사를 짓고 대장간을 열었던 간부와 병사들은 다시 무기를 들었다. 그러나 이때 소총의 약실에는 붉은 녹이 슬어 있었고, 어떤 대포 안에는 참새가 둥지를 틀고 있었다.

이때부터, 갓 태어난 공화국은 순수한 군사적 의미에서 높은 소양을 갖춘 직업 군인을 언제 어디서나 보유하는 것의 중요성을 깨닫기 시작했다.

다행히 간부 전사들은 전쟁 중에 단련된 사나이들이었고, 막 전쟁을 끝내고 휴식을 취하며 생산 활동에 참여한 지 얼마 되지 않은 데다, 여러 해 동안 국민당 군대가 자신들에게 쏘았던 것이 미국의 총탄이었기 때문에, 예전부터 그들은 미국에 대해 많은 원한을 품고 있었다. 미국이 타이완을 점거했다는 소식은 그들을 크게 분노하게 했다. 그들은 그 소식을 듣자, 가서 미국 놈들을 무찔러야 한다고 했다. 영웅이 다시 무력을 사용할 곳을 갖게 되자, 부대는 그다지 큰 힘을 들이지 않고, 생각이 임전(臨戰) 태세로 전환되었다.

7월 10일, 막 하이난을 점령했던 제40군단은 광저우(廣州)에서 차를 타고 중국과 조선의 국경에 있는 안둥(安東, 지금의 단둥)으로 출발했다. 그리고 7월 15일에는 제38군단과 제39군단이 허난(河南)의 신양(信陽)·주마뎬(駐馬店)·뤄허(漯河), 그리고 광시(廣西)의 류저우(柳州)에서 동시에 출발했다.

제38군단의 제114사단이 후난(湖南)에서 비적들을 토벌하는 임무를 완수하고 우한(武漢)을 경유할 때, 우한 감옥의 감옥장이자, 이미 제대한 제38군단의 전투 영웅인 차오위하이(曹玉海, 1923~1951)가 사단장인 자이중위(翟仲禹, 1919~2002)와 연대장 순훙다오(孫洪道, 1919~1995)를 찾아와, 다시 입대하여 조선에 들어가 싸우고 싶다고 단호하게 요구했다. 그는 형수의 손에서 자란 고아로, 16세에 입대하여 전장에서 무수한 전공을 세웠으므로, 제38군단장 량싱추(梁興初, 1912~1985)와 정치위원이 류시위안(劉西元, 1919~2003)이 직접 그에게 표창장을 수여했다. 그리고 그가 몸에 무수한 총상을 입은 점을 감안하여, 당 조직에서는 그를 전역시켜 우한에서 일하도록 했다. 그때, 동후(東湖)요양소에 근무하는 젊고 아름다운 간호사가 이미 그와 깊은 사랑에 빠져 있었지만, 어떤 것도 진정한 군인이 나라를 위해 참전하겠다는 결심을 막지는 못했다.

차오위하이는 사단장 자이중위에게 간청했다: "사단장님, 저는 고아이기 때문에 만약 죽더라도 문제될 게 적으니, 제가 조선에 가서 싸울 수 있도록 허락해주십시오!"

사단의 정치위원인 리웨이(李偉)가 말없이 차오위하이의 상의 단추를 풀어 젖히자, 20여 개의 상흔이 차마 눈을 뜨고 볼 수 없을 정도였다.

몇 명의 지휘관들이 이 영웅적인 전사를 응시더니, 동시에 엄숙하게 경례를 했다: "차오위하이 동지, 동지와 같은 전사가 있으니, 나는 우리가 미 제국주의 침략자들을 물리칠 수 있다고 믿습니다. 우리는 동지가 다시 입대하는 것을 허락하겠습니다!"

제38군단장은 즉시 중난하이와 교섭했고, 차오위하이의 바람대로 다시 전에 소속되었던 제38군단 제114사단 제242연대 제1대대의 대대장을 맡게 했다. 두려움을 모르는 용맹한 전사는 이렇게 다시 어지럽게 흩날리는 전쟁의 불길 속으로 들어갔다.

그는 다시 돌아오지 못했다. 그는 항미원조 전쟁에서 가장 유명한 영웅 열사들 중 한 명이 되었다.

바로 이렇게 강철 같은 부대가 중국의 동북 변경을 향해 돌진하기 시작했다. 8월 상순이 되자, 제13병단 소속의 4개 군단, 3개 포병 사단, 그리고 각종 부속 부대들이 이미 따로 중국과 조선의 국경 가까운 일선에 배치되어 전쟁을 준비했다. 중국 군대가 전쟁을 준비하고 있던 그 시간에, 조선인민군은 맥아더가 파견한 미국 지상군과 직접 교전을 벌이기 시작했다. 기세가 왕성한 인민군은 맥아더에게 시작부터 호된 맛을 보여주면서, 그의 '스미스 별동대(Task Force Smith)'를 전멸시켰다.

13

6월 30일 밤, 과거 일본 기병의 군영이었던 큐슈(九州) 구마모토(熊本)의 군영에는 정적이 감돌고 있었다. 미국 제8집단군(미8군) 제24사단 제21연대 제1대대의 모든 병사들은 잠에 빠져 있었다. 급한 전화 벨 소리가 갑자기 울려 퍼지자, 갓 2시간 정도 잠들어 있던 대대장 찰스 B. 스미스(Charles B. Smith, 1916~2004) 중령—전체 제8집단군이 가장 우수한 대대장이라고 공인했다—은 잠에서 깨어났다.

중령이 수화기를 들자, 제21연대장 스티븐스(Richard W. Stephens)가 건 전화였다: "즉시 옷을 입고 지휘소로 오게."

"무슨 일일까?"

중령은 수화기를 내려놓고 즉시 옷을 챙겨 입었다. 제2차 세계대전의 진주만에서부터 전쟁이 끝날 때까지 줄곧 싸워온 그는 옷을 입으면서 미간을 찌푸렸다.

제25사단 작전과장과 미국 육군부 정보참모를 역임한 스미스는, 한국 주재 미군 고문단이 올린 다음과 같이 보고를 받았음에도 모르고 있었다: "비록 미국 공군이 맹렬하게 폭격을 진행하고 있지만, 남한의 지상 부대는 인민군 앞에서 무기력한 모습을 보이고 있어, 이대로 가면 목적 달성이 어렵다. 이 때문에 미군 부대가 반드시 가능한 빨리 참전해야 한다." 그러나 그의 최고 통수권자인 트루먼 대통령은 여전히 이렇게 생각하고 있었다: '인민군은 농민 촌부에 불과하고, 현대식 무기도 없고, 정규 훈련도 부족한데, 어찌 세계 최강인 미국 군대의 적수가 되겠는가?'

트루먼은 고문단의 의견을 받아들여, 맥아더로 하여금 가까운 곳에서 적에게 펀치를 날릴 수 있는 부대를 조직하여 "적을 섬멸"하라고 즉각 결정했다.

이때 맥아더의 극동 사령부는 미국에서 가장 큰 해외 군사 기구였으며, 미국 육군 전체 인원의 6분의 1 이상을 보유하고 있었다. 주력은 모두 일본에 주둔하고 있었으며, 주요 작전 부대는 미국 제8집단군으로, 제7·제24·제25보병 사단과 제1기병 사단을 거느리고 있었다.

눈이 머리 위에 달린 맥아더는 트루먼보다도 훨씬 인민군을 얕잡아보고 있었는데, 전문(電文)을 받자마자, 주둔지가 한국과 가장 가까운 제24보병사단에서 정예병들을 차출하여 별동대를 조직하기로 결심했다. 이 별동대의 임무는 "눈 깜짝할 사이에 손을 쓸 수 없는 기세로 조선인민군의 촌부들을 소멸시키는 것"이었다. 경험이 많은 스미스 중령이 이 별동대의 지휘관으로 선발되었다.

스미스 중령은 신속하게 연대에 가서 명령을 받자, 즉시 그의 제1대대를 주력으로 하는 '스미스 부대'를 조직하고, 곧이어 차를 타고 이타즈케(板付) 공군 기지로 갔다. 그는 그곳에서 사단장 딘(William frishe Dean, 1899~1981) 소장의 훈화를 들었다.

딘 소장은 별동대 장병들에게 다음과 같이 말했다: "여러분은 곧바로 남한의 부산으로 날아가라. 도착하면 즉각 대전으로 가서, 북한군들을 부산

이북의 가능하면 먼 곳에서 저지하고, 북한 측이 의지하는 교통로를 완전히 봉쇄하도록 하라."

딘 소장은 부하들에게 자부하면서 다음과 같이 말했다: "나는 북한 군대가 일격에도 견디지 못할 것이라고 믿는다. 중령, 자네의 행운을 빌며, 하느님께서 자네와 자네 부하들을 보호해주실 것이다."

훈화를 다 듣고 나서, 스미스 중령은 즉시 부하들을 인솔하여 비행기에 탑승했다. 이 길을 떠나는 미국 병사들은 제각기 한마디씩 했다:

"우리가 도착하면 북한 놈들은 겁에 질려 도망칠 거야."

"우리는 며칠 만에 싸움을 끝내고 캠프 우드(Camp Wood)[70]로 돌아갈 테니, 마치 경찰이 임무를 수행하는 것 같을 거야."

미국 제8집단군의 가장 우수한 대대장은 출정 이래 처음으로 마음을 감동시키는 연설을 했다: "김일성의 오합지졸 농부들이 우리 미국인들을 보고 그림자도 보이지 않게 도망치더라도, 우리는 도착하자마자 바로 그놈들을 모조리 쓸어버릴 것이다!"

7월 2일, 별동대는 대전에 도착하여, 남한에서 가장 계급이 높은 미국 지상군 부대의 지휘관인 처치 장군을 찾아갔다. 처치는 혼자서 득의양양한 스미스를 보자, 흡사 오랫동안 비가 내린 뒤에 햇빛을 보는 듯했다:

"인민군이 서울을 점령했고, 또 남쪽을 향해 계속 밀어붙이고 있어, 곧 수원까지 쳐들어올 거네. 우리가 거기에서 필요로 하는 것은 자네들처럼 북한의 탱크를 봐도 두려워서 도망가지 않을 사람들이네!"

스미스 중령은 명령을 받고 우선 매복할 지점의 지형을 살펴보다가, 결국 연달아 다음과 같은 기이한 광경들을 보게 되었다: 오스트레일리아 머스탱 전투기 4대가 맹렬하게 하나의 열차를 공격하자, 작은 읍 절반이 폭파되어 하늘로 날아올랐는데, 그 열차는 한국 군대가 전선으로 탄약을 수송하던 군용 열차였다. 미국 공군이 지속적으로 한국의 한 부대를 맹렬하게 공격하

70 구마모토에 있던 제24사단 제21연대의 주둔지

자, 한국 군대는 극도로 화가 나 총으로 비행기를 추락시켰고, 낙하산을 타고 탈출한 미국 조종사를 체포했다. 한국 군대의 총사령부도 연달아 여러 개의 미국 폭탄을 맞기도 했다. 오후에는 4대의 미국 전투기가 찬란한 전과를 거두었다. 오산의 도로에 있는 한국군 트럭 300여 대를 일거에 폭파하고, 200여 명의 병사들을 몰살시킨 것이다. 이날 처치 장군의 미국 고문단 마저도 연달아 미국 공군의 공격을 다섯 차례나 받았다.

전체 진장의 혼란은 절정에 이르렀다.

지형을 살펴보더니, 중령은 다시 한국의 화물 트럭을 타고 북상했다. 트럭을 운전하던 한국인이 자기가 북쪽을 향해 가고 있다는 것을 알고는 몰래 도망쳐버리자, 별동대의 병사가 직접 차를 몰 수밖에 없었다. 그들은 길을 따라 가면서 험악한 말로 조수처럼 패주해 오는 한국 군대와 자녀들을 데리고 가는 피난민들에게 온갖 욕설을 해댔다. 중도에 다시 미군 포병 파견대의 지원을 받아, 대오에는 108명의 인원과 73대의 차량 및 6문의 105밀리 곡사포가 추가되었다. 이렇게 되자, 그들은 더구나 자신들만으로도 평양으로 달려가서 김일성을 생포할 수 있다고 느꼈다.

7월 5일 새벽 3시, 별동대가 오산 북쪽의 진지에 진입하자, 도로를 축으로 삼아, 도로 서쪽의 산 위에 B중대의 1개 소대를 배치했고, 동쪽 산 위에는 B중대의 2개의 소대 외에 추가로 1개 무반동포 소대를 배치했다. 이리하여 도로는 철저하게 봉쇄되었다.

중령은 짧고 굵은 손가락을 펴서 지도의 곳곳을 가리켰고, 중대와 소대의 장교들은 그를 둘러싸고 있었다. C중대의 2개 소대와 남은 모든 무반동포들을 가장 동쪽의 작은 산 위에 배치하여, 우익에서 혹시라도 철도를 따라 공격해 올지도 모를 인민군에 대비했다. C중대의 가장 뒤쪽에 있는 1개 소대는 앞쪽 2개 소대의 뒤에 배치하여, 인민군이 철도의 노반을 따라 동쪽에서 공격해오는 것을 방어하게 했다.

"오직 인민군에게 날개가 달려 있어야 우리의 진지로 날아올 수 있겠지만, 세상물정 모르는 저들 농민 부대가 하늘을 날아온다 하더라도 미국 비행기에게 맞아 떨어질 것이다."

중령은 턱을 만지작거리면서 소리 내어 웃었다.

'맞다. 아직 포병이 남아 있었다. 이렇게 하는 게 더 좋겠다. 2문의 대구경 박격포는 B중대 배후에 두어 지원하고, 4문의 유탄포는 더 뒤쪽에 두어 맹폭을 준비하게 하며, 5번째 유탄포는 보병과 포병 중간에 두어 고폭탄으로 탱크를 공격할 준비를 하고, 또 1문의 포는 견인하는 차량이 고장나서 뒤쪽의 오산에 남겨두었는데, 그것은 신경 쓰지 말자. 촌뜨기를 상대로 6문의 포를 다 쏠 필요가 있을까? 5문이면 충분해!'

병력 배치가 끝나자, 중령은 만족스럽게 웃었다. 웨스트포인트의 교장 맥아더도 이보다 더 나은 진형으로 배치하지는 못할 것이고, 모든 웨스트포인트의 전술 교관들도 그의 작전 계획에 10점 만점을 줄 거라고 생각했다. 이때, 중령은 오합지졸의 인민군이 와서 자신으로 하여금 혁혁한 전공을 세우게 해주기를 얼마나 바라고 있었을까!

인민군은 과연 왔다.

14

인민군이 서울을 점령하자, 이승만과 한국 행정 당국은 대전으로 피신하여 직책과 기능을 행사하고 있었다. 그들은 미국이 주도하는 유엔의 지지를 받고 있었고, 그것으로 민심과 군심을 지탱하고 있었다. 그러지 않았으면 이미 망했을 것이다. 김일성은 유엔군이 도착하기 전에 반도의 최남단 항구인 부산까지 진격하여, 적군이 상륙할 육상 거점을 없애버리고, 가능한 한 빨리 전쟁을 끝내겠다고 다짐했다. 인민군은 즉시 제2차 전역을 개시했는데, 조선의 역사는 이를 "수원 전역"[71]이라고 부른다.

수원 전역은 시작부터 혹독했다. 인민군이 수원을 공략하려면 한강을 넘

71 한국에서는 "시흥-안양-수원 전역"이라고 부른다.

어 영등포를 점령해야 했다. 영등포는 한강 남쪽 연안의 교통 중심지로, 수원까지 가려면 반드시 지나가야 하는 곳이었다. 때문에 영등포는 한국 한강 방어선의 핵심이 되었다.

한국군은 맨 먼저 맥아더의 명령에 의거하여 한강대교의 잔해를 폭파해 버리자, 인민군이 가는 곳마다 당해낼 자가 없던 무적의 T-34 탱크들은 강변을 에워싼 채 초조해 하면서도 어쩔 수 없이 그 자리에서 맴돌고 있었고, 보병은 배를 타고 무리해서 한강을 건넜다. 한국군이 한강 남안을 지키면서 필사적으로 사격을 하자, 소련에서 돌아온 일부 인민군 장교들은 소련군의 도하를 강행하는 전투 수칙에 따라 공격을 배치하고, 한 무리씩 인민군 보병들이 "김일성 만세"를 외치면서 한강으로 뛰어 들어갔다. 강 위에는 온통 시체들이 떠 다녔는데, 제4사단에서만 2천 명을 잃었을 정도로 사상자가 막대했다. 격전 후에 굽힐 줄 모르는 인민군 보병들은 여러 곳에서 도강을 강행했지만, 한국군이 목숨을 걸고 물러서지 않자, 전세는 교착 상태에 빠졌다. 사흘째 되는 날 아침, 인민군 공병이 철로교를 건설하여 T-34 4대를 한강 남안으로 돌진해 올라가게 하자, 한국군은 그제야 진지를 버리고 남쪽으로 달아났다. 7월 5일, 인민군은 수원을 빼앗았고, 제4사단과 제105 장갑 여단의 1개 탱크 연대가 강을 건넌 후 T-34로 길을 열어서 가볍게 수원비행장을 빼앗았다. 7월 5일 밤에는 잠시도 멈추지 않고 계속해서 오산을 향해 돌진해 갔다.

높은 곳에 올라 북쪽을 바라보던 스미스 중령은 수원 방향에서 어떤 부대가 행동하는 것을 발견하자, 그는 망원경의 초점을 세밀하게 조정했다. 탱크였다. T-34 탱크였다!

"포를 쏴라! 즉시 사격하라!" 중령이 즉각 명령을 내리자, 미국 포병들은 곧바로 미군이 조선에서 소모할 수천만 발의 포탄 중 첫 발을 발사했다.

7월 5일 아침 7시, 조선인민군과 미군의 지상전이 시작되었다.

한 무리의 포탄들이 쌩쌩 소리를 내며 탱크들 사이에 떨어져 폭발했으나, 이 강철 괴물들은 개의치 않고, 포화가 아무리 맹렬하더라도 여전히 앞을 향해 나아가고 있었다. 중령은 아연실색하여 감히 믿을 수 없었다. 미국 무기가 소용이 없다고?

모든 미군 병사들은 맹렬하게 사격을 개시했다. 유효 사거리가 400미터인 무반동포가 뜻밖에 700미터 지점에서 발포하기 시작했다.

유탄포가 사격해도 소용이 없었다.

무반동포가 사격해도 소용이 없었다.

코너(Ollie Connor) 소위는 자신으로부터 불과 14미터 떨어진 탱크 2대를 향해 22발의 로켓탄을 쐈는데, 역시 아무 소용이 없었다.

대전차포탄을 발사하는 유탄포가 울부짖기 시작했을 때에야, 인민군의 선두에 있는 탱크가 비로소 전진을 멈추고 도로변으로 이동하여, 다른 탱크들이 계속 전진하도록 해주었다. 파괴된 탱크 안에서 세 명의 인민군 병사들이 뛰쳐나오더니, 그들은 소련제 원형 탄창이 달린 기관단총을 맹렬하게 발사했다. 그 자리에서 별동대의 부사수 한 명이 사살되었는데, 이름을 알 수 없는 이 미국인은 조선 전쟁 과정에서 최초로 전사한 미국인이 되었다.

미국인들이 마구잡이로 포를 발사하자, 세 명의 인민군 병사들이 함께 땅바닥에 쓰러졌다.

중령이 기뻐한 지 몇 분도 지나지 않아, 인민군의 탱크가 달려들었고, 그중 한 대가 단 한 발의 포탄을 발사하여 몇 문의 대전차포에서 유탄을 쏘아대던 미군들을 제거하자, 미군 방어선은 돌파되었다.

잇달아 T-34가 맹렬하게 방어선을 돌파하더니, 사격을 하여 서로를 엄호하면서 빠르게 남쪽으로 돌진했고, 아예 중령과는 싸우려 하지도 않았다. 비록 이러했는데도, 몇 분 만에 20명의 미국 병사들이 시체로 변했다.

정신을 차린 중령은 자신의 방어선을 무너뜨린 T-34가 후방을 향해 달려가 자취를 감춘 것을 보고는, 큰일이 일어났다는 것을 알아차렸으며, 전쟁 전에 가졌던 자부심은 순식간에 흔적도 없이 사라져버렸다. 놀란 가슴이 가라앉지 않은 미국 병사들은 더욱 넋을 잃고 우두커니 서 있었다. 이것이 바로 장교들이 말한 "김일성 촌뜨기"들이란 말인가?

일부 젊은 미군 병사들은 달아나기 시작했는데, 별동대의 후방을 향해 출발한 T-34는 길을 따라가면서 중령이 비축해 둔 탄약들을 폭발시켜버렸고, 중령이 깔아놓은 전화선을 짓이겨버렸다. 빌어먹을 무전기 또한 물에 젖고 습기가 차서, 중령과 후방의 모든 연락은 단절되었다.

액운은 아직 끝나지 않았다. 인민군 보병이 한 무리의 탱크들을 따라 몰려왔고, 미군의 방어선에서 총성과 포성이 울려 퍼졌다. 정오 무렵, 인민군 제4사단 제16연대와 제18연대가 각각 중령의 양 옆을 포위 공격하면서, 중령의 핵심 진지를 포위 공격하기 시작했다. 병사들이 도망친 후에는, 별동대의 장교들이 직접 포를 쏘면서 T-34와 결투를 벌였다. 2시 30분, 중령은 남아 있는 부하들에게 출정 이래 두 번째 연설을 했는데, 그 어조가 매우 비장했다:

"전투력을 유지하기 위해, 나는 즉시 철수하기로 결정했다. 철수해야만 모두 목숨을 보전할 수 있다!"

많은 세월이 지난 다음, 미군의 전쟁사는 기록하기를, 스미스 별동대의 철수는 궤멸·도주로 변했으며, 트루먼과 맥아더가 직접 조직한 최고의 부대는 온갖 추태를 부렸다고 했다. 미군 장교들은 논바닥의 흙탕물에 빠져가며 남쪽으로 도망쳐 목숨만을 부지하느라, 동료들의 시체를 방치했고, 부상자들을 내버려 두었으며, 마지막에는 도망가는 데 매우 방해가 된다고 가죽 전투화조차도 벗어 던져버렸다. 인민군은 추격조차 하지 않았으며, 단지 기관총의 화력만으로 많은 미국 별동대원들을 사살했다. 전체 별동대의 사망률은 35%에 달했다.

미군은 인민군과의 첫 번째 교전에서 체면을 구겼다. 그 패배는 이처럼 참담했다. 미국의 군정(軍政) 요원들 스스로도 별동대를 가리켜 "실패한 위협 수단"·"오만한 실력의 과시"라고 말했다. 미국인들은 이 전투에 대해 언급하기를 매우 꺼렸는데, 20년 후에 일본에서 출판된 『타임』 지가 비로소 미군의 이번 전투에서의 참상을 상세히 소개했다.

도쿄에서 맥아더는 미국 대통령에게 깜짝 놀라 소리치기 시작했다: "인민군은 지난 세계대전에서 가장 우수했던 어떤 군대와도 견줄 수 있습니다. 한국의 전황은 매우 엄중합니다. ……북한군이 갖고 있는 장갑차의 성능은 우수하며, 과거 독일군과 같은 능력을 갖추고 있습니다. 보병의 자질도 최고입니다. 북한 군대는 앞으로 소련식 지도 방식과 기술, 그리고 중국식 전법이 혼합된 그런 전략과 전술을 추가로 채택할 것 같습니다. 북한 군대를 비정규군으로 보고 과소 평가해서는 안 됩니다. ……이미 요청한 병력 이외에, 저는 4개 사단으로 구성된 부대의 긴급 증원을 더욱 강력히 요구합니다. 상황은 현재 대규모 작전이 필요한 상황으로 발전했습니다."

고작 이틀 전, 맥아더는 여전히 2개 사단이면 충분하다고 제안했지만, 지금 그는 숫자를 두 배로 늘렸다. 합동참모회의는 이러한 기본 전략 숫자를 벗어날 수 없었다: 만약 맥아더의 모든 요구를 만족시켜주면, 미국 육군 전부가 한국 전쟁에 투입되어야 하므로, 서유럽과 아메리카 대륙에는 병사가 없어 지킬 수 없다.

그러나 이미 엎질러진 물이었으므로, 합동참모회의도 어쩔 수가 없었다. 한국 전황의 곤경이 맥아더에 의해 이렇게 엄중하다고 전해지자, 참모장들은 그를 대신해서 최대한 병력을 그러모아 가능한 한 빨리 비행기로 수송하여 한국으로 보내는 것 외에는 달리 선택할 게 없었다.

맥아더는 그의 상관들을 지휘하기 시작했다.

조선의 역사 서적들은 이렇게 자랑스럽게 기술하고 있다: "우리 군은 두 시간도 안 되는 전투에서 미군 보병과 포병 1개 대대를 거의 전멸시켜 마비 상태에 빠뜨렸다."

인민군의 초반 승리는 자연히 마오쩌둥과 스탈린을 매우 신나게 했다. 조선의 동지들이 만약 자신의 능력만으로 승리한다면, 그것은 분명 이 전쟁에서 최선의 결과일 것이며, 중국과 소련 사이에 말하기 어려운 수많은 문제들도 줄일 수 있을 것이다.

15

중국의 대군이 동북으로 출동하기 전후에, 전파도 모스크바와 베이징 사이에서 빈번하게 왕래하면서, 중국과 소련 두 동맹국들은 군사적 행동을 통일하여 협조하기 시작했다.

아직 동북변방군을 창설할 준비를 하고 있을 때, 중국공산당이 그 사실을 통보하자, 스탈린은 즉시 답신을 보내 중국 동지들의 생각에 매우 동의했다. 그리고 미국인들이 38선을 넘어온다면, 소련 공군이 장차 조선에 들어가서 지원하는 중국 군대를 위해 최선을 다해 공중에서 엄호해주겠다고 말했다. 이것은 처음으로 스탈린이 중국 정부에게 조선 전쟁에 개입하겠다고 승낙한 것이다. 중국공산당은 당연히 매우 기뻐했고, 스탈린의 승낙은 분명히 중국공산당 중앙이 동북변방군을 설립하겠다고 결정을 내리는 데에 상당한 영향을 미쳤다.

하지만 뜻밖에도 마오쩌둥이 동북군을 창설하겠다는 명령을 내린 지 사흘 만에 스탈린은 다시 하나의 전문을 보내왔다. 이 전문에서 스탈린의 언사는 매우 열정적이었다. 마오쩌둥이 중국과 조선 국경에 9개 사단을 배치하기로 이미 결정했는지를 물으면서, 이 9개 사단에게 124대의 제트 전투기를 보유하고 있는 소련 공군 사단의 엄호를 제공하겠다고 제의했다. 전문의 마지막 부분에서 스탈린은 뜻밖에도 자신들은 이 공군 사단으로 하여금 두세 달 동안 중국의 조종사들을 가르치도록 한 다음, 이 공군 사단의 모든 물자를 중국 측에 넘겨주고, 상하이에 있는 소련 공군 부대도 마찬가지로 처리할 것을 고려하겠다고 말했다. 세심하고 예민한 저우언라이는 즉시 이 전문에서 중국 공군이 얻기 어려운 발전의 기회임을 간파했지만, 동시에 문제가 있다는 것도 발견했다. 스탈린의 이 말은 이전에 보낸 전보와 미묘하고 분명한 차이가 있었다. 이번 전문에서 스탈린은 직접 소련 공군을 파견하여 중국의 지상군 부대를 엄호하는 일을 더 이상 언급하지 않았다. 그가 생각을 바꾼 것일까?

중국공산당은 당연히 불쾌한 표정을 지으며 스탈린에게 분명하게 말하라고 요구하기가 어려웠다. 실용적으로 일을 잘 처리하는 저우언라이는 전문에서 스탈린이 자발적으로 중국 공군의 건설을 돕겠다고 명확히 승낙한 것을 틀어쥐고, 우선 류야러우와 중국 주재 소련 군사 고문단에게 실시 방안을 상세히 검토하라고 지시했다. 또한 마오쩌둥이 스탈린에게 보낼 답신의 초안을 주관하여 작성했다. 답전은 스탈린이 보낸 전문처럼 열정적으로 예의를 표했으며, 스탈린의 중국 공군을 돕겠다는 생각에 대해 환영과 감사를 표시했다. 그러나 마찬가지로 미묘하고도 명확하게 중국 군대가 만약 조선에 출병하게 되면, 곧 소련이 공군을 출동해 달라고 요청했다.

스탈린은 신속하게 회신을 보내, 중국 공군 건설의 구체적인 실행 방안에는 완전히 동의했지만, 여전히 소련 공군의 출동 여부에 대해서는 일체 언급하지 않았는데, 이에 대해 중국공산당은 물론 더 이상 질문을 하기가 어려웠다. 때마침 조선의 군대가 연전연승한다는 소식이 전해지자, 중국과 소련 쌍방은 중국의 출병과 소련 공군이 엄호를 제공하는 문제를 아예 말하지 않고 마음속으로 이해하면서 받아들였다. 그리고 더 이상 조선 전쟁에 관한 일반적인 협의를 하지 않고, 눈길을 중국의 전쟁 준비를 강화하는 문제로 옮겨갔다.

16

인민군은 6월 30일에 개시한 수원 전역에서 단지 7일 동안 싸웠는데, 7월 6일까지 인민군은 수원을 점령했을 뿐만 아니라, 또한 잇달아 서부전선에서 평택·안성 및 중요한 항구인 인천을 해방시키고, 중부전선과 동부전선인 원주·삼척 등지도 점령했다. 인민군이 가는 곳에서는, 멀리서 그 기세를 보자마자 한국군은 도망쳐버렸다. 이로 인해 애가 타서 눈에 핏발이 선 한국의 전선 사령관은 이들을 반드시 사살하라는 군령을 내렸다: "대한민국의 낙오 장병들을 발견했는데도, 만약 다시 전선으로 복귀하지 않으면, 때려죽여도 무방하다."

매우 좋은 전장의 형세를 대하자, 김일성은 지휘부를 서울로 옮겼다. 김일성은 자신에게는 시간이 소중하다는 것을 잘 알고 있었다. 즉 그는 단숨에 해치우고 끝까지 압도적인 승리를 거두어, 조선 남단의 부산항에 도달해야만, 끊임없는 오는 유엔군이 계속 조선에 상륙하는 것을 막을 수 있다는 것을 잘 알고 있었다. 만약 시간을 끈다면, 미국인들은 갈수록 많아질 것이다.

두 번째 진역에서 비록 승리를 거두었지만, 김일성은 결코 그다지 기쁘지 않았다. 부대들이 더 빨리 공격했어야 했다. 이 때문에 그는 과감하지 못한 고위 장교들을 다른 사람들로 교체하는 징계 처분을 내렸다. 그는 제7사단장을 교체한 것에 그치지 않고, 제7사단을 제12사단으로 이름을 바꾸고, 다시 새롭게 제7사단을 편성했다. 이러한 징벌은 어느 부대에서도 보기 드문 치욕이다. 지휘를 강화하기 위해 인민군은 방면군(方面軍) 사령부를 만들어, 제1군단과 제2군단의 지휘를 통합했다. 7월 10일, 김광협 제2군단장을 군참모장으로 강등시키고, 김무정을 군단장에 임명했다.

김무정은 펑더화이와 함께 홍군에서 최초로 산포(山砲) 포탄을 쏘았고, 장정 기간 동안에는 장궈타오가 일으킨 분열 사건에서도 큰 공을 세웠던 바로 그 우팅(武亭: 김무정이 중국공산당에 가담해서 활동하던 시기에 사용한 이름-옮긴이)으로, 항일 전쟁 기간에는 팔로군에서 요직을 맡았었다. 일본인들은, 그가 중국공산당의 장정에 참가했던 30명의 조선인들 중 유일하게 살아남은 사람이라고 하면서, 경외하여 그는 항일 용사라고 말했다.

상벌을 마치자, 김일성은 직접 전선으로 가서 새로운 전역을 벌여, 가능하면 빨리 부산에 도달하기로 결정했다.

'스미스 별동대'가 궤멸된 다음부터, 미군은 크게 두려워하여, 필사적으로 한국에서 병력을 증가시키기 시작했다.

미국인들은 이미 자신도 모르는 사이에 동북아시아의 조선이라는 수렁에 빠져들고 있었으나, 그들의 전략 중점은 유럽에 있었다. 맥아더는 국내에 4개 사단을 증파해 달라고 요구했으나, 미국 전체 육군에는 단지 10개 사단밖에 없었다. 이것이야말로 중국인들이 말하는 사본축말(捨本逐末: 중요한 것을 버리고, 지엽적인 것을 추구함)이 아니겠는가? 모스크바의 스탈린은 담배 파이프를 잡고 소리 내어 웃었다.

강대한 기동 능력에 의지하여, 주일 미군 제8집단군 제24보병 사단의 주력 부대가 신속하게 한국의 임시 수도인 대전에 도착했고, 제25사단도 이어서 부산에 도착했으며, 미국의 전통 있는 정예 사단인 제1기병 사단까지도 포항에 상륙했다.

13일, 미국의 제2차 세계대전 명장인 패튼이 아끼던 장군으로, "불독"이라는 별명을 가진 제8집단군 사령관 워커(Walton Harris Walker, 1889~1950) 중장이 대구에 정식으로 미군 사령부를 설립하면서, 큰 싸움이 임박해졌다.

7월 7일, 수원 전역이 끝난 다음날, 인민군이 일제히 대포를 쏘면서 제3차 전역이 시작되었다. 인민군은 동부·중부·서부전선에서 동시에 남쪽을 향해 맹공을 퍼부으면서, 단번에 대전을 차지하려고 시도했다. 조선의 역사는 이를 "대전 전역"이라고 부른다.

대전투가 벌어지자, 미국 군대의 모습은 뜻밖에도 한국군과 마찬가지로 형편없었고, 역시 인민군에 의해 낙화유수처럼 패배하리라고는 아무도 생각하지 못했다. 제8집단군은 제2차 세계대전 때 태평양의 전장에서 용맹하고 잘 싸우던 정예의 군대였지만, 이미 일본 여자의 부드럽고 따뜻한 손에 의해 척추가 뽑혀 나갔고, 달콤한 술에 의해 강건한 근육은 삭아버렸다. 한 군종 목사는 다음과 같이 불길한 예상을 한 적이 있었다: "그들(미국 병사)이 관심을 갖는 것은 세 가지뿐이다. 여자를 구해 같이 잠을 자고, 브랜디를 몰래 훔쳐 마시고, 다음 배편으로 귀국하기를 기다리는 것뿐이다." 그러나 미국 장교들은 이 보잘것없는 목사의 충고가 정말로 그렇게 되리라는 것을 알았을까?

그런데 미군의 형편없음은 목사가 상상했던 최악의 수준을 넘어섰다. 스미스 별동대가 되었다가 구사일생으로 살아남은 몇 명이 비틀거리며 미군의 한 방어선에 와서 미리 경고한 뒤, 다시 몇 시간이 지나자 인민군이 이들을 추격해왔다. 그러나 이 방어선의 가장 전방에 있던 2개 소대들은 족히 15분이 지나고 나서야 간신히 조직적으로 사격을 했는데, 사격한 병사들은 뜻밖에 절반도 되지 않았고, 대부분의 총탄은 분대장과 소대장들이 발사한 것이었다. 이 사건은 미국 고위 장교들을 크게 분노하게 하여, 나중에 미군이 특별히 1개 보병 소대의 총기들을 추출하여 검사했다. 그 결과 31정의 소총들 가운데 12정이 부러졌거나, 더럽혀져 있거나, 잘못 조립되어 있었다. 5년간 제8집단군은 일본 여자들의 이불 속으로 기어들어가는 것 말고 무엇을 했는지 정말 알 수 없었다.

이러한 전투 소양을 갖고 전장에 나섰으니 말해서 무엇 하겠는가? 별동대가 실패한 뒤, 두 차례 미군 부대가 연달아 패배했다. 이어서 인민군의 T-34가 우르릉거리며 진격해 오자, 진을 치고 있던 미군도 무너졌으며, 연대의 작전참모였던 던(John J. Dunn) 소령은 38개월 동안 포로가 되었다. 7월 8일 아침 8시, 제24사단 제34연대장 로버트 R. 마틴(Robert R. Martin) 대령은 천안에서 벌어진 시가전에서 사기를 올리기 위해 로켓포를 어깨에 메고 6미터 앞에 있는 T-34를 향해 발사했다. 마틴은 조선 전쟁 동안에 최초로 '수훈십자훈장(Distinguished Service Cross)'을 받은 전사자가 되었다.

이제 제24사단의 또 다른 2개 연대도 상당히 곤란한 처지가 되었다.

탱크의 돌격을 받고, 미군이 연달아 패퇴하면서, 한국 군대에 만연해 있던 'T-34' 공포증이 미군에도 전염되었다. 미국인들은 마침내 인민군 전투력의 핵심이 탱크라는 것을 알게 되었다. 맥아더는 잇달아 세 차례나 긴급하게 미국 국내에 대전차 무기들을 공수해달라고 요구했다. 하지만 가소롭게도 자만한 미군 장교들은 이때까지도 자신들의 대전차 병기들이 통하지 않는다는 것을 인정하지 않았고, 도리어 병사들이 로켓포 조작에 서툴거나 용기가 부족해서 대전차 작전에 실패한 것이라고 여겼다. 그리고 또한 자신들의 탱크가 나타나기만 하면, 인민군의 탱크는 반드시 패배할 게 틀림없다고 자신하고 있었다.

7월 9일, 딘 소장은 적을 저지하고 있던 제34연대에게 경전차인 8대의 채피(Chaffee)를 출동시켜 T-34에게 반격하라고 명령했다. 이는 미국의 장갑 부대가 처음으로 조선에서 벌인 전투였다.

한바탕 포격을 가한 후, 막 마틴 연대장을 잃은 제34연대는 다시, 미국 최초의 장차 부대 장군의 이름을 따 명명한 7대의 '채피'를 잃었는데, T-34는 단 1대만 손실을 당했다. 웅대한 포부로 마음이 부풀어 있던 미국 장갑병들은 인민군에게 한 방 얻어맞자 의기소침해졌고, 이때부터 '채피'에 대한 믿음을 잃었다.

그러나 인민군에게 불리한 징조도 갈수록 분명해졌다. 7월 10일, 미국 공군은 한 차례의 공습으로 끊긴 다리 주변에 가로막혀 있던 38대의 T-34, 117대의 트럭, 7대의 하프트럭[72]을 모조리 해치워버렸다. 이것은 인민군이 전체 전쟁 기간 동안 탱크를 가장 많이 잃어버린 경우이다. 이때 미국 공군은 가장 최근에 연구 개발한 127밀리(5인치) 공대지 로켓탄과 네이팜탄을 사용했다. 미국인들은 마침내 가장 적합한 대전차 무기를 찾아낸 것이다. 미국의 강대한 국력이 작용하기 시작하면서, 새로 개발된 바주카 로켓포도 신속하게 일선 부대에 배치되었다. 7월 8일에 신형 로켓포가 캘리포니아에서 비행기에 실렸고, 12일에는 제24사단의 미국 병사들이 이것을 어깨에 메고 T-34를 향해 발사했다. 또 위력이 대단한 155밀리 유탄도 끊임없이 한국으로 운반되어 왔다.

처참하게 이번 공습을 당한 뒤, 인민군은 다시는 감히 주간에 대규모로 탱크를 무리지어 운용할 수 없었다. 가장 강력한 펀치를 잃어버리고 나자, 인민군의 역량과 효율은 크게 감소하기 시작했다. 그리고 병참보급도 공습이 잦아지고 전선이 점점 길어지면서 갈수록 곤란해지고 있었다. 그러나 연전연승하는 인민군의 장교와 사병들은 여전히 미국인에게 몇 가지 호된 교훈을 줄 수 있는 충분한 역량을 가지고 있었다.

72 앞은 타이어 바퀴, 뒤는 무한궤도로 되어 있는 험지 돌파용 트럭이다. 제2차 세계대전 당시에는 연합국과 추축국에서 모두 널리 쓰였으나, 험지에서는 돌파 성능이 다소 부족하고, 도로에서는 고속 이동이 불가능한 애매한 성능 때문에, 후에 단종되었다.

7월 9일, 인민군은 조치원 전투에서 딘 소장의 제21연대를 무찔렀다. 7월 10일까지 고통을 참고 버티다가, 제21연대의 병사들이 잇달아 도망치자, 연대장 스티븐스 대령은 분노하여 장교들에게 "저 비싼 병사들을 진지로 돌아가게 하라!"고 고함을 치고 나서, 자신도 부하들과 함께 간신히 목숨만 부지한 채 도망쳤다.

7월 13일, 인민군은 야간에 금강 도하를 강행하여, 다시 한번 딘 소장의 세 번째 언내인 제19연대를 무찔렀다. 이 부대의 일부는 우회하여 제19연대의 도주로에 매복해 있다가, 패배하여 도망치는 수많은 미군을 섬멸했다. 이 전투에 참가한 3,400명의 미군 병사들 가운데 절반 가까운 인원이 죽거나 부상을 당했다. 이제는 마침내 딘 소장 자신이 재앙을 당할 차례였다.

매우 조급해진 딘은 자신의 부대가 차례차례 무너지고, 대전이 곧 포위되려는 것을 보면서도, 그는 뜻밖에 감히 대전을 한 발짝도 떠나지 못했다.

대전은 조선의 중부와 영남·호남 지역을 연결하는 전략적 요충지이다. 딘은 반드시 다섯 갈래의 도로가 통과하는 교통의 요충지인 대전을 사수하여, 후방에서 지금 대규모로 증원하러 오고 있는 미군 부대가 낙동강을 따라 새로운 방어선을 확보한 다음 반격하려고 생각했다. 만약 그가 버티지 못한다면, 인민군은 낙동강 방어선을 돌파할 것이고, 그렇게 되면 한국의 철도와 도로 교통의 중심인 대구도 장차 인민군의 수중에 들어가게 되어, 미국인들은 정말로 갈 수 있는 길이 하나밖에 없었다. 그것은 바로 그들이 한국에 상륙했던 부산으로 되돌아가는 것이었다.

7월 19일 오후, 몇 방면의 인민군들이 마침내 딘 소장이 확보하고 있는 저지선을 무너뜨리고 대전을 포위했다. 마음이 무거운 딘은 가동할 수 있는 부대를 모두 보내 입구를 틀어막게 했다. 각 부대들이 출발하기 전에 그는 또한 "증원 부대가 곧 올 거다" 따위의 큰소리를 쳤다. 나중에 그는 그때를 회고하면서 이렇게 말했다: "어떤 육군 장교라도 항상 철석같이 냉정하고 무정한 마음을 가지고 있어야 한다. 그 가운데 한 가지 일은 바로 그들이 살아 돌아올 수 없는 곳에 병사들을 보내는 일이다. 이 일을 하는 것은 결코 쉽지 않지만, 당시에는 누구라도 어쩔 수 없이 병사들의 생명을 지불하고 잠시 숨을 돌릴 기회로 바꾸어야 했다. 이것은 실로 냉혹하고 무정한 직무였다."

수많은 미군 병사들의 생명이 단지 딘 소장의 하룻밤의 안녕과 교환되고 말았다. 다음날 오전 6시 30분에 인민군이 이미 대전에 진입하자, 온 대전이 혼란스러웠다. 한 대의 탱크가 골목 안에서 몇 시간 동안이나 정지해 있었지만 아무도 상관하지 않았는데, 그 탱크는 연료가 없었다. 한 인민군 병사가 대담하게도 탱크에서 나와 미국 병사 앞에 와서 디젤유를 요구하자, 그 얼빠진 미군 병사는 뜻밖에도 그에게 정말로 10갤런을 주었다. 연료가 없었던 탱크가 다시 움직이기 시작했을 때에야, 미국인들은 그것이 T-34라는 것을 알아챘다. 딘 소장은 자신의 사단장 자리에 이제는 중사도 앉을 수 있다는 것을 발견했는데, T-34는 이미 그의 지휘부 입구로 돌진해 와 있었다.

한 대의 T-34가 안마당으로 돌진함과 동시에, 기관총이 한바탕 미친 듯이 발사되어 150명의 미국 병사들을 쓰러뜨렸다. 화가 머리끝까지 난 딘은 사단장의 역할을 하지 않고, 자신이 직접 신형 로켓포를 어깨에 메고 대전차 분대의 분대장 역할을 했다. 이 51세의 6피트 키를 가진 미국의 노병은 매우 용맹하게도 10명의 미국 병사들을 이끌고 한 시간 동안이나 T-34를 미친 듯이 몰아내려 했는데, 최후에 결국 한 대의 T-34를 파괴시켰다.[이 탱크의 잔해는 1977년까지 한국 정부에 의해 대전 시내에 보존되어 있었다. 탱크의 차체에는 "1950년 7월 20일 W. F. 딘 소장의 지휘하에 파괴되었다(KNOCKED OUT 20 JULY 50 UNDER THE SUPERVISION OF MAJ-GEN W. F. DEAN)"라고 큰 글씨로 씌어 있다.]

막 자신의 분노를 발산한 딘 소장이 고개를 돌리자, 또 한 대의 탱크가 가로 방향으로 자기로부터 20야드 떨어진 곳에서 우르릉거리면서 지나가자, 화가 난 딘은 갑자기 권총을 꺼내 그 탱크를 향해 "탕탕탕" 실탄을 다 쏘았다. ……하루 종일 딘은 몇 명을 데리고 다니면서 대전 시내에 가득한 탱크들을 공격했다. 딘의 격려로 미군은 대전 방어전에서 신형 89밀리 로켓포로 근거리에서 8대의 T-34를 파괴했다. 이 '바주카' 로켓포가 다시 위력을 발휘하기 시작하자, T-34가 보병에게 가하던 위압감은 점점 사라졌다.

저녁이 되자, 마지막 순간까지 버티던 딘은 마침내 모든 분노와 정력을 쏟아 붓고는 도망치기 시작했다.

"떠돌아다니던 36일 동안, 모두 합쳐 12번 식사를 했다." 딘은 자신의 회고록에서 그 당시의 생활이 매우 비참했음을 이렇게 회상했다.

36일 후, 한국의 황폐한 산과 들판을 떠돌던 딘은 결국 자신을 전선으로 보내 미군에게 돌려보내 주겠다며 자진해서 나선 한국 민간인 2명에 의해 인민군에게 넘겨졌다. 그때 그는 원래 86킬로그램이던 건장한 몸이 굶주려서 56킬로그램의 말라깽이가 되어 있었다.

미 육군 제24보병 사단장 딘 소장은 전체 조선 전쟁 기간 동안에 조선과 중국 측에 포로로 잡힌 미군 최고위 장교였다. 전쟁이 끝나고 나서 딘이 집에 돌아왔을 때, 그는 트루먼과 미군이 미국 국민들에게 진상을 감추고, 자신의 집 안에 "영광스럽게 전사하다"라고 새겨진 구리 재질의 메달을 걸어 놓은 것을 발견했다.

인민군은 비록 대전에서 눈부신 승리를 거두었지만, 그 승리는 전술적인 것이었다. 바로 이번 전역 과정에서, 인민군은 조선 전쟁 기간 동안 유일하게 완승을 거둘 기회를 놓치고 말았다.

전역 과정에서 중부전선 인민군의 공세가 예리했으므로, 맨 먼저 한국에 들어온 미군 3개 사단과 거의 모든 한국 군대는 중부전선에 배치되어 인민군의 주력과 대치하고 있었다. 동쪽과 서쪽 양 측면은 거의 비어 있었으므로, 만약 인민군이 동해안과 서해안으로부터 측면에서 포위 공격을 진행하고, 모든 것을 아랑곳하지 않고 신속하게 남진하여 부산을 점령했더라면, 전쟁은 곧 끝났을 것이다.

아쉽게도 동해안 연안에 있던 인민군 부대는 적이 후방에서 공격할 것을 우려하여, 바다와 조선의 내륙 사이에 가로 놓여 있는 황량하고 인적이 없는 태백산맥에 대한 정찰 활동을 진행하느라 많은 시간을 허비했다. 만약 동부전선의 부대가 과감하게 밀어붙였다면, 당연히 곧바로 포항 끝까지 쳐들어가, 미군과 한국군의 중부 방어선 배후를 포위 공격하여, 경주를 거쳐 곧장 부산까지 갈 수 있었을 것이다. 결과적으로 좋은 기회를 놓치는 바람에, 한국군이 신속하게 영덕에 도착했다. 이때부터 동부전선의 인민군은 한 걸음 전진할 때마다 피의 대가를 지불해야 했다. 그리하여 영덕에서 꼬박 3주 동안 벌인 피비린내 나는 일진일퇴의 공방전에서만, 1개 주력 사단이 궤멸되었고, 수천 명에 달하는 사상자가 발생하는 대가를 지불했다.

서부전선에서는, 인민군의 최정예 제6사단도 한 차례 얻기 어려운 절호의 전략적 기회가 있었다. 당시 이곳의 미군과 한국군은 거의 아무 전투력도 갖지 못한 한국의 경찰 부대만이 치안을 유지하고 있었으므로, 제6사단은 사실상 지키는 사람이 아무도 없는 방어 구역으로 돌진해 들어갔으며, 미군 정보 부서는 심지어 제6사단이 어디에 있는지도 모르고 있었다. 수십 년 후, 미국의 전쟁사학자들은 여전히 두려워하며 그들을 "유령 사단"이라고 불렀다.

제6사단은 남진 도중에 단지 한국 경찰 부대와 약간의 경미한 마찰만 일으켰을 뿐, 줄곧 정체를 드러내지 않자, 제8집단군은 인민군이 한국의 서남부를 통해 공격을 개시할 거라고는 전혀 예상하지 못하고 있었다. 만약 제6사단이 전력을 기울여 남진했다면, 완전히 텅 비어 있던 부산도 점령할 수 있었을 것이고, 그랬다면 미군과 한국군은 어쩔 수 없이 동해안의 작은 어항들에서 배를 타고 목숨만 부지한 채 도망쳤을 것이다. 애석하게도 제6사단은 뜻밖에 며칠 동안의 소중한 시간을 한국의 서남부에 있는 항구들을 점령하는 데 모두 소모해버렸다.

미국의 전쟁사학자들은 지난 일인데도 여전히 두려워하며 이렇게 기록했다: "이 조치는 필요도 없었고, 사람들이 이해하기도 어려운 것이었다. 당시 인민군은 심지어 서남부에는 적들이 지키고 있지 않다는 사실조차 감히 믿지 못하고, 적들이 해상에서 공격해 들어올 것을 염려했기 때문에, 그들은 남서부의 모든 마을들에 가서 적들을 수색하느라, 제6사단의 진격을 지체시켰다. 바로 그때 극도로 혼란에 빠져 있던 제8집단군은 시간을 벌었다."

며칠 후, 상황이 위급하다는 것을 깨달은 제8집단군이 급히 병력을 이동하여 뚫린 구멍을 막자, 인민군은 이 마지막으로 승리할 기회를 놓치고 말았다. 아직 전쟁이 진행되고 있는 동안, 김일성을 포함한 인민군의 많은 장교들은 이를 검토해보고는, 제6사단이 후방을 신경쓰느라 불퇴전의 각오로 부산을 향해 용감하게 진격하지 않은 것은 용서할 수 없는 잘못이라고 평가했다.

두 번의 전략적 기회를 놓치고 나서, 미군이 규합한 유엔군이 대표하는 서방의 강대한 세력을 대하자, 남진 중인 인민군의 모든 승리는 단지 전술적인 승리에 그쳐, 일단 패배하면 전략적인 전체 국면의 패배가 될 운명으로 정해져 있었다.

1950년 7월 20일, 조선인민군의 세 번째 전역인 대전 전역은 비록 승리로 끝났지만, 부산을 함락시킨다는 목적은 달성하지 못하자, 김일성은 다시 전선으로 가서 전투를 독려했다.

17

사람이 많이 죽어갈수록, 전쟁은 더욱 어려워졌다.

충주 소백산 기슭의 수안보에서 군사 회의를 개최한 후, 김일성은 평양으로 돌아갔다.

다음날, 그는 무거운 표정으로 중국 대사 대리 차이청원에게 말했다: "우리의 일부 동지들은 외국의 정규 전술에 집착하여, 단지 도로를 따라 정면으로 정정당당하게 밀어붙이기만 하고, 대담하게 산길로 적의 배후를 우회하여 적을 포위 섬멸하려 하지 못하고 있습니다. 우리에게 제공권이 없는 조건에서, 우리의 특기인 야간전을 잘 발휘하지 못하고 있고, 또한 포병을 사용하는 데도 능숙하지 못하기 때문에, 대전 전역 후에는 적을 더욱 많이 섬멸하지 못하고 있고, 진전이 더딥니다."

차이청원이 물었다: "미군의 전투력은 어떻습니까?"

"미군의 전투력이 어떠한지도 시종일관 우리가 관심을 가진 문제입니다." 김일성은 고개를 저으며 말했다. "그러나 전선에 나가 있는 지휘관들의 관점이 비록 모두 똑같지는 않지만, 그들이 나에게 말하기로는, 미군의 전투력은 아직 남조선군보다 못하다고 합니다. 남조선군은 갈수록 무기를 버리려 하지 않지만, 미군은 쉽게 무기를 버리고, 손을 들어 투항한답니다."

중국 대사 대리가 대전 전역의 상세 보고서를 받아보고 싶다고 제의하자, 김일성은 즉시 동의했다. 곧바로 전황이 급전직하하는 바람에, 중국은 영원히 이 상세 보고서를 보지 못했다.

김일성과 차이청원이 회담할 때는, 인민군의 네 번째 전역이 시작된 지 이미 10여 일이 지났다. 이 전역은 대전 전역이 끝난 다음날 개시되었으며, 조선 역사에서는 이것을 "낙동강 전역"이라고 부른다.

인민군의 전역 배치는 제1군단과 제2군단의 2개 군단이 나란히 김천과 대구 방향으로 주공격을 실시하여, 낙동강 유역에 도달함과 아울러 서남 지역 전체를 해방시키고, 최종적으로 부산을 공격할 전진 기지를 건립하여 대량으로 적을 섬멸하려는 의도였다. 하지만 전세가 갈수록 심상치 않았다.

막강한 수송 수단에 의지하여 수많은 미군이 끊임없이 부산을 통해 한국에 들어오고 있었는데, 그 인원의 숫자·무기의 질·화력이 이미 인민군을 넘어서고 있었다. 미국은 녹이 슬어 잠시 원활하게 작동하지 못하던 전쟁 기기들이 정상으로 작동되기 시작하자, 그 위력은 놀라울 정도였다. 인민군의 이 당시 상책은 방어로 전환하거나 아예 한강 방어선으로 물러나는 것이었다. 그러나 안타깝게도 조선 주재 소련 대사 스티코프와 소련 군사 고문단은 적을 가볍게 여겨, 여전히 인민군을 남진시켜야 한다고 고집을 부렸다. 인민군은 한 걸음 한 걸음 불구덩이를 향해 힘차게 나아가고 있었다. ……지금 인민군은 미국의 끝임 없는 공습과 보급 부족을 가장 두려워하고 있었다. 조선은 좁고 긴 반도로, 남북으로 향하는 도로는 몇 개밖에 되지 않아, 인민군의 남진하는 부대에 대한 보급은 원래 해운을 통해 해결하려고 준비했었다. 그런데 미군의 참전으로 인해 해운을 통한 보급이 불가능해지자, 대량의 군수 물자는 도로와 철도를 통해 천천히 전선으로 운반할 수밖에 없었다. 게다가 인민군이 남쪽으로 가면 갈수록, 양쪽으로 방어가 필요한 해안선도 길어져, 후방은 갈수록 텅 비게 되었고, ……미군의 공습은 갈수록 맹렬해졌다. 미국 사료의 기록에 따르면, 7월 말이 되자, 미군과 한국군이 받은 공중 화력 지원은 심지어 브래들리(Omar Nelson Bradley, 1893~1981) 5성 장군의 제12집단군이 노르망디 상륙 작전에서 받았던 지원 총량보다 많았다고 한다.

하늘을 뒤덮은 미군 비행기들은 밤낮으로 인민군 전선 부대 후방의 철도·도로·교량을 폭격했으며, 북조선의 공장·기업·광산·도시·학교도 미군의 공습을 받기 시작했다. 폭탄이 떨어진 곳에서는 조선의 군수품 생산이 급격히 하락했는데, 완전히 파괴될 때까지 계속되었다. 인민들은 사방으로 도망쳤고, 장병들의 피와 살은 사방으로 튀어, 그 참상은 차마 눈을 뜨고 볼 수 없을 정도였다. 일본인의 통계에 따르면, 전쟁 시작부터 7월 말까지 인민군 사상자는 5만 8천 명을 넘어서, 남진하는 부대의 거의 절반에 달했다. 전투 중에 죽거나 부상을 당한 인원들의 절대 다수는 군대에서 없어서는 안 될 경험 많은 노련한 병사들과 지휘관들로, 인민군의 전력이 급격히 하락하면서, 이미 헛되이 오래 시간을 끄는 전쟁을 감당하기 어려운 심상치 않은 추세들을 뚜렷이 드러내고 있었다. 전방으로 통하는 도로와 교량들은 폭파되면 수리하고, 수리하면 폭파할 수밖에 없어, 전쟁을 지탱하는 데 필요한 각종 물자들은 내내 전선에 순조롭게 도착하지 못했다. 미국의 극동공군이, 김일성이 전선 부대에 수혈하는 대동맥을 성공적으로 차단하자, 적과 혈전을 벌이고 있는 인민군의 전선 부대에는 식량·탄약·인원·약품들이 부족해지기 시작했다. 그리하여 그들이 의지할 수 있는 것이라고는 높은 사기와 조국 통일을 위해 어떤 희생도 두려워하지 않는 희생정신뿐이었다. 그 정신에 의지하여, 인민군 장병들은 여전히 생사를 돌보지 않고 용감하게 남쪽으로 진격하여, 줄곧 파죽지세로 미군과 한국군의 방어선을 하나하나 무너뜨렸다.

서울-부산 간 도로에서는, 120대의 T-34가 대전에서 대구까지 도로를 따라 맹렬하게 진격했고, 6개 사단의 인민군 보병들은 탱크 옆에 바짝 붙어 전진하면서, 많은 전술적 승리를 거두었다. 7월 23일, 제3사단은 서울-부산 간 도로에서 미국의 최정예 부대인 제1기병 사단과 피와 살점이 튀는 육박전을 벌였는데, 총검으로 1개 대대의 미군을 격파했다. 7월 29일까지, 인민군 주력 부대는 남하하는 다른 부대와 협력하여, 영동·황간(黃澗) 일대에서 미국 제1기병 사단과 제25사단의 저항을 격파하고, 승세를 몰아 김천 경계선까지 추격했다. 이어서 다시 대단히 화려한 야간전을 벌였는데, 한 방면에서는 험준한 추풍령을 정면 공격했고, 또 다른 방면에서는 남부를 우회하여 힘차게 나아갔다. 추풍령을 공격하는 전위의 탱크 정찰대가 갑자기 야간에 공격을 가하여, 제1기병 사단 직속 부대의 지휘부를 박살내자, 주력 부대가 뒤이어 맹렬하게 공격하여 일거에 험준한 추풍령을 점령했다. 낙동강으로 통하는 대문이 열린 것이다.

즉시 인민군의 서쪽 측면 부대가 포위 공격하여, 김천에 있는 적군을 포위 섬멸했다. 또 다른 인민군도 금산 등지에 있던 수비군을 성공적으로 격파하고, 합천을 공격했다. 그리고 서해안을 따라서 서남 방향으로 우회하던 인민군 연합 부대는 신임 사령관인 김광협 장군의 통솔하에 일거에 광대한 호남 지역을 점령하고, 진주의 동북쪽으로 쇄도해 들어갔다. 하동에서는 맹렬한 박격포탄이 폭발한 후에, 한국의 전 참모총장이었다가, 강등되어 당시 경남 지구 편성군 사령관이 된 "뚱보" 채병덕이 비명횡사했다. 미국 진영도 산산조각 나서, 하천 주변의 한 구역 논바닥에만 313구의 시체가 너부러져 있었다. 인민군의 정예 부대이자 중국에서 돌아온 정예 사단인 제6보병 사단이 직접 부산의 관문인 마산을 위협하기 시작했다.

중국에서 조선으로 돌아온 전사들이 주체가 되어 조직된 또 다른 사단인 제12보병 사단도 설욕에 나섰다. 대담하게 우회하여 2천 명의 적군을 섬멸하고, 8월 1일에 안동을 점령하자, 김일성은 곧바로 "안동 명예 사단"이라는 호칭을 부여하여 사기를 진작시켰다. 낙동강 서안의 방어 진지들이 줄줄이 인민군의 수중에 들어갔고, 8월 3일에는 각 방면의 인민군들이 마침내 낙동강의 세차게 흘러가는 강물을 보게 되었다. 이제 부산 앞에는 마지막 한 줄기 강물만이 가로막고 있었으며, 승리가 눈앞에 보였다.

참혹한 패배를 당하자, 미군의 전쟁에 징집된 인원들의 사기는 이미 극도로 저하되었다. 미군의 한 하사인 스티븐 지거(Stephen Zieger)는 기자에게 분노하며 하소연했다: "내 조국을 위해서 나는 싸우고 싶은데, 이 괴상한 곳을 위해서 싸우다니. 제기랄! 내가 왜 이래야 하는지 모르겠어요!" 미군 소위 한 명은 일기에 다음과 같은 글을 썼다: "우리의 탄약은 곧 바닥날 것이고, 사상자가 엄청나서……전체 소대에서 6명만이 아직 싸울 수 있었는데……그때 총알 하나가 내 턱을 맞혔고, 피가 곧바로 목구멍으로 흘러들어가 숨조차 제대로 쉴 수 없었다. ……또 다른 총알이 내 오른쪽 어깨를 맞혔는데, 총알의 충격력에 밀려 쓰러져, 나는 산비탈을 따라 꽤 먼 거리를 구른 다음에야 멈췄다. 전쟁, 잔혹하구나! 잔혹하구나, 전쟁은!"

전선이 위기에 처하자, 맥아더는 직접 극동 사령부의 고위 장교들을 대거 거느리고 대구로 가서 전투를 독려했으며, 제8집단군 사령관 워커에게 다시는 반 발짝도 후퇴해서는 안 된다고 엄명을 내렸다. 미군은 이제 물러설 수 없었다. 다시 물러났다가는 파도가 용솟음치는 동해로 뛰어들어야 했다. 맥아더에게 한바탕 힐책을 당한 불독 워커는 곧바로 부대로 내려가 자기 휘하의 두 사단장들을 크게 꾸짖었다. 워커 중장은 먼저 제1기병 사단장인 게이(Hobart R. Gay, 1894~1983) 소장을 매우 호되게 꾸짖었다. 그런 다음 제25사단 사령부로 가서, 사단장인 킨(William B. Kean, 1897~1981) 소장에게는 조선전쟁 3년 동안에 미국인이 했던 가장 유명한 명령을 내리고, 제8집단군에게 반드시 낙동강 방어선을 사수해야 한다고 요구했다. 몇 시간 후, 미국 제8집단군 장병들은 이 명령에 대해 몹시 놀라지 않을 수 없었다.

"우리가 진행하는 것은 시간을 벌기 위한 전쟁이다. 더 이상 후퇴하거나 철수하거나 진지를 조정하는 등등 상상 가능한 어떠한 조치도 더 이상 안 된다. 우리는 더 이상 물러날 곳이 없다!"

"각 부대들은 반드시 반격하여 북한인들로 하여금 혼란에 빠지게 해야 한다. 됭케르크(Dunkerque)[73]에서와 같은 일이 다시 있어서는 안 되며, 바탄(Bataan)[74]에서와 같은 일도 다시 있어서는 안 된다. 부산으로 물러나 지킨다면, 그 도시는 역사에서 가장 큰 도살장 중 하나가 될 것이다!"

"우리는 반드시 끝까지 싸워야 한다. 북한인들에게 포로가 되는 것은 죽느니만 못하다. 우리는 반드시 생사를 함께 하고 고난도 함께 해야 한다. 어느 누구라도 진지를 잃는다면, 그는 수천 명의 동료들을 죽게 한 책임을 져야 할 것이다!"

"나는 이 명령을 전 사단의 모든 사람들에게 전할 것을 요구한다. 나는, 우리는 결코 후퇴하지 않을 것이며, 우리는 반드시 이긴다는 것을 사람들이 모두 알기를 희망한다."

18

미국인의 공중 우세와 화력은 매우 지독했다. 인민군 장병들은 불에 뛰어드는 나방처럼 무더기로 미국인들의 화망 속에서 쓰러져 갔다.

잇달아 미국인 화력의 급습을 당하여, 인민군 주력 제3사단은 며칠 동안에 2천 명 가까운 사상자를 내고, 결국 겨우 2,500명만 살아남아 전장을 떠나야 했다. 진동리(鎭東里)[75] 북쪽에서, 한 보병 대대는 차에서 내릴 때 미국 포병에게 포착되어 천지를 뒤덮는 포격을 받고 몇 분 만에 400명의 장

73 1940년 제2차 세계대전 당시, 수세에 몰린 연합군을 추격하여 섬멸하려는 독일군이 잘못 판단하여 프랑스의 됭케르크 부근에서 3일 동안 진격을 멈추는 바람에, 영국군 33만 명이 바다를 통해 무사히 탈출했다.

74 1942년, 필리핀을 침공한 일본군은 맥아더가 이끄는 미국-필리핀 연합군이 마닐라로 후퇴할 거라고 예상하고 작전을 펼쳤으나, 예상과 달리 맥아더는 바탄 반도로 철수했기 때문에, 결과적으로 미국-필리핀 군대에게 5개월의 시간을 벌게 해주어, 차후에 일본군은 엄청난 타격을 입게 된다.

75 지금의 창원시 마산합포구에 위치한 지역으로, 낙동강 방어선에 인접해 있었다.

병들이 목숨을 잃었다. 제5사단은 미국 해군의 함포에 맞아 살상되었는데, 이틀 만에 1,200명의 장병을 잃었다. 정예 보병인 제4사단도 한 차례 낙동강 도하를 시도하는 전투를 벌이고 나서, 3개 연대가 각각 3~4백 명 정도만 살아남았다. 정예 제12사단은 안동을 공격하는 전투에서 공습으로만 600명이 희생되었고, 30대의 탱크 중 11대가 파괴되었으며, 사단장인 최춘국(崔春國, 1914~1950) 소장마저도 포격으로 희생되자, 면직되었던 최인 소장이 복귀했다. 남진하여 공격하는 과정에서 줄곧 맨 앞에 섰던 선봉인 제105탱크 여단은 불구가 되었다. 사실상 그 부대가 전멸하는 바람에, 인민군이 전선에서 보유한 탱크는 고작 40대밖에 남지 않았다. 전선에 있는 모든 11개 사단의 병력은 다 합쳐도 6만여 명밖에 안 되었다.

워커 중장은 미국 해군과 공군에게 감격에 겨워 울먹이며 말했다: "해군과 공군의 지원을 많이 받았습니다. 만약 그들의 지원이 없었다면, 제8집단군은 무슨 수를 쓰더라도 부산을 지켜내지 못했을 겁니다!"

인민군은 더 이상 흘릴 피가 없을 지경이었다.

정말로 사람들이 믿기 어려웠던 것은, 이 당시 탈진한 6만 명의 인민군에게 공격을 받아 포위된 유엔군이 뜻밖에도 무려 14만 명이나 되었다는 것이다. 인민군과 적군의 병력은 1 대 2였으며, 화력은 비교할 수도 없었다. 미군이 직접 전장을 지원하는 데 사용하는 비행기는 1천여 대에 달했지만, 인민군은 단 한 대도 없었다. 인민군 정예 제4사단의 화포는 12문뿐이었지만, 미군은 1개 사단에만도 수백 문이 있었다. 인민군 전선 부대의 탱크는 단지 40대에 불과하여, 한국에 막 도착한 미군 제89전차 대대 단 1개 대대가 보유하고 있는 수량에도 미치지 못했으며, 탱크의 질적 우세도 점점 미국인 쪽으로 바뀌고 있었다. 90밀리 장갑[76]과 고속 화포를 장착한 중형 M-26 퍼싱(Pershing) 탱크가 도착했고, 제2차 세계대전 중 태평양의 섬들에서 침몰한 '셔먼(Sherman)' 탱크도 일본인들에 의해 긴급히 수리된 다음 전선에 도

76 M-26 탱크의 장갑에서 가장 두꺼운 부위는 무려 110밀리나 되었다.

착했다. T-34와 성능을 겨룰 수 있는 갖가지 형태의 우수한 탱크들이 매우 빠르게 증가하여 500대에 달했다.

이렇게 우세한 적군을 맞이하여, 인민군의 각 부대들은 뜻밖에도 무리한 도하가 성공하여, 일거에 "철옹성"이라고 불리며 워커가 사수하라고 명령했던 낙동강 방어선을 돌파하고, 기병 제1사단과 제25사단에게 심대한 타격을 가했다. 제2군단은 동해안으로부터 곧바로 포항을 공격했는데, 그 용맹함은 사람들로 하여금 숙연함에 옷깃을 여미게 했다.

자국 부대 전투력의 허약함을 감추기 위해, 미국인들은 세계를 향해 인민군의 주력이 적어도 자신들의 4배는 된다고 말했다. 미국의 주간지 『타임』은 "북한 부대는 마치 물결처럼 끊임없이" 기병 제1사단을 향해 공격해 왔으며, "쌍방의 병력 비율은 거의 4 대 1 정도이다"라고 보도했다. 전 세계는 미국인들에게 수십 년 동안 속아왔다. 마치 미군은 이렇게 피와 살이 튀는 기간 동안, 낙동강 연안에서 절대적 우위를 차지하고 있는 인민군의 인해전술 공격에 저항한 것 같았다. 전쟁의 먼지가 마침내 잦아들었을 때, 미국 육군의 권위 있는 전쟁 역사가인 베빈 알렉산더는 매우 찬탄하면서 진실을 말했다: "비록 이미 전쟁이 오랫동안 늘어지면서 기진맥진했고, 수많은 상황 하에서 심지어는 식품마저 바닥났지만, 북한인들은 사람들이 믿기 힘든 역량의 차이에 직면해서도, 여전히 버텨냈다. 과감하고 용맹하며 필승의 신념으로 충만한 전사들이 만들어내는 역량의 착시 현상은, 북한 군대가 1950년 여름에 표현해냈던 것만큼 완전했던 적이 지금까지 없었다."

1950년 8월의 한국은 피비린내와 참혹함으로 가득하여 사람들을 미치게 할 정도의 인간 지옥이었다. 그해 8월, 남한의 강우량은 평년 강우량의 4분의 1에 불과하여, 포화의 초연과 하늘을 온통 뒤덮은 흙먼지가 날아다녔으며, 기온은 사람이 참기 힘들 정도로 높았다. 이 죽음의 도살장에서, 기진맥진한 병사들은 온 하늘을 가려 사람들로 하여금 숨을 쉬기도 어렵게 하는 연기와 먼지 속에서, 원초적 본능에 의지하여 싸우고 있을 때, 대규모의 미군 증원 부대가 부산에 도착했다. 영국 제27여단도 도착했는데, 이들은 미군을 제외하고 최초로 한국에 들어온 이른바 유엔군 부대였다. 8월 7일 아침, 미국 해병대 제35연대 제2대대는 미군이 조선 전쟁에서 벌인 최초의 반격을 시작했다. 배불리 먹지도 못한 인민군은 완강하게 저항하면서, 개인 화기에만 의지하여 이빨까지도 무장한 미군 장갑 부대를 저지했다. 8월 12일, 인민군은 봉암리(鳳巖里)[77]에서 미군의 중앙 방면 공격의 주력 부대인 해병대 제5대대[78]에게 호된 일격을 가했다. 낙화유수처럼 참패한 미국인들은 상심하여 이곳을 "피의 계곡"이라고 불렀다.

8월 20일, 쌍방 모두 더 이상 싸울 기력이 없었고, 피로가 극에 달한 부대는 급히 휴식과 정비가 필요해지자, 인민군의 낙동강 전역은 마침내 끝났다.

이것은 인민군의 경천동지한 남정(南征)에서의 마지막 찬란함이었으며, 아름다운 백조가 사람의 마음과 눈을 사로잡은 최후의 절창(絶唱)이었다.

상처투성이의 인민군은 다시 필사적으로 상처를 핥으면서, 가능한 모든 병력과 물자를 전선으로 이동시켜, 온 힘을 다해 자신이 쓰러지기 전에 먼저 얻어맞아 비틀거리는 미국인들을 부산에서 쫓아낼 준비를 하고 있었다. 새로운 제5차 전역이 또 준비되고 있었다.

이때, 조선인민군은 조선의 90% 이상의 땅과 92% 이상의 인구를 확보했고, 그 해방구에서는 이미 광범위한 민주 선거와 토지 개혁을 실행하여, 사회주의 제도를 확립했다. 그리고 미군과 이승만 군대는 낙동강 동쪽의 고작 1만 평방킬로미터의 협소한 지역으로 밀려났다. 김일성은 마침내 승리는 수중에 있다고 생각했다. 기뻐서 어쩔 줄 모르는 김일성은 연설을 발표했다:

"8월은 조선의 국토를 완전히 해방시키는 달이 될 것입니다!"

김일성의 우렁차고 자신감이 넘치고 기쁨이 충만한 목소리를 방송으로 듣고, 소련인들은 미친 듯이 기뻐했으나, 중국인들은 근심에 휩싸였다. 그리

77 경상남도 창원시 마산합포구 진전면 봉암리

78 한국측 자료에 따르면, 이 책에서 언급된 미국 해병대 제5대대는 사천 방향으로 공격해 나갔고, 봉암리에서 인민군에게 패배한 미군은 근접 전투 능력이 떨어지는 3개 포병 대대라고 한다. 국방부 군사편찬연구소 발행, 『6·25전쟁사 5, 낙동강 방어 작전』, 2008, p. 298 참조.

고 맥아더는 도쿄 사령부의 창가에 서서 일본 황궁을 내려다보면서 비웃고 있었다.

이 늙은 여우는 웃으면서 매우 즐거워하고 있었다.

제3장

압록강을 건너 조선 전장으로

1

고집불통의 맥아더는 상륙 작전을 마음속으로 편애했다. 그는 수많은 상륙 작전의 달콤함을 맛본 적이 있었다.

맥아더는 매우 풍부한 상륙 작전 경험을 갖고 있었다. 태평양의 각 섬들을 점거하고 있던 일본군과 싸울 때, 맥아더는 절대적으로 우세한 해군과 공군의 엄호에 의지하여, 일본군이 삼엄하게 방어하는 정면을 피해, 일본군의 측면과 후방으로 우회하여 상륙한 다음, 배후에서 일본군에게 치명적인 일격을 가했다. 수많은 일본 군대가 이렇게 맥아더의 손 안에서 쓰러져 갔다. 상륙 작전은 허영심이 극도로 강한 '더그(Doug)'[79]에게 무수한 영광을 안겨주었다. 그 자신이 수십 차례의 크고 작은 상륙 작전을 조직했으며, 직접 지휘한 적도 11차례나 되었으니, 그는 세계가 공인하는 수륙 합동 작전의 대가였다.

인민군이 서울을 점령하던 날, 비분에 가득 찬 맥아더는 서울 남쪽의 작은 산 위에서, 화약 연기가 피어오르고 불길이 치솟는 서울과 눈사태처럼 패퇴하여 내려오는 한국의 패잔병들을 한참 동안 응시했다. 훗날 그는 회고록에서 그 당시의 일을 이렇게 기록했다: "그 산 위에서, 내 머릿속에서는 현재의 절망적인 상황에 대처할 수 있는 유일한 방법은 바로 미국 육군을 투입하여, 패배를 승리로 뒤집을 수 있는 유일한 전략적 기동—인천 상륙작전—을 그리고 있었으며, 또한 구체적으로 실시할 수 있는 가능성도 분석하고 있었다."

인천은 한국의 수도인 서울의 항구 도시로, 그 거리는 불과 40킬로미터밖에 안 되었으며, 마치 중국의 베이징과 톈진(天津)의 관계와도 같았다. 인천은 조선 국토의 가장 좁은 중부 지대에 위치해 있어, 이곳은 흔히 조선의 "벌의 허리"라고도 불린다. 인천으로 상륙하여 서울을 점령하면, 곧 조선 전

79 남자 이름인 더글러스의 애칭으로, 맥아더(Douglas MacArthur)를 가리킨다.

체를 중부에서 남과 북 두 개로 자를 수 있다.

대담하게 구상하고 과감하게 실천하는 맥아더는 도쿄에 돌아오자마자 다음과 같은 작전 방침을 제출했다: "우선 북한 군대의 남진을 저지한 다음, 인천에 상륙하여 그 보급로를 차단하고, 남쪽과 북쪽에서 합동 작전을 펼쳐, 일거에 그들을 격파한다." 그리고 참모장인 알몬드(Edward Mallory Almond, 1892~1979) 소장에게 상륙을 위한 구체적인 방안을 연구하라고 명령했다.

7월 4일, 맥아더는 일본 간토(關東) 지방에 주둔하고 있는 미국 기병 제1사단에게 인천에 상륙할 준비를 하라는 명령을 내렸다. 그런데 뜻밖에도 인민군의 공격이 너무 맹렬하여, 매우 빠르게 제8집단군을 부산까지 밀어붙임으로써, 맥아더의 전략적 배치를 철저하게 망쳐버렸다. 만약 부산이 함락된다면, 설령 맥아더 같은 대담한 자라도 감히 인천에 상륙할 수 없게 되고, 상륙하더라도 인민군에게 각개격파당할 것이다.

그리하여 맥아더는 한편으로는 부산에 병력을 증원하는 데 박차를 가하면서, 다른 한편으로는 인천에 상륙할 준비 작업에 매진했다. 상륙 작전에 필요한 병력을 보충하기 위해, 맥아더는 심지어 미국 군대 역사상 가장 기이한 실험을 했다. 즉 그는 한국 병사들을 미군 작전 사단에 보충했고, 심지어 미국 병사 한 명이 한국 병사 한 명을 책임지고 도와 가르치게 하는 '1 대 1 교육 협동 체제'까지도 실시했다.[80] 미국인 자신들의 전쟁사조차도 이에 대해 겸연쩍게 말하고 있다: "제7사단은 8,600명의 남한 사람들을 충원했는데, 그들 중 많은 이들은 길거리에서 얼떨결에 끌려온 평민들이었다."

8월 15일, 인민군과 미군·한국군이 부산 외곽에서 교착 상태에 빠지기 시작하자, 맥아더는 부산을 지키는 데는 큰 문제가 없다고 느끼고, 이날 상륙 부대 사령부를 창설했다. 제1차 세계대전에서 기관총 대대장이었던 알몬

80 이 조치는 맥아더와 이승만이 구두로 합의한 다음 실시되었다. 이후 미국 육군 내에 한국인들이 근무하는 형태는 KATUSA(Korean Augmentation Troops to United States Army)의 창설로 공식화되었다.

드 장군이 그에게 이렇게 보고했다: "저는 상륙 부대의 사령관을 결정해야 할 때가 이미 되었다고 생각합니다."

맥아더는 담배 파이프를 두드리더니, 자신의 참모장을 뚫어지게 바라보며 말했다: "바로 자네일세, 알몬드."

놀라서 눈을 동그랗게 뜬 알몬드를 바라보며, 맥아더는 자신 있는 미소를 지었다: "내가 좋아하는 알몬드, 전쟁은 몇 주면 끝날 것이니, 전쟁이 끝나면 자네는 도쿄로 돌아와서 나의 참모장이 되어 주게나."

모든 것이 순조롭게 진행되고 있을 때, 맥아더의 계획은 워싱턴에서 막혀 버렸다.

원래 상륙 작전에 찬성하던 워싱턴의 군부 수뇌들은, 맥아더가 상륙 지점을 인천으로 정했다는 말을 듣자, 즉각 아연실색했다.

인천은 세계에서 상륙하기에 가장 부적합한 항구로, 단지 좁디좁은 '비어 수로(飛魚水路: 인천 앞바다의 좁은 수로로, 조류 속도가 매우 빠르다-옮긴이)' 하나만을 통해 항구로 들어갈 수 있어, 비록 한 척의 배라도 북조선에 의해 격침된다면 전체 수로가 막히게 된다. 또 만조 때의 수위는 35피트에 달하고, 간조 때에는 해변에 몇 킬로미터에 이르는 넓은 갯벌이 사람을 빠져 죽게 할 수도 있었다. 인천에 상륙하는 것은 큰 모험이었다.

펜타곤의 거의 모든 고관들은 인천에 상륙하는 것을 반대했으며, 후에 펑더화이를 골치 아프게 했던 리지웨이(Matthew Bunker Ridgway, 1895~1993)조차도 인천에 상륙하는 것은 "1 대 5천의 도박"이라고 말했다. 육군 참모총장 콜린스(Joseph Lawton Collins, 1896~1987) 대장과 해군 참모총장 셔먼(Forrest Sherman, 1896~1951) 대장은 인천 남쪽 100마일 지점에 있는 군산에 상륙할 것을 강력히 주장했다. 미국 합동참모회의 의장 브래들리는 다음과 같이 말했다: "나는 이것이 내가 지금까지 들어본 것 중 가장 모험적인 군사 계획이라고 말할 수 있습니다. 이것은 허무맹랑한 방안이며, 인천은 틀림없이 수륙합동 상륙 작전을 진행하기에 최악의 장소일 것입니다."

화(禍)는 복(福)에 의지하는 법인데, 노르망디로부터 베를린을 공격해 들어갔던 합동참모회의 의장 브래들리 5성 장군은 단지 하나의 전선으로 밀어붙이는 전쟁만 알고 있어, 장기간 동양에서 살았던 맥아더가 사용하는 동양식의 교활한 전술을 도무지 이해할 수 없었다. 그들은 단지 위험한 측면만 보았을 뿐, 진정한 전략적 기회는 모두 위험 속에 잠복해 있다는 것을 알지 못했다.

8월 6일, 트루먼은 자신의 가장 강력한 정치적 지지자이자 억만장자인 해리먼(William Averel Harriman, 1891~1986)을 도쿄에 파견하여 맥아더와 타이완에 대한 정책에 대해 의논하게 했다. 해리먼은, 7개국 언어에 정통한 자신의 조수이자, 19년 후에 파리에서 황전(黃鎭, 1909~1989)과 2년 동안 비밀회담을 하여, 키신저(Henry Alfred Kissinger, 1923~)의 중국 방문을 위한 길을 닦게 되는 월터스(Vernon A. Walters, 1917~2002)를 데리고 갔다. 이 기회를 빌려 합동참모회의는 육군 참모차장 리지웨이와 공군 참모차장 대리 노스태드(Lauris Norstad, 1907~1988)를 함께 도쿄에 보내, 맥아더의 상륙 계획과 부대의 구체적인 요구를 파악하도록 했다.

해리먼, 리지웨이, 노스태드는 모두 세상물정에 밝은 사람들이었지만, 도쿄에 머문 3일 동안은 또한 그들로 하여금 눈이 어지러울 정도로 시야를 크게 넓혀주었다. 맥아더는 온갖 수단을 다해 멀리서 온 사람들을 극진히 대접했으며, 조금도 무뚝뚝하거나 거만한 기색이 없었다. 맥아더가 다른 사람에게 부탁을 할 때, 이 위대한 연기의 천재는 그 사람으로 하여금 자신이 전생에 그의 가장 친했던 친구라고 여기도록 만들 수 있었다(행동이 우악스러웠던 패튼도 이러한 일들을 많이 했는데, 그는 이것을 가리켜 그 사람의 엉덩이를 핥는 것이라고 말했다).

불과 3일 만에, 세 사람은 모두 맥아더의 '크로마이트(Chromite) 계획'(인천 상륙 작전의 암호명)에 대해 동의했다. 리지웨이는 "인천 상륙은 1 대 5천의 도박"이라고 했던 말을 잊어버렸으며, 심지어 미국 국내에 있는 2개 보병 사단 중 하나인 제3사단을 속각 파견해서 증원하기로 동의했다. 해리먼은 리지웨이에게 슬그머니 이렇게 말했다: "정치적 요소와 개인적인 의견을 버리고, 정부는 마땅히 맥아더를 나라의 소중한 보배처럼 대해야 합니다." 그리고 리지웨이는 워싱턴에 돌아와서 "뛰어나다"라는 말로 맥아더의 모험적인 계획을 칭송했다.

맥아더의 상륙 계획은 시작 단계에서부터 지지를 얻기 시작했다.

8월 21일, 도쿄의 비행장에 장성들이 운집했고, 맥아더는 국내에서 날아온 콜린스 대장, 셔먼 대장, 에드워드 중장 등의 대원들을 열렬하게 영접했다. 인천 상륙 계획에 관한 모든 것은 그들이 국내에 가지고 돌아가는 보고에 의해 결정될 것이었다.

8월 23일, 미국 태평양 총사령부의 모든 두뇌들이 맥아더 사령부의 도쿄 제1빌딩에 집결하여, '크로마이트 계획'의 상세한 내용을 청취했다.

극동 사령부의 작전처장인 라이트 소장이 우선 기본 계획에 대해 대략적으로 설명했다: "제1해병 사단과 육군 제7보병 사단은 인천항을 직접 상륙 공격함과 아울러, 인천의 동쪽이자 한강과 영등포의 남쪽에 위치한 김포비행장을 일거에 점령합니다. 그런 다음 강을 건너가서, 서울과 그 북쪽의 고지들을 점령합니다. 그 후 남쪽의 부산에 있는 제8집단군이 북한의 포위망을 뚫고 북상하여 인천 상륙 부대와 합류하여, 인민군의 주력 부대를 한국의 남부에서 절단하여 섬멸합니다."

도일(James Henry Doyle, 1897~1981) 대장과 콜린스 대장은 계획을 다 듣고 나더니, 즉각 인천에 상륙하기 곤란한 점을 강조했다. 도일은 이렇게 결론지었다: "인천의 작전은 결코 불가능한 것은 아니지만, 나는 결코 찬성하지 않습니다."

콜린스 대장은 아예 다른 상륙 지점을 제안했다: "나는 인천이 아니라 군산으로 상륙하는 것을 고려해야 한다고 제안합니다. 군산은 인천과 같은 자연 조건 상의 결함이 없으며, 군산과 대전을 관통한다면 적의 주요 보급선에 도달할 수 있고, 또한 대전 부근에서 제8집단군과의 신속한 합류를 확보할 수 있습니다. 셔먼 장군도 나의 의견에 찬성했습니다."

맥아더는 미소를 지으며 두 대장의 말을 다 듣고는, 손에 담배 파이프를 듣고 조용히 일어섰다.

"맥아더는 여전히 침착하고 냉정한 모습으로, 늘 그래왔던 것처럼 매우 자신 있게 이야기하면서 왔다 갔다 했어요. 그는 늘 사람들에게 이런 인상을 줬어요. 눈앞에 있는 청중에게만 말하는 것이 아니라, 마치 눈에 보이지 않는 아주 많은 수의 청중에게도 이야기하는 것 같았지요." 비록 일찍이 들은 바가 있었지만, 콜린스는 맥아더의 모습에 대해 이렇게 감탄해 마지않았다.

맥아더의 비범한 자신감은 이미 반대 의견을 가지고 있던 장군들을 동요하게 만들고 있었다. 이어서 맥아더는 45분에 달하는 웅변으로 마침내 그들을 철저하게 정복해버렸다:

"적들은 자신의 후방을 소홀히 하고 있으며, 또한 취약한 보급로에 전적으로 의지하고 있습니다. 신속하게 서울을 점령하고, 서울이나 서울 부근을 관통하는 교통로를 탈취하면, 곧 적의 보급선을 차단할 수 있습니다. 북한군은 거의 모든 병력을 남부의 제8집단군을 공격하는 데 배치해 놓아, 거의 훈련을 받지 못한 예비 부대가 와서 상륙을 막아내야 하는 데다, 그들이 마주하고 있는 제8집단군의 공격 속에서 제대로 숨조차 쉬기 어려운 처지에 있습니다. 인천 남쪽의 100마일 지점에 있는 군산으로 상륙한다면, 너무 얇아서, 북한의 보급선을 차단하기 어렵습니다……."

자신의 연설에 도취되어 있던 맥아더는 정신을 차리고 난 뒤, 그 자신이 연설을 중단했는데도 그 자리에 있는 모든 장군들이 뜻밖에도 여전히 자신을 쥐 죽은 듯이 바라보고 있는 것을 발견하고는, 이제 맥아더는 자신이 필요로 하는 것들을 이미 얻었다고 믿었다.

8월 26일, 인천 상륙을 담당할 미국 제10군단이 편성되어, 미국 군대 가운데 가장 전투력이 뛰어나고 명성이 높은 해병대 제1사단과 일찍이 태평양의 전장을 누비던 제7보병 사단 및 일부 한국 부대를 휘하에 관할하게 되었다. 알몬드는 제10군단장을 맡았고, 동시에 맥아더의 참모장을 겸임했다.

인천 상륙이 구체적인 실시 단계에 진입하기 시작했다.

미국 군사학자(軍史學者)들은, 어째서 트루먼과 해리먼 등 정부의 문관 관료들이 모두 맥아더의 모험에 찬성했는데도, 전쟁에 의지해 출세한 펜타곤의 장교들은 오히려 누차 실패를 두려워하여 반대했는지, 줄곧 매우 의아해했다. 이로부터 서양의 군사적 개념이 물질적인 요소를 지나치게 중시한다는 편협한 결점을 명확히 알 수 있다. 미국인 스스로가 말하듯이, 서양의 군인들은 기술을 중시하고, 중국의 군인들은 전략 전술을 중시한다. 맥아더는 확실히 동양의 군사 개념을 흡수할 수 있었던 미국의 드문 인재였고, 그의 인천 상륙 작전은 분명히 지휘 기술과 군사적 강력함이 결합된 걸작이었다.

그러나 뛰는 놈 위에 나는 놈이 있는 법이니, 세계적인 명장 맥아더는 다음 사실을 까맣게 모르고 있었다. 8월 23일, 그가 인천에 상륙하기로 결정한 바로 그날, 그보다 더 뛰어난 중국 군인은 이미 그가 인천에 상륙할 것이고, 또한 상륙 날짜도 바로 그가 결정한 9월 15일이라고 확정하여 계산해 냈으며, 상륙할 시간도 분(分)까지 정확하게 예측하고 있다는 것을!

2

중난하이 쥐런탕 입구 안에는 작은 길이 나 있는데, 작은 길의 왼쪽은 펑더화이가 거주하며 일하는 곳이었다. 오른쪽은 경비가 삼엄하기로는 공화국에서 최고라 할 만한 단층집이 있었다.

위인은 사람을 쓸 때 직관에 많이 의존한다. 총참모부 작전실의 레이잉푸(雷英夫, 1921~2005) 중장은 마오쩌둥이 직관으로 발견하고 직접 키운 인재였다.

레이잉푸가 걸어온 길은 중국 군대가 전장에서 배출한 수많은 우수한 장교들과는 달랐다. 1938년, 레이잉푸는 옌안에 있는 항대(抗大)[81] 참모 훈련반에 소속된 평범한 학생이었는데, 여기에서 강의할 때 마오쩌둥은 그를 주의 깊게 보고, 그가 천부적인 재능이 있어 키울 가치가 있는 인재라고 여겼

81 중국인민항일군정대학(中國人民抗日軍政大學)의 줄임말이다. 이 대학은 항일 전쟁 시기에 중국공산당이 설립하여 군사 및 정치 간부를 양성하던 학교이다.

다. 이 우연한 기회가 레이잉푸의 일생을 결정지었다.

얼마 후, 마오쩌둥은 직접 레이잉푸를 선발하여, 그를 제1선 공작에 파견했다. 레이잉푸도 마오쩌둥의 기대를 저버리지 않았다. 그는 충칭에서 예젠잉을 위해 한 편의 경전과도 같은 유명한 원고를 작성하여, 예젠잉으로 하여금 장제스가 제18집단군에게 손을 대려고 준비했던 작전 회의[82]에서 여러 장교들과 설전을 벌이게 함으로써, 국민당 고급 장교들의 광범위한 공감을 얻어, 장제스의 음모를 좌절시켰다. 이 일은 중국공산당 제7차 전국대표대회(1945)에서 마오쩌둥에 의해 예젠잉이 세운 두 가지 큰 공로 중 하나라고 칭찬을 받았다(나머지 하나는 예젠잉이 장정 도중에, 장궈타오가 마오쩌둥의 제1방면군을 무력으로 해결하려 한다는 전보를 먼저 마오쩌둥에게 쳐서 알려준 일이다)[83]. 예젠잉은 이리하여 중앙위원회에 들어갔다.

인사 이동에 따라 옌안에 돌아와 군사위원회 참모장을 맡게 된 예젠잉이 레이잉푸를 충칭에서 옌안의 총참모부 작전부로 데려왔다. 이때부터 레이잉푸는 해방 전쟁 당시 자발적으로 요구하여 천이(陳毅) 원수의 원수부에서 임시 직무를 맡아 병사들을 이끌고 전쟁터에 나갔던 일을 제외하면, 대부분의 시간을 중앙에서 전략가들과 고위 장성들 주변에서 일했다. 오랜 기간 동안 숙련된 데다, 자신의 뛰어난 천부적 재능이 더해지자, 레이잉푸는 중국 군대의 전략적 두뇌를 가진 젊은 장교로 성장했다.

정신을 집중하여 말없이 조선 지도를 바라보던 레이잉푸는 부산 주변에 빽빽하게 배치된 인민군과 미국 및 한국 군대의 표시들을 보자, 미군이 이미 1만 평방킬로미터 면적의 부산 해변 진지에 20여만 명의 대군을 배치해

82 1940년 3월에 있었던 전국 참모장 회의를 가리킨다. 이 회의에서 예젠잉은 팔로군의 항일 전투 업적을 선전하고, 당시 팔로군이 처한 어려운 상황을 알려, 국민당이 팔로군의 일에 간섭하는 것을 막아냈다.

83 장정 과정에서 장궈타오는 해방구를 어디에 건설할 것인가를 두고 마오쩌둥과 의견이 달랐다. 결국 장궈타오는, 도중에 집중 공격을 받아 병력이 4분의 1로 감소한 마오쩌둥의 제1집단군을 습격하여 마오쩌둥을 처형하고 당을 장악하려 했으나, 장궈타오의 휘하에 있던 예젠잉이 이런 음모를 알아채고 마오쩌둥에게 전보를 쳐서 알려주는 바람에 무산되고 말았다.

놓아, 진지의 최전방 지대 8평방킬로미터마다 1개 사단이 방어하고 있어, 세계 전쟁 역사상 병력 밀집도의 신기록을 창조했다고 생각했다. 인민군의 정예 병력들도 모두 모여 이곳에서 미군과 대치하고 있었다. 그런데 이상하게도 미군은 후퇴도 하지 않고 반격도 하지 않았다.

다시 인민군의 후방을 보니, 평양에서부터 서울까지, 다시 낙동강까지 온통 비어 있었다. 단지 듬성듬성하게 몇 개의 신설 사단들만이 각 지역들을 수비하고 있으니, 이런 상황은 정상이 아니었다. 그런데 일본에서 미국의 2개 최정예 사단은 뜻밖에도 기회를 엿보면서 실제 행동에 옮기지 않고 있었다. 이것은 무엇 때문일까? 김일성은 형세가 매우 좋다고 선전하고 있었는데, 겉으로만 보면 확실히 그러했다. 그러나 미국과 한국의 군대가 모두 부산에 집중되어 있어서, 부산은 정말이지 먹기 힘든 단단한 호두와 같았다.

레이잉푸는 본능적으로 진정한 군인이라면 반드시 가져야 할 경계심과 조심성이 생겨났다.

그의 뒤에 있던 몇몇 참모들이 작은 목소리로 주고받는 말들이 생각에 잠겨 있던 레이잉푸를 깜짝 놀라게 했다.

"인민군의 주력은 모두 부산 일대에 가 있어, 후방은 완전히 비어 있습니다."

"일본에 주둔하고 있는 미국 해병대 제1사단과 제7보병 사단은 분명히 예비 부대인데, 아직 움직이지 않고 있습니다."

"조선의 지형은 불리합니다. 마치 길쭉한 동과(冬瓜: 박처럼 생긴 과일-옮긴이)처럼 생겼는데, 만약 미군이 와서 중간을 절단해버리면……."

레이잉푸는 고개를 돌려 말했다: "보아하니, 미국인들은 반드시 거대한 음모를 가지고 행동하고 있을 겁니다."

총참모부 작전실 안의 긴장된 분석과 논의는 오후까지 이어졌고, 중국 군대 지휘부의 참모들은 다음과 같은 여섯 가지 의견을 도출했다.

1. 맥아더는 주력 부대로 가장한 10여 개 사단들을 모두 부산의 바닷가에 있는 진지에 배치하고 있어, 평균적으로 8평방킬로미터마다 1개 사단을

배치하고 있다. 부산의 해방이 머지않아 실현될 것처럼 보이지만, 미국의 이 20만 명에 달하는 부대는 철수하지도 않고, 일선 부대를 지원하지도 않고 있다. 전략적인 관점에서 본다면, 이는 조선인민군의 모든 주력 부대를 남쪽 전선으로 끌어들이기 위한 것이다. 만약 이런 판단이 성립 가능하다면, 그 안에는 극도로 험악한 전략적 의도가 숨어 있다.

2. 일본에 주둔하고 있는 미국의 2개 사단은 전략 예비대로서 배치한 것들이며, 전투력이 매우 강하다. 현재 한국 부대가 위험에 처해 있지만, 믿을 만한 정보의 실증에 따르면, 이들 2개 사단은 의외로 한국에 증원될 기미를 보이지 않고 있다. 이들 2개 사단 가운데 하나는 해병대 사단이다.

3. 맥아더와 그의 제8집단군은 제2차 세계대전에서 상륙 작전을 잘하기로 유명했다. 맥아더는 원래 모험을 감행해 왔는데, 당시 그의 수많은 상륙 작전들은 펜타곤에서 매우 위험하다고 반대했지만, 그는 매번 자신의 견해를 고수하여 상륙을 완수했다.

4. 조선 반도는 남북으로 약 1,000킬로미터지만, 동서로 가장 좁은 곳은 200킬로미터밖에 되지 않아, 분할하기에 아주 유리하다. 상륙이 가능한 지점은 원산, 진남포, 인천, 군산 등 아주 많다.

5. 서해안에 있는 인천은 미군이 상륙하기에 가장 적합한 지점이다. 여기에 인민군 부대가 적고, 서울의 외항일 뿐만 아니라 전략적 요충지이다. 이곳은 조수간만의 차가 매우 크고, 지세가 험준하고 복잡하여, 인민군이 소홀히 할 가능성이 매우 높지만, 맥아더는 또한 바로 위험을 무릅쓰고 사람들을 놀라게 하는 데 숙달된 인물이니, 인천을 선택하는 것은 완벽하게 맥아더의 개성에 부합한다.

6. 현재 조선은 물론 소련도 모두 승리의 분위기에 휩싸여 있어, 마치 내일이라도 조선이 통일될 수 있으리라고 여기고 있다. 겉으로 보기에는 형세가 아주 좋지만, 실제로는 이 좋은 형세 속에 큰 위험이 도사리고 있다. 일단 인민군이 퇴로를 차단당한다면 절망적인 상태에 빠질 것이다. 미국과 영국은 최근에 다시 지중해와 태평양에서 해군과 공군을 차출하여 한국으로

보내고 있다. 이것 또한 상륙 작전의 뚜렷한 징후이다…….

이 결과 보고서를 손에 쥐자, 항상 확고하고 과감하던 레이잉푸는 머뭇거렸다. 이 보고서가 올라가면 중국 군대 총참모부의 직능에 전략적 변화가 일어날 것이다.

줄곧 중국 군대의 통솔 기구에서 일해온 레이잉푸는, 홍군 시절부터 전략 전술을 결정한 것은 통솔자와 지휘관이었으며, 계획을 생각해내고 구체적인 지휘를 하는 것은 모두 통솔자와 지휘관이 완성했다는 것을 알고 있었다. 참모 요원들은 지금까지 방침의 결정과 지휘에는 참가한 적이 없고, 단지 방침을 결정하도록 상황과 의견을 제공했으며, 전문 발송과 접수·통계 수치·자료 정리 등과 같은 몇몇 구체적인 일들을 수행했을 뿐이다. 그런데 작전실의 의견이 제출되었다는 것은, 바로 총참모부가 곧 방침을 결정하고 지휘하는 데 참여하기 시작해야 한다는 것을 의미한다.

줄곧 날이 어두워질 때까지 생각하던 레이잉푸는 마침내, 지금부터 총참모부는 현대화·정규화 건설의 요구에 따라 자신의 책임을 져야 한다고 결심했다. 국가를 창건하는 것과 국가를 건설하는 것은 별개의 일로, 통솔자들은 더 이상 전쟁 시기처럼 단지 작전에만 몰두해서는 안 되었다.

레이잉푸는 의견 취합서를 들고 시화팅으로 가서 저우언라이를 만났다. 그는 저우언라이의 군사 비서를 겸임하고 있었다.

3

전쟁이 발발한 이래로, 중국 수뇌부 인물들의 형세에 대한 판단은 김일성이나 소련인들처럼 낙관하지는 않았지만, 그들도 조선 동지들의 승리를 진심으로 기뻐하고 있었다.

세계 어느 나라의 지도자를 막론하고 중화인민공화국의 지도자들처럼 그렇게 많이 싸우고 또 그렇게 오랫동안 싸워온 이들은 없었다. 그들은 많은 승리를 거두었고, 마침내 정권을 얻었다. 그들은 또한 많은 패배를 당했고,

수족과도 같은 무수히 많은 동지들을 희생시키기도 했다. 이러한 경험들은 그들에게, 전쟁터는 순식간에 돌변하는 것으로, 어떤 때는 패배가 승리로 변하기도 하고, 어떤 때는 완전히 승리를 장악했다가도 각종 요인들 때문에 역전되기도 한다는 것을 알려주었다.

조선의 전황을 자세히 분석하고는, 중국공산당 지도자들은 더욱 냉정해졌다. 조선인민군은 비록 잇달아 승리했지만, 줄곧 적군의 대규모 집단을 포위 섬멸하지 못하여, 미군과 한국군의 인적(人的) 전력은 아직 보존되어 있었고, 미국과 그 동맹국들이 한국으로 병력을 증가시키는 속도는 패배하여 소모하는 속도를 훨씬 뛰어넘었다. 전쟁에서 언제나 어느 한 도시나 어느 한 지역을 얻고 잃는 것에 개의치 않는 중국의 군사 전문가들은 날카롭게 문제를 간파하고 있었다.

일찍이 7월 초, 저우언라이가 주변의 측근에게 물었다: "여러분들은 조선의 전쟁을 어떻게 생각하고 있습니까? 8월에 끝날 수 있겠습니까?"

그는 대답을 기다리지 않고 스스로 말했다: "반복해서 계산해보지 않아도, 미군의 역량을 지탱할 수 없을 때까지 소멸시키지 않으면, 조선의 전쟁은 쉽게 끝날 수 없습니다. 이 전쟁은 장기적이고 복잡한 투쟁이 될 것입니다. 언제까지 오래 지속될 것인지에 대해 말하자면, 1년, 2년, 3년, 심지어 그보다 더 길어질 수도 있으며, 각 방면의 상황을 봐야만 확정할 수 있을 것입니다. 어쨌든 한두 달, 한두 번의 전투로는 안 됩니다. 우리는 오히려 상황을 좀더 복잡하게 따져봐야 합니다."

중국 주재 소련군 총대표인 자하로프(Matvei Vasilevich Zakharov, 1898~1972) 대장이 조선은 며칠만 있으면 승리할 수 있다고 의기양양하게 큰소리 칠 때, 저우언라이는 미간을 찌푸리며 입을 다물었다.

지금까지 자신 없는 싸움을 한 적이 없던 마오쩌둥도 현 상황을 잘 알고 있었다: "이제 조선인민군은 짧은 휴식과 정비를 하고, 군대의 배치를 조정한 다음, 한층 더 분발하여 최후의 일격을 가해 전체 조선을 해방시켜야 한다. 이러한 때일수록, 예측할 수 없는 일에 대해서도 대비해야 한다."

8월 23일, 날씨는 몹시 무더웠고, 시화팅 입구에 있는 큰 나무의 잎사귀들은 모두 뙤약볕을 받아 오그라들었는데, 저녁이 되어서야 점점 시원하고 상쾌해지기 시작했다. 기온의 변화가 저우언라이에게는 영향을 주지 못했는지, 그는 레이잉푸가 와서 보고를 하자 비로소 자신이 하루 종일 하던 일을 중단했다.

저녁 10시, 레이잉푸는 저우언라이에게 총참모부 작전실이 작성한 조선의 전황에 관한 예측을 보고했는데, 레이잉푸의 보고는 저우언라이의 전략적 사고와 정확히 맞아떨어졌다. 저우언라이는 즉시 레이잉푸와 오랫동안 사람들에게 알려지지 않은 중국 군부의 막후 인물이자 줄곧 군사위원회 총참모부의 일을 해왔던 "뚱보 장군" 리타오(李濤, 1905~1970)를 데리고 멀지 않는 곳에 있는 쥐샹수우으로 가서 마오쩌둥을 접견했다.

마오쩌둥은 레이잉푸의 보고를 주의 깊게 들으면서, 한마디도 끼어들지 않았다. 다 듣고 나서, 마오쩌둥은 짧게 한마디만 했다: "일리가 있고, 매우 중요하오."

레이잉푸는 계속해서 미군의 상륙 시간을 예측했다. 이제 막 30대 초반인 중국 장군은 이렇게 말했다: "9월부터 11월까지 조선 서해안의 조수를 연구한 결과, 세 개의 날짜를 선택할 수 있다는 것을 발견했습니다. 바로 9월 15일, 10월 11일, 그리고 11월 3일입니다. 이 세 개의 가장 적합한 날짜들 안에는 각각 2일 내지 3일 동안의 좋은 시기가 있습니다. 인천의 해안에 접안할 수 있는 시간은 12시간마다 단지 3시간밖에 되지 않습니다. 만약 9월 15일을 상륙일로 한다면, 그날의 만조가 가장 높은 시간은 오전 6시 59분이고, 또 하나는 오후에 일몰 35분 뒤인 19시 19분입니다. 9월 15일이 다른 두 날짜보다 상대적으로 가능성이 더 높습니다. 따라서 저희는 미군이 9월 15일을 상륙 날짜로 정할 가능성이 매우 높다고 생각합니다."

역사는 이 순간을 영원히 기억할 것이다. 즉 맥아더가 인천에 상륙하기로 결정한 바로 그날, 중국 군인은 이미 스스로 천하무적이라고 생각하는 맥아더가 23일 후에 전개할 상륙 작전의 장소와 구체적인 상륙 시간까지, 심지어는 정확한 분(分) 단위까지 계산해냈으며, 이는 맥아더의 극비 계획과 한 치의 오차도 없었다고 할 수 있다.

레이잉푸뿐 아니라, 압록강 근처에 있던 덩화와 조선에 있던 차이청원도 각자의 상급 부대에 미국이 상륙할 거라는 예측 보고를 제출했다. 22년간에 걸쳐 끊임없이 건국의 혈전을 치렀던 중국 장교들의 자질은 사람들을 감탄시킬 정도로 뛰어났다고 할 수 있다.

마오쩌둥은 보고를 들은 뒤 곧바로 지시했다: "즉시 정보 부서들에게 조선과 영국·미국·일본을 주시하라고 통지하시오. 즉시 우리의 견해를 스탈린과 김일성에게 통보해주고, 그들이 참고하게 하여, 인민군이 후퇴하여 인천을 방어할 준비를 하게 하시오."

"즉시 동북의 제13병단에게, 서둘러 준비하여, 8, 9월 두 달 동안 만약 무슨 일이 생기면, 즉시 행동해도 좋다고 통지하시오."

전쟁은 지혜와 용기의 대결이자, 속도와 역량의 경쟁이라고 할 수 있는데, 곧 닥쳐올 대전투에서 중국은 다시 미국보다 한 수 앞서 있었다.

얼마 지나지 않아, 총참모부 작전실의 예측이 잔혹한 현실이 되자, 마오쩌둥과 저우언라이는 "작은 참모가 큰 역할을 할 수 있다"는 인식을 갖게 되었다. 이때부터 중국 군대 총참모부의 기능은 집행 기구에서 의사 결정 기구로 조금씩 변화하기 시작했다.

저우언라이는 곧바로 마오쩌둥의 지시를 실행에 옮겼다. 그는 병에서 회복한 니즈량 대사를 통해 김일성에게 중국 총참모부의 예측을 통보했으며, 마오쩌둥도 북한 특사를 만나 급히 상황을 전달했다. 그러나 애석하게도 이 당시 승리의 기쁨에 젖어 있던 김일성과 스탈린은 이를 무시했다.

8월 27일 오전 10시 7분, 압록강 근처 중국 린안(臨安)의 주민들은 일상의 흐름 속에서 평화롭게 살고 있었다. 이웃 나라의 전쟁은 매우 요원한 일이었고, 중국은 참전국이 아니었으니, 백성들이 무슨 걱정거리가 있겠는가?

하늘에서 한바탕 굉음이 들리자, 린안의 백성들이 고개를 들어 하늘을 바라보니, 비행기 4대가 압록강 건너편 조선 상공에서부터 날아오고 있었다.

미군 폭격기의 중국 변경 폭격으로 가족을 잃은 중국 인민이 울부짖고 있다.

백성들이 정신을 차리기 전에, 이 4대의 비행기는 갑자기 땅으로 돌진했다. 비행기의 기체에는 동그라미 안에 흰색 별 모양이 선명하게 보였고, 날개 아래에서 간헐적으로 불꽃을 내뿜으면서, 미국 비행기가 기관총을 소사하고 있었다.

땅바닥에서는 즉시 듬성듬성 연기와 운무가 피어올랐다. 중국의 백성들은 즉각 사방으로 흩어져 달아났고, 어떤 이들은 땅바닥에 쓰러져 일어나지 못했다.

같은 날, 지안(輯安)[84]과 안둥에서도 모두 5차례에 걸쳐 13대의 비행기가 중국 영공을 침입하여 정찰하면서 기관총을 마구 발사하여, 평화롭게 살던 중국의 민간인 23명이 죽거나 다쳤고, 수많은 가옥과 차량이 파괴되었다. 미국인들이 중국에 전쟁의 불을 지핀 것이다.

동북인민정부 주석 가오강과 동북 군구 부사령관인 허진녠(賀晉年, 1910~2003)이 즉시 저우언라이에게 보고하자, 저우언라이는 온 몸을 부들부들 떨며 분노했다. 중국의 지도자들은 즉시 미국 정부에 강력하게 항의했으며, 유엔을 향해서도 성명을 전달했다.

이튿날 『인민일보』는 「4억 7,500만 명의 항의[四萬萬七千五百萬人的抗議]」라는 사설을 발표했고, 중국의 대지에는 새로운 반미 항의의 물결이 일어났다.

84 지금의 지안(集安)이다. 원래 '輯安'이었으나 1965년에 '集安'으로 개명했다.

그러나 미국인들은 거의 대수롭지 않게 여겼다. 이틀 뒤에 4대의 미국 P-51 전투기가 압록강에서 중국 국기를 게양하고 있는 어선에 기관총을 소사하여, 11명 어민들의 피가 압록강을 붉게 물들였다.

소식이 전해지자, 중국은 거국적으로 분노했다. 미국의 광기가 전 중국 인민의 적개심을 불러일으키는 바람에, 이후 항미원조 전쟁이 시작되었을 때는, 중앙 정부가 어떠한 동원을 할 필요가 없이, 중국 인민들은 자발적으로 전쟁을 지원하는 활동에 온 힘을 쏟았다.

그날, 저우언라이는 유엔에 다시 한번 전문을 보냈다. 산처럼 움직일 수 없는 증거를 대하자, 미국 정부는 할말이 없어 말문이 막히고 매우 난처해졌다. 미국 신문들은 미국 정부가 그 책임을 유엔에게 전가하는 내용을 발표했다: "한국에서 공산당과 싸우는 부대에는 미국 부대도 포함되어 있으나, 모두 유엔의 지휘하에 있으니, 항의는 실제로 유엔이 처리해야 할 일이다."

외교에서 신용을 근본으로 삼는 중국인들은 더욱 미국인들이 극도로 후안무치하다고 느꼈으며, 매우 눈치가 빠른 중국 지도자들은 미국인들이 대규모 군사 행동을 앞두고 전략적인 탐색을 이미 시작했다고 생각했다. 그리하여 중국이 출병하여 조선을 돕는, 세계를 뒤흔든 이 폭약 꾸러미를 폭발시킬 도화선은 미국인들 자신에 의해 조용히 점화되었다.

4

1950년 9월 12일 자정, 맥아더는 군복을 단정히 하고, 커다란 선글라스를 쓴 다음, 아버지 아서 맥아더(Arthur MacArthur, Jr., 1845~1912)가 그에게 물려준 상아 손잡이의 권총을 착용했다. 이 권총 안에는 여러 해 전에 휘트니 장군이 마닐라에서 온갖 계책을 다 짜내서야 비로소 얻은 같은 모델의 오래된 총탄 2발밖에 없었다. 잠시도 떨어져서는 살 수 없는 담배 파이프를 입으로 더욱 꽉 물었다. 이 차림새는 제2차 세계대전 동안에 전 세계로 두루 퍼졌다. 이것은 맥아더의 가장 영광스러운 옷차림으로, 그는 이것으로 세계에 대해 자신이 노련한 전쟁 영웅이라는 기억을 일깨우려고 했다.

위풍당당한 맥아더가 이끄는 사령부의 전체 인원들은 일본 사세보(佐世保)에서 기함인 '마운트 맥킨리(Mount Mckinley)' 호에 승선했다. 기함에 승선하기 전, 자신을 내세우는 요령을 잘 알고 있던 맥아더는 많은 기자들을 불러 모았다: "내가 작은 전투를 치르러 가는데, 나는 여러분 젊은이들을 함께 데려가고 싶소. 여러분들이 원한다면 말이오."

맥아더는 일부러 너무나 꾸며대어 부자연스럽게 말을 하면서, 자신의 옥수수 속대로 만든 담배 파이프를 휘둘렀다.

이렇게 맥아더는 한 무리의 기자들을 데리고 기함에 올랐고, 또한 그의 평생 동안 휘황찬란했던 군대 생활의 최고봉에 올랐다.

함대는 닻을 올리고 출항하여, 인천으로 달려갔다.

맥아더가 바닷바람을 맞으며 사방을 둘러보니 엄청난 장관이었다. 200여 척의 크고 작은 함선들이 바다 위에 진을 치고 파도를 헤치며 앞으로 나아가고 있었는데, 항공모함만도 6척이나 있었다. 이 광경을 보면서 맥아더는 미국의 강한 국력에 매우 긍지를 느꼈다. 인천 상륙은 미국과 조선의 힘의 차이를 뚜렷이 드러내주기에 충분했다. 인민군은 단지 19대의 프로펠러 비행기밖에 보유하고 있지 않았으나, 미국은 제트 비행기 숫자가 이렇게 많아서, 인천 전장의 상공은 이들을 수용할 만한 빈 공간이 충분치 않았다.

이렇게 장관인 광경을 보면서, 맥아더는 또한 깊은 의혹을 금치 못했다. 그는 아무리 생각해도 알 수 없었다. 김일성의 촌뜨기 군대가 무슨 힘이 아직 남아 있어서 부산 바닷가에 환형(環形) 진지로 둘러싸여 있는 워커를 맹렬하게 공격할 수 있단 말인가? 워커의 수중에는 이미 20만 명이 있었지만, 그를 공격하는 촌뜨기에게는 겨우 6만여 명밖에 없었다는 것을 알아야 한다.

맥아더가 인천 상륙을 개시하려 할 때, 부산의 전장에서는 여전히 피와 살이 튀는 참혹한 전투가 벌어지고 있었다. 8월 30일부터 인민군은 제5차 전역(부산 전역)을 개시하여, 부산을 향해 맹공을 개시했다. 한때 북위 35도선까지 치고 들어오자 제8집단군은 잇달아 급전을 쳐서 구원을 요청했다.

안타깝게도 병력 손실이 너무 큰 인민군은 이미 힘이 다 빠져 있었다.

전투가 시작되었을 때, 인민군은 인원을 보충하여 9만 8천 명이 되었으나, 아직 워커가 보유한 병력의 절반에도 미치지 못했다. 이렇게 겹겹이 둘러싼 화망을 뚫고 운반해 온 식량으로는 병사들이 하루에 한 끼밖에 먹을 수 없어, 배불리 먹지도 못했고, 옷은 헐벗었고, 총과 탄약은 부족한 인민군은 전체 전선에서 출격하여, 조금도 흔들리거나 굽히지 않고 강대한 미국-한국 군대를 향해 돌격했다. 2개 사단은 남쪽의 마산을 향해 미국 제25사단을 공격했고, 또 다른 2개 사단은 낙동강 중류를 따라가며 미국 제2사단을 공격했다. 3개 사단은 대구에서 미국 기병 제1사단과 한국 제1사단의 방어를 돌파했다. 2개 사단은 영천과 대구 동쪽의 회랑 지대를 향해 가면서 한국군 제6사단과 제8사단의 방어선을 돌파했다. 마지막 2개 사단은, 부산으로 직통하는 경주 회랑을 열기 위해, 동해안에서 한국 수도사단과 제3사단의 방어선을 돌파하려고 시도했다.

김일성과 인민군 장교들은 모두 시간을 끌면 불리하다는 것을 알고 있어서, 이번 전역에서 최후의 승리를 거두고, 빨리 전쟁을 끝내기를 희망했다. 그들은 인민군의 몸에서 마지막 한 방울의 피까지 짜내 가며 최후의 승부수를 던졌다. 전투가 이처럼 참혹했기 때문에, 이후에 살아서 북쪽으로 돌아간 인민군 장교들은 조선의 부녀자와 아이들이 모두 알고 있는 말인 "낙동강 세월"이라는 말을 만들어냈다.

인민군은 다시 한번 자신들의 전투력을 세계에 증명했는데, 바로 용맹하고 필사적인 정신에 의지하여, 뜻밖에도 또 중대한 전과를 획득했다. 9월 3일이 되자, 불독 워커는 허둥댔고, 인민군은 다섯 방면에서 그의 방어선을 돌파했다. 제8집단군과 한국군은 다시 참혹한 손실을 입었다.

그러나 워커의 부산 함락에 관한 악몽은 여기에서 멈췄다. 인민군의 공격 역량이 완전히 쇠약해진 데다, 전선은 더 이상 아무런 보급도 받지 못하자, 모든 우세는 미국인 쪽으로 넘어갔다. 미군은 언제나 수천 발의 포탄과 수십 대의 비행기로 비록 단 한 명의 인민군 병사가 활동하는 곳마저도 공격했다.

9월 3일, 워커는 정신을 가다듬고 역습을 개시했다. 해병대 제5사단이 선봉에 섰고, 인민군 방어 진지는 불바다가 되었다. 다음날, 제9사단 사령부는 미군에 의해 파괴되었는데, 인민군은 피를 토한 뒤 땅바닥에서 안간 힘을 쓰며 일어나 미군에게 한 방 먹이고, 다시 미국인들을 물리쳤다. 이것이 인민군의 마지막 일격이었다. 9월 5일이 되자, 20만 대군을 이끌고 6만의 인민군에 맞서면서, 화력이 훨씬 우세한 워커는 뜻밖에도 최후의 방어선까지 철수해야 하는지 말아야 하는지의 문제를 검토했다. 제8집단군은 심지어 9월 6일 새벽에 철수하라는 명령문까지 작성해 두었다. 그러나 정신을 차린 워커는 마침내 그 명령을 철회하기로 결심했다.

그날부터 인천에 상륙할 때까지, 워커는 더 이상 대규모 반격을 하지 않고, 끊임없이 작은 전투로 인민군의 주력을 끌어들였다. 인민군에 의해 부산의 새장 안에 갇혀 있던 미국 제8집단군은 제10군단이 인천에 상륙한 후에 일거에 인민군의 포위를 돌파하고, 두 방면의 병력이 합류한 다음 인민군 주력을 철저하게 포위 섬멸할 준비를 했다. 그러나 눈에 핏발이 선 인민군은 한 가닥 힘만 회복되어도 일어나서 미국인들에게 공격을 가하면서, 거대한 위기가 이미 닥쳐왔다는 것을 전혀 모르고 있었다.

"그들은 훌륭한 군인이야." 처절한 부산 전역을 회고하면서, 거만한 맥아더도 결국은 마음속으로 인민군에 대해 감탄하며 한마디했다.

9월 14일, 맥아더가 인천항 밖에 도착했을 때, 인천은 이미 불바다가 되어 있었다. 가장 처참하게 파괴된 곳은 인천의 보호벽인 월미도였다. 9월 10일부터 월미도는 끊임없이 폭격을 받았다. 미국 해군 항공병들은 작은 월미도를 향해 9천 5백 파운드의 네이팜탄을 투하했으며, 구축함들은 75분 동안에 1,735발의 포탄을 발사했다. 전쟁이 끝나고 나서 조선의 통계에 따르면, 이 작은 섬의 1평방미터마다 평균 4개의 폭탄이나 포탄이 떨어졌다.

한 미군 조종사는 이렇게 보고했다: "전체 섬이 마치 끝에서 끝까지 갈아엎은 것 같습니다."

9월 15일 새벽 2시, 맥아더가 이끄는 '마운트 매킨리' 호 전함이 선두에

서서, 함대를 이끌고 비어수로에 돌입했다.

맥아더는, 머리에 철모를 쓰고 구명조끼를 입은 한 무리의 장군들을 데리고 함교에 올라가 싸움을 구경했다. 신이 난 맥아더는 팔미도의 밝은 등대를 가리키면서 말했다: "저것은 김일성이 우리에게 첫인사로 주는 선물이오!" 그는 회고록에서 이렇게 썼다: "우리가 적에게 불시에 들이닥치자, 그들은 등대마저도 끄지 않았다." 맥아더가 이것은 미 해군 특수 부대의 유진 클라크(Eugene F. Clark, 1911~1998) 대위가 한 일임을 어찌 알았겠는가.

클라크 대위는 별명이 '밤도둑'으로, 매우 풍부한 개인 경력을 가진 인물이었으며, 미국 극동 사령부의 정보부 소속이었다. 그는 인천의 지형과 수문(水文: 조류 등 물의 각종 변화와 운동 현상-옮긴이)을 정찰하여, 인천 상륙 작전을 준비하라는 명령을 받았다.

대위는 대단히 용감한 정신과 상상력을 발휘하여, 비어수로와 인민군의 방어 병력 배치 상황을 철저하게 조사했다. 상륙이 임박한 그날 밤, 그는 심지어 잠수하여 해변에 상륙한 뒤, 인민군이 파괴한 등대와 등부표(燈浮標)까지 밝혀놓았다.

맥아더가 등대를 보았을 때, 클라크 대위도 매우 빠르게 달려오는 상륙함대를 보았는데, 그는 훗날 이렇게 회고했다: "나는 상륙이 성공한 것을 알지 못했고, 단지 마운트 매킨리 호가 오는 것만 알았는데, 그건 마치 하느님이 돕는 것 같았다. 나는 일생에서 가장 큰 스릴을 경험했다."

클라크 대위의 행동은 미군이 한국에서 수행한 가장 특수한 작전 행동이었다. 그는 인천 상륙의 성공을 위해 큰 공을 세웠기 때문에, 미국 해군 최고의 영예인 '해군 십자 훈장(Navy Cross)'을 받았다. 그런데 그의 사명은 이와 같은 기밀이었으므로, 심지어 맥아더조차 이 사실을 알지 못했다.

상륙 전 마지막 화력 준비가 시작되어, 불과 45분 만에 2,845발의 포탄이 월미도에 퍼부어졌고, 모든 군함들은 동시에 100발의 5인치 로켓탄을 일제히 발사했다. 월미도는 해골 뼈대 같은 몇 그루의 나무 줄기 이외에는 아무것도 남아 있지 않은 듯했다.

15일 새벽 6시 30분, 미국 해병대 제5사단은 중국 총참모부가 예측한 시각에 해수가 만조인 때를 틈타 월미도에 상륙했다. 그런데 기적이 일어났다. 포탄을 맞아서 마치 달 표면처럼 황량해진 월미도에서 다시 포성이 울렸다. 여전히 북조선 병사들이 살아 있었던 것이다.

『조선전사(朝鮮戰史)』는 다음과 같이 기록하고 있다: "이도훈 상위가 지휘하는 해안포 중대의 지휘관들은, 포신이 휘어지거나 적탄에 의해 폭파될 때까지 화력전을 계속하여, 적 함정 4척을 격침시키거나 격파했다……."

미국인들은 비어수로에 진입한 구축함 5척 중에 3척이 피격되었다고 인정했다.

오전 10시, 포탄에 피격당한 월미도의 수비군들은 총검을 소총에 착검하고 "만세"를 외치면서 미국인들을 향해 최후의 돌격을 개시했다.

이때 인천으로 통하는 문이 열리고, 7만 명의 미군이 바다로부터 와서, 인천에 단지 1,600명뿐이던 인민군 수비 부대를 포위했다. 만약의 경우를 대비해서 썰물 시간 동안에, 맥아더는 연 300대 이상의 함재기를 출동시켜 인천을 중심으로 반경 40킬로미터 내에 있는 모든 이동 목표물들을 공격했고, 해군은 대구경 함포로 인천으로 가는 모든 도로를 봉쇄했다.

김일성은 마침내, 중국 동지의 말이 맞았고, 미국인들이 진짜로 인천에 상륙하려 했다는 것을 알았다.

서울에 주둔하고 있던 제8사단 제22연대가 인천으로 급히 이동했지만, 너무 늦었다. 미군의 비행기와 대포가 함께 화력으로 차단벽을 만들었고, 인민군은 가장 기본적인 집결조차 할 수 없도록 폭격을 당했다.

이때, 인천항은 인간계의 지옥이었다. 상륙에 동행했던 미국 기자 마가렛 히긴스(Marguerite Higgins, 1920~1966)는 다음과 같이 썼다: "월미도는 마치 막 큰 산불이 휩쓸고 지나간 듯했고, 앞은 붉은 해변 같았다. 나는 눈길이 닿는 데까지 멀리 바라보면서 더 자세히 보려고 했는데, 그때 로켓 하나가 원형의 기름 저장탑에 명중했고, 이어서 거대하고 무서운 고리 모양의 연기가 하늘 높이 솟아올랐다. 선착장 한쪽에 있는 건물은 화염에 휩싸여 환하게 빛났다. 이글거리는 큰 불을 뚫고 나아가니, 마치 도시 전체가 불타고 있는 것 같았다……."

맹렬한 포화의 엄호를 받으면서, 미국 해병대는 소형 상륙정으로 갈아타고 만조를 틈타 해안에 상륙하기 시작했다. 해변의 갯벌은 무릎까지 빠질 정도로 깊어서, 상륙 부대는 어쩔 수 없이 수륙 양용 장갑차에 탑승하여 전투를 해야 했다. 인민군의 저항은 너무 약했고, 힘의 대비는 매우 뚜렷했다. 인민군의 장갑차 한 대가 해변으로 자살 공격을 하여 저지했지만, 순식간에 활활 불타오르는 고철로 변해버렸다.

전투 경험이 전혀 없던 인민군 제42기계화 연대 소속의 T-34 탱크 9대가 가까스로 상륙 지점에 도착하긴 했지만, 즉시 사격장의 과녁처럼 포격을 받고 만신창이가 되어버렸다.

오후 5시 31분, 최초의 미국 해병대원이 인천에 상륙했고, 그날 저녁 밀물이 끝날 무렵에는 1만 8천 명의 미국 해병대원과 100대의 탱크와 기계화 차량 및 수천 톤에 달하는 물자가 모두 이미 육지에 상륙하여, 인류 군사 역사상 지금까지의 마지막 대규모 상륙 작전은 성공했다.

맥아더가 도박에서 이긴 것이다.

5

전 세계가 깜짝 놀랐다.

인천의 전투는 맥아더의 머리 위에, 싸우기만 하면 다 이긴다는 신성한 빛의 고리, 즉 "맥아더의 교묘한 일격이 전쟁의 진행 과정을 바꾸어 놓았다!"는 영예를 씌워주었다.

사방팔방에서 맥아더에 대한 칭찬이 끊이지 않았는데, 그 중에는 맥아더를 반대했던 합동참모회의의 칭찬도 포함되어 있었다. 비록 맥아더의 허영심은 세상에서 보기 드물게 강했지만, 이번에는 그마저도 만족스러워 했다. 이제 그의 명성이 서방 세계에서 정점에 달하자, 전 세계의 카메라들이 그에게 몰려들었다. 그의 이름은 적대적인 공산주의 국가들까지도 포함한 모든 국가 신문의 1면 톱뉴스에 올랐다. 그는, 맥아더 한 명의 머리가 미국 군대 총사령부 모두의 머리보다 더 낫다는 것을 다시 한번 증명했다. 리지웨이는 좀 괴로워하며 이렇게 기록했다: "인천 상륙의 승리는 더욱 미묘한 결과를 초래했다. 사람들이 맥아더 장군은 시종 정확하고 착오도 없다는 것에 대해 거의 맹목적으로 신뢰할 정도가 되자, 그의 상관들마저도 스스로 맥아더가 내린 어떤 결정에 대해 의문을 제기하는 것이 마땅한지 아닌지 의심하기 시작한 것 같았다."

만약 이전까지는 맥아더가 운명의 파악 가능성에 대해 여전히 비록 약간의 의심을 갖고 있었다고 한다면, 이제 그는 정말로 자신이 하느님이라고 여겼다. 본래 스스로 시종 정확하고 착오도 없다고 여기던 맥아더는 더 이상 어떠한 의견도 듣지 않았다. 그는 자신의 평생에 걸친 군인 생애에 무덤을 파기 시작했다.

인천에 상륙한 다음날, 맥아더는 군대를 지휘하여 북상해, 곧바로 서울을 점령하고 조선을 둘로 절단한 다음, 남하하여 부산의 해안에서부터 돌격해오는 워커의 제8집단군과 앞뒤에서 협공으로 인민군의 주력을 남쪽에서 포위 섬멸하고, 다시 북상하여 전체 조선을 차지할 준비를 했다. 맥아더는 전 세계를 향해 선포하기를, 한국의 수도를 탈환할 수 있을 뿐만 아니라, 동쪽으로 나아가 전체 한반도를 일소하고, 북조선 군대를 남쪽에 가두어 '전멸시킬' 수 있다고 했다.

인민군에게 큰 재난이 닥쳐왔다.

김일성이 서울을 공격하는 미군을 저지하라고 보낸 부대들은 전부 궤멸되었고, 제42기계화 연대와 제43탱크 연대는 전멸했다. 맥아더는 많은 고위 장교들과 신문기자들을 수행한 채 아직 불타고 있는 몇 대의 T-34 탱크를 살펴보다가, 다시 몇 구의 인민군 시체 주위를 몇 바퀴 돌았다. 그는 다시 한번 전 세계를 향해 "용감무쌍 쇼"를 벌였다.

맥아더의 군사 작전은 완전히 돌연성을 가졌는데, 인민군의 부주의는 이

지경에 이르렀으니, 인천부터 서울을 잇는 전체 전선에 있는 병력은 고작 2만 명뿐이었다.

9월 17일 밤, 미군이 부평을 점령했을 때 뜻밖에도 이전에 자신들이 남겨 두었던 2천여 톤의 탄약이 조금도 움직이지 않았다는 것을 발견하고는, 미군 병사들은 기뻐서 미친 듯이 소리쳤다: "이것은 하느님이 도와주시는 보급품이다!"

이어서 김포비행장도 공격을 받았는데, 이 거대한 공군 기지를 방어하던 400명의 인민군은 뜻밖에 활주로에 단 하나의 지뢰도 설치하지 않았다.

수많은 미국 수송기들이 쉴 새 없이 병력·무기 및 탄약을 김포로 보급하기 시작했다. 확고한 바다와 공중의 근거지를 갖게 되자, 21일부터 미군은 서울을 공격하기 시작했는데, 이때 그들은 진정한 저항에 맞닥뜨렸다. 산전수전을 다 겪고 중국에서 돌아온 경험 많은 노련한 병사들로 구성된 제25독립 여단이 서울을 사수하고 있었다. 그들은 도시 밖에서부터 도시 안에 이르기까지 싸웠으며, 진지전도 벌이고 시가전도 벌이면서, 7~8만 명의 미군을 상대로 꼬박 보름을 끌었다. 그들의 활약은 남쪽에 있는 주력 부대가 북쪽으로 철수할 수 있는 틈새를 벌려주었다.

남쪽의 인민군 주력 부대는 이미 무너졌다. 미군이 인천에 상륙한 후, 김일성은 절대적으로 필요하면서도 절대적으로 무자비한 조치를 취했다. 즉 그는 부산 전선에 있는 부대에게 후방에 미군이 상륙했다는 소식이 전해지는 것을 엄밀히 봉쇄하여 군심의 요동을 막고, 인민군 주력 부대가 여전히 필승의 신념을 갖고 워커와 싸우도록 했다.

9월 16일 아침, 인천의 상륙이 성공했다는 소식을 듣고 난 뒤, 워커는 전면적인 역공에 들어갔다. 워커는 기갑 부대를 엄선하여 선봉으로 삼았다. 이 돌격 부대는 그 부대의 지휘관인 린치(James H. Lynch) 중령의 이름을 따서 명명했다. '린치 별동대'는 신속하게 인민군 방어선을 돌파하여 인민군의 저항을 격파하고, 매우 빠른 속도로 낙동강의 나루터를 탈취했다. 제8집단군의 다른 부대가 '린치 별동대'의 뒤를 따라 돌격했다. 인민군 전선 사령관인 김책(金策, 1903~1951) 대장이 지휘하는 부대는 1주일 동안 저항했는데, 그 전투의 용감함은 말로 표현할 수 없을 정도였다.

9월 21일부터 23일까지, 인천에 상륙했다는 나쁜 소식이 마침내 인민군의 전선에 전해졌다. 한국에서 보충한 신병들이 가장 먼저 동요하여 잇달아 도망쳤다. 이렇게 되자, 피를 흘린 인민군의 주력 부대는 와르르 무너져 내렸고, 마침내 붕괴되었다. 1만 명이 죽거나 부상당하고, 1만 명이 미군 포로수용소에 잡혀 들어갔으며, 제2군단의 작전부장을 역임했던 28세의 이학구(李學九, ?~1963년 자살) 총좌(總佐: 대령에 해당-옮긴이)마저도 포로로 잡혔다.

인민군의 손실은 매우 엄중했으며, 총참모장 강건(姜健, 1918~1950)은 공습을 받고 안동에서 희생되었다.

23일, 김일성 원수는 눈물을 삼키며 전체 군대에게 38선 이북으로 철수하라고 명령했다. 이때는 의심할 여지 없이 김일성의 인생에서 가장 고통스러운 순간이었다.

26일 밤, 북상하던 '린치 별동대'와 남하하던 제10군단의 탱크 대대가 수원에서 합류했다. 27일, 제8집단군의 제1기병 사단과 제10보병 사단도 수원 부근에서 합류하면서, 쇠망치가 마침내 모루 위의 쇠를 내리쳤다. 잔존한 인민군 주력은 형세가 불리하다고 여기고, 즉시 집중해 있던 병력을 분산시켰으며, 중화기를 내버리고 큰 산으로 들어가 북쪽으로 철수했다. 하마터면 승리의 월계관을 손에 쥘 뻔했던 병사들은 동료들의 시체를 묻어 주고, 굶주림을 참으면서 비할 수 없이 꿋꿋하게 북쪽으로 돌아가 다시 새로운 전투를 하려고 했다. 그들은 도중에 2만여 명의 유격전을 벌일 씨앗들을 남겨 두고, 나머지 인원들은 싸우면서 걸어갔다. 이들 가운데 1천여 명의 부대가 뜻밖에도 한국 제2군 사령부를 궤멸시키자, 미국인들은 침울하게 풀이 죽어 이렇게 기록했다: "그들이 수많은 한국의 대군을 죽였다."

완강한 신념에 의지하여 2~3만 명이 끝내 살아서 북쪽으로 돌아갔다. 김책 대장, 김웅(金雄, 1912~?) 군단장, 김무정 군단장, 방호산 사단장 등 대부분의 고위 장교들은 다행히 죽음을 피할 수 있었다. 이후 그들은 마침내 파죽지세로 기세를 올리며 남진하던 중국 인민지원군과 회합하여, 새로운 인민군의 중추 역량이 되었고, 다시 10여 년 동안 함께 싸웠던 중국 군대와 같은 깃발 아래에서 전투를 벌였다.

그러나 그들이 살아서 북쪽으로 돌아갈 수 있었던 것은, 의외로 우선 맥아더의 어리석음에 감사해야 했다.

6

카메라 플래시가 번쩍이자 맥아더는 눈을 뜰 수 없었다. 미친 듯이 몰려드는 수많은 기자들을 보면서, 이제 막 인천에서 도쿄 하네다(羽田) 공항으로 돌아온 맥아더는 큰 행복과 만족감을 느꼈다.

"맥아더 장군, 당신의 다음 군사 목표는 무엇입니까?" 마이크를 빼앗은 행운아가 흥분하여 물었다.

"나는 이미 북한의 김일성에게 항복하라는 명령을 선포했는데, 만약 소기의 효과에 도달하지 못한다면, 나의 부대는 곧 38선을 넘어 압록강까지 진격하여, 한반도 북부의 어떠한 저항도 일소할 것입니다."

맥아더는 진짜로 큰소리를 치면서 부끄러워하지도 않고 김일성에게 투항하라고 요구했다. 투항 권유서는 어투가 냉혹하고 태도가 거만했는데, 항일유격대 출신으로, 몇 십 명을 거느리고 일본 관동군의 무거운 압박하에서도 십 년 이상이나 견뎌낼 수 있었던 김일성은 아마 맥아더에게 냉소조차도 보내지 않았을 것이다.

"당신은 소련이나 공산당 중국이 한국 전쟁에 개입하지 않을 거라고 생각하십니까? 중국 외교부장 저우언라이는 성명을 발표하여, 일단 미군이 38선을 넘으면, 그들이 곧 참전할 거라고 했는데요."

기자가 매우 민감한 문제를 묻자, 모든 사람들이 다 조용해지면서, 맥아더가 뭐라고 하는지 지켜보았다.

맥아더는 경멸하듯이 웃으며 선글라스를 벗더니, 매와 같은 눈빛으로 뿌

"중국 인민은 외국의 침략을 결코 용인할 수 없으며, 제국주의자들이 자기의 이웃 사람에 대해 제멋대로 침략하는데도 돕지 않고 내버려 둘 수는 없다." 1950년 9월 30일, 저우언라이 총리는 중국 인민을 대표하여 엄중하게 경고를 발표하고, 미국의 침략에 항의했다.

연 하늘을 응시면서, 오직 하느님만이 자신과 교류할 자격이 있다는 듯이 이렇게 말했다:

"나는 저우언라이의 성명은 일종의 정치적 엄포를 놓는 데 더 많은 의미가 있다고 생각합니다. 중국공산당은 전쟁할 능력이 없으며, 그들은 상응하는 공업 능력을 갖추고 있지 못합니다. 그리고 38선은 아무런 군사적인 의미가 없고, 그것은 하나의 위도선에 불과합니다. 유엔군이 그 선을 넘어가는 것을 저지할 어떤 힘도 없습니다."

맥아더가 어찌 중국인들을 안중에 두었겠는가?

"한 가지 묻겠습니다. 당신이 구상하는 다음 작전 계획에는, 당신의 특기인 수륙 합동 상륙 작전이 있을 수 있습니까?"

"그건 군사 기밀이라 알려줄 수가 없소. 그러나 내가 여러분들에게 알려줄 수 있는 것은, 이 작전 계획은 이미 무르익었으며, 그 핵심 취지는 '공격'이라는 거요."

바로 이 기자의 질문으로 인해, 수륙 합동 상륙 작전이라는 이 거창한 장면으로 다시 한번 세계를 깜짝 놀래주기 위해서, 그리고 다시 한번 자신을 크게 과시하기 위해서, 이미 명예욕과 허영심으로 머리가 혼미해진 맥아더는 어리석음을 범하기 시작했다. 그는 자신의 전쟁 예술이 이미 세상에 둘도 없는 것이라고 생각했다(맥아더는 평생에 오직 자신보다 천 년 전에 살았던 통솔자인 칭기즈칸에 대해서만 경의를 표했다). 전쟁이라는 인류에게 가장 잔혹한 피비린내 나는 경기가 그에게는 어린아이의 놀이에 불과했다. 그도 잔혹하기 비길 데 없는 전쟁터에서 한바탕 놀다가, 결국 호랑이를 풀어주어 산으로 돌아가게 했으니, 입안에 넣었던 인민군 주력 부대를 도망치게 한 것이다. 그리하여 그는 조선 전쟁에서 최초의 전략적 착오를 범하고 말았다.

이때 전장에서는, 미국 제10군단과 제8집단군이 한국 군대의 협조를 받으면서 남쪽에서 고립되어 있었던 인민군의 주력을 바짝 뒤쫓고 있었는데, 그들이 보기에는 단 한 명도 살아남을 수 없었다. 맥아더는 연기 욕구를 만족시키기 위해, 결국은 무의미하게 다시 한번 상륙 작전을 벌였다. 그는 인천에 상륙한 지 얼마 지나지 않았고 사기가 왕성하던 제10군단을 해상으로 철수시켜 원산에 상륙하게 하여, 당시 이미 포위되어 있던 인민군을 저지하게 했다. 그리고 부산에서부터 줄곧 전투를 벌여와, 극도로 피로한 데다 보급이 부족하던 제8집단군으로 하여금 거듭 인민군을 추격하게 하여, 다시 한번 망치로 모루 위의 쇠를 내려치는 연기를 했다. 이것은 마치 입안에 있던 쥐를 풀어준 다음 다시 잡아먹기를 반복하는 고양이처럼 무의미한 짓이었다. 중국인들은 이런 짓을 가리켜 "뱀 그림에 발을 그리는 짓"이라고 한다. 맥아더는 결국 이런 작전 계획을 세웠고, 미국 합동참모회의는 의외로 이를 승인했다.

조선 전쟁이 끝난 후, 합동참모회의 의장인 브래들리 5성 장군은 이 일을 신랄하게 조롱했다: "만약 맥아더의 원산 상륙 계획을 제출한 것이 지휘참모대학(US Army Command and General Staff College)의 한 소령이었다면, 그 소령은 틀림없이 비웃음을 받다가 강의실에서 쫓겨났을 것이다."

브래들리는 바로 자신이 직접 이 황당한 작전 계획을 승인했다는 사실을 잊어버린 듯했지만, 확실히 그를 책망할 수는 없다. 그는 패튼도 통제하지 못했는데, 하물며 맥아더를 통제할 수 있었을까? 인천에 상륙한 후 미국의 모든 사람들은 맥아더를 신처럼 여기고 있었으니, 신의 생각을 보통 사람들이 어찌 이해할 수 있었으랴?

오직 일선에서 싸우고 있던 불독 워커 장군만이 불복했다. 그는 도쿄로 날아가 맥아더를 만나 이렇게 말했다: "사령관님, 한국의 제1군단이 북한의 동해안을 따라 무적으로 북진하고 있습니다. 제10군단이 아직 바다에서 항해하고 있을 때, 그들은 틀림없이 원산을 점령했을 터이니, 제10군단의 행동은 아무 의미가 없습니다. 제10군단과 제8집단군이 함께 전력으로 진격하는 것이 더 낫습니다."

만약 워커의 의견이 받아들여졌다면, 이후 중국 군대의 싸움은 훨씬 힘들었겠지만, 맥아더의 한마디 말이 곧 불독의 말문을 막아버렸다: "합동참모회의가 이미 나의 계획을 승인했으니, 나의 계획대로 하시오." 맥아더는 담담하게 말했다.

넋을 잃고 우두커니 서 있던 워커가 떠난 후, 정보처장 윌러비(Charles A. Willoughby, 1892~1972) 소장이 맥아더에게 한 무더기의 정보를 보냈는데, 모두 중국에 관한 것이었다.

맥아더는 한 부를 집어 들고는 건성으로 훑어보았다:

"중국공산당 부대는 만주에 집결해 있으며, 그 숫자가 45만 명으로 추정된다. 만주에는 중국공산당 부대가 모두 38개 사단이 있으며, 그 중 9개 내지 18개 사단이 압록강변의 각 나루터들에 집결해 있다. 중국공산당 부대의 이동은 응당 한국의 전장에 진입하기 전의 필요한 배치로 보인다……."

맥아더는 고개를 흔들며, 다시 하나의 정보를 집어 들었다:

"중국공산당 총참모장 대리 녜룽전은 중국 주재 인도 대사 파니카르(Kavalam Madhava Panikkar, 1895~1963)를 면담했는데, 녜룽전이 표명하기를, 중국 인민은 미국인들이 줄곧 중국-조선 국경까지 공격하도록 수수방관하지 않을 거라고 했다. 조금도 의심할 바 없이, 녜룽전의 발언은 중국 군대의 태도를 말해주고 있다. 그리고 또한 중국공산당 최고위층의 동의가 없이는 녜룽전이 이렇게 말할 수 없기 때문에, 이것은 중국공산당 당국의 태도라고도 볼 수 있다."

"친애하는 윌러비, 중국공산당에게 공군이 있소?"

맥아더는 머리를 흔들면서, 두 부의 정보 보고를 보고서 더미에 던져 넣으며 미소를 지었다.

"없습니다. 그러나 전하는 말에 따르면 조직하고 있다고 합니다. 장군님."

윌러비 소장은 정보 요원의 신중한 태도로 대답했다.

"그들에게 해군은 있소?" 맥아더는 웃으면서 더욱 신이 났다.

"해군도 조직하고 있습니다."

"그들의 육군은 탱크를 갖고 있소?" 맥아더는 웃으며 담배 파이프를 들었다.

"미약하여 말할 가치도 없습니다."

"육군의 화포는 어떻소?" 맥아더는 웃으며 담배 파이프에 불을 붙였다.

"마찬가지로 미약하기가 말할 가치도 없습니다."

"그럼 됐소. 우리의 이야기를 끝내도 되겠소." 맥아더는 웃으며 담배 파이프를 두드렸다.

"중국인들이 감히 참전한다면, 나는 소총만으로 싸우는 중국인들의 시체가 들판에 가득하게 만들 것이며, 모든 전장을 도살장으로 만들어 버리겠소. 솔직히 말해, 나는 그들이 참전하기를 간절히 바라고 있소. 그러나 윌러비……" 맥아더는 이어서 자신의 전략적 판단을 말했다: "나는 중국인의 목표는 타이완인데, 그들은 허세를 부려 우리를 북쪽의 북한에 빠져들게 한 다음, 갑자기 남쪽의 타이완으로 쳐들어갈 거라고 생각하오."

맥아더는 갑자기 웃음을 거두더니 눈빛이 번뜩였다:

"일단 중국공산당이 타이완을 침공하면, 나는 곧바로 가서 직접 중국공산당에 대한 반격을 지휘하여, 내가 그들의 해협을 피로 물들게 하고, 처참한 패배를 안겨주겠소! 아마 중국공산당은 이로 인해 반드시 붕괴할 거요."

맥아더는 창가로 성큼성큼 걸어가더니 하늘 응시했다:

"나는 매일 잠들기 전에 중국공산당이 그렇게 해주기를 하늘에 기도하고 있소. 만약 그렇게 된다면, 하느님은 다시 한번 나를 완전하게 만들 거요!" 맥아더는 지체 없이 다시 기도를 시작했다.

윌러비 소장은 가슴 가득 존경심을 품고 사령관실을 나갔다.

7

맥아더의 원산 상륙 계획이 실시되기 시작했다. 워커가 걱정했던 그대로, 질서정연하던 전쟁터는 즉각 더할 수 없이 혼란해졌다.

작전 중이던 제10군단은 전선에서 급히 철수하여, 인천으로 돌아가 배에 승선했다. 본래 과도한 보급 임무를 감당하느라 무거운 부담을 견딜 수 없던 인천항은 곧바로 마비되었다. 제10군단의 승선이 최우선 임무가 되자, 인천항은 어쩔 수 없이 제8집단군의 보급을 중지한 채, 화물을 막고 제10군단을 실어 날랐다. 이리하여 전장에서 이미 보급이 부족하던 제8집단군을 더욱 곤란하게 만들자, 공격 속도를 늦출 수밖에 없었다. 그리고 제10군단은 이렇게 혼잡한 인천항에서 신속하게 승선할 수 없었다. 맥아더는 동쪽 담장을 헐어 서쪽 담장을 보수하는 식으로, 뜻밖에도 이미 인천에 도착해 있던 제10군단의 제7보병 사단에게 남쪽으로 내려가 부산에서 승선하라고 명령했다. 이는 더욱 혼란을 가중시켰는데, 가엾은 제7사단은 본래 심하게 막히던 서울-부산 간 도로에서 300여 킬로미터를 행군할 수밖에 없었다. 그들이 부산에 도착해서 배를 타고 출항하자, 다시 제8집단군에게 보급하는 일을 우선으로 삼았다. 그 결과 맥아더의 황당한 계획은 인천과 부산-서울 간 도로에 혼란을 초래하여, 본래 공격을 위한 보급품의 수송에 사용하던 단 두 개뿐인 항구와 그 부근의 도로·철도는 물샐 틈 없이 들어차, 워커가 지휘하는 제8집단군의 보급 부족은 날이 갈수록 심각해지자, 북쪽을 향한 공격 속도를 늦출 수밖에 없었다. 그리고 제10군단은 어쩔 수 없이 몇 주일 동안이나 전투에서 벗어나 있어야 했다.

제10군단이 마침내 승선하여 원산항에 도착하기를 기다리고 있을 때, 한국 제1군단이 이미 이곳을 공격하여 점령했다. 더 우스웠던 것은, 제10군단은 해안에 있는 한국 전우들을 바라보면서 항구에 진입하지 못하고 있었다. 인민군이 부설한 수천 개의 수뢰들이 그들을 기다리고 있었기 때문이다. 상황이 다급해지자, 맥아더는 극비리에 갓 5년 전에 투항한 일본을 조선 전쟁에 투입했다.

일본 해상보안청 장관 오쿠보 다케오(大久保武雄, 1903~1996)는 즉시 당시 극도로 가난하던 일본에서 높은 급료를 주기로 하고 비밀리에 한 무리의 옛 일본 군인들을 모집하여, 일본 수뢰 제거 부대[85]를 조직해 원산으로 보냈다.

10월 17일, 나카타니 사카타로(中谷板太郎, 1929~1950)라는 일본 수병이 수뢰 제거 작업을 하던 중에 폭사했다. 그는 일본에서 "유일하게 공개된 제2차 대전 이후의 전사자"이다.

사상자가 발생하자, 일본 수뢰 제거 부대 총지휘관은 미군 사령부의 명령에도 아랑곳하지 않은 채, 부대원들을 데리고 급히 일본으로 돌아갔다. 맥아더는 버럭 화를 냈고, 결국 일본에 책임자를 처벌하라고 요구했다. 음험하고 교활한 일본 수상 요시다 시게루(吉田 茂, 1878~1967)는 급히 제2진의 수뢰 제거 부대를 원산으로 보냈다. 이렇게 2개월 동안 전쟁에서 패전한 지 겨우 5년밖에 안 된 일본이 1,200명의 병력과 46척의 소해정(掃海艇: 수뢰 등 바다의 위험물을 제거하는 배-옮긴이)을 한국으로 보냈다.

이는 일본 정부가 제정된 지 갓 2년밖에 안 된, 영원히 국가의 교전권을 포기하겠다고 선언한 〈평화헌법〉을 처음으로 위반하고 해외에 출병한 경우인데, 1970년대가 되어서야 일본인들은 비로소 이 당시 기밀 행동의 내막을 대략적으로 알게 되었다. 그리고 일본이 전후에 새로 설립한 해군은 이 작전으로 미국의 신임을 얻고, 다시 새롭게 무장을 시작했다.

보름 뒤, 원산항의 수뢰가 마침내 완전히 제거되자, 제10군단은 그제야 상륙했고, 맥아더의 이번 작전은 각국 군인들의 웃음거리가 되었다. 원래 이미 궁지에 몰려 있던 남쪽의 인민군 주력 부대는 이 기회를 틈타, 작은 무리들을 이루어 잇달아 기회를 보아 북쪽으로 몰래 도망쳤다.

미군과 한국군이 인민군의 주력을 궤멸시킨 뒤, 조선의 북쪽에는 이미 주둔하여 지키고 있는 인민군의 유력한 부대가 없었다. 미군과 한국군은 마침

85 일본에서는 '日本特別掃海隊(일본특별소해대)'라고 부른다. 이 부대는 1950년 10월부터 12월 15일까지 한반도 해상에서의 수뢰 제거 작업에 동원되었다.

내 10월 1일에 38선을 넘어 맹렬하게 북진했다(우리가 10월 1일을 '국군의 날'로 정한 것은, 바로 국군이 반격하여 38선을 돌파한 날을 기념하기 위한 것이다-옮긴이). 수개월 동안 전투를 벌이면서 온갖 책망을 다 들었던 한국군은, "말에게 압록강 물을 먹이겠다"고 큰소리치며 북쪽으로 맹렬하게 돌진하다가, 도중에 사람을 보면 즉살하고, 건물들은 불태우면서, 마치 무인지경처럼 들어갔다. 그 호전적인 언사는 심지어 미국인들마저도 미안함을 느끼게 만들었다. 극히 불리한 진장의 형세에 직면하자, 김일성은 중국에 도움을 요청했다.

8

9월 16일, 인천 상륙 작전이 있은 다음날, 얼굴에 초조함이 가득한 북한 차수(次帥)[86]이자 내무상인 박일우(朴一禹, 1903~1955)가 급히 압록강을 건너 중국 안둥에 도착했다. 그는 긴급히 중국 동북군 제13병단에 소속된 몇 명의 고위 장교들과 면담했다. 박일우도 일찍이 중국 군대의 노병이었는데, 팔로군의 덩화가 통솔하는 부대에서 복무했고, 평서(平西) 항일 근거지[87]의 현장(縣長)을 역임했으며, 중국 이름은 왕웨이(王巍)였다.

오랜 기간 동안 중국에서 전투를 하며 살아온 박일우는 유창한 중국어를 할 수 있어서 양측이 교류하는 데 아무런 문제가 없었다. 그러나 박일우는 심지어 옛 전우인 덩화에게 조선의 구체적인 전황조차도 설명할 수가 없었다. 그와 김일성은 이미 전선의 부대와 연락이 끊겨, 오직 미군과 한국 군대가 북쪽을 향해 빠르게 진격하고 있고, 도로와 철도는 적기에 의해 모두 파괴되었으며, 인민군 부대들은 산간 지역의 작은 길을 따라 후퇴하고 있다는 것밖에 알지 못했다.

설명을 다 듣고 나자, 몇 명의 전쟁에 능숙한 중국 고위 장교들은 마음속으로, 인민군은 당해낼 수 없으며, 조선이 위급하다는 것을 파악했다. 과연

86 북한의 군대 계급으로, 대장과 원수 사이의 계급이다.
87 지금의 베이징 서쪽 지역과 허베이성(河北省) 일부 지역에 걸쳐 있었다.

박일우는 조선의 당과 정부를 대표하여 중국이 출병하여 조선을 도와달라고 간청했다.

몇몇 장교들은 비록 이미 출국하여 전쟁을 치를 준비를 하고 있었지만, 모든 행동은 중앙의 명령에 따를 수밖에 없었으므로, 단지 형식적으로만 박일우를 위로할 수밖에 없었다: "우리는 반드시 당신들의 상황과 당신들의 요구를 우리 당중앙에 보고하여, 당중앙의 명령이 떨어지기만 하면, 우리는 즉시 출병할 겁니다!"

마음이 불에 타듯이 초조한 박일우는 하룻밤만 기다렸다가 다시 조선으로 돌아갔다. 이것이 조선 정부가 최초로 중국 정부에게 출병하여 조선을 도와달라고 정식으로 요청한 것이다.

박일우가 떠나자, 몇 명의 장교들은 마오쩌둥과 당중앙에 상세한 보고를 했다. 이어서 덩화·홍쉐즈·라이촨주(賴傳珠, 1910~1965)·제팡·두핑(杜平, 1908~1999)은 다시 회의를 열었다. 『손자병법』에 따르면, 이 회의는 출전하기 전의 전술 '묘산(廟算)'[88]이라고 할 수 있었다. 이들은 산전수전을 다 겪은 우수한 장교들로, 비록 미군과 싸워본 적은 없었지만, 매우 풍부한 전쟁 경험에 의지하여, 어떻게 미군과 싸워야 할지 알고 있었다.

몇 명이 머리를 맞댄 채 따져보고는, 미군과 중국군의 장단점을 분석해냈다: 미군은 현대화된 장비가 있고, 기동성이 뛰어나며, 육군의 지상 화력이 강력하고, 해·공군은 절대적으로 우세하다. 중국군의 장비는 현저하게 열세이고, 보병이 보유한 몇 문 정도의 박격포와 조금 더 나은 대포들은 모두 국민당으로부터 노획한 것들로, 여전히 노새나 말이 끄는 것에 의지하여 운반하고 있어, 화력이 절대적으로 열세이다. 해·공군은 없고, 주로 보병의 소총과 수류탄에 의지하고 있다.

두렵지 않았을까? 어허, 홍군에서 해방군에 이르기까지 언제 아군의 장비가 적보다 강한 적이 있었던가? 애초에 부엌칼을 들고 신중국을 만들어

88 '묘산'이란, 전쟁을 하기 전에 승산을 미리 따져보는 것을 의미한다.

내지 않았던가? 전쟁이 만약 오로지 무기에만 의존하는 것이라면, 장교들은 무슨 소용이란 말인가? 차라리 누구의 대포가 굵은지 대보고, 누구의 비행기가 많은지 세어보면 되지!

몇 사람이 미군의 장점을 계산하고 나서, 다시 중국군의 장점을 합계하기 시작했다. 중국군은 침략에 반대하여 싸우며, 정의를 위해 출병하므로, 사기가 반드시 높을 것이고, 정치적으로 절대 우세하다. 반면 미군은 침략을 위해 싸우고 있고, 출병에 명분이 없으므로, 반드시 세계의 반대에 부닥치게 될 것이며, 사기가 낮고, 정치적으로 열세이다. 단지 이 한 가지만으로도 싸워볼 만했다. 전쟁의 문외한들은 단지 무기에 의지해서 싸우는 것만 알고 있는데, 무기는 사람이 조종하는 것이다. 전쟁에서 승리하는 데 가장 중요한 요소인 이 한 가지(사람-옮긴이)는 중국군이 우세를 차지하고 있으니, 능히 싸울 수 있다!

중국군은 전투 경험이 풍부하기로는 세상에 둘도 없다고 할 수 있었다. 군대를 창건한 그날부터 총포 소리 속에서 보내지 않은 날이 있었던가? 수십 년간 거듭 일관되게 열세인 상황에서 우세한 자들을 이겼으며, 아무리 지독한 적일지라도 중국 군대는 그들을 상대할 방법을 찾아낼 수 있다. 특히 중국군은 작전의 기동이 민첩하고, 측면 우회 포위 공격에 능하며, 분산하여 은폐하는 데에도 능하다. 한마디로 말해서, 이렇게 해야 싸워서 이길 수 있다고 하면 곧 그렇게 싸워서 이겼다. 그러나 미군은 일체의 행동을 작전 수칙에 따라 규정해 놓아, 매우 융통성이 없다. 죽기를 각오하면, 싸울 수 있다!

중국군의 지휘관들은 용감하고 싸움을 잘하며, 희생정신과 고생을 참고 힘든 일을 견디는 힘은 세계 어느 나라도 견줄 수가 없다. 미군은 마시는 물까지도 일본에서 가져오는데, 이런 도련님 병사들은 조선의 물을 마시면 설사를 한다. 그들은 우세한 화력에 의지하고 있지만, 병사들의 자질을 논하자면 그들은 근본적으로 중국과 비할 수 없으니, 싸울 수 있다!

중국군은 뒤에 조국을 맞대고 있어 보급이 편리한데, 미군은 어떠한 물건이라도 본토에서 큰 바다를 건너서 가져와야 한다. 또 그들의 장비는 현대화되어 있고, 자동차·대포·비행기들이 많아서 소모하는 것들도 많은데, 중국군은 장비가 열악하고, 자동차와 대포가 적어서 소모하는 것도 적으며, 싸워서 보급을 해결하므로, 능히 싸울 수 있다!

또한 조선의 지형과 현지 백성의 인심 향배도…….

여러 사람들이 승산을 따져볼수록 승산은 더 커졌고, 따져볼수록 확신은 더 커졌다. 미국 놈들은 별것 아니니, 중앙이 명령을 내리기만 하면, 변함없이 그놈들이 혼비백산하도록 두들겨 주리라!

몇 명의 전쟁에 유능한 장수들은 즉시 적과 아군의 우열에 근거하여 다음과 같은 작전 원칙을 확정했다: 전략적으로는 오래 끌고, 전술적으로는 속전속결하며, 우세한 병력을 집중시켜 우회 돌격하여 분할하고 포위하여 공격한다. 미국 놈들의 비행기가 매서우니, 우리는 낮에는 분산하여 숨어서 실컷 잠을 잔다. 밤에는 너희가 줄곧 땅바닥을 볼 수는 없겠지? 우리는 근접전·야간전·백병전으로 너희 보병들과 함께 붙어 싸워서, 너희의 포병과 항공병들을 그저 덧없이 바라보기만 하게 만들겠다! 너희가 도로와 철도를 폭파했으니, 우리는 거기로 가지 않으면 그만이다! 우리는 보병의 두 다리에 의지하여 산길로 가서 너희의 배후를 칠 것이다. 너희는 지금 미친 듯이 북진을 하고 있지 않느냐? 우리는 전투 배치를 잘 갖추고 쉬면서 힘을 비축했다가 피로해진 너희가 올가미에 걸려들기를 기다릴 것이다.

얼마 지나지 않아 전투가 시작되자, 몇 명의 용맹한 장군들의 뛰어난 예측과 실제 상황이 거의 일치했다. 가히 신산(神算)이라고 할 수 있었다. 다만 병참보급에 대한 예측은 철저히 계산 착오였다. 미국 공군의 폭격으로 인해, 중국군의 배후인 동북 지역마저도 먹을 것과 마실 것이 없고, 탄약이 부족했다. 미군은 강대한 현대화된 수송력을 갖고 있어서, 비록 큰 바다를 건너왔지만 어떠한 물건이라도 부족하지 않았으며, 한가하여 일이 없다보니 수천만 개의 콘돔까지도 실어왔다.

곧 일어날 전쟁은 여러 가지 방면들에서 국내 전쟁에서 이름을 날렸던 장교들의 상상을 뛰어넘었으니, 그들은 당시 세계에서 현대화 수준이 가장 높은 전장에서 한 단계 더 성숙해졌다. 그들은 제공권·화력·병참보급 등 현대 전쟁의 요소들의 중요성을 깊이 깨달았다. 바로 조선 전쟁 과정에서 직접 경험했기 때문에, 그들은 모두 중화인민공화국 수립 초기에 중국 군대를 현대화하는 과정에서 뛰어난 재능과 지혜를 발휘했다. 1959년에 펑더화이가 루산(廬山)에 오르면서[89]…….

박일우가 온 다음, 가오강의 동의를 얻어, 제42군단장 우루이린(吳瑞林, 1915~1995)은 군단 작전처장과 정보처장을 대동하고 기차 기관사로 변장한 다음 조선에 들어가 지형을 살펴보았다. 그는 안둥에서 출발하여 신의주와 평양을 거쳐 중국으로 돌아오면서, 7~8일 동안 조선의 북부 지방을 한 바퀴 돌아보았다. 한 지역에 갈 때마다, 우루이린이 그곳의 지형과 어떠한 군사작전을 전개할 것인지 등을 구술하면, 수행하던 정보처장은 재빨리 기록했고, 작전처장은 필사적으로 그림을 그렸는데, 길을 따라가며 마을·교량·배수로 등 군사적인 의의가 있는 지점들을 그림으로 그렸다. 이렇게 우루이린은 유엔군이 오기 전에 조선 북부의 군사적으로 중요한 사항들을 기록해 놓았다. 이 보고는 후에 펑더화이를 크게 도와주었다. 우루이린은 지혜와 용기를 겸비한 명장으로, 장차 조선의 전장에서 서방 세계에 깊은 인상을 남겼다. 40년 뒤인 1990년대에 미국 최고의 군사학부에 유학하여 깊이 연구하던 중국 유학생이 학교 측의 한 3성 장군에게 불려갔는데, 그는 이렇게 물었다: "당신은 중국공산당 군대의 우루이린 장군을 알고 있습니까? 우루이린은 비범한 장군으로, 나는 그를 매우 존경합니다. 당신이 귀국하면, 전술적·전략적으로 그에게서 잘 배우도록 하시오!" 원래 그는 조선에서 우루이린의 포로가 되었고, 심지어 우루이린에게 직접 심문까지도 받았었다.

압록강변의 중국 장교들은 더욱 엄격하게 부대를 관리하면서 전쟁을 준비하기 시작했으며, 동시에 초초해 하며 중앙의 회신과 군사 통솔자의 도착

89 1959년 루산에서 열린 회의에서 펑더화이는 마오쩌둥의 정책을 비판했기 때문에 반당분자로 몰리게 되었다. 이 일 때문에, 펑더화이는 문화대혁명 당시 홍위병에게 고문을 당했고, 끝내 병으로 사망했다. 이후 1978년 덩샤오핑에 의해 복권될 때까지, 그에게는 반당분자라는 평가가 따라붙었다.

을 기다리고 있었다.

9

소련의 한 장교는 일찍이 감개무량하게 말했다: "정책 결정 과정은 지극히 어렵고 고통스러운 과정이다." 마오쩌둥이 지금 바로 이런 고통을 겪고 있었다.

출병을 할 것인가 말 것인가? 중국은 100년 넘게 싸워 왔고, 지금 중화인민공화국은 수립된 지 고작 1년밖에 되지 않았다. 온 나라는 만신창이에 폐허가 되었으며, 경제적으로는 엉망진창이고, 국내에서는 토비들이 창궐하고 있으며, 장제스는 여전히 타이완을 차지하고 있는 등, 산더미처럼 쌓인 국내 문제들을 처리하지 못하고 있었다. 이제 세계에서 가장 강대한 국가와 그를 추종하는 10여 개 국가들과 전쟁을 해야 하는데, 이길 수 있을까? 정권을 잡을 때 있는 힘을 다해 반란을 일으키는 것은 상관 없으나, 지금은 정권을 장악했고, 그 모든 것은 인민의 것이 되었다. 만약 이 전쟁에서 진다면, 정권이 붕괴하고, 장제스가 반격해 오는 것도 가능성이 전혀 없지 않다. 역사에서는 성공 직전에 실패한 일들이 얼마나 많았던가!

출병하지 맙시다! 그래서 민주 조선이 붕괴하고, 사회주의 진영의 위신은 땅에 떨어지고, 장차 동방에서 구멍이 뚫려, 미국인과 이승만의 수십만 군대가 당신들 집 문 앞에 늘어서 있는데도, 당신들이 여전히 편안한 날들을 보낼 수 있을 것 같은가? 수십만 명의 동북변방군은 중국-조선 국경에 빨려 들어가 꼼짝도 할 수 없게 된다. 장기전에는 얼마나 많은 비용이 드는가? 동북 지역은 구(舊)중국의 유일하고 온전한 중공업 기지로, 곧 다가올 국민경제 건설에서 큰 역할을 해야 하는데, 침략자들이 나라의 입구까지 압박해 온다면 얼마나 많은 기업들이 옮겨가야 할까? 그 손실은 아마도 한 번의 전쟁보다 더 클 것이다. 생산 시설의 건설은 또한 몇 년이나 더 지연될 것인가? 그렇다고 당신들이 반항하지 않는다면 아무 일도 없을까? 반드시

중국 병사가 압록강 건너편 조선 땅에서 피어오르는 전쟁의 불길을 지켜보고 있다.

그렇지는 않다! 인천 상륙이 성공하자, 미국은 다시 중국의 국경을 폭격했다. 안둥에는 한 번에 12개의 폭탄이 떨어졌고, 심지어 산둥의 바깥 바다에 있던 중국 상선도 미국 해군의 사격을 받았다. 이것은 전략적 정찰인데, 당신이 양보할수록 그것은 점점 난폭해지고 방자해질 것이다. 그때가 되면 북쪽으로부터 동북 지역을 압박하면서, 제7함대는 장제스가 화난(華南) 지방을 반격하도록 지원할 것이다…….

최고 지도자의 주변에서 일하던 사람들이 회고하기를, 출병하여 조선을 도울 정책을 결정하던 그때, 마오쩌둥은 신중국 수립 이후 가장 고통스러운 상태에 빠져들었다고 한다. 그는 밤새 잠을 못 이뤘고, 두세 시간 만에 담배꽁초로 가득 찬 그의 재떨이를 비워주웠다. 지난날 상냥하던 마오쩌둥은 볼 수 없었고, 지금 그는 항상 화를 내는 바람에, 일하는 사람들이 가능하면 멀리 떨어져서 그를 방해하지 않으려 했다. 마오쩌둥에게 가해지는 압력은 매우 컸다. 장차 명령을 한번 잘못 내리면, 군대는 패하고 자신은 죽게 된다. 그런데 지금, 마오쩌둥이 비할 데 없이 자랑스러워하는 5천 년의 문명을 가진 역사가 오래된 나라의 안위가 그의 한순간의 생각에 달려 있었다. 정책 결정은 비록 정치국에서 공동으로 하지만, 최후의 결정을 내리는 것은 바로 오직 그 마오쩌둥 한 사람만이 할 수 있었다. 군주가 잘못된 결정을 하면, 나라는 망하고 가족은 뿔뿔이 흩어질 수 있다.

극도로 고통스러운 고민을 거듭 반복하다가, 마오쩌둥은 마침내 출병하기로 결심했다. 마오쩌둥은 자기 자신에게 말하기를, 도의상으로는 물론이고 중국 자신을 보위한다는 관점에서 보더라도, 중국은 출병해야 한다고 했다.

격렬한 고민으로 온통 얼굴이 붉어진 마오쩌둥은 몸을 일으키더니, 창밖에서 흔들거리는 대나무를 보면서 자신에게 이렇게 물었다: '내가 설마 중국 고대의 군주들보다 못하겠는가? 어느 왕조의 중국 군주가 조선이 침략당할 때 조선을 돕지 않은 적이 있었던가? 당나라 고종은 조선을 도와 일본에 대항했고, 그 우매하고 어리석었던 명나라 신종도 조선을 도와 일본에 대항해야 한다는 것을 알았다. 그들조차도 나라의 문밖에서 적을 막기 위해 싸웠는데, 나 마오쩌둥이 설마 미국인들이 나라의 문으로 다가오는 것을 앉아서 기다리고만 있어야 한단 말인가?'

출병한다!

10

가장 고통스러운 사람이 마오쩌둥이었다면, 가장 바쁜 사람은 저우언라이였다. 그의 주변에서 일했던 사람들이 실증하기를, 항미원조 시기는 저우언라이의 일생에서 가장 바쁜 시기였으며, 심지어 이후 그가 노심초사했던 '문화대혁명' 시기보다도 바빴다고 한다. 그는 매일 100명이 넘는 사람들을 만나고, 10여 차례의 회의를 개최하고, 산더미 같은 서류들을 결재해야 했다. 마오쩌둥이 쥐샹수우에서 정책 결정을 위해 매우 고통스러워하고 있을 때, 저우언라이는 시화팅 안에서 구체적인 사무에 애를 쓰고 있었다. 그는 만일 조선에서 최악의 상황이 발생했을 경우를 대비해 극히 세심한 준비를 시작했다.

동북변방군은 일찍이 한 가지 보고를 했다. 그 내용은 출병하기 전에 4명의 선발대를 보내 조선의 상황을 상세히 파악하고, 지형을 실지 탐사하여, 전장에 대한 준비를 해야 한다는 것이었다. 전장 지휘관의 심정은 이해할 수 있었지만, 시기가 아직 이르지 않았다는 점을 감안하여 저우언라이는 이 보고에 대해 곧장 회답을 하지 않았다. 박일우가 안둥에 와서 지원을 요청한 지 사흘 만에 저우언라이는 즉시 일시 귀국한 차이청원을 불러 면담하고, 그에게 5명의 무관을 조선에 데려가도록 했다.

군대가 움직이기 전에, 보급이 선행되어야 한다. 이 5명의 무관들 중 가장 직위가 높은 이는 동북 군구 병참부장 장명위안(張明遠, 1906~1998)이었고, 나머지 4명은 제13병단 정찰처장 추이싱롱(崔醒龍), 제39군단 참모처 부처장 허링덩(何凌登), 제40군단 제118사단 참모장 탕징중(湯敬仲), 군사위원회 포병 사령부 정보처 부처장 리페이(黎非)였다. 이들 5명 중 2명은 참모였고, 2명은 정보를 다루는 사람이었으며, 1명은 병참보급을 담당하는 사람이었으니, 분명히 이들 5명은 대군이 출동하기 위한 선발대였다.

차이청원 일행은 베이징을 떠나, 먼저 선양(瀋陽)에서 가오강을 만났다. 가오강은 매우 서둘렀다. 만약 대군이 정말로 조선에 들어간다면, 그는 동북지역에 주재하여 지키면서 수십만 명의 군대를 위해 병참보급을 보장해야 했으니, 그의 임무는 매우 막중했다.

가오강은 차이청원을 찾아가, 중앙이 무슨 구체적인 당부를 한 게 있는지 물었다. 또한 특별히 마오쩌둥이 그에게 보낸 편지 한 통을 꺼냈는데, 그 편지에는 이렇게 씌어 있었다: "보아하니 출병하지 않으면 안 될 것 같으니, 반드시 미리 준비하도록 하시오." 가오강은 중앙의 사정에 대해 낱낱이 알고 싶어 했으나, 마오쩌둥도 이때에는 아직 출병할지 여부를 확정하지 못하고 있었으니, 차이청원이 어떻게 알 수 있겠는가?

다음날, 차이청원 일행은 5대의 지프차에 나누어 타고 평양으로 가서 김일성을 만났다. 김일성은 이들의 직무에 관해 듣고는 매우 기뻐했다. 오랜 전쟁 경험이 있는 김일성은 이들이 조선에 온 목적이 무엇인지 당연히 잘 알고 있었다. 그는 즉시 5명의 새로운 무관들에게 친필로 서명한 '신임장'을 주었으며, 조선의 관련 당정 기관들에게 이들이 도착하면 협조하라고 요구했다. 이것은 조선 최고 등급의 통행증으로, 이 몇 장의 '신임장'을 갖고 있으면, 이들 5명은 북조선 전체를 아무런 제약 없이 통행할 수 있었다. 수상관저를 나와서, 5명은 즉시 각지에 가서 지형을 살펴보고 정보를 작성하여, 대군이 조선에 들어올 준비를 했다.

차이청원 일행을 배웅하고, 저우언라이는 다시 마오쩌둥과 협의하여, 개인 명의로 김일성에게 이렇게 건의했다. 즉 그가 자력갱생과 장기전의 방침을 채택하고, 병력과 화력의 절대적인 우세를 집중시켜, 분할된 소수의 적을 포위 섬멸하면서, 점차 적을 약화시킴으로써, 장기전에 도움이 되기를 희망한다고 했다.

김일성은 이 건의를 받아들이고 깊은 감사를 표했으며, 중국 동지들이 언제나 건의해주기를 바란다고 밝혔다. 안타깝게도 건의가 비록 훌륭하더라도 실행하지 못하면 결국은 아무 소용이 없는데, 김일성은 이미 건의를 완수할 실력이 없었다.

9월 30일, 한국군 제3사단이 "달리기 경주"에서 승리했다. 이 부대는 다른 부대들보다 먼저 38선을 넘어, 1등을 차지했다.

10월 1일, 맥아더는 김일성에게 최후의 통첩을 보냈다:

"나, 유엔군 총사령관은 당신과 당신이 지휘하는 군대에게 요구한다. 내가 임명하여 파견한 군사 감독을 받아들일 것이며, 한반도의 어느 곳을 막론하고 즉시 무기를 내려놓고, 적대 행위를 중단하라."

그날 밤, 김일성은 웃으면서 중국 대사 니즈량에게 말했다:

"맥아더가 나에게 손을 들라고 하는데, 우리에게는 지금까지 그런 관습이 없었습니다."

말을 마치고, 김일성은 자신과 박헌영(조선 외무상)의 명의로 연명하여 마오쩌둥에게 파병하여 조선을 지원해 달라고 요청했다. 위급해진 김일성이 마오쩌둥에게 구조를 요청했을 때, 흑해의 크리미아에서 휴가를 보내고 있던 스탈린도 급해서 쩔쩔매고 있었다. 그는 사회주의라는 가정의 가장이었으므로, 김일성의 패배는 곧 사회주의 가정의 패배이자, 스탈린의 패배였다.

거만한 스탈린은 결코 이런 상황이 발생하는 것을 용인할 수 없었다. 그러나 직접 출병하여 미국인들과 싸우다가는, 자칫 잘못하면 제3차 세계대전이 발발할 수도 있었다. 정말로 소련이 다른 나라를 위해 출병하여 이렇게 거대한 희생을 치른다면, 소련 전체가 삽시간에 멸망할 수도 있는 위험을 무릅써야 하는데, 이렇게 할 수 있다면 그건 진짜 스탈린이 아니었다.

방에서 이리저리 왔다 갔다 하던 스탈린이 갑자기 걸음을 멈추고는 웃음을 터트렸다. 그는 마침내 중국 동지들도 있다는 것을 생각해냈다.

두 개의 전보가 동시에 중국공산당 사람의 책상 위에 올라왔다. 그 중 하나는 김일성이 보낸 구조 요청 전보였다:

지금의 전황이 매우 엄중합니다. 우리 인민군은 상륙한 적에 맞서서 완강하게 저항하고 있지만, 전선의 인민군은 이미 아주 불리한 상황에 놓여 있습니다…….

우리는 이 모든 어려움을 극복하고, 적들로 하여금 조선을 식민지화·군사기지화하지 못하도록 할 것이며, 우리는 반드시 피를 흘리는 희생을 아깝게 여기지 않고, 마지막 한 방울의 피까지도 다 흘려, 조선 인민의 독립·민주·해방을 쟁취하기 위해 끝까지 투쟁하기로 결정했습니다…….

현재, 적들은 우리의 엄중한 위기를 틈타, 우리에게 시간을 주지 않고 있습니다. 만약 38선 이북 지역으로 계속 공격해 들어온다면, 우리 자신의 힘만으로는 이 위기를 극복하기 어렵습니다. 그리하여 우리는 어쩔 수 없이 당신들이 우리에게 특별한 원조를 해주실 것을 요청합니다. 적들이 38선 이북을 공격하는 상황에서, 급히 중국 인민해방군이 직접 출동하여 우리 군대가 싸우는 것을 도와주시기 바랍니다…….

다른 하나는 스탈린이 중국 주재 대사인 로쉬친(Nikolai Vasilievich Roshchin, 1901~1960)을 통해 전해온 비밀 전문이었다.

베이징

소련 대사에게

즉시 마오쩌둥과 저우언라이에게 이 말을 전해주기 바랍니다:

나는 지금 모스크바에서 멀리 떨어진 곳에서 휴가를 보내고 있어, 조선의 형세에 대해 잘 알지 못합니다. 그러나 오늘 모스크바에서 나에게 보내온 보고에서, 나는 조선의 동지들이 곤경에 처해 있다는 것을 알았습니다.

……

내가 생각해보니, 지금의 형세에 근거하여 만약 당신들이 조선인들을 위해 원군을 제공할 수 있다고 생각한다면, 5~6개 사단이라도 좋으니, 즉시 38선으로 진격하여, 조선 동지들로 하여금 당신들 부대의 엄호하에, 그들이 38선 이북에서 예비 역량을 조직할 수 있도록 해주십시오. 중국 부대는 지원자의 신분으로 나갈 수도 있으며, 당연히 중국의 지휘관들이 통솔해야 합니다.

나는 조선의 동지들에게 이 일을 말한 적이 없으며, 또한 말하지도 않을 것입니다. 그러나 나는 그들이 이 사실을 알고 나면 기뻐하리라는 것을 결코 의심하지 않습니다.

당신들의 회답을 기다리겠습니다.

이만 줄입니다.

필리포프(Filippov)[90]

1950년 10월 1일

조선의 동지들이 구조를 요청했고, 사회주의 가정의 가장도 지원을 요청하자, 수립된 지 갓 1년밖에 안 된 젊은 공화국은 즉시 세계무대의 중심에

90 스탈린을 가리킨다. '필리포프'는 일급 비밀로 분류된 전문의 보안 유지를 위해 사용하던 암호명이다.

서게 되었다. 이제 중국공산당 사람들의 역사성을 시험받는 시각이 마침내 도래했다.

11

10월 2일 3시, 중난하이의 이넨탕(頤年堂)[91]에서, 출병하여 조선을 돕는 문제를 논의했는데, 중국공산당의 군웅들이 일제히 모여서 하고 싶은 말들을 다 쏟아냈다.

막 승리를 경험하여, 당내의 정치 분위기는 매우 민주적이었다. 회의에 앞서, 마오쩌둥과 저우언라이는 의견을 교환했는데, 두 사람이 똑같이 출병을 강력히 주장했다. 전날인 10월 1일의 야간 회의에서, 중앙의 주요 지도자들 몇 명은 이미 출병하기로 의견 일치를 보았다.

저우언라이가 먼저 발언하려고 하자, 마오쩌둥은 그 모습을 보고 저지하면서 말했다: "모두들 이야기하도록 하세요."

조금도 의심할 여지 없이, 마오쩌둥의 이러한 조치는 여러 사람들의 지혜를 흡수하여, 의사 결정의 근거를 풍부하게 하기에 유리했다. 중화인민공화국 수립 초기에 거둔 거대한 정치·경제·군사적인 성공은 의심할 것도 없이 당 내의 이와 같은 민주적인 풍토와 매우 큰 관계가 있었다.

회의가 시작되자, 마오쩌둥이 유머스럽게 말했다: "이것은 제갈량들의 모임이니, 모두들 출병하여 조선을 돕는 데 대한 견해를 말씀하시고, 출병에 불리한 조건이나 어려움에 대해 하나하나 따져보도록 합시다."

마오쩌둥이 예상했던 문제를 꺼내자, 곧바로 두 가지 의견이 나왔다. 어떤 이는 강력하게 출병해야 한다고 주장했고, 어떤 이는 반대로 출병을 원하지 않았는데, 대부분은 부득이한 경우가 아니라면 가능한 한 싸우지 않는 것이 가장 좋다고 여기고 있었다.

91 중화인민공화국 건국 초기에 마오쩌둥이 거주하던 건물들 중 하나이다.

중난하이에 중국공산당의 지도자들이 일제히 모여서, 출병하여 조선을 돕는 문제를 토론하고 있다.

더욱 중요한 것은, 뜻밖에도 항미원조의 성공 여부와 중대한 관련이 있던 두 사람이 출병에 가장 동의하지 않았다는 점이다. 이들 두 사람 중 한 명은 출병하여 전방 총사령관을 맡을 사람이었고, 또 다른 한 명은 대군의 병참보급을 보장할 후위(後衛)의 책임자였다.

가오강은 얼굴이 온통 상기되어 벌게졌다: "전쟁은 실력을 겨루어야 하는데, 출병하여 조선을 도와, 신생 공화국을 보위하고, 제국주의의 패권에 반대하는 것이 도의적으로는 옳습니다. 그러나 소련은 우리보다 역량이 풍부하고, 무기도 우리보다 얼마나 좋은지 알 수 없는데도, 그들은 싸우지 않거늘, 어째서 우리가 싸워야 합니까? 우리가 이렇게 강대한 역량을 갖고 있는 미국인들과 싸운다면, 설령 싸워 이긴다고 하더라도 얼마나 많은 대가를 치러야 하겠습니까?"

동북 지역은 출병 부대의 직접적인 후방이며, 가오강은 동북인민정부의 주석이자 중앙 정부의 부주석이었다. 의심할 여지없이 그의 의견은 매우 큰 영향력이 있었다.

더욱 마오쩌둥을 놀라게 한 것은, 자신이 직접 중대장에서부터 발탁해온, 아끼는 장군인 린뱌오마저도 출병에 반대했으며, 그 반대하는 정도가 가오강보다도 더 강경했다는 것이다. 여기서 알아 두어야 할 점은, 린뱌오는 이미 출병 총사령관으로 정해져 있었다는 것이다.

동북 변방 사령관인 수위는 중병을 앓고 있어, 1년 정도가 지나지 않으면 부임할 수 없었는데, 출병하는 일은 갈수록 급해지자, 마오쩌둥은 저우언라이와 상의한 다음, 명성이 혁혁한 제4야전군 사령관 린뱌오로 하여금 부대를 이끌고 조선에 들어가게 하자고 결정했었다. 이때까지 줄곧 마오쩌둥은 린뱌오에 대해 매우 만족스러워하고 있었다. 항일 전쟁 과정에서 린뱌오가 아군의 오폭으로 부상을 당해 옌안에서 매우 고통스러워할 때, 마오쩌둥은 그 이야기를 듣고 뜨거운 눈물을 흘렸다. 그가 평생 몇 번이나 눈물을 흘렸겠는가!

홍군 시절에 린뱌오는 얼마나 많은 전공을 세웠던가? 일본과 처음으로 핑싱관(平型關)에서 싸우면서 팔로군의 위풍을 떨쳤다. 그리고 국민당과 3년 동안 전쟁할 때, 산하이관을 나설 때는 10만 명이던 부대를 산하이관으로 돌아올 때는 100만 명의 대군으로 만들었었다.[92] 이건 쉽지 않은 일이었다. 마오쩌둥 본인이 직접 그를 칭찬하기를, "린뱌오는 매서우면서도 교활하게 싸운다!"고 했다. 그는 린뱌오가 뜻밖에 이런 태도를 보이리라고는 전혀 생각하지 못했다.

린뱌오는 침을 튀기는 가오강과는 달리 침착하게 말했지만, 특유의 설득력이 있었다: "미국인은 1개 사단이 100문의 대포를 갖고 있는데, 우리는 1개 군단이 고작 30문밖에 갖고 있지 않습니다. 그들은 공군을 갖고 있지만, 우리는 없습니다. 그들은 해군이 있지만, 우리는 그것도 없습니다. 이런 싸

92 1948년, 린뱌오는 동북에서 국민당 군대를 완벽하게 무찔렀고, 100만 명으로 불어난 중국공산당의 군대는 이후 남쪽으로 진격했는데, 베이징을 거쳐 광시성(廣西省)에까지 이르렀다. 린뱌오가 동북에서 승리한 것은 국공 내전의 흐름을 바꾼 가장 결정적인 사건이었다.

움을 어떻게 할 수 있겠습니까? 또 국내를 돌아보면, 홍군에서부터 해방군에 이르기까지, 20 몇 년 동안 멈췄던 적이 없어, 인심이 전쟁을 싫어합니다. 극도로 전쟁을 혐오합니다. 어느 백성도 전쟁을 싫어하지 않는 이가 없으며, 어느 병사라도 평화를 바라지 않는 이가 없습니다. 지금 도처에 토비(土匪)가 소의 털처럼 많고, 백성들은 배부르게 먹지도 못하고 있습니다. 이전에는 평안한 삶을 살기 위해 그들이 총을 들고 우리를 따라왔으나, 지금은 해방이 되었는데, 다시 그들에게 총을 들라고 하면, 그들이 그리하려 하겠습니까?"

린뱌오가 여기까지 말을 하자, 저우언라이가 한마디 끼어들었다: "항미원조는 가정과 국가를 지키는 일입니다. 사상 공작을 철저하게 한다면, 인민들이 틀림없이 우리를 따라올 것입니다."

린뱌오는 곧바로 다시 말을 이어가지 않고, 어깨를 축 늘어뜨린 채, 울적했던 옛 모습으로 돌아가더니,[93] 한마디도 말을 하지 않았다. 그러자 회의장은 금세 침울해졌다.

마오쩌둥은 이렇게 큰 생각의 차이가 있으리라고는 생각하지 못했으므로, 이렇게 말할 수밖에 없었다: "이왕 이리 되었으니, 이만 회의를 마치고, 내일 다시 열겠습니다."

마오쩌둥이 말을 마치고 회의장을 떠나자, 나머지 사람들은 어리둥절해하면서, 각자 아무 말 없이 자리를 떴다.

객관적으로 말하자면, 가오강과 린뱌오가 마오쩌둥의 의견에 반대하는 것은 쉽지 않은 대단한 일이었다. 고위 간부로서, 지도자의 면전에서 자신의 의견과 견해를 솔직하게 말할 수 있다는 것은 칭찬할 만한 일임에 틀림없지만, 린뱌오가 출병을 반대한 데에는 말하기 불편한 "확고하지 않은 생각"이 분명히 있었다. 바로, 그는 패배할 경우 자신의 위신에 영향이 미칠까

93 린뱌오는 군사적으로는 천재였지만, 매사에 소극적인 성격의 소유자였다. 때문에 외출이나 대외 활동을 상당히 꺼렸다고 한다. 이러한 경향은 항일 전쟁 당시 아군의 오폭으로 부상을 입고 모르핀 과다 투여로 마약에 중독된 뒤 더욱 심해졌다고 한다.

봐 두려워했다. 그러나 역사는 오히려 마오쩌둥의 멀리 내다보는 탁월한 식견을 다시 한번 증명해 주었다. 마오쩌둥 자신을 포함해서 아무도 항미원조가 뜻밖에 그렇게 큰 승리를 거두고, 100년 동안 모래처럼 흩어져 있던 중국인들이 강대한 적을 상대로 전에 없는 단결을 이루어낼 거라고는 생각하지 못했다. 전쟁의 승리로 인해, 국내에서는 민족의 응집력이 전에 없이 고조되었고, 외교적으로는 국제적인 위상이 전에 없이 높아졌으며, 군사적으로는 다른 이들에게 업신여김을 당하던 100년 동안의 약한 국가 이미지를 일소하고, 세계적인 군사 강국을 만들어냈다. 경제적으로도 인민들이 분발하여 강대국이 되려고 도모한 데다, 우방국의 대대적인 지원으로 인해 신속하게 회복되었다. 마오쩌둥이 만약 이러한 결말을 알 수 있었다면 이미 출병했을 것이고, 가오강과 린뱌오도 아마 절대로 반대하지 않았을 것이다. 역사가 다시 한번 마오쩌둥이 다른 사람들보다 뛰어나다는 것을 증명해주자, 수많은 동지들은 이때부터 자기 자신과 정치국의 집단 지도보다 마오쩌둥을 더욱 믿게 되었다. 마오쩌둥의 자신감은 더욱 높아졌다. 이는 뜻밖에 그가 말년에 잘못을 범하는 씨앗이 되었다.

산회한 뒤 쥐샹수우으로 돌아와서, 마오쩌둥은 자신이 잘못하고 있는 것은 아닌지, 린뱌오의 말이 일리가 있는 것은 아닌지를 깊이 생각하면서, 속마음이 매우 불편했다. 바로 그때 저우언라이가 말했다:

"주석님, 내일 새벽 1시에 인도 대사 파니카르를 만나기로 했는데, 원래 하려고 했던 말씀이 바뀌었습니까, 바뀌지 않았습니까?"

"바뀌지 않았습니다!"

마오쩌둥은 단호하게 말했다.

중화인민공화국 수립 초기에, 인도는 비동맹 정책을 시행하던 비동맹 운동의 리더로, 중국과 인도의 관계는 상당히 우호적이었다. 인도의 초대 중국 주재 대사였던 파니카르는 중국을 매우 좋아했으며, 이 라인은 실제로 당시 중국공산당이 서방 국가들과 직접 정보를 전달하는 유일한 통로였다. 10월 1일의 야간 회의 후, 저우언라이로 하여금 파니카르를 통해 서방에 다음과 같은 중국의 마지막 경고를 전달하기로 협의하여 결정했었다: "미국은 지금 38선을 넘어 전쟁을 확대하려고 기도하고 있다. 미국 군대가 만약 정말로 그렇게 한다면, 우리는 좌시한 채 관여하지 않을 수 없으며, 우리는 관여할 것이다!"

이 메시지는 사실상 서방에게 중국의 외교적 노력은 막바지에 이르렀으며, 당신들이 더 이상 경고를 듣지 않는다면 전장에서 누구의 주먹보다 매서울 것이라고 말한 것이다. 저우언라이는 2일의 정치국 확대 회의에서 중앙 내부의 이견이 이렇게 심각하리라고는 생각하지 못하여, 마오쩌둥의 정책 결정이 이로 인해 바뀌었을지도 몰랐으므로, 이렇게 물은 것이다.

저우언라이가 다시 물었다: "주석님, 스탈린이 여전히 답신을 기다리고 있는데, 전보를 어떻게 보낼까요?"

항미원조 역사에서 한 가지 미스터리가 출현했다. 중국의 항미원조에 관한 세계의 모든 사료들 가운데, 동·서양을 막론하고 모두가 이 전보를 사실대로 기재하고 있으며, 이 전보는 중국공산당의 항미원조 정책 결정에 관한 종합 설명서이다:

> 우리는 지원군 명의로 일부 군대를 조선에 파견하여 미국과 그 주구인 이승만 군대와 싸우고, 조선의 동지들을 지원하기로 결정했다. 우리는 그렇게 하는 것이 필요하다고 생각한다. 왜냐하면, 만약 전체 조선을 적들이 차지하게 한다면, 조선의 혁명 역량은 근본적으로 실패할 것이고, 그렇게 되면 미국 침략자들이 더욱 창궐하여, 전체 동양에게 불리할 것이기 때문이다.
>
> ……

이 전보는 중국인들이 조선에서 미국인들과 자웅을 겨루겠다는 두려움 없는 기개를 충분히 보여주었으며, 또한 중국공산당이 이미 출병하기로 정책을 결정했음을 말해주고 있다. 중국의 항미원조를 연구한 많은 저작들은 모두, 그것은 마오쩌둥이 10월 2일 중앙정치국 회의 이후에 초안을 작성한 것으로 여기고 있으며, 이 전보의 진실성은 어느 누구도 의심하거나 문제를 제기하지 않고 있다.

생각지도 않게 소련이 해체되어, 수많은 역사적 기밀문서들이 공개되었지만, 러시아 연방 대통령 기록보관소와 대외정책 기록보관소에서는 이 전보를 찾을 수 없었고, 오직 이것과 완전히 상반된 내용의 다른 전보들만 있었다. 이 전보가 발신된 날은 "1950년 10월 2일"이고, 소련이 이 전보를 받은 시각은 "1950년 10월 3일 12시 15분"이며, 중국 주재 소련 대사 로쉬친이 받아서 전달했는데, 전문의 내용은 다음과 같다.

필리포프:

마오쩌둥이 귀하의 제4581호 전보에 대한 답신을 다음과 같이 드립니다:

1950년 10월 1일의 전보를 잘 받았습니다. 우리는 원래, 적들이 38선 이북으로 진격할 때, 몇 개 사단의 지원군을 북조선으로 보내 조선의 동지들을 도우려고 일찍부터 계획하고 있었습니다. 그러나 신중하게 생각하고 나서 우리는 지금, 이러한 행동이 극히 엄중한 후과를 초래할 수 있다고 생각합니다.

……

당연히 우리가 출병하여 조선을 돕지 않는다면, 이는 이처럼 어려운 처지에 있는 조선의 동지들에 대해 말하자면 매우 불리한 것이며, 우리 스스로도 차마 할 수 없는 일입니다. 그러나 만약 우리가 몇 개 사단을 출동시켰다가, 뒤이어 이들이 적에게 쫓겨서 돌아오고, 또 이로 인해 미국과 중국의 공개적 충돌이 일어난다면, 우리의 평화 건설 계획은 전부 엉망이 되어버려, 국내의 많은 사람들은 곧 우리에게 불만을 가질 것입니다(전쟁이 인민들에게 가져다준 상처가 아직 다 치유되지 않아, 인민들은 평화를 요구하고 있습니다).

이 때문에, 지금 당장은 출병을 좀 자제하면서, 잠시 출병하지 말고, 동시에 역량을 준비하는 것이 가장 좋습니다. 그렇게 하는 것이 적과 싸울 시기를 잡는 데 비교적 유리합니다.

일시적인 패배로 인해, 조선은 투쟁 방식을 바꿔 유격전을 진행해야 합니다.

우리는 곧 당중앙 회의를 소집할 것이며, 중앙의 각 부문 책임자들이 모두 출석할 것입니다. 이 문제에 대해 아직 최종 결정을 내리지 못했습니다. 이것이 우리의 개략적인 전보 내용인데, 우리는 귀하와 한번 상의하고 싶습니다. 귀하께서 동의하신다면, 우리는 즉시 저우언라이 동지와 린뱌오 동지로 하여금 비행기를 타고 귀하의 휴양지로 가서 귀하와 토론할 준비를 하게 할 것이며, 더불어 중국과 조선의 형세를 보고하게 할 것입니다. 답신을 기다리겠습니다.

마오쩌둥

1950년 10월 2일

추호도 의심할 여지 없이 이 두 개는 내용이 완전히 상반된 전보이다. 하나는 출병을 말하고 있고, 하나는 출병을 하지 않겠다고 말하고 있으니, 어찌된 일인가?

대단한 보물이라도 획득한 듯이, 일부 서방 학자들은 즉시 다음과 같이 비난했다: "중국이 말한 10월 2일의 전보는 믿을 수 없으며", "중국 당국은 그들이 생각하는 이데올로기와 정치에서 더욱 정확한 역사적 견해를 표현하기 위해 문건의 내용을 바꾸거나 왜곡했다."

중국의 역사학자들은, 이 초고는 확실히 실제로 있었고, 마오쩌둥의 친필 원고도 있다는 것을 신속하게 조사하여 증명했다. 『건국 이래 마오쩌둥의 초고[建国以来毛泽东文稿]』와 『마오쩌둥 군사문집[毛泽东军事文集]』이 수록할 때 모두 증명되었다. 문건을 작성한 구체적인 시기는 당연히 10월 1일 밤 회의 이후와 정치국 확대 회의 사이에 작성한 것으로, 10월 2일 회의 이후에 작성하기는 불가능했으며, 당연히 전문은 발송되지 않았다. 또 일반적으로 전보 문건 위에는 발신 시각이 있는데, 이 전보에는 그것이 없으니, 아마도 회의에서 이견들이 있었기 때문에 보내지 않은 것으로 추측된다. 이 전문은 분명히 10월 1일 야간 회의의 정신에 의거하여 작성되었고, 그것은 마오쩌둥과 저우언라이 등 중앙 지도자들이 출병하여 조선을 돕기로 한 결심을 반영하고 있다. 이는 완전히 진실한 역사 기록이다. 그렇다면 왜 출병하지 않겠다는 전보가 있는 것일까?

아마도 회의에서 견해 차이가 너무 크자, 마오쩌둥도 다시 스탈린의 반응을 살펴보고, 소련이 조선의 위기를 해결하기 위해 개입하는 정도가 얼마나 되는지를 파악함으로써, 중국의 출병이 맞이하게 될 국제적 환경을 더욱 명확하게 알아보려 했을 것으로 추측된다. 어쨌든 간에, 마오쩌둥과 저우언라이가 비국에 맞서 조신을 돕겠다는 결심은 흔들림이 없었다. 그러지 않았다면 지원군은 압록강을 건널 수 없었다[『저우언라이와 조선 전쟁(周恩來與朝鮮戰爭)』을 참조하라].

전보를 다 작성하고 나서, 저우언라이는 걱정스럽게 마오쩌둥에게 물었다: "린뱌오가 이런 태도를 보이니, 다른 사람을 사령관에 임명해야 할 것 같습니다. 얼마 전에 차이청원이 귀국하여 중요한 업무를 보고했습니다. 저는 그로 하여금 린뱌오에게 보고하도록 하여, 린뱌오로 하여금 일찌감치 상황을 잘 파악하여 훌륭한 사령관이 되도록 했습니다. 그런데 그가 차이청원에게, 김일성이 산으로 들어가 유격전을 전개할 준비를 마쳤는지 여부에 대해 물으리라고는 생각지 못했습니다."

마오쩌둥은 격분하여 이렇게 말했다: "바꿔야겠습니다. 그는 사심이 커서, 싸워서 이기지 못할 경우 자신의 위신에 영향을 주지나 않을까 염려하고 있습니다. 조선의 동지들이 이전에 승리를 거두고 있을 때, 그의 기분은 매우 좋았습니다. 지금은 인민군이 패할 것 같으니까, 그의 몸에 곧바로 병이라도 났습니까? 내가 보기에는 마음에 병이 있습니다. 장수가 필승의 신념이 없는데, 어떻게 병사들을 이끌고 전쟁을 하겠습니까? 싸움터에 임해 장수를 바꿉시다!"

"누구로 바꾸는 것이 좋다고 보십니까?" 저우언라이가 물었다.

마오쩌둥이 보아하니 저우언라이의 마음속에 속셈이 있는 것 같았다: "누가 전장에서 용감히 싸울 것인지……."

저우언라이는 눈이 빛나면서 즉시 말을 이어갔다: "오로지 우리 펑(彭) 대장군뿐입니다."

12

평더화이는 항일 전쟁 시기에 서북 지방의 그 늙은 농부를 영원히 잊지 못했다. 그가 황하를 건널 때 그 늙은 농부가 그를 좀 도왔으므로, 그는 돌아와서 농부에게 고기를 한 차례 대접했는데, 그 충실한 노인이 눈물을 펑펑 흘리리라고는 생각하지 못했다. 이것은 노인이 평생에 두 번째로 먹는 고기였다. 그 전에 고기를 먹은 것은 40여 년 전에 청나라의 한 현(縣) 관리가 그에게 짐을 지게 했다가, 그가 매우 고생하는 것을 보고 한 접시의 요리를 상으로 주었는데, 그 요리 속에 몇 점의 맛있는 기름진 고기가 있었다고 했다.

평더화이는 당시 마음이 얼마나 아팠는지 그 일을 영원히 잊지 못했다. 그 자신의 출신도 빈한하여, 어린 시절 선달그믐에도 나가서 구걸을 해야 했지만, 중국 서북 지방 농촌의 가난함은 그를 놀라게 했다. 그때부터 그는 천하를 평정하고 나서 경제 건설에 투신하여, 그가 여러 해 동안 전투를 벌였던 서북의 그 지역이 빈곤에서 벗어나게 하기 위해 분투하면서 여생을 보내겠다는 뜻을 세웠다.

중화인민공화국이 수립된 후, 평더화이는 측근 비서에게 몇 차례나 군대에서 물러나 건설에 관련된 일을 하겠다는 생각을 내비쳤다. 그렇게 많은 전우들이 장렬하게 희생한 것은 백성들이 평안한 삶을 보내도록 하기 위함이 아니었던가? 자신은 단지 요행히 살아남은 사람일 뿐이니, 한 명의 생존자로서 마땅히 희생된 동지들의 소원을 들어주어야만 했다.

서북 지방의 토비를 소탕하고 나자, 중앙군사위원회 부주석이자 서북국(西北局)[94] 서기인 평더화이의 업무 중심은 완전히 바뀌었다. 서북 지방의 군

94 중공중앙서북국(中共中央西北局)을 가리킨다. 이 조직은 1941년에 설립되어 1966년까지 존립했다. 서북 지역의 해방구와 국민당 통치 구역의 공작을 관할했다.

사 방면에는 그가 신경을 써야 할 큰일이 별로 없었고, 변경의 바깥은 소련으로, 우호 관계를 맺고 있었기 때문이다. 국경 안쪽에는 단지 몇 개의 보잘것없는 토비들만 남게 되자, 왕 수염[王胡子]이라는 별명을 갖고 있던 왕전(王震, 1908~1993)[95]은 큰 인재가 썩고 있다고 억울해 했으며, 서북 야전군조차도 크게 줄여, 생산 건설 병단으로 개편하여 생산 활동에 종사했다(1년 뒤 서북의 7개 군단은 감축하여 단지 제1군단 하나만 남았다). 지금 펑더화이라는 이 서북 지역 전쟁의 신[戰神]은 오로지 서북 지역의 국민 경제 건설 업무에만 몰두하고 있었다.

10월 4일 아침, 펑더화이는 서북에서 청국급(廳局級)[96] 이상의 간부회의를 열고, 서북 지역 경제 개발 문제에 대해 토론하고 있었다. 정오가 가까운 무렵, 비서 양펑안(楊鳳安, 1924~)이 갑자기 중앙 판공청(辦公廳)의 동지 한 명을 안내하여 들어왔다. 그 사람은 거수경례를 하며 이렇게 말했다: "펑 사령관님, 중앙에서 회의를 하고 있는데, 마오 주석께서 즉시 펑 사령관님을 베이징으로 모셔오라고 하셨습니다. 주석께서는 즉시 펑 사령관님의 의견을 들으시겠답니다. 어제 비행기가 준비되었는데, 날씨가 좋지 않아서, 총리께서는 혹시 사고라도 날까봐, 오늘 우리에게 사령관님을 모셔오라고 하셨습니다."

당에 대한 충성심이 매우 강한 펑더화이는 즉시 산회를 선포하고, 사무실로 돌아와 한 무더기 쌓여 있던 서북 지역 경제 발전 계획에 관련한 자료들을 정돈하더니, 냉만두(冷饅頭) 두 개를 먹고 물 한 잔을 마시고는 즉시 비행장으로 갔다. 이때까지도 그는 여전히 중앙의 경제 발전 회의에 참석하는 줄로만 알고 있었다. 펑더화이는 이렇게 베이징에 가자마자 총사령관이 되어 출정하느라, 바빠서 시안(西安)에 있는 아내에게 작별인사를 할 기회가

95 1946년, 왕전은 마오쩌둥이 있는 옌안에 도착할 때까지는 수염을 깎지 않겠다고 다짐했었는데, 예상보다 도착 기일이 늦어지면서 그의 수염이 한 척이나 자랐다. 그 후 그는 '왕 수염'이라는 별명을 갖게 되었다.

96 중국 공무원 등급의 하나로, 자치주(自治州) 서기나 시장(市長) 정도의 지위에 있는 공무원들을 가리킨다.

없었으므로, 그의 아내 푸안슈(浦安修, 1918~1991)는 몇 달 동안이나 자신의 남편이 어디로 갔는지 알지 못했다.

비행기에서 펑더화이는 갑자기 이번에 가는 건 경제 문제와 무관할 수도 있다고 느꼈다. 경제 문제라면 이렇게 급할 리가 없었다. 군인의 직감이 펑더화이에게 아마도 조선 문제일 거라고 말해주었다.

펑더화이가 이녠탕에 도착했을 때, 이날의 회의는 막바지에 가까워졌는데, 회의에서는 여전히 논쟁이 매우 격렬했고, 두 가지 의견이 여전히 팽팽히 맞서 있었다. 펑더화이는 회의장의 분위기를 살펴보고는, 마오쩌둥이 황급히 자신을 오라고 한 것은 바로 자신에게 지원을 요청한 것임을 알아챘다. 출병을 할 것인가 말 것인가의 문제에서, 군사위원회 부주석·정치국 위원·서북국 서기인 자신의 한 표는 저울이 어느 쪽으로 기울 것인지 결정하는 한 표였다.

역시 마오쩌둥과 저우언라이는 산회 후에 펑더화이를 남게 하여, 세 사람이 쥐샹수우에서 환담을 나누었다. 군사 전문가로서, 펑더화이는 비록 멀리 서북 지방에 있었지만, 일찍부터 조선의 전황에 관심을 기울이고 있었다. 성격이 시원시원한 펑더화이는 즉시 자신의 의견을 밝혔다: "만약 전쟁을 피하는 것이 불가능하다면, 늦게 치르는 것보다 빨리 치르는 것이 낫습니다!"

마오쩌둥은 이 말을 듣고 껄껄대며 크게 웃었다: "보아하니 나의 구원병이 온 것이 맞군요."

펑더화이는 이후 감옥에서 자신의 당시 격렬한 사상 투쟁을 다음과 같이 기록했다:

"다른 동지가 나에게 하는 말을 듣더니, 마오 주석은 모두에게 출병의 불리한 상황들을 거듭 나열해보라고 하신 다음, 주석께서 이렇게 말씀하셨다: '여러분들이 말한 것은 모두 이유가 있겠지만, 다른 사람이 국가적으로 위급한 시기에 처해 있는데도, 우리가 옆에서 보고 있기만 하는 것은 어떻게 말하더라도 마음속으로는 괴롭습니다.' 나는 이제 막 도착해서 발언을 하지 않았지만, 내심으로는 마땅히 출병하여 조선을 도와야 한다고 생각했다. 산회 후, 중앙 관리과의 동지가 나를 베이징의 호텔로 데려다주었다. 그날 밤은 어떻게 해도 잠을 잘 수가 없었다. 나는 그것이 소파 침대 때문이라고 생각하고는, 이런 복은 참을 수 없어서 카펫 위로 옮겨왔는데도 잠을 이룰 수 없었다. 미국이 조선을 점령하면 우리와 강을 사이에 두고 마주보게 되어, 우리의 동북을 위협할 것이고, 또한 우리의 타이완을 통제하여, 우리의 상하이(上海)와 화둥(華東)을 위협한다는 생각을 했다. 그렇게 되면 중국을 침략하는 전쟁을 일으키려고, 언제라도 전쟁의 구실을 찾을 수 있을 것이다. 호랑이가 사람을 잡아먹으려고 하면, 언제 잡아먹을 것인지는 위장에서 결정하는 것이니, 호랑이에게 양보해서는 안 된다. 미국이 침략해 오려고 한 이상, 우리는 침략을 반대해야 한다. 미국인들과 승부를 겨루지 않으면, 우리가 사회주의를 건설하려는 것은 어려움에 처할 것이다. 만약 미국이 우리와 전쟁을 하기로 결심한다면, 미국은 빨리 전쟁을 끝내는 것이 유리하고, 우리는 장기전을 펼치는 것이 유리하다. 그들은 정규전을 펼치는 것이 유리하고, 우리는 일본을 상대할 때와 마찬가지로 게릴라전을 펼치는 것이 유리하다. 우리는 전국의 정권을 차지했고, 소련의 원조가 있으니, 항일 전쟁 시기보다 유리한 점이 많다. 이 나라 건설의 앞날을 위해 생각한다면, 마땅히 출병해야 한다. 흔히 소련을 우두머리로 하는 사회주의 진영이 매우 강대하다고 하는데, 우리가 출병하여 조선을 돕지 않는다면, 어떻게 그 강대함을 보여줄 수 있단 말인가? 식민지나 반식민지 인민들의 제국주의를 반대하고 침략을 반대하는 민주 혁명을 고무하고 격려하기 위해서라도 출병해야 하며, 사회주의 진영의 위력을 확대하기 위해서라도 출병해야 한다. '여러분들이 말한 것은 모두 이유가 있겠지만, 만약 그것이 조선이 처해 있는 위급한 시기와 연관시켜 생각하지 않는다면, 그것은 민족주의이지 국제주의가 아니다.' 나의 생각이 여기에 이르자, 출병하여 조선을 돕는 것이 옳고, 필요하고, 영명한 정책 결정이며, 또 한시도 지체할 수 없는 긴급한 일이라고 여겨졌다. 나는 납득이 되어, 주석의 이 영명한 정책 결정을 옹호했다."(『펑더화이자서전[彭德懷自述]』 275쪽을 보라.)

다음날 오후, 중앙은 계속해서 이넨탕에서 회의를 개최했다. 이것은 결정적인 회의로, 중앙의 정책을 결정하는 지도자들이 빠짐없이 모였다. 마오쩌둥·주더·류사오치·저우언라이·런비스 등 5대 서기가 참석했고, 천윈·캉성(康生, 1898~1975)·가오강·펑전·동비우(董必武, 1886~1975)·린보취(林伯渠, 1886~1960)·덩샤오핑·장원톈(張聞天, 1899~1976)·펑더화이·리푸춘(李福春, 1900~1975)·린뱌오 등 중국공산당의 빛나는 별들이 한자리에 모여 오늘 정책을 결정하게 될 것이고, 이 정책 결정은 공화국의 생사존망에 관계가 있었다.

린뱌오는 의기소침하게 계속 말을 이어갔는데, 여전히 곤란한 문제가 많다고 했다. 그가 내린 최후의 결론은 동북변방군의 변경 수비를 강화함으로써, 제 무덤을 파는 일을 면해야 한다고 했다.

마오쩌둥은 들으면 들을수록 화가 났다. 동서고금에 국가의 안보가 위협받고 있는데, 어느 나라의 군대가 전쟁을 주장하지 않는단 말인가? 린뱌오는 너무 분발하지 않았다.

저우언라이가 그를 대신하여 입을 열었다: "미군이 압록강에 이르게 되면 그들은 욕심이 한도 끝도 없을 것입니다. 침략자는 스스로 발걸음을 멈추지 않습니다. 맥아더는 다시 압록강은 경계가 아니라고 말할 것입니다."(나중에 맥아더는 과연 그렇게 말했다.)

펑더화이가 자리에서 일어나 좌중을 깜짝 놀라게 하는 말을 했다: "출병하여 조선을 돕는 일은 필요한 것이고, 싸워서 물리치면, 해방 전쟁 말기에 몇 년 승리한 것과 맞먹습니다. 만약 미군이 압록강 주변과 타이완에 배치된다면, 그들은 전쟁을 일으키려고, 언제라도 구실을 찾을 수 있을 것입니다!"

마오쩌둥이 쇠뿔을 단김에 빼려는 듯이 말했다: "펑 사령관의 말이 맞습니다. 우리가 출병하여 참전하는 데에는 곤란한 점이 많습니다만, 조선은 중국에 우호적인 이웃 나라이니, 중국 인민은 미국 침략자들이 멋대로 짓밟는 것을 내버려둔 채 방치할 수는 없습니다. 입술이 없으면 이가 시리고,

대문이 부서지면 집안이 위험해지니, 우리는 당연히 참전해야 하고, 반드시 참전해야 합니다. 참전하면 이익이 매우 크고, 참전하지 않으면 손해가 매우 큽니다!"

이 한마디로, 출병은 결정되었다.

10월 6일, 저우언라이는 다시 정치국 확대 회의를 주재하고, 출병하여 조선을 돕는 일에 관련된 문제를 논의했는데, 마오쩌둥은 일이 있어서 회의에 참석하지 않았다.

회의 중에 린뱌오는 갑자기 흥분하여, 목소리가 날카롭고 가늘어졌고, 어조도 급해지기 시작했다: "전쟁이라니요. 우리는 수십 년간 전쟁을 했습니다. 10년의 내전[97], 8년의 항일 전쟁, 4년의 해방 전쟁[98]으로, 인심은 평화를 바랍니다. 지금 출병하여 전쟁을 하면, 인심을 얻을 수 없습니다. 나라는 이제 막 해방되어, 국내 경제는 난장판이고, 군대는 총과 대포가 망가졌는데 아직 다 고치지도 못한 데다, 여전히 토비들은 활동하고 있으니, 스스로를 돌아봐야 하지 않습니까? 그런데도 나라 밖으로 나가서 전쟁을 하다니요! 다시 말하지만, 국민당과의 전쟁은 가망이 있지만, 미국은 현대화된 군대가 있고 원자폭탄도 있는데, 그들과 싸운다는 것이 우리에게 가당키나 합니까? 나는 중앙이 신중하게 생각하여, 온당하게 행동해야 한다고 봅니다."

언제나 온화한 저우언라이가 화를 냈다: "지금 우리가 토론하는 문제는 출병을 하느냐 하지 않느냐의 문제가 아니라, 어떻게 준비하고, 어떻게 마오 주석의 결정을 구체화하고 이해할 것인가 하는 것이오!"

린뱌오는 난감했다. 오랫동안 전장을 누벼온 지휘관으로서, 이처럼 앞뒤를 재면서 소심하게 일이 잘못될까봐 겁내는 것이, 실제로 모습에 영향을 주었다. 그는 얼굴을 붉히며 중얼거리듯이 말했다: "출병하더라도 싸우면 안

---

97 1927년 4·12 상하이 쿠데타 이후 시작되어, 1936년까지 계속된 제1차 국공 내전을 가리킨다. 중국공산당의 대장정이 이 시기에 진행되었다. 1936년 장쉐량(張學良, 1898~2001)이 시안(西安) 사변을 일으키면서 끝났다.

98 제2차 국공 내전(1946~1950)을 가리킨다. 중국 대륙의 국민당 잔당 소탕은 1950년 5월에 마무리되었다.

됩니다. 군대를 보내기는 하지만, 싸우면 안 됩니다."

저우언라이와 많은 사람들은 모두 웃음이 나오는 것을 참을 수 없었다: "다른 사람들은 강 건너에서 불구경을 하고, 당신은 강을 건너가서 불구경을 하겠다니, 통하겠소?"

린뱌오는 더 이상 말을 하지 않았다.

회의가 끝나고, 저우언라이는 시화팅으로 돌아가다가, 도중에 마오쩌둥을 만났는데, 마오쩌둥이 물었다: "회의는 어떻게 되었습니까?"

저우언라이는 고개를 저었다: "대부분 동지들의 의견은 모두 통일되었는데, 오직 소수의 동지들만 여전히 반대했습니다. 특히 린뱌오 동지가 그랬습니다." 즉시 린뱌오가 했던 발언들을 마오쩌둥에게 보고했다.

마오쩌둥은 정말로 화를 냈다: "이 사람은 전쟁에 너무 신중하고 담력과 지모가 부족합니다. 신분이 고급 장교인데, 이처럼 전략적인 안목이 부족하고 전쟁에 임해 겁을 먹으니, 정말이지 그러면 안 됩니다. 그는 그 자신의 수천수만 가지의 이치를 가지고도, 우리의 한 가지 이치를 논박할 수 없습니다. 그것은 바로 우리나라와 조선은 모두 공산당이 영도하는 사회주의의 우호적 이웃 나라로서, 국제주의의 관점에서 말하든, 공산주의의 관점에서 말하든 간에, 우리는 이웃 나라의 위급함을 보면서도 구해주지 않으면 안 됩니다. 중화민족은 수천 년 이래로 영광스러운 전통과 미덕이 있으니, 의로운 일을 보면 용감하게 행하고, 자신을 버리면서까지 타인을 구하는 것입니다. 우리는 마땅히 그것을 발양해야만 합니다! 린뱌오는 미국의 원자폭탄을 무서워하는데, 그것이 뭐 그리 대단합니까? 그들에게는 그들의 원자폭탄이 있고, 우리에게는 우리의 수류탄이 있습니다. 수류탄은 반드시 원자폭탄을 물리칠 수 있으며, 결국은 원자폭탄이 인민을 소멸시키는 것이 아니라, 인민이 원자폭탄을 소멸시킵니다. 나는 원자폭탄이 종이호랑이에 지나지 않는다고 굳게 믿습니다!"

린뱌오는 이때부터 줄곧 8년 동안 칩거하다가, 1959년 루산 회의에 다시 나왔다.

13

10월 8일, 미국 군대가 38선을 넘은 다음날[99], 마오쩌둥이 제의하자, 정치국은 펑더화이가 대군을 통솔하여 조선에 들어가 작전하는 것을 만장일치로 통과시켰다.

회의가 끝나고, 모든 참석자들은 차례로 줄을 서서, 순서대로 총사령관이 되어 출정하는 펑더화이와 악수했다. 그들은 모두 엄숙한 얼굴로, 한마디도 하지 않은 채, 다만 힘껏 펑더화이의 굳은살이 가득한 큰 손을 잡고 세게 흔들었다. 펑더화이는 깊은 감동을 받았다. 이들은 모두 수십 년 동안 아침저녁으로 함께 지냈고, 함께 총탄이 빗발치는 격전지를 돌파했던, 형제보다 더욱 친한 동지들이었다. 이 악수는 부탁이자 신임이었으며, 무엇보다도 깊은 전우애였다.

산회한 후, 가오강은 중난하이의 호숫가에서 펑더화이를 만났다: "보아하니 아직 늙었음을 인정하지 않으시는군요!"

펑더화이는 껄껄대며 크게 웃었다.

저녁에, 마오쩌둥은 펑더화이를 위해 집에서 송별연을 베풀었는데, 장남인 마오안잉(毛岸英, 1922~1950)이 참석했다.

마오쩌둥은 이전부터 바이지우(白酒: 중국 전통 술-옮긴이)를 입에 대지 않았지만, 서빙을 담당한 사람들이 붉은 포도주를 꺼내올 때, 그가 손을 저었다:

"치우게. 이번에는 출정주이니, 진짜로 마오타이지우(茅台酒)를 가져오게!"

서빙을 담당한 사람이 술을 따르려 하자, 마오쩌둥은 다시 손을 저었다: "내가 따르겠네."

꾸밈이 없는 펑더화이가 연달아 말했다: "주석님, 이건 정말 황송합니다!"

99 한국 측 기록에 따르면, 워커 제8군 사령관이 도쿄로부터 정식으로 북진 명령을 받은 것은 1950년 10월 7일이고, 실제로 미군이 38선을 넘은 것은 10월 9일이라고 한다. 국군이 38선을 넘은 것이 10월 1일이니, 8일 만에 미군 주력 부대가 38선을 넘은 것이다.

"무슨 말씀이오, 펑 사령관! 내가 술을 따르는 게 도리에 맞습니다."

"그 이유를 듣고 싶습니다."

"우리가 만난 지 몇 년이나 되었지요, 펑 사령관?" 마오쩌둥이 다정하게 물었다.

펑더화이는 즉석에서 곧바로 말했다: "1928년 겨울, 제가 홍5군을 이끌고 징강산에서 주석님과 합류했으니, 지금까지 23년이 되었습니다."

마오쩌둥은 눈에 눈물이 고였다: "23년이라, 쉬운 게 아닙니다. 지난날 당신은 나를 많이 지지했지요. 징강산에서 사방팔방으로 포위되어 있을 때, 당신에게 100명의 병력으로 지키게 했었지요. 지키지 못할 줄 알았는데, 당신은 지켜냈습니다. 제3군단의 수많은 간부들이 간강(灨江)을 건너는 것을 반대했지만, 당신의 천금 같은 말 한마디에 건넜습니다. 장정에 참여하는 사람이 부족하자, 당신은 제1군단의 역사를 배려하여, 당신의 이끼는 부대인 제3군단의 편제를 해산하고 제1군단에 편입시켰습니다. 또 8년간 일본에 항전할 때, 당신은 씩씩하게 적의 배후로 나아가, 타이항산(太行山)에서 온갖 고생을 다 했습니다. 해방 전쟁에서는 당신의 전쟁 구역이 가장 궁핍하여, 검은 콩도 먹지 못했지요. 부대는 가장 적어서, 불과 2만 명에 불과했고, 장비도 매우 부족한 데다, 대부분 낡아빠진 총들이었습니다. 당당한 해방군의 부총사령관인 당신으로 하여금 이렇게 적은 부대를 이끌게 했는데, 당신은 오히려 고생도 마다하지 않고 원망도 하지 않으면서 100만 명이 넘는 적을 무찔러, 전체 대서북(大西北)[100]을 해방시켰으니, 쉽지 않은 일이었습니다. 린보취 옹이 한 말이 맞습니다. 더화이(德懷), 더화이는, 덕이 있으니 품을 만하고, 위세가 있으니 두려워할 만하다는 겁니다! 지금 천하는 공산당의 붉은색이 되었고, 나 마오쩌둥은 베이징에서 복을 누리지만, 당신을 다시 조선에 보내 고생시키게 되었으니, 내 마음이 편치 않습니다. 그러니 이 잔을 올려야 하지 않겠습니까?"

100 지금의 산시(陝西), 간수(甘肅), 닝샤(寧夏), 칭하이(青海), 신장(新疆) 및 네이멍구(內蒙古) 일부를 가리키며, 현재 중화인민공화국 전체 면적의 30%를 차지하는 방대한 지역이다.

말솜씨가 서툰 펑더화이의 눈이 촉촉해졌다: "공산당원이지 않습니까! 당이 어디든 가라고 하면, 어디든지 가는 게 당연하지요. 주석님께서 저에게 술을 권하셨으니, 제가 감히 마시지 않을 수 있겠습니까. 잔을 비우겠습니다!"

술을 한 잔 마시자, 마오쩌둥은 목까지 붉어졌다:

"더화이, 당신이 출정하는데, 내가 달리 선물할 것은 없고, 오직 한마디 말과 하나의 물건을 함께 드리겠습니다. 그 한마디 말이란, 당신은 반드시 안전에 주의해야 한다는 겁니다. 미국인의 제공권이 매우 강력한데, 전략상으로는 경시하더라도, 전술상으로는 반드시 중시해야 합니다. 나 마오쩌둥과 공산당에게 펑 대장군과 같은 사람이 없어서는 안 됩니다."

펑더화이는 깊이 감동했다: "주석님의 말씀이 무겁습니다. 저 펑 아무개는 일개 농민에 불과한데, 또한 뭔가 보물을 저에게 주시겠다고 하셨지요, 주석님?"

마오쩌둥은 허허허 하고 한번 웃었다: "나 마오쩌둥은 당신과 마찬가지로 가난하여 보물은 없지만, 보물처럼 보이는 것은 하나 있습니다." 그는 손으로 배석한 마오안잉을 가리키면서 짙은 후난(湖南) 방언으로 말했다:

"내가 이 큰아들 녀석을 당신에게 드릴 테니, 당신이 저 아이를 함께 조선에 데려 가서 싸우십시오!"

펑더화이가 잔을 든 손을 내려놓았다. 그는 마오쩌둥이 아들을 전쟁터로 보내리라고는 도무지 생각하지 못했다. 그는 마오안잉을 알고 있었는데, 마오안잉은 고생을 많이 했다. 그는 10살 때 두 동생을 데리고 상하이에서 구걸하다가, 이후에 소련에 가서 제2차 세계대전 때 중위가 되었다. 잔혹했던 소련과 독일의 전쟁에서 중위의 생명은 불나방보다도 짧았으니, 그는 운이 좋았다고 할 수 있다. 그가 귀국하자마자, 마오쩌둥은 그를 농민이 되어 농사를 지으면서 국내의 사정을 이해하게 했으며, 베이징에 들어오자 다시 공장으로 보내 공업을 파악하게 했다. 어쨌든 그는 단 하루도 행복한 나날을 보내지 못했다. 펑더화이는, 마오쩌둥의 다른 두 아들들은 행방불명되거나 정신병자가 되었으니, 이 마오안잉은 주석이 눈에 넣어도 아프지 않을 자식이라는 것을 알고 있었다. 그러나 전쟁터라는 곳에서는 아무도 무슨 일이 일어날지 정확하게 말할 수 있는 사람은 없다. 이 총사령관의 목숨도 그렇게 갑작스러운 일이 없으리라고는 말할 수 없었다(평 총사령관의 몇몇 친족들이 회고하기를, 그때 며칠 동안 평 총사령관의 정서가 매우 불안정했다고 한다. 그는 공부하는 집안의 후손들을 하나하나 불러와 신신당부하면서, 작은 선물들을 주었다. 그는 이렇게 희생할 준비를 마친 다음에야 비로소 전쟁터로 나갔다고 한다).

펑더화이는 잠시 생각을 하다가, 대답을 기다리고 있는 마오쩌둥을 바라보면서 서서히 머리를 가로저었다: "주석님, 이건 전쟁입니다!"

마오쩌둥이 자리에서 일어났다: "나 마오쩌둥이 중국 인민들에게 항미원조를 호소하고 있으니, 내 아들이 마땅히 맨 먼저 가서 싸워야지요!"

펑더화이는 마오쩌둥의 인격에 깊은 충격을 받아, 그는 벌떡 일어서며 말했다: "좋습니다. 주석님께서 이렇게 말씀하시니, 제가 데려가겠습니다."

마오안잉도 감격하여, 그도 자리에서 일어나서 말했다: "평 숙부님, 저는 싸우다가 죽는 것을 두려워하지 않으며, 숙부님의 체면을 구기지 않을 것입니다. 저는 본래 군인입니다!"

펑더화이는 웃었다. 그는 마음속으로 이 순박한 젊은이를 좋아했다: "자네는 무슨 일을 하고 싶은가?"

마오안잉은 사기충천하여 말했다: "저는 근위군 중위로 부중대장이 되어, 모스크바에서부터 줄곧 싸우면서 베를린까지 갔었습니다. 10년이 흘렀으니, 이제 사단장으로 승진해야 하지 않겠습니까?"

펑더화이가 고개를 들고 크게 웃었다: "좋아, 사나이답네. 그러나 자네는 고지식한 면이 있으니, 자네는 나의 사령부 안에서 러시아어를 번역하면서, 내 곁을 떠나서는 안 되네……."

이렇게 세계 군사 역사를 뒤흔든 중국 인민지원군이 탄생했다.

이후 미국이 참패했을 때, 미국 군부 및 정계의 수뇌부들은 모두 소리 높여서 말하기를, 자신들이 마주한 것은 "중국공산당의 정규군"이었지, 애초부터 "지원군"이 아니었다고 했다. 그러나 그들은 전쟁이 확대될 것을 두려워했으므로, 그들은 작전할 때나 담판할 때도 지원군이라는 명칭을 승인했고, 또 이것을 이유로 한 발짝 물러나, 중국에 선전포고를 하지 않았다. 영국과 프랑스 등 미국 추종국들은 더구나 자신들은 반대했을 뿐 아니라 중국과 교전도 하지 않았다고 말했다.

10월 8일, 저우언라이는 모스크바로 날아갔다. 스탈린은 중국이 출병하기만 하면, 자신이 비행기와 무기를 제공하겠다고 승낙했으므로, 저우언라이가 이번에 가는 것은 총·대포·비행기를 요구하러 가는 것이었다.

저우언라이가 비행기를 탄 것과 동시에, 펑더화이는 마오안잉 일행을 데리고 선양으로 날아가 군대 지휘권을 장악했다.

14

펑 총사령관이 원수(元帥)가 되었다.

소식이 전해지자, 제13병단 사령부는 즉각 매우 기뻐했다.

이틀 전, 덩화와 홍쉐즈는 압록강 강변에 서서 강 건너에 있는 조선의 신의주(新義州)시에 대해 몇 분 동안에 100대가 넘는 미국 비행기들이 폭격하는 것을 눈으로 똑똑히 보자, 의분이 가슴에 가득 끓어오르면서도 초조하기 그지없었다. 그런데 중앙에서는 어째서 아직도 명령을 내리지 않는가? 이번에도 출병하지 않으면 미국인들이 곧 압록강 강변으로 공격해 올 텐데, 그때는 피동적으로 대처할 수밖에 없게 된다. 지금 펑 총사령관이 오면 좋을 텐데!

홍쉐즈는 마오쩌둥이 펑더화이를 지원군 사령관 겸 정치위원에 임명했다는 전보를 보고 기뻐하며 말했다: "펑 인민해방군 부총사령관이 지원군 총사령관이 되었으니 아주 잘됐네. 우리 해방군 부총사령관이 지휘하면, 미국놈들을 산산조각낼 수 있을 거네!"

기뻐서 입을 다물지 못하던 덩화가 갑자기 정색을 했다: "형님, 머리를 조심하셔야 합니다! 제가 펑 총사령관님을 알고 있는데, 그분은 일에 대한 의욕이 강하고, 전투에 대한 요구가 엄격하시며, 책임감이 매우 강하십니다. 작전 중에 조금이라도 실수를 하면 그분은 크게 화를 내십니다. 그분을 화나게 하면, 사람을 죽이려 드십니다!"

하늘도 땅도 두려워하지 않는 훙쉐즈가 조금도 개의치 않고 말했다: "펑 총사령관의 성격은 상관없네. 우리는 원칙에 따라 일만 열심히 하면 되네. 어쨌든 머리는 하나뿐이니, 집어서 가져가면 그만이지!"

솔직하고 시원시원한 훙쉐즈는 이후 과연 펑 총사령관이 가장 많이 비판한 장군이 되었지만, 그가 받은 표창도 가장 많았다.

직원들은 서둘러 펑더화이를 위해 거처를 정리했는데, 다른 것은 모두 중요하지 않아도, 절대로 거미가 있어서는 안 되었다. 중국 군대에서 용감하기로 으뜸인 펑더화이가 거미에 대해서는 매우 이상하게도 두려움을 갖고 있었다. 나중에 그의 부하들 중 한 명이 말하기를, 이러한 심리는 아마도 그의 유년 시절 경험과 관련이 있을 거라고 했다. 펑더화이가 비행기에서 내려 투숙한 곳은 다이허(大和) 여관이었는데, 방문을 밀어 열고는 저절로 깜짝 놀랐다. 박일우가 객실에서 그를 기다리고 있었던 것이다.

이 조선의 차수(次帥)는 연신 미안하다고 말했다: "펑 사령관님. 정말이지 실례를 범하게 되었습니다. 저희는 지금 발등에 불이 떨어졌습니다."

펑더화이는 손을 저으며 말했다: "모두 동지들인데, 예의라니요!"

박일우가 말했다: "미국놈들이 평양을 공격하려 하고 있어, 여러분들이 가능하면 빨리 와서 싸워주기를 바랍니다!"

펑더화이가 단호하게 말했다: "내가 온 것은 바로 군대를 이끌고 가서 미국놈들과 싸우려는 겁니다!"

펑더화이가 선양에 도착한 것을 보자, 박일우는 마음이 든든했다. 중국이 정말로 출병하려니까, 온 사람이 중국공산당 중앙군사위원회의 부주석이고, 중국 인민해방군의 부총사령관이겠지! 중국의 방침이 확실히 정해졌음을 알자, 그는 식사를 할 틈도 없이 기쁜 소식을 전하려고 조선으로 돌아갔다.

이쪽에서 박일우가 막 떠나자, 저쪽에서 펑더화이는 이미 각 방면 부대들의 수뇌들을 소집하여 결의 회의를 개최했다.

덩화는 도착한 뒤 흥분하여 펑더화이의 손을 잡았다: "환영합니다, 총사령관님. 총사령관님이 통솔하시니, 우리는 더욱 잘 싸울 수 있고, 우리의 믿음은 더욱 충만합니다."

덩화의 기쁨은 마음속에서 우러나온 것이었다. 중국 군대의 절대 다수 장교들은 펑더화이 휘하에 속했던 적이 있었다. 그들은 펑더화이 밑에서 연마하며 여러 방면의 전투를 치렀고, 무수한 승리를 거두었다.

펑더화이는 미소를 지었다: "그렇소. 우리는 함께 미국인들과 싸워야 할 것이오. 그러나 내가 어찌 지원군이 될 거라고 생각이나 했겠소!"

홍쉐즈가 물었다: "그런데 총사령관님은 어떻게 해서 오셨습니까?"

펑더화이가 대답했다: "나는 주석님께서 총사령관으로 지명하고 임무를 맡겨서 오게 된 거요. 원래는 린뱌오가 와야 했지만, 그가 병이 나자, 주석님께서 나에게 가라고 명령하셨소."

홍쉐즈는 마음속으로, '덩화는 펑더화이가 엄숙한 성격이라고 했지만, 그가 농담을 하고 있지 않은가!'라고 생각했다. 그리고 이어서 말했다: "펑 총사령관님, 저도 지원군이 될 거라고는 생각하지 못했습니다. 덩화가 저를 꼬드겨서 오게 했을 때, 저는 세탁 맡긴 옷마저도 가져오지 못했습니다."

펑더화이는 크게 웃었다: "당신은 세탁 맡긴 옷만 못 가져왔지만, 나는 시안(西安)에서 출발할 때 세면도구조차도 없었고, 또 경제 개발 회의를 하러 가는 줄 알았소!"

덩화는 즐거워했다: "여러분들이 한 말은 모두 진심으로 한 말이 아니고, 사실은 여러분들 모두 가장 적극적으로 지원한 지원군들이십니다. 여러분들을 오라고 하자, 여러분들 중 누가 두려우셨습니까? 누가 값을 흥정하셨습니까? 모두들 매우 기뻐하며 오지 않으셨습니까?"

모인 장군들이 함께 크게 웃었다. 오랫동안 전쟁을 경험한 직업 군인에 대해 말하자면, 국가를 보위하고 침략자를 무찌르는 것이 그들에게는 가장 큰 행복이었다.

결의 회의에서 가오강이 먼저 발언했다. 그는, 출병에 대해 중앙에서는 동의하지 않는 의견이 있었고, 그 자신도 원래 처음에는 출병에 찬성하지 않았지만, 중앙에서 이미 결정을 했으니, 모두 한마음으로 협력하여 일을 완수해야 한다고 말했다.

옆에 있던 펑더화이는 마음이 좀 언짢았다. '가오강이 왜 지금 저런 말을 한단 말인가?' 이날 밤, 펑더화이는 여러 장교들과 함께 모여 출정주(出征酒)를 마셨다. 술이 세 순배 돌자, 펑더화이는 감정이 격앙되었다:

"징강산에서부터 조선까지, 여전히 우리는 같은 사람들입니다. 우리를 지원군이라고 하는데, 사실 나도 지원한 것이 아닙니다. 만약 미국 군대가 압록강까지 압박해오지 않는다면, 나도 지원하지 않을 것입니다. 지금 그들이 우리들의 집을 쳐들어오고 있으니, 나도 총사령관이 되어 출정할 것을 지원합니다. 여러분은 지원하겠습니까, 지원하지 않겠습니까?"

"지원합니다!"

장군들의 성난 함성의 기세가 우레와 같았다.

다음날, 펑더화이가 부대에 와서 전쟁 준비를 점검하기 시작하자, 한 간부가 경솔하게 그에게 물었다: "펑 총사령관님, 어떻게 동북의 서기(가오강-옮긴이)는 전쟁을 주장하지 않았는데, 서북의 서기(펑더화이-옮긴이)는 반대로 전쟁을 주장하셨습니까?"

펑더화이는 눈을 부릅뜨고 노려봤다: "무슨 동북 서기 서북 서기인가! 모두 당중앙의 명령을 따라, 당중앙이 싸우라고 하면 싸워야 하고, 그리고 또 잘 싸우지 않으면 안 되네!"

모두들 숙연해졌다.

부대의 상황은 펑더화의를 매우 만족시켰다. 병사들 한 사람 한 사람이 호랑이 같았다. 몇 명의 병사들에게 무작위로 항미원조를 바라고 있는지를 물었더니, 그들은 모두 가슴을 쫙 펴고, 국가를 보위하는 도리를 말했다.

펑더화이는 묵묵히 고개를 끄덕였다. 장교들을 보기 전에 병사들을 먼저

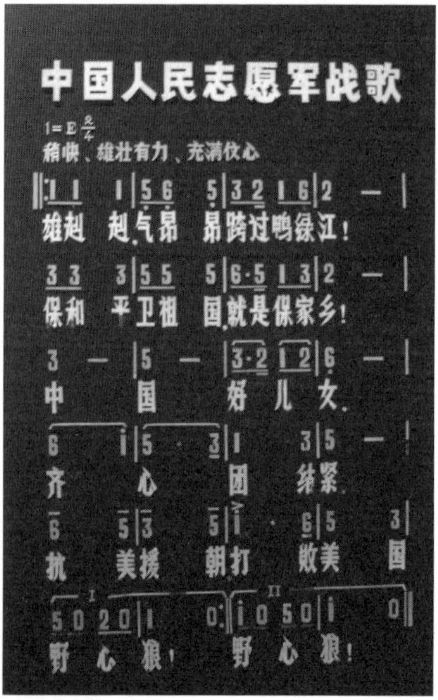

지원군 전투가

살펴보았는데, 병사들의 군사적 소질은 좋았고, 사상 공작도 잘 되어 있었다. 제13병단의 몇몇 장교들은 재능이 뛰어난 사람들이었다.

한 병사는 펑더화이에게 자신이 직접 지은 시 한 편을 암송했다: "미제는 마치 횃불처럼, 조선을 불태우고 중국을 불태우네. 중국이 빨리 이웃의 불을 끄고, 조선을 구하는 것이 곧 중국을 구하는 것이라네[美帝好比一把火, 燒了朝鮮燒中國. 中國隣居快救火, 救朝鮮就是救中國]!"

펑더화이는 듣고 나서 크게 웃음을 터뜨렸다. 이 사병 출신의 순박한 중국 통솔자가 가장 즐거워한 일은 사병들과 함께 즐겁게 웃는 것이었다.

칠판에 붙어 있는 벽보 앞으로 걸어가더니, 펑더화이가 걸음을 멈추었다. 그가 본 것은 한 편의 콰이반(快板)[101] '시(詩)'였다.

雄赳赳(씩씩하고)

氣昂昂(기세당당하게)

跨過鴨綠江(압록강을 건너가세)

保和平(평화를 지키고)

保祖國(조국을 지키는 것이)

101 비교적 빠른 박자로 '박판(拍板: 대체로 세 개의 딱딱한 나무쪽으로 만든 타악기)'과 '죽판(竹板: 두 개의 대쪽으로 만든 타악기)'을 치면서, 기본적으로 7자구(字句)의 압운(押韻)으로 된 구어체 가사에 가끔씩 대사를 섞어가며 노래하는 중국 민간 예술의 한 종류이다.

就是保家鄕(바로 집안을 지키는 것이네)
中華好兒女(중화의 훌륭한 아들딸들이)
齊心團結緊(합심하고 굳건히 단결하여)
打敗美帝野心狼(탐욕스런 늑대 미제를 물리치세).

펑더화이는 격앙되어 큰 소리로 읽어보고는, 잘 썼다고 칭찬했다: "어느 수재가 쓴 것인가?" 그가 물었다.

"포병 제1사단 제26연대 제5중대의 정치교도원 마푸야오(麻扶搖, 1927~2019)입니다." 수행한 간부가 말했다.

몇 세대 사람들의 뜨거운 피를 끓어오르게 하며 불려진 「중국 인민지원군 전가(中國人民志願軍戰歌)」는 이렇게 탄생했다.

신중국이 최고 지도자·장수들에서부터 사병과 군중들까지 일심으로 출병하여 조선을 도울 준비를 하고 있을 때, 트루먼도 웨이크(Wake) 섬으로 날아가서 맥아더를 만났다. 미국 군대의 최고 통수권자를 5년이나 맡고 있었으면서, 트루먼은 이렇게 처음으로 자신의 부하를 만났다.

15

맥아더는 이미 14년이나 미국 본토를 떠나 있었는데, 그 당시에는 화를 내며 떠났었다.

14년 전, 맥아더는 미군 현역에서 은퇴하고, 필리핀으로 건너가 대통령 케손(Manuel Luis Quezon y Molina, 1878~1944)에게 필리핀 원수 자리를 요구했다. 그는 너무나도 원수가 되고 싶어 했다.

어쩔 수 없이 케손은 헌법을 바꾸어, 그로 하여금 당시에는 결코 존재하지 않았던 필리핀 군대의 육군 원수를 맡게 했다. 맥아더는 자신의 원수 신분을 명실상부하게 만들기 위해, 스스로 직접 매우 과장된 원수의 군복을 디자인해냈으며, 심지어 상당히 크고 묵직한 금색 원수봉(元帥棒)을 고안해내기도 했다.

맥아더가 금색 원수봉을 들고 미국으로 돌아왔을 때, 그는 워싱턴 사교계에서 웃음거리가 되었다. 한 상원의원은 심지어 연회장에서 맥아더가 직접 고안한, 흰색 바탕에 붉은색 테두리가 있고, 금색 실과 화려한 무늬와 훈장들로 가득한 커다란 옷깃의 원수복을 보고는, 아주 그럴듯하게 실제로 있었던 일인 것처럼 이야기했다:

"워싱턴에는 항상 약간의 하급 장교들이 있는데요, 예를 들어 소위라고 합시다. 그들이 남아메리카의 단지 바나나만을 생산할 수 있는 작은 나라의 군대에 파견되어 군사 고문이 되었습니다. 그들은 그렇게 지내다가 곧바로 연달아 승진을 거듭하게 되는데, 가장 계급이 낮다고 해도 준장이 되었습니다. 이 준장은 워싱턴으로 돌아와 일을 하게 되었고, 국제 관계 때문에 그도 외교 연회에 초대받았지요. 이렇게 과분한 대우를 받자 기쁘고 놀라우면서도 마음 한편으로 불안했던 준장은 연회장에서 한 미군 소령에게 슬쩍 물었습니다. '나 같은 신분의 준장은 워싱턴에서는 대체로 누구와 같이 식사를 합니까?' 소령은 곁눈질로 그 준장을 보더니 이렇게 말했습니다. '워싱턴에서는 당신 같은 준장은 대개 주방에서 요리사와 함께 먹지요.'"

이 이야기를 듣고, 연회에 참석한 미녀들과 귀빈들이 맥아더가 걸치고 있는 무대 의상과도 같은 원수복과 로마 제국 스타일의 금색 원수봉을 보고는 배꼽이 빠질 듯이 웃어대자, 맥아더는 어금니를 깨물며 분을 삭일 수밖에 없었다.

"바나나국의 원수", "루손(Luzon)[102]의 나폴레옹" 노릇을 하면서 자신이 직접 원수복을 디자인했다는 이야기가 워싱턴의 사교계에 두루 전해지자, 맥아더는 부끄러워하며 필리핀으로 돌아갔다. 당시의 맥아더는 평생 다시는 미국으로 돌아가지 않겠다고 다짐했다. 그리고 14년이 흘렀다.

이 14년 동안, 맥아더는 단지 1944년에 하와이 진주만으로 날아가 루스

102 필리핀의 수도인 마닐라가 있는 섬

벨트와 한 차례 회견을 하여, 일본에 반격할 전략 방향을 협의했을 뿐이고, 그 나머지 시간에는 동양에서 우두머리 행세를 하면서, 아메리카 제국이 아시아에서 이익을 확대하는 데 온갖 노력을 다했다. 그러나 만약 동양에서 스스로 통일을 이룰 수 있다면, 그는 더욱 기쁠 것이다.

10월 14일, 맥아더는 태평양에 있는 웨이크 섬으로 날아가서 트루먼이 오기를 기다렸다. 비행기에서 그는 웃음을 멈추지 않았다. 미주리 촌놈이 그에게 진주만에 와서 만나겠다니, 한사코! 웨이크 섬을 선택하면, 비록 자신에게도 그다지 편리하지는 않았지만, 트루먼으로 하여금 수천 마일을 날아오게 할 수 있었다. 웨이크 섬은 진주만처럼 좋은 조건은 아니어서, 아마 자신도 해군이 제공하는 허름한 집의 작은 방에 머물러야 하겠지만, 그럴 가치가 있었다. 촌놈에게 호된 맛을 보여줘야지. 중국인들이 이러한 것을 뭐라고 부르더라? 맞다. 신고식[下馬威][103]이라고 하지! 잠시 후면 끝내주는 신고식이 시작되겠지! 맥아더는 그 생각을 하면서 웃음이 나오는 것을 참지 못하자, 수행원들도 그가 트루먼을 만나는 것 때문에 매우 흥분해 있다고 생각했다.

그날 밤, 맥아더는 한 시간밖에 자지 못했다. 그는 일어나서 면도를 하고, 평상시의 편의복인 카키색 바지에 커터 셔츠와 부드러운 모자를 착용했으며, 옷에는 훈장조차 달지 않고, 단지 마음대로 옷깃에 별 다섯 개의 계급장만 달았다. 그의 부관인 휘트니는 "그가 마치 12시간을 잔 것처럼 생기가 넘쳤다"고 기록했다. 그러나 이렇게 생기가 넘치는 그의 상관은 예복을 입고 미국 군대의 통수권자를 만나러 가는 것을 잊었으며, 또한 대통령을 면담하는 일체의 예의와 군율도 위반했다. 신병이라고 해도 이렇게 하지는 않았을 것이다.

맥아더가 한 무리의 에스코트 차량을 대동하고 비행장에 오자, 이 장면

103 중국어의 '下馬威'는 새로 부임한 관리가 부임 첫날에 부하들을 의도적으로 지나치게 엄하게 대하는 것 등과 같이, 상급자가 하급자에게 처음 만나면서부터 호된 맛을 보여주는 다양한 행동들을 말한다.

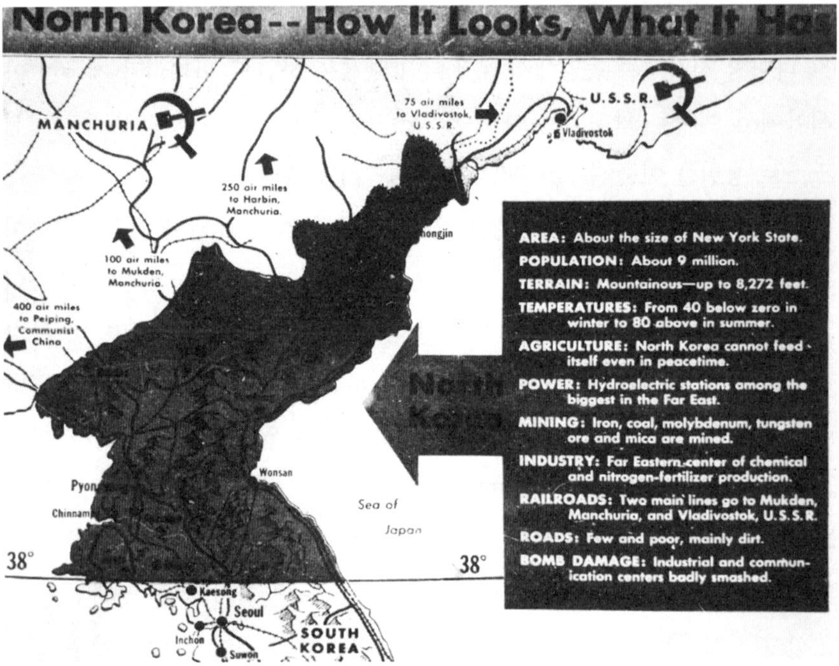

조선 전쟁 발발 후, 미국은 조선을 병탄하고 나서, 계속 중국을 침략하려고 시도했다. 이 지도는 1950년 10월 13일자 *U.S News & World Report* 잡지가 공개하여 수록한 지도이다.

을 본 많은 기자들은 모두 깜짝 놀라며 이렇게 말했다: "이는 마치 두 나라 정상들이 회견하는 것 같네."

트루먼이 도착했다. 그가 트랩을 내려오자, 맥아더는 비로소 지프에서 내려 다가가 손을 내밀었다.

트루먼은 어리둥절해 하다가 웃으며 말했다: "나는 매우 오래 전부터 당신을 만나고 싶었습니다. 장군!" 그러면서 맥아더의 손을 잡았다.

맥아더는 고개를 끄덕였다: "저는 다음 만남이 너무 오래 걸리지 않기를 희망합니다."

오직 한 사람만이 트루먼과 맥아더가 만났을 때의 미묘한 점에 주의를 기울였다. 그는 바로 트루먼을 수행하여 이곳에 온, 7개국어에 능통한 버논 A. 월터스(Vernon A. Walters, 1917~2002)였다. 그는 10년 후에 파리에서 황전(黃鎭)과 3년 동안 비밀 회담을 갖고, 닉슨과 키신저의 중국 방문을 위해 길

을 닦았던 미국 언어학자(그는 이후 미국 CIA 부국장을 역임했다)인데, 그는 회고록에서 이렇게 기록했다:

"트루먼 대통령이 천천히 트랩을 내려와 장군을 향해 걸어갔는데, 내가 좀 이상하다고 여긴 것은, 맥아더 장군이 트루먼 대통령에게 경례를 하지 않는 것이었다. 미국 헌법은 대통령이 미군 군대의 통수권자라고 규정하고 있으므로, 맥아더의 신앙이 무엇이든 상관없이, 그처럼 오랜 관록의 군인이 뜻밖에도 미국 대통령에게 경례를 하지 않은 것은, 내가 보기에는 이상한 것이었다."

훗날, 월터스는 트루먼이 은퇴하고 노년을 보내고 있을 때, 그를 만나러 미주리주의 인디펜던스시로 날아갔다. 월터스는 용기를 내어 트루먼에게 질문했다: "대통령 각하, 제가 각하께 경솔한 질문을 하나 해도 되겠습니까?" 트루먼이 말했다: "월터스, 무슨 경솔한 질문이라는 건 없고, 경솔한 대답만이 있을 뿐이오. 이 방면에는 내가 오히려 전문가이니, 그냥 물어보시오." 월터스는 머뭇머뭇하며 말했다: "대통령 각하, 각하께서 웨이크 섬에 도착한 후 비행기에서 내려오실 때 알아채셨는지……." 그가 질문을 다 끝내기도 전에 트루먼이 그의 말을 끊으며 말했다: "맥아더가 미국 대통령에게 경례를 하지 않은 것에 신경이 쓰였느냐 쓰이지 않았느냐는 거로군. 당신 말이 완전히 정확하오. 나는 신경이 쓰였고, 나는 당시 유감스럽게 느꼈어요. 왜냐하면 나는 그것이 내가 그와 교제하면서 장차 난처한 일을 당하리라는 것을 의미한다는 걸 알았기 때문이지요. 나중에 과연 그렇게 되어, 나는 그의 직무를 해직시켰는데, 나는 진작 그렇게 했어야 했소. 그게 옳았든 틀렸든 간에, 그는 미국을 어떻게 다스리고 통치하는지에 대해 이해하지 못하고 있었소."

저쪽의 중국은 거국적으로 상하 모든 사람들이 한마음이었는데, 이쪽의 미국은 장수들끼리 옥신각신하자, 전쟁의 신은 미국인들을 향해 섬뜩한 웃음을 짓기 시작했다.

트루먼의 이번 행차는 상당히 촉박했는데, 비록 맥아더를 만나기는 싫었지만, 전쟁 형세의 변화가 그로 하여금 이 역귀와도 같은 인물을 만나지 않을 수 없게 했다. 그는 이에 대해 다음과 같이 기록했다: "내가 맥아더 장군을 만나려고 했던 가장 중요하고도 가장 간단한 이유는, 우리가 지금까지 어떠한 사적인 접촉이 없었기 때문에, 나는 그가 마땅히 그의 통수권자를 이해해야 하고, 나도 극동 전장에 있는 고위 지휘관을 알고 있어야 한다고 생각한 것이다……."

사실 트루먼은 진실을 말하지 않았다. 두 번째 원인이야말로 아마도 가장 중요했을 것이다: "중국공산당이 베이징에서 위협하는 성명을 발표하여, 조선에 간섭할 것이라는 소식이, 내가 맥아더 장군과 만나서 의논하기를 갈망한 또 다른 이유였어요. 나는 그가 직접 획득한 정보와 판단에서 유익한 것을 얻으려고 했어요."

중국 주재 인도 대사 파니카르는 이미 10월 3일 당일에 저우언라이의 마지막 경고를 충실하게 미국에 전달했다.

애석하게도 맥아더는 이때 두 번째 치명적인 실수를 저질렀다. 중국이 조선에 출병할 가능성이 있다는 대량의 정보를 접하고도, 그는 여전히 뻔뻔스럽게 큰소리를 치면서 트루먼에게 이렇게 말했다: "가능성은 매우 낮습니다. 만약 그들이 첫 번째 달이나 두 번째 달에 간섭했다면, 그것은 아마도 결정적인 의미가 있었을 겁니다. 우리는 더 이상 그들의 간섭을 두려워하지 말고, 우리는 지나치게 신경쓸 필요도 없습니다. 중국인들은 만주에 30만 명의 부대를 갖고 있는데, 그 가운데 아마도 10만 명 내지 12만 5천 명을 넘지 않는 부대가 압록강 주변에 있을 것이고, 단지 5만 명 내지 6만 명만이 도강 작전을 할 가능성이 매우 높습니다. 그들에게는 공군이 없습니다. 이미 우리 공군은 한국에 기지를 갖고 있습니다." 맥아더는 여기까지 이야기하고는 손을 매섭게 아래로 내려치면서, 트루먼에게 얼마 지나지 않아 중국인들을 포복절도하게 만드는 결론을 내렸다: "만약 중국인들이 평양으로 전진하려고 시도한다면, 곧 최대 규모의 도살이 일어날 것입니다!"

회담 중에 맥아더는 갑자기 더듬더듬하면서 그의 담배 파이프를 꺼내더니, 담배를 채워 넣고는 파이프를 입에 물고 성냥을 꺼냈다. 그는 성냥을 그을 준비를 할 때, 뭔가를 발견하기라도 한 듯이 멈추더니, 거드름을 피우면서 트루먼에게 물었다: "제가 담배를 피워도 되겠습니까?"

바보라도 맥아더가 트루먼을 일부러 조롱한다는 것을 알아챘을 것이다. 그는 이미 담배 피울 준비를 끝냈는데, 만약 트루먼이 담배 피우는 것을 허락하지 않는다고 대답한다면, 미국 대통령은 거칠고 배려심이 없는 사람으로 보였을 것이다.

자신이 이미 그 의미를 알고 있던 트루먼은 매섭게 맥아더를 노려보았다: "피우시오, 장군. 다른 사람들이 내 얼굴에 뿜어대는 담배 연기는 어떤 미국인의 얼굴에다 내뿜는 연기보다 많을 거요."

회담이 끝나자, 트루먼은 활짝 웃으면서 청동무공훈장(Oak Leaf Cluster)을 맥아더의 가슴에 달아주었다. 그리고 그는 맥아더를 매우 높게 평가하는 연설을 발표했다: "유엔이 우리나라에게 유엔군에 사령관을 제공해달라고 요청했는데, 이는 우리의 커다란 영광입니다. 우리가 이렇게 적합한 사람을 선정하여 이 사명을 완수하는 것은 정말이지 세계의 행운입니다. 그 사람은 바로 더글러스 맥아더 장군이며, 그는 매우 위대한 전사입니다."

이 말을 할 때, 온갖 모욕을 당했던 트루먼은 아마도 마음속으로는 맥아더의 조상을 싸잡아 욕했을 것이다. 몇 개월 뒤, 트루먼은 맥아더를 해임하고, 그를 "망할 자식"이라고 심하게 욕설을 퍼부었다. 어떤 사람이, 트루먼이 맥아더를 가리켜 "매우 위대한 전사"라고 했던 말을 환기시키면서, 그에게 맥아더의 직무를 해임한 일에 대해 어떤 유감이 있는지 묻자, 트루먼은 이렇게 대답했다: "내가 유일하게 유감스러운 것은, 몇 개월 전의 적시에 그 망할 자식을 쫓아내지 못한 것뿐이오."

그러나 트루먼은, 자신을 대신해 맥아더에게 복수를 하게 해주고, 자신이 원한을 풀 수 있도록 도와준 사람이 뜻밖에 한마디도 감언이설을 하지 못하고 바위처럼 소박한 중국의 총사령관 펑더화이라는 것을 상상하지 못했다. 그리고 자신이 대통령을 연임하려던 꿈도 펑더화이에 의해 깨질 거라고는 더더욱 생각하지 못했을 것이다. 그러나 이때, 단 한마디 명령만 떨어지면 곧바로 군대를 통솔하여 출병하기를 기다리고 있던 펑더화이도 걱정으로 가득 차 있었다. 수십만 명의 대군이 이미 활시위를 당기고, 칼을 빼들어, 번개처럼 신속하게 출격하게 되었을 때, 마오쩌둥은 갑자기 잠시 출병을 보류하도록 명령함과 동시에, 펑더화이에게 즉시 베이징으로 돌아오라는 명령을 내렸다. 무슨 일이 일어난 것일까?

스탈린이 변덕을 부려, 소련의 약속이 갑자기 바뀐 것이다.

16

저우언라이는 린뱌오와 함께 모스크바로 날아갔는데, 린뱌오는 병을 치료하러 간다고 말했다. 중앙의 지도자들은 자연스럽게 그가 정치 활동의 무대에서 내려가고 싶어 한다는 것을 알고, 모두가 모르는 척하면서 그가 가도록 내버려두었다. 린뱌오는 이렇게 중국의 정치 무대에서 8년 동안 사라졌다.

저우언라이가 모스크바에 간 목적은 스탈린에게 중국이 출병하여 조선을 돕기로 결정했다는 사실을 알리고, 소련이 중국에게 군사 지원을 해주고 공군을 파견하여 동북 지역과 해안에 있는 대도시들에 주둔시키면서 방공을 도와달라고 요구하려는 것이었다. 그는 흑해 연안에 있는 휴양지인 아들레르(Adler)에서 스탈린을 보고 깜짝 놀랐다. 불과 반년 만에 스탈린은 많이 늙어버렸고, 아래 눈두덩이 부풀어오른 데다, 얼굴의 피부는 완전히 푸석푸석해져 있었다. 스탈린이 한 말은 저우언라이를 더욱 놀라게 했다: "소련이 공군을 출동시켜 중국의 지상 작전에 협력하는 건 곤란하며, 우리는 출병할 수 없습니다."

성실하게 신용을 지키는 것을 미덕으로 여기는 저우언라이는 자신의 귀를 거의 믿을 수 없었다. 조선의 동지가 소련과 중국에 구원을 요청한 후, 소련은 중국이 사람을 보내고 지상군 부대를 보내면, 자신들은 무기를 보내고 공군을 보내 협력하겠다고 하여, 중국은 비로소 출병하기로 동의했었다. 어찌 이렇게 변덕을 부리면서 신용을 지키지 않는단 말인가!

스탈린은 무관심한 듯이 저우언라이를 바라보았는데, 그가 마음속으로 무슨 생각을 하는지 결코 알 수 없었다. 진짜로 미국인들과 무기를 들고 싸운다는 생각을 했을 때, 스탈린은 확실히 겁을 먹었고, 그는 이로 인해 다시 한번 세계대전을 치르는 것을 정말로 두려워했다. 반혁명 분자 숙청의 확대·급속한 집단 농장 운동(콜호스-옮긴이) 등등, 자신이 국내 정치에서 얼마나 많은 잘못을 범했는지에 대해 그 자신이 매우 똑똑히 알고 있었으므로, 그는 감히 더 이상 모험을 할 수 없었던 것이다.

오랜 기간 소련공산당과 교류하면서, 스탈린의 사람됨을 잘 알고 있던 저우언라이는 일순간 처음의 깜짝 놀랐던 상태에서 정신을 차렸다: "우리 중앙은 원래 두 가지 의견이 있었습니다. 하나는 출병하자는 것이었고, 다른 하나는 출병하지 말자는 것으로, 견해 차이가 매우 컸습니다. 지금 쉽지 않게 출병하기로 의견 일치를 이루고, 우리는 단지 소련이 공군을 출동시켜 엄호해주기만을 요구하며, 단지 소련이 우리가 조선을 돕는 데 필요한 무기와 탄약을 원조해주고, 우리가 모방 생산할 수 있도록 육군 소화기(小火器)의 설계도를 제공해주기만을 요구합니다. 스탈린 동지, 우리 중국인들의 요구는 결코 과분하지 않습니다. 우리는 고사포도 없고, 비행기도 없고, 탱크도 없으며, 우리의 군대는 전부 노획한 낡아빠진 잡다한 무기를 사용하고 있습니다. 임시변통으로, 우리는 어쩔 수 없이 각 군단에서 무기의 이동 배치를 진행했습니다. 예를 들어 제38군단의 병사들은 전부 일본군이 사용했던 무기를 사용하게 하여, 이 군단의 병사들은 모두 일본의 38식 소총을 사용하고 있으며, 제40군단은 전부 노획한 미국제 무기를 사용하게 하여, 모든 병사들이 톰슨 기관단총을 사용하고 있습니다. 이렇게 해야만 비로소 가까스로 통일된 보급을 보증할 수 있습니다. 우리는 심지어 보병이 사용하는 탄환마저도 충분치 않아, 국내의 각 부대와 각 무기공장들에 있는 것들을 다 합치고, 과거의 탄환들을 개조한 것까지 포함해야 겨우 1억 2천만 발의 탄환을 확보할 수 있습니다. 이는 조선을 지원하는 부대 6~7개의 소화기 탄약 기준량에 불과합니다. 동지께서는 설마 우리로 하여금 총검을 사용하여 미국인들과 목숨 걸고 싸우게 하실 작정이십니까?"

스탈린은 저우언라이가 말한 것이 전부 사실이라는 것을 잘 알고 있었는데, 그는 약간 모호하게 한마디했다: "중국이 미국에 맞서 조선을 돕는 데 필요한 비행기·대포·탱크 등의 장비들을 충족시켜 줄 수는 있지만, 소련 공군은 아직 준비가 되어 있지 않습니다. 2개월이나 2개월 반을 기다려야만 공군이 출동하여 지원군의 작전을 지원해줄 수 있습니다. 당신들이 실제로 출병을 원치 않는다면, 김일성으로 하여금 동북 지방에 와서 망명 정부를 세우도록 하십시오."

스탈린은 또 농간을 부렸다. 그는 먼저 중국인들로 하여금 가서 싸우게 하여, 미국인들이 어떻게 반응하는지를 보고 진퇴를 결정하려고 했다.

저우언라이는 더 이야기를 해봤자 무익하다는 것을 알고, 곧바로 모스크바로 돌아가서 중앙정치국과 마오쩌둥에게 전보를 쳐서 보고했다.

17

전보를 받자, 마오쩌둥은 분노하여 눈이 벌개졌다: "우리의 전사들도 사람이 낳고 부모가 키운 육체입니다! 폭탄이 떨어지면 여전히 피와 살은 사방으로 흩어져서 시신도 남아나지 않습니다! 우리는 한번에 수십만 명의 부대를 출병시키는데, 그는 오히려 수백 명의 조종사조차도 출병에 동의하지 않습니다. 약속한 말을 다시 취소하다니, 이건 근본적인 문제 해결이 아니잖소? 당신들이 출병하지 않는다면, 우리도 출병하지 않아. 펑더화이에게 돌아오라고 하세요!"

마오쩌둥이 주더와 런비스를 향해 탁자를 내려치자, 찻잔이 튀어 올랐다.

노련하고 신중한 주더와 런비스는 잠시 침묵했는데, 그들도 마찬가지로 분노하고 있었다. 잠시 후 주더가 말했다: "주석님, 신중하게 처리하셔야 합니다. 조급하게 서두르시면 안 됩니다."

런비스가 고혈압으로 인한 극심한 두통을 참아가며 달랬다: "맞습니다. 스탈린은 신의를 지키지 않았습니다. 예상 밖이긴 하지만 예상되었던 일이기도 합니다. 어허, 참!"

코민테른(Comintern: Communist International의 약자로, 공산주의 인터내셔널, 혹은 제3인터내셔널이라고도 함-옮긴이)에서 여러 해 동안 공작을 하면서, 스탈린에 대해 많이 겪어 보았던 런비스가 길게 탄식했다.

마오쩌둥은 중난하이의 푸른 호수를 바라보면서 꽤 길게 말했다: "100년 동안 쇠퇴해 왔는데, 우리 중국인들은 반드시 분발해야 합니다. 분발해야 해요, 분발해야 합니다! 이후에 반드시 좋은 방법을 생각해내어 우리의 실력을 단번에 끌어올려야 하고, 빠를수록 좋습니다. 그래야 다시는 남의 눈치를 보지 않아도 됩니다!"

10월 13일 이른 아침, 펑더화이와 가오강이 베이징으로 날아오자, 중앙정치국은 다시 긴급 회의를 열었다. 이때 미국과 영국의 공군은 조선의 북부를 무차별 폭격하고 있었고, 지상 부대는 동정을 살피면서, 일부는 평양으로 공격할 준비를 하고 있었으며, 일부는 원산을 통해 압록강으로 진격하고 있었다. 조선의 멸망은 이미 경각에 달려 있었다.

격노했던 마오쩌둥은 평정심을 되찾았다: "우리는 위급한 것을 보고도 구해주지 않을 수 없습니다."

회의에서 열띤 토론을 하여, 마침내 결의를 이루었다: "설령 소련이 공군의 출동을 잠시 미루더라도, 우리 중국인들은 수많은 어려움을 극복해내고, 출병하여 조선을 도와야 한다!"

회의가 끝나자, 펑더화이와 가오강은 비행기를 타고 다시 동북으로 돌아가, 17일에 출병할 준비를 했다.

모스크바에서 밤새 잠을 자지 않고, 초조하게 답전을 기다리던 저우언라이는 마침내 마오쩌둥의 납상을 받았다:

"우리가 출병하지 않아, 적들로 하여금 압록강까지 들이닥치게 하면, 국내적으로나 국제적으로나 반동의 기세가 높아지게 되어, 각 방면에서 불리해질 것입니다. 우선 동북에 더욱 불리해지게 되어, 전체 동북변방군이 곧 끌려들어갈 것이고, 남만주의 전력(電力)이 곧 통제될 겁니다. ……아무튼, 우리는 당연히 참전할 것이고, 반드시 참전해야 합니다. 참전하면 이익이 대단히 크고, 참전하지 않으면 손해가 매우 큽니다."

스탈린은 이 소식을 듣자, 흐린 눈이 갑자기 촉촉해지면서, 두 개의 눈물방울이 그의 콧등을 타고 조용히 흘러내렸다. 그는 한마디 말을 중얼거렸다: "중국 동지들은 훌륭하구나!"

스탈린이 이번에 완전히 충격을 받은 것은 매우 의외였다. 중국인들이 정말로 그렇게 원시적인 무기를 가지고 독자적으로 미국인들에 맞서려 하다니!

"그들은 진정한 공산당 사람들입니다. 토지개혁가[104]가 아니라, 마가린 공산당원[105]이 아니라, 마오쩌둥은 마르크스-레닌주의자입니다!"

스탈린은 또 두 방울의 눈물을 흘렸다.

눈물은 흘렸는데, 돈은 여전히 필요했다. 중국이 출병하여 조선을 돕는 일은 전체 사회주의 진영을 위한 전초전으로, 이후 희생된 십수만 명의 병사들과 소모한 거대한 군비는 빈궁한 중국이 전부 떠맡아, 중화민족의 모든 희생과 조선에 대한 인적·물적 원조는 무상이었으며, 조선에게는 단 한 푼의 돈도 내지 않게 해주었다. 그러나 중국은 싸우러 가는데, 소련은 뜻밖에 차관을 빌려주고 중국으로 하여금 무기를 구매하도록 했다. 항미원조 기간에 중국은 이 때문에 모두 30억 위안(元)의 무기 대금을 빚졌다. 이후 3년의 어려운 시기에, 중국은 이를 악물고 모두 갚았다.

스탈린은 무기를 판매하기로 동의한 것 말고도, 16개 연대의 공군을 2개월 내지 3개월 후에 참전하도록 제공하겠다고 승낙했다.

104 중국공산당이 농촌과 농민을 중심으로 투쟁하는 것에 대해, 소련 측에서는 중국공산당의 정책은 마르크스의 이론에 어긋난 것이며, 단지 토지개혁 정책에 불과하다면서 폄훼한 적이 있었다.

105 마르크스-엥겔스의 서적을 제대로 읽지 않아 사회주의 사상에 대한 이해가 부족한 공산당원을 비하하는 말이다.

저우언라이는 신속하게 2~3일 만에 소련과 번잡한 군사 원조 항목들에 대해 담판을 지었다. 물자의 수송·접수와 관리 및 집결 방법과 수속까지도 적절하게 협상하여 결정했는데, 그 효율성이 사람들로 하여금 감탄해 마지않게 했다. 깊이 자극받은 중국공산당 사람들은 이때부터 자신들이 모든 부문들을 다 갖춘 무기 공업을 건립하기로 결심했다. 저우언라이는 조선 전쟁의 기회를 이용해, 원시적인 수공업 작업장과도 같았던 중국의 무기 공업을, 소련제 무기를 입수하여 모방해 제작하던 것으로부터, 소련의 원조를 이용하여, 독자적으로 신중국의 강대한 무기 공업의 기초를 건립하게 함으로써, 오늘날의 중국 국방 현대화의 기초를 다졌다. 그리하여 그는 중국 무기 공업이 공인하는 창시자가 되었다.

저우언라이가 협상을 마치고 귀국하려 할 때, 스탈린은 다시 얼굴을 바꾸었다. 그 16개 연대의 공군은 2~3개월 후에도 조선에 들어갈 수는 없고, 단지 압록강 주변에서 중국의 영공을 엄호할 수만 있다는 것이었다.

이에 언제나 태도가 온화하고 언행이 점잖은 저우언라이도 분노했다. 그는 어조는 차분했지만 언사는 날카롭게 소련인들에게 말했다: "우리 중국인들도 남의 일에 관여하지 않고, 문을 닫은 채 자신의 삶을 살 수 있습니다. 막 결정된 일인데, 어떻게 다시 바꿀 수 있습니까? 그러면 안 됩니다. 당신들이 어떻게 하든지 간에 우리 중국은 이미 결정했습니다. 반드시 출병할 것입니다!"

스탈린은 단지 못 들은 체했을 뿐, 그는 순박한 중국공산당 사람들이 출병하지 않을 수 없을 것이라고 계산을 끝내고 있었다. 그의 옆에 있던 몰로토프(Vyacheslav Molotov, 1890~1986)는 얼굴이 붉어졌다. 이 노련한 외교관마저도 면목이 없다고 느꼈다. 저우언라이는 옷소매를 뿌리치며 가버렸고, 그는 절대로 다시는 협상하러 가지 않으려 했다. 16일, 저우언라이는 무기와 장비에 관한 사항들을 확정하고 베이징으로 돌아왔다.

스탈린이 두 번째로 변덕을 부리자, 17일 출병을 준비하던 펑더화이도 화가 치밀어 베이징으로 돌아올 수밖에 없었다. 이렇게 출병이 차일피일 미뤄지자 부대의 사기에도 영향을 미쳤다.

18일, 객지에서 갖은 고생을 하던 저우언라이가 피곤에 찌든 얼굴로 다시 한번 정치국 회의에 참가하여, 소련에 가서 담판을 벌인 경과를 보고했다.

국제주의 정신으로 충만하고, 공산주의 사업에 대해 한없이 충성하고, 정의감이 넘치던 중국공산당의 개국 지도자들은 만장일치로 손을 들어, 스탈린이 공군을 보내든 보내지 않든 상관없이 중국인들은 스스로 조선의 동지들을 구하러 가기로 결의했다. 출병 시간은 바로 다음날, 1950년 10월 19일이었다.

여러 해가 지난 뒤, 마오쩌둥·저우언라이·김일성이 무릎을 맞대고 긴 대화를 나누었다. 당시 중국은 항미원조 시기의 맹방인 소련과 반목하여 원수가 되었다. 소련군이 전바오다오(珍寶島)[106]에서 중국군에게 참패하면서, 중국과 소련 사이의 전쟁은 이미 일촉즉발의 상황이었다. 그러나 이 위인들은 그 당시의 역사 시기에 대해 여전히 매우 객관적으로 다음과 같이 평론했다.

마오쩌둥: 비록 5개 군단을 압록강 강변에 배치했지만, 우리 정치국은 끝내 결정을 내리지 못했습니다. ……그때, 중국이 동요하고 있었기 때문에, 스탈린도 울분을 터뜨리며, 그만두라고 했습니다. 나중에 총리가 가지 않았습니까? 출병하지 않겠다는 의견도 가지고 갔지요?

저우언라이: 두 가지 의견을 가지고, 그에게 선택하도록 했습니다. 우리가 출병하면, 그의 공군이 우리를 지원하도록 요구했습니다.

마오쩌둥: 우리는 단지 그들에게 공군의 원조만을 요청했는데도, 그들은 돕지 않았습니다.

저우언라이: 처음에 몰로토프는 찬성했지만, 이후 스탈린이 그에게 전화를 걸어 말하기를, 공군을 지원할 수는 없고, 공군은 단지 압록강 강변까지

106 전바오다오(러시아에서는 다만스키Damansky 섬이라고 부른다)는 우수리강 하류에 위치한 하중도(河中島)이다. 이 섬의 영유권 문제로 인해 1969년에 중소 국경 분쟁이 시작되었다.

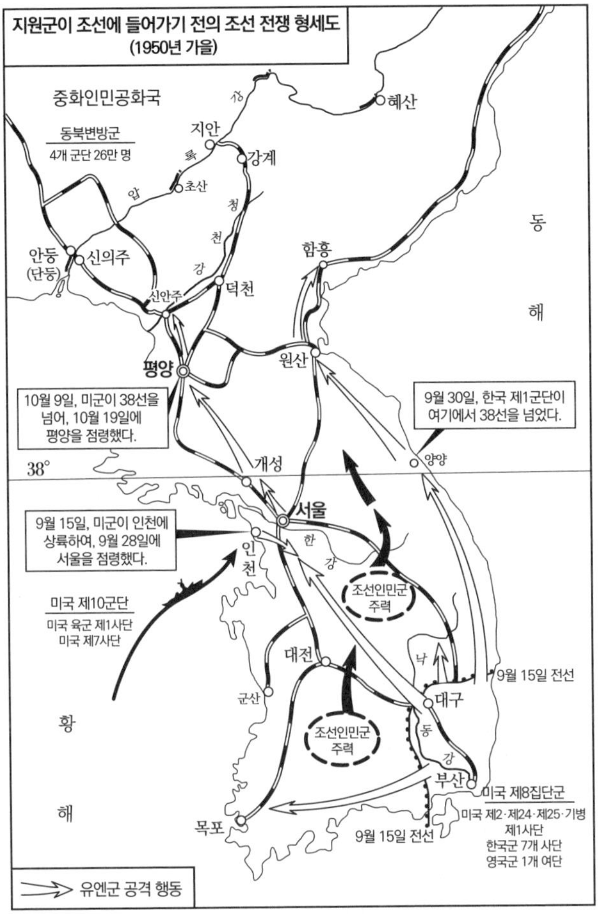

지원군이 조선에 들어가기 전의 조선 전쟁 형세도

만 갈 수 있다고 했습니다.

마오쩌둥: 최후에 마침내 결정하고, 국내에서 전보를 쳐서, 소련이 공군을 보내든 보내지 않든 우리는 가겠다고 했습니다. 나는, 여전히 소련에 감사해야 한다고 봅니다. 소련은 결국 우리에게 무기와 탄약을 도와주었습니다, 반값으로요. 또 자동차 부대도 있었지요.

이 소박한 역사 기록은, 중국공산당 사람의 기백과 중국 인민들의 무시할 수 없는 결심을 충분히 보여주고 있지만, 또한 조선에 출병하기로 한 어려운 정책 결정에 대한 가장 진실한 모습이기도 하다.

18

10월 19일, 펑더화이는 압록강변의 안둥으로 비행기를 타고 가서 부하들에게 말했다: "더 이상 바뀌지 않을 것이다."

이 중국의 총사령관은 손으로 매섭게 탁자 위를 내려쳤다. 정치가들이 해야 할 일은 모두 끝났으니, 나머지 일은 중국 군인들이 전장에 가서 해야 한다.

제13병단의 몇몇 지휘관들이 펑더화이를 둘러싸고 각 부대의 조선으로 들어갈 노선을 상의하고 있을 때, 박일우가 왔다. 그는 이미 펑더화이가 안둥으로 돌아왔다는 것을 알고 있었다.

박일우는 만나자마자 물었다: "펑 총사령관님, 여러분들이 출병할 날짜가 정해지지 않았습니까?"

펑 총사령관은 단호하게 말했다: "이미 정해졌습니다. 시간은 오늘밤, 4개 군단 3개 포병 사단이 일제히 출동합니다."

박일우는 갑자기 눈물을 펑펑 쏟았다: "그럼 됐습니다. 됐습니다! 여러분들이 출병하지 않으면 조선은 끝입니다!"

이어서 그는 길게 한숨을 내쉬었다: "평양의 함락은, 이제 하루이틀의 일입니다. 미군과 남조선군은 미친 듯이 전속력으로 중국-조선 국경을 향해 달려들고 있습니다."

형세의 준엄함과 전황이 빠르게 악화되는 속도는 중국 장수들의 예상을 완전히 벗어났다.

펑더화이는 잠깐 생각했다: "적의 진격이 매우 위급하니, 나는 박일우 동지와 즉시 조선에 가서 김일성 수상을 찾아뵙겠습니다. 여러분들은 즉시 책임지고 부대들을 조직하여 강을 건너되, 결코 사소한 실수라도 있어서는 안 됩니다. 알겠습니까?"

몇 명의 장교들이 모두 숙연하게 부동자세를 취했다: "알겠습니다. 펑 총사령관님. 안심하시고 먼저 가십시오."

펑더화이는 엄숙한 표정으로, 여러 장군들을 한참 동안 주시한 다음 의연하게 몸을 돌려 박일우의 승용차에 올라탔다. 이 승용차는 어둠 속으로 달렸다. 그는 네 명의 경호원, 통신처장 추이룬(崔倫, 1919~2001), 비서 양평안, 그리고 한 대의 통신 차량만을 데리고 갔다.

자동차가 압록강 철교 어귀에 도착하자, 펑더화이는 차를 멈추라고 명령했다. 그는 다리 어귀를 지키고 있는 병사에게 다가가 엄숙하게 물었다: "곧 미국인들과 전쟁을 할 텐데, 무서운가?"

그 병사는 17~18세 정도 되어 보였는데, 몸집은 작달막했지만 사기가 충천했다: "개뿔이나 무섭습니까? 미국인은 살점이 자라서 된 게 아니랍니까? 이 몸이 단칼에 가서 두 개의 구멍이 내놓겠습니다!"

펑더화이는 고개를 들고 큰 소리로 웃었다. 이것이 무엇인가? 이것이 바로 사기였다. 이러한 병사들을 데리고 싸우는데, 이기지 못한다면 그것은 바로 나 펑더화이의 무능일 것이다!

그는 여러 번 이 작은 병사의 어깨를 두드리며 말했다: "장하다!" 말을 마치고 몸을 돌려 자동차에 올라탔다.

"차를 출발해라. 조선으로 들어가자!"

이 중국 총사령관은 이렇게 그의 100만 대군보다 먼저 홀몸으로 전투가 한창인 조선의 전장으로 달려갔다.

그의 뒤로, 어둠의 엄호 아래, 군장 위에 있는 모든 중국어 표식들을 제거한 한 무리의 중국 병사들이 무기·탄약·의복·토목 공구와 10일분의 식량을 어깨에 메고, 안둥·창뎬허커우(長甸河口)[107]및 지안(集安) 등지에서 압록강을 건너, 포화가 매일 계속되는 전장을 향해 정의를 위해 뒤를 돌아보지 않고 용감하게 나아갔다.

107 지금의 단둥시(丹東市)에 속해 있는 압록강 주변의 작은 마을이다.

대군이 조선에 들어감과 동시에, 중국 군대의 총사령관 대리인 녜룽전이 마오쩌둥의 침실로 갔다: "주석님, 부대가 이미 조선에 들어가기 시작했습니다."

왔다 갔다 하던 마오쩌둥은 침상의 이불을 잡아당기며 단 한마디만 말했다: "자야겠소."

그의 측근들이 말하기를, 최근 며칠 만에 그가 처음으로 잠을 푹 잤다고 했다.

제4장

청장(淸長) 대첩

(청천강 전투·장진호 전투)

1

얼마나 장관인가!

밤이 되자, 낮에는 단 한 사람도 없던 압록강 주변에 천군만마가 모여들었다.

지원군의 정치부 주임인 두핑은 말년에 당시의 정경을 회상하면서, 여전히 격정에 사로잡혀 나음과 같이 말했다: "압록강 주변은 병사들이 바다를 이루고 무기들이 강을 이루었으며, 말발굽 소리가 철걱철걱하고, 대포를 실은 자동차 소리가 우르릉거리면서, 부대가 끊임없이 몰려들었습니다. 건장한 전투마는 입에서 김을 내뿜었으며, 위풍당당한 대포의 포신은 하늘을 향하고 있었고, ……압록강은 물이 끓어오르듯 들썩였습니다."

20일, 5개 사단의 병력이 조선에 들어갔다. 23일까지 제38·제39·제40·제42군단 등 모두 4개 군단 12개 사단과 포병 제8사단의 고사포 제1연대가 모두 강을 건넜다. 많은 후속 부대들도 여전히 중국-조선 국경으로 달려가고 있었다. 조선을 돕는 모든 부대들은 낮에는 숨어 있다가 밤에 움직였으며, 강을 건너는 일은 매일 해가 질 무렵부터 시작하여 새벽의 해가 뜰 무렵에 끝났다. 모든 병사들의 머리에는 나뭇가지와 나뭇잎을 꽂아 방공 위장을 했으며, 팔에는 중국 군대의 야간 행동 전통에 따라 흰 수건을 묶어 식별하기 편리하게 했는데, 그 수건에 수놓은 "혁명을 끝까지 진행한다"라는

중국 군대가 압록강을 건너 조선으로 들어가고 있다.

붉은색 중국어들은 잘라냈다.

부대들은 강을 건넌 후 즉각 조선의 산속으로 잠입하여, 낮에는 휴식하며 방공을 했고, 밤에는 압록강을 향해 미친 듯이 무모하게 돌진해오는 미군과 이승만 군대를 향해 맹렬하게 사격하며 나아갔다. 수십만 명의 부대가 꼬박 1주일 동안 강을 건넜지만, 적들은 전혀 알아채지 못했다. 무수히 많은 중국-조선 국경을 선회하던 하늘의 적기들은 이때까지도 남쪽을 향해 세차게 흐르는 행군 대열을 발견하지 못했다. 당시 부대들은 발견되어 공습당하는 것을 예방하기 위해, 강철과 같은 기율—낮에 적기를 만나면, 모든 병사들은 반드시 원래의 위치에서 움직이지 말 것—을 규정하여, 개인을 희생하여 전체를 보호했다. 설령 폭탄이 자신의 머리 바로 위로 떨어지더라도, 절대 반걸음도 이동하지 못하게 하여, 목표를 노출시킴으로써 부대가 더욱 큰 손실을 입는 것을 방지하게 했다. 일부 간부들은 심지어 병사들에게 큰 소리로 말도 하지 못하게 하여, "하늘의 비행기에게 들리지 않도록 했다". 조선 전쟁이 끝난 후, 서방의 군대는 중국 군대가 조선의 전장에 투입되었을 때의 은폐와 기습에 대해 감탄하며 다음과 같이 말했다: "중국공산당 군대의 강행군하는 능력은 매우 뛰어났다. 믿을 만한 정보에 따르면, 중국공산당 군대의 3개 사단이 압록강 부근에 있는 안둥에서 출발하여, 16일 내지 19일의 시간 동안 286마일(1마일은 대략 1.6킬로미터)을 행군하여, 북한 동부의 한 집결지에 도착했다. 어떤 사단은 18일 동안 험준한 산길을 매일 18마일씩 행군했다고 한다. 또 중국공산당 병사들의 '낮'은 어둠이 깔리기 시작할 때부터 시작되었는데, 대략 저녁 7시경부터 다음날 새벽 3시까지였다. 새벽녘, 즉 5시 30분에 그들은 엄폐호를 파서 모든 무기와 장비를 위장한 다음에 식사를 해야 했다. 주간에는 정찰 부대만이 활동하면서, 그 다음날 숙영할 곳을 찾았다. 주력 부대는 정지하여 움직이지 않은 데다 위장까지 하고 있어서, 항공 사진이나 공중에서 관찰하는 것만으로는 찾아낼 수 없었다. 만약 한 명의 중국 병사가 낮에 위장을 걷어냈다면, 비행기가 올 때 그는 반드시 자신이 종적을 남긴 곳에서 꼼짝도 하지 말아야 했으며, 장교는 이 명령을 어긴 자를 즉시 총살할 권한을 갖고 있었다."

바로 이렇게 강철 같은 기율과 고도의 자발성에 의지하여, 조선에 들어온 부대들은 마침내 마오쩌둥이 반복하여 요구했던 첫 전투의 '돌연성'에 도달할 수 있었다. 그는 펑더화이에게 이러한 돌연성을 이용해 오만방자한 맥아더에게 치명적인 일격을 가하라고 요구했다.

이때, 일부 미국의 비밀 정보 요원들은 이미 지원군이 조선에 들어왔다는 정보를 맥아더에게 전했지만, 맥아더와 다른 미국 장교들은 이 정보를 비웃고 대수롭지 않게 여기고 있었다. 맥아더가 도쿄에 앉아 버티고 있는데, 중국의 농민군이 감히 조선에 들어왔다고? 게다가 강대한 미국 공군이 어떻게 발견하지 못했겠는가? 훙쉐즈는 단 한마디로 이때의 맥아더 심리 상태를 명확하게 설명하기를, 그는 이미 오만방자함 때문에 "사고(思考)의 사각지대"에 빠져 있었다고 했다. 미국의 특무 요원들은 이렇게 한탄했다: "우리는 정보를 귀머거리의 귀에 들려주었다."

서방의 군사 전문가들은 모두 지원군이 조선에 들어왔을 때의 은폐성을 "당대 전쟁사의 기적"이라고 여긴다. 그러나 이 기적의 연출자인 제13병단의 몇몇 장교들은 매우 초조해 하고 있었다. 그들이 조선에 들어온 지 이틀이 다 되어 가는데, 먼저 조선에 들어간 펑더화이의 소식을 받지 못하고 있었기 때문이다. 전쟁은 이미 시작되었는데, 총사령관이 뜻밖에 실종되었으니, 어찌 이런 일이 있을 수 있는가!

덩화와 훙쉐즈, 그리고 후방에서 달려온 한셴추는 서로 얼굴만 쳐다보며 어쩔 줄 몰라 했다. 비록 마음속으로는 모두 불안했지만, 누구도 감히 "펑 사령관이 사고를 당한 것은 아니겠지?"라는 말을 꺼내지 못했다.

펑더화이는 정말로 하마터면 한국 군대에게 붙잡혀 갈 뻔했다. 당시 적의 위치를 보면, 펑더화이는 이미 적의 후방에 들어가 있었다. 이때의 유엔군은 심지어 대대와 중대를 단위로 하여, 무수히 많은 작은 단위로 나누어 압록강으로 맹렬하게 돌진해 오고 있었다. 그들은, 인민군은 이미 끝장났고, 지금은 소탕하는 것에 불과하다고 생각하고 있었다. 한국군 제6사단 제7연대가 펑더화이가 지나가는 길 옆에 있는 도로로 그와 어깨를 스칠 정도로 지나갔으니, 펑더화이가 처한 상황은 매우 위험하다고 할 수 있었다. 강한 책임감이 펑더화이로 하여금 모든 군대 통솔자들이 감히 무릅쓸 수 없는 큰 위험을 기꺼이 무릅쓰게 했다. 풍운을 예측할 수 없는 전쟁터에서, 총사령관이 뜻밖에도 혼자서 정찰병보다 앞에 나아가 대군을 위해 전투를 벌일 장소를 찾고 있었던 것이다.

펑더화이는 조급했다. 지금 적의 정보와 인민군의 상황이 모두 명확하지 않았다. 길을 따라 도처에 중국-조선 국경으로 피난가고 있는 백성들과 패배하여 뿔뿔이 흩어져 오는 인민군 병사들로 즐비했는데, 그들 누구에게 물어봐도 단지 한가지 대답밖에 들을 수 없었다: "상부의 명령으로, 모두 만포(滿浦, 중국과 바로 붙어 있는 조선의 변방 도시)[108]로 집합하고 있습니다."

두 눈이 멀었는데 어떻게 싸우겠는가? 가능한 한 빨리 김일성을 찾지 않으면 안 된다. 공교롭게도 서두를수록 사고가 나기 쉬운 법이다. 그와 박일우가 타고 있는 승용차는 빨리 달렸는데, 달리다가 뒤를 돌아보니, 무선 통신 장비를 실은 트럭이 멀리 뒤쳐져 그림자도 보이지 않았다. 펑더화이는 남몰래 비명을 질렀다. 무선 통신 장비와 통신처장 추이룬이 없으니, 이 총사령관은 지금 장님에 귀머거리에 벙어리였다. 이제 적의 정황에 대해서도 몰랐고, 자신이 통솔할 대군의 상황도 알 수 없었다. 의지가 굳은 펑더화이는 마음을 가라앉히더니, 먼저 김일성을 찾은 뒤에 다시 생각하기로 했다. 그러나 박일우도 김일성이 어디에 있는지 알지 못했다. 김일성은 몸을 숨긴 채, 이미 유격전을 준비하고 있었다.

펑더화이는 길게 탄식하며 말했다: "아아, 무슨 이런 전쟁이 있는가. 전선이 어디에 있는지도 모르고, 몸에는 총 한 자루도 없으니, 정말이지 적에게 사로잡히기라도 한다면 엄청난 웃음거리가 되겠군."

고독한 총사령관은 마음을 졸이며 참을성 있게 김일성의 연락원이 오기

108 자강도의 북서쪽에 있는 도시로, 중국의 지안과 압록강을 사이에 두고 마주보고 있다.

를 기다릴 수밖에 없었다.

2

조선 주재 중국 무관 차이청원이 이때 흘린 식은땀은 펑더화이보다 훨씬 많았다. 그와 니즈량 대사는 평양에서 철수하여 희천(熙川)[109]으로 가려 했지만, 생각지도 못하게 조선의 5대 명산 중 하나인 묘향산 기슭을 지나고 있을 때, 니즈량 대사가 천식이 재발하여 숨을 쉬기가 힘들어지자, 일행은 어쩔 수 없이 작은 농촌 마을의 온돌방에 숨어 휴식을 취할 수밖에 없었다. 그러나 엎친 데 덮친 격으로, 사람들이 막 눕자마자, 미국의 폭탄 하나가 떨어져서, 대사를 간호하던 경호원이 갑자기 중상을 입었다. 다행히도 대사는 무사했다.

할 수 없이, 병세가 위중한 조선 주재 중국 대사는 곧 숨이 넘어갈 듯한 자신의 경호원을 데리고 중국으로 철수할 수밖에 없었다. 대사가 가고 나서 며칠 지나지 않아, 사명을 충실히 이행하고 있던 차이청원은 다음과 같은 급전을 받았다: "펑더화이 사령관이 조선에 들어간 뒤, 김 수상이 있는 곳으로 만나러 가고 있으니, 구체적인 준비를 하기 바란다고 김일성 수상에게 신속히 알리시오."

차이청원은 이 전보와 한 명의 수행원을 데리고, 미국의 야간 비행기가 투하한 조명탄으로 밝아진 틈을 타서, 자동차를 몰고 사방으로 김일성을 찾아 나섰다. 차이청원은 김일성이 아마도 덕천(德川)[110]에 있을 거라고 추정했는데, 그곳에 도착하고 나서야 비로소 덕천은 이미 유령 도시가 되어버렸다는 것을 알았다. 이렇게 큰 도시에 사람이 한 명도 없었다. 백성들은 전부 도망쳐버려, 먼 곳의 포성이 점점 가까워지는 것을 제외하고는 길거리에 사람의 머리카락 하나도 보이지 않았다. 아무리 차이청원이 오래도록 전장

109 자강도 남부에 있는 도시로, 묘향산의 북쪽, 청천강의 상류에 위치하고 있다.
110 평안남도 동북쪽에 있는 도시이다.

을 겪어 왔다 하더라도, 이렇게 기이한 광경을 보자 식은땀이 나고 털이 곤두서지 않을 수 없었다. 다행히 얼마 지나지 않아 군(郡)의 당위원회 위원장을 만나고 나서야 비로소 제대로 찾아왔다는 것을 알았다. 김일성은 부근에 있는 철도 터널 속의 기차 안에 은신해 있었다.

차이청원과 그가 가져온 좋은 소식을 보자, 김일성은 매우 기뻐했다: "조선 인민은 오랫동안 기다렸습니다. 중국은 우리의 믿음직한 후원자임에 손색이 없습니다. 펑 장군의 도착은 극도로 곤란에 처한 조선 인민에게 힘과 용기를 가져다주었습니다."

이날 저녁 김일성과 차이청원은 해가 지고 나서 아직 빛이 남아 있을 때를 틈타, 각각 한 대의 승용차를 타고 덕천을 떠나, 구불구불한 산길을 달려, 마침내 21일 새벽 2시에 이미 폐광된 유명한 금광인 대유동(大楡洞)[111]에 도착했다. 이 금광의 동굴 입구에는 널찍한 판잣집이 있었는데, 이 집은 원래 금을 채굴하는 광부들의 공구를 보관하던 곳이고, 판잣집 뒤쪽이 바로 금광이었다. 굴 입구의 직경은 10여 미터로, 안쪽에 큰 동굴이 작은 동굴에 이어져 있어 방공에 매우 유리했다.

새벽 4시, 펑더화이가 조선 연락원의 안내를 받아 대유동으로 왔다. 차이청원이 황급히 그를 맞이했는데, 그는 펑더화이를 매우 잘 알고 있었다. 항일 전쟁 시기에 그는 타이항산 팔로군의 정보계장이어서, 거의 매일 펑더화이와 만났었다.

펑더화이는 차이청원을 만나자, 한마디의 한담도 하지 않고 곧 인민군의 상황과 적의 실정에 대해 물었는데, 이때까지도 그의 통신 차량을 아직 찾지 못했다. 두 사람은 줄곧 날이 밝을 때까지 이야기를 나누었고, 또 같이 산책을 했는데, 새벽의 찬바람이 불어와 펑더화이의 솜옷 소맷부리에 달려 있는 실밥들을 아무렇게나 흩날리게 했다. 이 솜옷은 산베이(陝北)를 옮겨 다니며 전투를 벌일 때에도 이 소박한 중국 군대 총사령관이 입고 있었다.

111 평안북도의 창성군에 소속된 마을로, 운산 금광과 함께, 한국 최대의 금광 중 하나였다.

"가위가 있습니까?" 펑더화이가 차이청원에게 손을 내밀었다. 그는 마오쩌둥이 자신에게 거듭해서 신신당부했던 말을 떠올렸다: "김 수상을 존중하고, 조선 인민들을 존중하며, 조선의 바늘 하나, 실 한 가닥, 산 하나, 풀 한 포기, 물 한 방울도 아끼고 보호해야 합니다."

"작은 나라가 큰 나를 섬기는 것은 어려운데, 큰 나라가 작은 나라를 섬기는 것은 더욱 어렵습니다. 나라가 작을수록 민족 자존심은 왕왕 더욱 강하기도 합니다. 하물며 조선의 동지들은 지금 위급한 시기에 처해 있으니, 이런 때일수록 더욱 다른 사람들을 존중해야 합니다. 한 사람의 용모는 바로 그가 다른 사람을 안중에 두고 있는지 아닌지를 나타내줍니다. 의복이 좋지는 않더라도, 단정하고 깨끗해야 합니다." 펑더화이는 속으로 이 말을 생각했다.

차이청원은 손톱깎이를 꺼내 펑더화이의 소맷부리를 최대한 가지런하게 다듬어주었다. 9시 정각, 김일성이 특별히 사람을 보내 펑더화이를 초대했다. 적군이 국경을 압박해 오는 전장에서, 조선의 수상과 중국 지원군의 총사령관이 만나는 역사적인 회담이 시작되었다.

쌍방의 회담은 매우 친절하고 우호적이었다. 두 사람은 서로 오래 전부터 이름을 알고 있었다. 그들은 모두 유명한 항일 용사로, 펑더화이가 타이항산에서 분전하고 있을 때, 김일성은 친한 친구였던 중국의 저명한 영웅 양징위(楊靖宇, 1905~1940)와 함께 중국 동북 변방의 설산 밀림에서 분투하고 있었다(양징위가 희생되었을 때, 곁에 있던 마지막 경호원은 김일성이 그에게 보내준 조선인 병사였다). 안타깝게도 여러 차례 분투를 하고도, 팔로군과 동북항일연합군의 연락 통로는 끝내 뚫지 못했는데, 이 두 영웅이 오늘에야 비로소 만날 수 있게 된 것이다.

김일성이, 조선 인민들이 가장 곤경에 처해 있을 때 중국 인민들이 구원하러 와준 데 대해 거듭해서 감사를 표시하자, 펑더화이는 엄숙하면서도 겸손하게 말했다: "당신들의 투쟁은 단지 당신들만을 위한 것이 아닙니다. 당신들은 이미 중대한 민족적인 희생을 치렀으니, 우리가 당연히 지원해야지요."

이어서 펑더화이는 김일성에게, 중국 군대는 이미 출동했으며, 제1진으로 조선에 들어와 참전하는 부대는 4개 군단의 12개 보병 사단과 3개 포병 사단으로, 대략 26만 명이고, 예비 부대로서 또 뒤에 2개 군단 약 8만 명이 있으며, 며칠 내에 조선에 들어올 것이라고 알려주었다. 또한 의외의 사태를 방지하기 위해, 중국은 20여 개 사단을 제2진·제3진으로서 조선에 들어와 참전할 부대를 선발하여 파견할 계획도 세워놓고 있으니, 총 60여만 명의 병력을 보낼 것이라고 알려주었다.

김일성은 매우 기뻐했다.

펑더화이는 베이징에서 마오쩌둥과 함께 상의하여 결정한 작전 방안에 대해서도 말했다. 지원군은 평양-원산을 잇는 선 이북과 덕천-영원(寧遠)을 잇는 선 이남에서 방어전을 벌여, 근거지를 쟁취하여 확보하고, 반년 안에 적군이 공격해 오면 진지에 의지하여 침범해 오는 적들을 분할하여 섬멸할 것이며, 적들이 공격하지 않으면 아군도 움직이지 않다가, 반년 후에 소련에서 운송해 올 신형 무기들로 부대의 장비를 교체하여, 공중과 지상에서 모두 압도적인 우세를 차지한 후에 다시 공격할 계획이었다.

펑더화이는, 미군과 한국군의 진격 속도가 매우 빠르기 때문에, 이 계획이 실현될 수 있을지 없을지 걱정이라고 솔직하게 말하면서, 인민군이 가능한 한 적군의 진격을 지체시켜주어, 지원군이 들어와 진지 구축 공사를 할 시간을 벌어주기를 희망했다.

김일성은 쓴웃음을 지었다. 인민군의 주력은 적의 후방에 격리되어 있어, 모두 철수하기에 바빴고, 연락조차도 매우 곤란했다. 소식을 전하려면 사람의 머리에 기억하는 것에 의지하여 두 발로 전선을 넘어가야 하고, 전하러 나간 사람들은 한 사람도 돌아오지 못한 채, 전부 잔혹한 전쟁의 소용돌이 속으로 사라져버리는데, 무슨 놈의 지체를 말하겠는가!

펑더화이가 다시 물었다: "현재 수중에 전투를 벌일 수 있는 병력은 얼마나 됩니까?"

김일성은 고개를 저었다: "제가 아무에게도 말하지 않았고, 오직 펑 사령관께만 말하는 것인데, 제 수중에는 4개 사단도 안 되는 병력과 1개 노동자 연대밖에 없습니다. 1개 탱크 연대는 장진(長津) 부근에 있고, 1개 사단은 덕천·영원 이북에 있으며, 1개 사단은 숙천(肅川)[112]에 있고, 1개 사단은 박천(博川)[113]에 있습니다. 우리는 모든 노력을 다해 저항하고 있습니다."

사실 김일성은 아직 다소 남겨두고 있었는데, 그가 말한 이들 몇몇 부대들은 모두 새로 편성된 부대들로, 무기와 인원이 적었고, 병사들은 모두 별로 훈련을 받지 않아, 거의 전투력을 갖고 있지 않다고 할 수 있었다. 그는 이미 저항 능력을 상실한 상태였다.

펑더화이가 시원시원하게 말했다: "마오 주석과 우리 당중앙이 이 결심을 하기는 쉽지 않았습니다. ……지금 우리가 당면한 문제는 부대가 강을 건너, 결국 거점을 마련할 수 있느냐 없느냐 하는 것입니다. 제가 보기에는 세 가지 가능성이 있습니다. 첫째는, 거점을 마련하여 적을 섬멸하고, 조선 문제를 합리적으로 해결하는 것입니다. 둘째는, 거점은 마련하고도, 적을 섬멸하지 못해, 대치하는 것입니다. 셋째는, 거점을 마련하지 못해, 패배하여 돌아가는 것입니다. 우리는 첫 번째 가능성을 위해 모든 힘을 쏟을 것입니다."

이야기가 끝나자 이미 정오가 다 되었다. 김일성은 그가 가진 모든 것을 꺼내왔다. 병 포도주를 장만하고, 작은 닭 한 마리를 삶아, 몇 개의 통조림을 차려놓고 펑더화이를 초대했다. 손님과 주인은 자주 잔을 들었고, 매우 화기애애했다.

점심을 다 먹고 나자, 펑더화이는 도로를 조망할 수 있는 작은 산에 올라가, 초조하게 뒤쳐진 통신 차량을 기다렸다. 펑더화이는 당시 매우 초조해하며 이렇게 말했다고 한다: "개자식들, 두 손은 맨손인 데다 귀머거리에 벙어리인데 나더러 어떻게 싸우라는 거야!" 김일성이 쓴웃음을 지으며 말했다: "지금 우리 둘 다 부하가 하나도 없는 사령관이 되었군요."

112 평안남도 서쪽, 서해안에 인접한 지역이다.
113 청천강 북쪽에 있는 평안북도 지역이다.

천만다행으로 통신 차량이 드디어 왔다. 펑더화이는 통신처장 추이룬과 기밀 담당 병사들에게 자신이 조선에 들어온 이후 처음으로 웃는 얼굴을 보여주었다: "안전하니 됐다. 빨리 전보를 보내라."

마오쩌둥은 곧바로 펑더화이가 조선에 들어간 뒤 처음으로 보낸 전보를 받았다. 전문은 이렇게 보고했다: 인민군의 상황은 혼란하며, 쓸 수 있는 부대는 모두 신병들입니다. 지원군이 가능하면 신속하게 묘향산과 행천동(杏川洞)을 잇는 선 이남으로 나아가, 교통의 중추인 희천과 장진을 장악하여, 주력 부대가 곧 자유롭게 이동할 수 있게 되고, 절대 우세인 병력을 집중시킬 수 있게 되어, 동부전선이나 서부전선의 한 방면의 적을 타격할 수 있기를 기대할 수밖에 없습니다.

이 전보는 사실상 원래 정했던 굳건한 방어 작전 계획을 기동전으로 바꾸겠다는 것이었다.

이때, 대유동과 베이징에서 펑더화이와 마오쩌둥은 모두 군용 지도를 긴장하며 살펴보고 있었다. 산전수전 다 겪은 지도자와 군 사령관은 지금 적과 아군의 태세에 따라 서로 같은 결론, 즉 작전 방침을 바꾸기로 결론을 내렸다. 적들은 이미 여러 갈래로 나누어 무모하게 돌진하고 있는데, 인민군은 이미 미군과 한국군의 북진을 저지할 전투 능력을 상실했고, 지원군 또한 제시간에 원래 정해진 방어 지역에 도착할 수 없자, 차라리 기동전을 펼쳐, 북진하는 적들을 분산시켜 먹어치우기로 바꾼 것이다.

전파가 대유동과 베이징 사이를 거의 밤새도록 오가며 날아다녔다. 마오쩌둥은 하룻밤 사이에 세 차례나 전보를 보냈다: "원래 정했던 계획을 포기하고, 기동하면서 적을 섬멸하는 작전 방침으로 바꾼다……."

날이 밝고 얼마 지나지 않아, 펑더화이는 매우 기뻤다. 남쪽 온정리(溫井里)[114] 방향의 적군 포성이 점점 가까워지고 있을 때, 호랑이 같은 지원군 병력이 마침내 북쪽에서 쇄도해 왔다. 이 서부전선 지원군 부대의 가장 앞쪽

114 평안북도 운산군(雲山郡)에 속해 있으며, 온천으로 유명하다.

에서 돌진하는 병력은 덩웨(鄧岳, 1918~2000)가 이끄는 제40군단의 제118사단이었다.

펑더화이는 덩웨를 매우 잘 알고 있었다. 그는 12세에 홍군의 소년병이 되어, 군대와 전장에서 소년 시절과 청년 시절을 보낸 전쟁에 능숙한 장수로, 전쟁은 바로 그의 모든 삶이었다.

위급한 순간에 이렇게 용맹한 장수가 오자, 펑더화이는 매우 기뻤다. 그는 덩웨의 손을 꽉 잡으며 말했다: "마침내 자네들을 만났군. 나는 부하 없는 사령관으로서 적들의 포성을 들으면서 애만 태울 뿐 어찌할 방법이 없었는데, 자네들이 오니 너무 좋네. 너무 좋아!"

덩웨는 펑더화이의 열정에 감동하여 마음속으로 뜨거워졌다. 그는 다음과 같이 보고했다: "펑 사령관님, 우리 사단은 모두 1만 3천여 명이며, 선두부대는 이미 대유동에 와 있는데, 지금은 단지 온정리에서 쿵쿵하는 포성만을 들을 수 있을 뿐, 사령부와 연락할 수가 없어, 전선의 상황은 전혀 알지 못하고 있으니, 펑 사령관님께서 우리 사단의 행동 방향을 지시해주시기 바랍니다."

펑더화이는 껄껄 웃으면서 말했다: "강을 건너기 전에, 내가 이미 각 군에게 적과 교전하기 전에 예외 없이 무전을 하지 말라고 명령했으니, 자네는 당연히 연락할 수 없었을 거네. 이리 좀 와보게." 펑더화이의 손가락이 온정리 방향을 가리켰다: "인민군은 모두 철수했는데, 적들이 바짝 추격하고 있어, 매우 위험하네. 자네는 서둘러 계속 나아가, 온정리 이북에서 좋은 지형을 찾아 매복하여, 커다란 자루를 만들어서 온정리로 들어오는 적들을 채워 넣고 맹렬히 공격하게. 곧 대부대가 도착할 테니, 자네 사단이 적들을 감당해내어, 대부대가 전개하도록 엄호해야 하네."

덩웨는 명령을 받고 갔는데, 떠나기 전에 펑더화이의 거듭된 만류에도 아랑곳하지 않고, 야무진 소부대를 남겨두어 펑더화이를 경호하도록 했다. 펑더화이가 단지 네 명의 경호원만을 이끌고 적의 후방으로 뛰어든 것에 대해, 덩웨는 평생 동안 높은 산을 우러러보는 듯한 존경심을 느꼈다.

좋은 일들이 계속 이어졌다. 덩웨가 막 떠나자, 덩화와 홍쉐즈도 대유동에 도착했다. 곧바로 가서 펑더화이를 만나자, 덩화와 홍쉐즈는 이틀간이나 졸였던 마음이 비로소 풀어져, 장수들끼리 한바탕 다정하게 인사를 나누었다. 펑더화이는 김일성과 회담했던 경과를 간략하게 말했고, 아울러 작전 방침을 변경한 일에 대해 어떻게 생각하는지 두 장수에게 물었다. 두 장수는 펑더화이의 견해에 완전히 동의했다. 덩화가 말했다: "구체적인 공격 방법은 저와 홍쉐즈가 논의하여, 동부전선은 버티고 서부전선은 공격하기로 했습니다. 동쪽의 남조선군 수도사단과 남조선군 제3사단은 장진을 향해 공격하고 있으며, 배후에는 원산에서 상륙한 미국 제10군단이 있습니다. 이 라인은 모두 산길이고, 지형이 험준하므로, 제42군단으로 하여금 이 험준한 지형을 이용하여 그들을 막아내게 하고, 서부전선은 3개의 주력 군단을 집중시켜 싸우게 할 것이며, 각각 남조선군의 제6·제7·제8사단의 3개 사단을 공격하여 섬멸할 대상으로 삼았습니다."

펑더화이는 연달아 고개를 끄덕였다.

3

펑더화이와 제13병단의 몇몇 장교들이 작전 방침을 논의하고 있을 때, 조선에 들어온 각 군단의 군단장들은 모두 사람들에게 욕을 하고 있었다. 부대의 진입 속도가 너무 느렸던 것이다. 조선의 등급이 높지 않은 몇 개의 도로들은, 남쪽에서 퇴각하는 인민군들과 피난가는 백성들로 미어터졌다. 낮에는 더구나 활동할 수 없었다. 하늘에 가득한 적기들은 목표물이 크건 작건 간에 기관총을 난사했고, 사람을 보면 사람에게 폭격했으며, 물건을 보면 물건에 폭탄을 떨어뜨렸다. 지원군은 아무런 방공 능력이 없었고, 유일한 무기인 36문의 75밀리 고사포는 또한 12문을 압록강의 나루터를 보호하도록 남겨두었으니, 하늘이여 불쌍히 여기소서! 남아 있는 24문의 고사포가 무슨 역할을 할 수 있겠는가? 게다가 이 낡아빠진 고사포는 모두 일본인들이 남겨두고 간 것들로, 강선조차 모두 이미 마모되었으니, 포탄이 어떻게 정확하게 맞출 수 있겠는가? 단지 몸을 피할 수밖에 없다.

겨우 밤까지 참고 견뎠는데, 부대는 꽉 막힌 도로에서 달팽이처럼 꿈틀거리고 있었다. 어떻게 이럴 수 있는가! 펑 총사령관의 명령은 가능한 빨리 예정된 방어 지역에 도착하라는 것이었다. 군령은 산처럼 엄중한 것으로, 이는 장난이 아니었다.

가장 험악하게 욕을 한 것은 제38군단장 량싱추였다. 그의 부대는 원래 예비 부대로 정해져 있었으므로, 제42군단의 뒤를 따라 조선에 들어왔지만, 조선에 들어오자 명령이 바뀌어, 제42군단은 동부전선으로 가서 적을 저지하고, 제38군단은 바로 명령을 받들어 신속하게 희천으로 집결하라고 했다. 그런데 지금 오직 선발대와 2개 연대만이 희천에 가까이 왔고, 나머지 부대들은 길에서 이동하고 있었다. 다급한 량싱추가 직접 가서 교통을 지휘했다.

량싱추가 막 길목에 서서 두어 번 지휘하고 있는데, 또 어떤 참모가 와서 보고하기를, 사령부에서 자동차 한 대가 다시 전복되어, 작전과장이 사망하고, 나머지 각 과의 과장들이 모두 부상당했다고 했다.

량싱추는 화도 나지 않았다: "군대가 출병하여 아직 전투도 하지 않았는데, 고급 장교가 먼저 세상을 떠나다니, 아아!" 장정 시기에 홍군 제1방면군 초대 기병 중대장이었던 그가 길게 탄식했다.

탄식이 채 끝나지도 않았는데, 밤하늘에서 한바탕 굉음이 들리더니, 순식간에 산과 들의 사방에서 신호탄들이 날아올랐다. 그것은 도처에 퍼져 있던 한국 특수 부대원들이 폭격 목표를 지시하는 것이었다. 신호탄이 올라오고, 조명탄이 떨어지자, 이제 량싱추 자신조차도 어쩔 수 없이 길가의 풀숲 속에 엎드려 움직일 수가 없었다.

4대의 미국 'P-61 블랙위도우'[115] 야간 비행기가 조명탄의 으스름한 빛에

115 대형 레이더를 장착한 미국 최초의 야간전 전문 전투기이다.

의지하여, 급강하하더니 도로를 향해 한바탕 폭격을 하고 소사한 뒤 날아가자, 또 몇 대의 차량이 폭파되었다. 량싱추는 화가 나서 두 개의 앞니로 입술을 피가 날 정도로 깨물었다. 최악의 날이었다. 제38군단에는 모두 합쳐야 고작 100대의 차량이 있는데, 이렇게 몇 번이나 되풀이해야 한단 말인가(28일 후, 제38군단 전체에는 폭격으로 6대의 차량만이 남았다)! "량 어금니[梁大牙]"라는 별명을 가진 이 용맹한 장수는 담배 중독이 매우 심해, 매일 아침 일찍 일어나서 맨 먼저 하는 일은 침대에 드러누운 채 신선이 한번 되는 것이었는데, 이때는 너무 화가 나, 자신도 모르게 담배 한 개비를 꺼냈다. 성냥을 아직 꺼내지도 않았는데, 정치위원 류시위안이 담배를 빼앗아 던져버렸다: "소홀히 해서는 안 됩니다. 방공을 조심하세요. 이제 막 왕 과장이 죽었는데, 다시 량 군단장이 죽어서는 안 됩니다." 량싱추는 오랜 단짝을 보며 쓴웃음을 지을 뿐이었다: "부대에 명령을 내려, 가능한 모든 방법을 생각해내어 행군 속도를 빠르게 하고, 방공에 주의하고, 자동차 전복을 조심하도록 하시오." 부대는 검은 긴 뱀처럼 천천히 앞으로 꿈틀거렸다.

4

24일, 한셴추와 제팡 및 제13병단의 기관들이 모두 대유동에 도착하여, 각 군단과 사단 사이의 연락이 신속하게 이루어지자, 펑더화이는 그제야 비로소 조선에 들어온 부대들의 작전을 지휘할 수 있게 되었다.

그날 밤, 펑더화이는 광산의 공구들을 보관하던 그 방에서 아주 중요한 회의를 열었다. 어두컴컴한 등불 밑에서 펑더화이는 몇 명의 명장들을 둘러보았다.

덩화—군사와 정치 능력을 겸비한 장군이다.

홍쉐즈—머릿속에 아이디어가 많고, 무엇을 하든 다 잘하여, 전투·정치공작·병참보급에 모두 유능하다.

한셴추—이 수척한 장군은 얼굴에 병색이 있어 보이지만, 적군이든 아군이든 아무도 감히 그를 경시할 수 없다. 그는 어느 한 부분을 혼자서 담당할 수 있는 인물이다.

제팡—몇 개국 언어에 능통하며, 대외 군사 정보를 손바닥 보듯이 잘 알고 있다. 어떤 동지가 그를 동북군(東北軍)[116] 출신으로 여기고 그를 경시했다고 기억하는데, 정말이지 그래서는 안 된다. 자신을 포함해 주더·류보청·허룽(賀龍, 1896~1969)·예젠잉 등 해방군의 몇몇 장수들이 구(舊)군대 출신이지 않은가? 그는 참모장을 하고도 남을 인물이다.

두핑—홍군 시절부터 정치 공작을 해왔는데, 능히 간부와 병사들로 하여금 열기가 하늘을 찌르도록 선동할 수 있으니, 제격이다. 이러한 간부와 병사들이 돕는다면, 어찌 미국인들을 무찌르지 못할까봐 걱정하겠는가.

펑더화이가 발언했는데, 자리에 있는 몇 명의 장교들은 일시에 직위가 한 단계 승진하여, 병단의 지도자에서 지원군의 지도자가 되었다:

"지금은 전쟁 시기로, 나는 지원군 사령관 겸 정치위원으로서, 비록 이미 명령을 내리기 시작했지만, 내 수하에는 지휘 기구조차도 없으니 어떻게 작전을 지휘할 수 있겠소! 지금 임시로 사람을 뽑아서 지원군 사령부를 조직할 시간 여유가 없습니다. 나는 주석님께 지시를 요청했는데, 주석님께서도 동의하셔서, 아예 여러분들의 제13병단 사령부를 지원군 사령부로 바꾸며, 여러분들 몇 명도 동시에 지원군의 지도부로 바뀌었습니다. 이렇게 우리가 융화하여 일체가 되면, 지휘도 편리해질 겁니다. 여러분은 어떻게 생각합니까?"

거기에 있던 장교들은 당연히 마오 주석과 펑 총사령관의 결정에 따랐다. 펑더화이는 대단히 기뻐했다: "좋소. 형세가 급하니, 많은 말 하지 않겠습니다. 지금은 군사민주회(軍事民主會)[117]가 아니고, 군사 상황도 급하니, 여러분

116 국민혁명군 동북변방군(國民革命軍 東北邊方軍)의 줄임말로, 그 전신은 장쭤린(張作霖)의 동북 지방 군벌이었다. 1920년대에 만주에 주둔하던 중화민국 정부의 지방군으로, 당시에는 중국에서 유일하게 육·해·공군 편제를 갖춘 군대였다.

117 '제갈량회(諸葛亮會)'라고도 한다. 중국 인민해방군이 작전이나 훈련 도중에, 간부와 병사들이 모여서 자신의 의견이나 방법을 발표하여, 곤란과 문제를 해결하는 등, 민주주의

들과 상의하지 않고 내가 혼자서 사령부의 역할 분담을 결정하겠소."

"나는 사령관 겸 정치위원을 맡아서, 총체적으로 파악하고 작전을 나누어 맡습니다. 덩화는 제1부사령관 겸 부(副)정치위원이 되어, 간부 업무와 정치 업무를 맡습니다. 홍쉐즈는 제2부사령관이 되어, 사령부 업무와 특수병종 및 병참보급 업무를 맡습니다. 한셴추는 제3부사령관이 되어, 구체적인 업무를 맡지 않고, 부대에 가서 작전 관련 문제를 감독하고 검사합니다. 제팡은 참모장을 맡고, 두핑은 지원군의 정치부 주임을 맡습니다."

펑더화이는 여러 장군들을 둘러보며 말했다: "지원군의 당위원회가 조직되었으니, 당중앙과 마오 주석의 허락을 얻어, 펑더화이는 당위원회 서기를 맡고, 덩화는 당 위원회 부서기를 맡으며, 홍쉐즈·한셴추·제팡·두핑은 상임위원을 맡을 것입니다. 공작에 편리하도록, 우리 지원군 지도부에 조선 동지가 한 명 있어야 하니, 김일성 동지와 상의한 후에, 박일우 동지를 지원군 부사령관 겸 부정치위원을 맡도록 확정하고, 동시에 우리 당위원회의 부서기를 맡길 것입니다."

이렇게 꽈르룽대는 포성 속에서, 중국 인민지원군 사령부가 급하게 설치되었다. 수십만 명의 대군이 이미 며칠 동안의 작전을 전개하고 나서야, 비로소 전체 국면을 총체적으로 관장하는 사령부를 설치했다. 이는 전 세계의 군사 역사에서 전례가 없는 일이었다. 그러나 이렇게 급하게 설치한 작은 사령부의 효율은 오히려 매우 높아서, 군사 역사에서 존재했던 가장 훌륭한 사령부의 하나였다.

작전 회의가 즉각 시작되었다.

참모장 제팡이 한쪽 벽을 가득 채운 5만 분의 1 축적 군용 지도를 가리키면서 말했다: "현재 적군은 동서 양 방면으로 나누어 압록강을 향해 미친 듯이 진격하고 있습니다."

그는 동쪽의 빽빽한 등고선을 가리키며 말했다: "미국 제10군단은 원산

를 발양시키던 회의를 가리킨다.

에 상륙한 이후 조선의 동해안을 따라서 북쪽으로 밀고 올라오고 있는데, 선두에서 싸우고 있는 것은 남조선군의 수도사단과 제3사단입니다. 이 일대는 높은 산지에 수풀이 우거져 있고, 산과 산 사이에 단지 한 줄기 도로만 나 있을 뿐입니다. 특히 황초령(黃草嶺)[118] 지역에는 구불구불한 40킬로미터의 협곡 지대가 있고, 도로가 그 가운데를 통과하고 있습니다. 양 옆에 있는 연대봉(烟臺峰)·송용동(松茸洞)·황초령 등 감제고지(瞰制高地: 적의 활동을 살피기에 직합하도록 주변이 두루 내려다보이는 고지-옮긴이)가 도로를 내려다보고 있으며, 도로가 황초령을 기어 올라가면 곧 개마고원입니다. 이 지역은 적군의 기계화 부대가 전개하기에는 불리하지만, 우리 편이 높은 곳을 차지하고 아래를 향해 그들을 저격하기에는 유리합니다. 동부전선의 적군은 알몬드 소장이 지휘하는 제10군단과 남조선군 제1군단인데, 미국 제10군단은 휘하에 보병 제7사단과 해병대 제1사단을 거느리고 있으며, 남조선군 제1군단은 수도사단과 제3사단을 거느리고 있습니다."

제팡은 지휘봉을 한번 돌리면서 말했다: "서부전선에는 워커 중장이 지휘하는 제8집단군과 남조선군 제2군단 등 모두 6개 사단과 1개 여단에 1개 공수 연대가 딸려 있습니다. 남조선군 제2군단이 앞에 있는데, 제6·제7·제8사단이 성천(成川)·파읍(破邑)·양덕(陽德)[119] 등의 지역들로부터 중국-조선 국경에 있는 초산(楚山)과 강계(江界)[120]를 향해 진격하고 있습니다. 미국 제1군단이 관할하는 기병 제1사단과 제187공수 연대가 평양·숙천(肅川)[121] 지역에 예비대로 있습니다."

제팡은 동부전선과 서부전선에 있는 적군의 중간 지역을 가리켰다: "지금, 동부전선과 서부전선의 적군은 모두 무턱대고 돌진하고 있는데, 이 두 전선 사이의 간격은 80킬로미터나 됩니다. 그 사이에는 낭림산맥과 태백산

118 함경남도 장진군의 남쪽에 있는 고개이다.

119 평안남도에 동부 지역에 있는 지역들이다.

120 초산은 압록강 중류에 인접한 도시이며, 강계는 평양 함락 이후 북한의 임시 수도였는데, 압록강 중류에서 합류하는 장자강에 인접하고 있다.

121 평안남도의 서해에 인접해 있는 지역이다.

맥 등 큰 산맥들이 가로막고 있어, 두 전선 사이에는 거의 연결할 수가 없습니다. 이것이 우리에게 각개격파할 기회를 주고 있습니다. 게다가 지금 맥아더는 매우 오만하여, 우리 군이 조선에 들어온 지 5일이 지났는데도, 적들은 우리를 전혀 발견하지 못하고, 수백 명의 병력이 3문의 대포만 끌고 다니면서 감히 전선을 확보하고 있습니다. 그러나 우리 군의 사기는 왕성합니다. 각 군단들이 모두 보고하기를, 조선에 들어온 우리 병사들은 미국과 남조선 군인들이 매우 악랄하게 사람을 죽이는 것을 목격했는데, 특히 남조선이 조직한 '마사미유당(馬斯由美黨)'[122]이 가장 잔혹하답니다. 이 조직은 우리나라의 해방 전쟁 시기에 지주들이 조직한 환향단(還鄕團)[123]과 유사하며, 가는 곳마다 살인·방화·강간을 저질러, 북조선 남녀노소 백성들의 시체가 거리에 끊이지 않자, 아군 장병들의 커다란 분노를 불러일으키고 있습니다. 그리하여 각 부대는 모두 싸우겠다는 마음이 간절하며, 조선 백성들을 위해 복수하려 하고 있어, 우리 군의 사기로는 충분히 한번 싸워볼 만합니다."

펑더화이는 분노하여 말했다: "내가 트루먼이라면 맥아더의 직위를 해임할 것이오! 병력을 나누어 무모하게 돌격하면서, 양쪽 측면이 분리되어 있으니, 그런 전쟁이 어디에 있소. 싸우지도 않고 먼저 맞을 자세를 취하고 있는 것이지."

실내에 있는 사람들이 모두 웃자, 한셴추가 말했다: "그가 만약 제 부하라면, 저는 그를 처형하지 않을 수 없을 겁니다. 일개 중대장도 저렇게 하지는 않습니다."

맥아더의 한계는 너무 뚜렷했다. 장수들은 매우 빨리 의견 일치를 이루어,

---

122 이 조직에 대한 정확한 명칭과 실체를 확인할 수 없다. 1950년 10월부터 12월까지, 북한의 토지개혁으로 토지를 잃은 지주들이 황해도 신천군과 재령군 일대에서 토지를 되찾으려고 돌아와 공산당을 지지하는 주민들과 큰 싸움을 벌여, 3~4만 명에 이르는 사람들이 피살되었다고 한다. 이 사건에 대해 남측에서는 반공 투쟁으로, 북측에서는 미군과 한국군의 조직적인 학살이라고 서술하고 있다. 아마도 이들 지주를 가리키는 듯하다.

123 국공 내전 시기에 공산군에게 점령당한 지역들에서 토지개혁에 따라 재산을 잃은 지주들이 조직한 단체로, 국민당 점령 지역으로 들어와서 민간인들을 상대로 폭력 행위들을 많이 저질렀다.

동쪽에서는 버티고 서쪽에서는 공격하기로 했다. 제42군단이 즉시 병력을 급파해 재빨리 황초령을 점령하여, 미군 제10군단과 한국군 제1군단의 진격을 저지하고, 제38·제39·제40군단은 서부전선으로 무모하게 돌격해오는 한국군 제6·제7·제8사단을 포위하여 섬멸할 준비를 했다.

"첫 번째 전투는 반드시 잘 싸워야 하오!" 펑더화이가 탁자를 치자, 모든 장수들이 숙연해졌다.

이때 베이징에서는, 출병의 내부 사정을 알고 있는 상층부 인사들마저도 매우 애를 태우고 있었다. 20만 명의 대군이 압록강을 건너간 지 1주일이 다 되어 가는데, 조선의 전장에서는 아무런 움직임도 없자, 불안·초초·걱정 등 여러 가지 심정들로 금방이라도 터질 것 같았다.

마오쩌둥은 겉으로는 매우 평온해 보였고, 조금도 표정의 변화가 없었다. 그는 전투가 곧 시작되리라는 것을 알고 있었다. 그는 심지어 지금 막 받은 한 통의 전보를 보고 또 보았다. 그것은 첩보였다.

그 전보는 류보청과 덩샤오핑의 제2야전군 제28군단이 티베트의 창두(昌都, Qamdo)에서 보내온 것이었다.

1950년 10월 24일, 중국 대륙에서의 마지막 전투인 창두 전투가 승리로 끝났다. 군단장 장궈화(張國華, 1914~1972)가 통솔하는 제18군단은 펑더화이가 출국하기 전에 파견한 위수(玉樹)의 기병 지대(騎兵支隊)와 협력하여 달라이 라마 집단의 티베트군 주력을 섬멸하고, 창두를 해방시킴으로써, 티베트로 진군할 수 있는 대문을 열었다.

"티베트는 항복하겠군." 마오쩌둥은 만족스럽게 생각했다.

그는 자리에서 일어나 북쪽을 바라보면서, 이제 조선의 소식을 기다렸다.

"반드시 첫 전투는 잘 싸워야 하는데." 마오쩌둥은 혼잣말을 했다. 이 군사 전략의 대가는 첫 전투를 중시했다. 첫 전투를 잘해야 군심과 민심을 진작시킬 수 있다. 그는 삼국 시대에 마속(馬謖)이 가정(街亭)에서 실패한 책임을 질 사람은 제갈량 자신이라고 여겼다. 그렇게 중요한 첫 전투는 마땅히 제갈량이 직접 가서 싸웠어야 했다는 것이다.

마오쩌둥은 오랫동안 북쪽의 밤하늘을 바라보며, 관저로 돌아가려 하지 않았다.

역사의 맞물림은 뜻밖에 그렇게 기묘하여, 그 사이에는 단 하루의 간격조차도 없었다. 바로 중국 국내 해방 전쟁의 마지막 전투인 창두 전투가 끝난 다음날, 조선에서 전쟁이 시작된 것이다.

5

10월 25일 새벽 2시, 급박한 전화벨 소리가 지원군 사령부 작전당직실에 울리자, 그 자리를 지키고 있던 제팡 참모장이 수화기를 들었다. 온정리 방향에서 막혀 있던 제118사단장 덩웨가 건 전화였다. 젊은 사단장의 어조는 매우 차분했다:

"우리 정면에서 적들을 발견했습니다. 보아하니 미국 놈들 같지는 않고, 남조선군인 것 같습니다. 우리 정찰대원들이 그들이 하는 말을 들어보았더니, 모두 조선어였다고 합니다. 아마도 남조선군 제6사단인 것 같습니다."

훙쉐즈도 놀랐다: "남조선군이라면 일단 놔두고, 적들이 자루 안에 들어올 때까지 기다렸다가 일망타진시오!"

눈 깜짝할 사이에, 지원군 통솔자들이 당직실로 왔다. 그들이 어떻게 잠을 잘 수 있겠는가. 여러 해 동안의 전쟁 경험이 그들에게, 전투가 시작될 테니 그들 모두 대기하고 있으라고 말했다.

몇 명이 지도를 한번 보고는, 즉각 제40군단의 또 다른 사단인 제120사단에게 즉시 1개 연대를 보내 운산(雲山)[124] 동북쪽의 간동(間洞)·조양동(朝陽洞)·옥녀봉(玉女峰)을 잇는 라인을 점령하라고 명령했다. 이 지역들은 주요 지점들로서, 그곳에서 틀어막고 운산의 적들을 봉쇄하여, 그들로 하여금 북진하여 온정리에 있는 적들과 회합할 수 없게 하자, 온정리의 적들이 곧

124 평안북도의 동쪽에 있는 도시이다.

노출되었다.

9시, 제120사단의 제360연대가 먼저 공격을 개시했다.

제360연대장 쉬웨(徐銳, 1912~2002)가 누구인가? 그가 바로 영화 〈대결전(大決戰)〉의 '랴오닝-선양 전역[遼瀋戰役]'[125]에서 1개 대대를 이끌고 가건물에 잠복해 있다가, 랴오야오샹(廖耀湘, 1906~1968)[126]의 병단 지휘부를 습격했던 부연대장이다. 이런 연대장이 통솔하는 연대의 전투력이 어떠할지는 생각해 보면 알 수 있을 것이다. 지원군 사령부의 전보를 받고 나서, 쉬웨는 군대를 이끌고 어둠을 틈타 질주하여, 운산시 북쪽 부근의 고지를 탈취하여 점령했다. 병사들은 숨을 돌리지도 못하고 참호를 파기 시작했다. 그러나 제40군단의 병사들은 그저 그런 평범한 무리가 아니라, 그들은 위풍당당한 '선풍종대(旋風縱隊)'인 제4야전군의 가장 뛰어난 주력 부대였다. 제360연대의 병사들이 재빨리 참호를 다 파자, 커다랗게 눈부신 불빛이 칠흑 같은 하늘을 비추었다. 남조선 제1사단의 부대가 산 아래에 있는 운산 시내로 들어온 것이다. 쉬웨는 매우 기뻤다: "아, 드디어 적들이 앞에 왔다."

하늘이 점점 밝아오면서, 병사들은 참호 안에 엎드려 길쭉한 건조 식품 자루에서 매우 조금 남아 있는 볶은 콩을 쏟아내어 천천히 씹었다. 이것이 그들의 아침 식사였다. 그들은 산 아래 있는 운산의 적들도 아침 식사를 하고 있는 것을 보았다. 그때 맥아더는 바로 평양에 가서 친히 부대를 검열하고 있었다.

7시 정각, 시내의 적들이 배불리 먹어 배가 두둑해지자, 교외의 산 위에서 기껏해야 건조 식품만으로 약간 배를 채울 수 있었던 중국 병사들이 총을 집어 들었다. 쉬웨는 풀숲 안에 숨어서 거들먹거리며 아무런 방비도 하지 않는 적들을 보고 냉소했다: "첨병은 지나가게 놔두고, 본진을 친다." 몇 분 후, 트럭에서 의기양양해 하던 한국 제1사단의 사병은 갑자기 점점 가까

125 1991년 중국에서 개봉한 영화로, 국공 내전을 소재로 삼았으며, 3부작으로 구성되어 있다. 〈랴오닝-선양 전역〉은 3부작의 첫 번째 작품이다.

126 국민당 군대의 5대 주력 부대의 하나인, 신6군의 군단장이었다.

워지고 있는 웅웅대는 소리를 들었다. 경험 많은 노병은 얼굴이 하얗게 질렸다. 맙소사, 바로 박격포탄이 머리 위로 떨어지고 있었다. 이어서 기관총 소리도 울려 퍼졌고, 한 발 한 발 포탄들이 매우 정확하면서도 매섭게 한국 부대 안에 떨어지고 있었다. 기관총이 내뱉는 불혀가 마치 낫처럼 수많은 한국 병사들을 베어버렸다. 눈 깜짝할 사이에, 한국의 탱크와 자주포는 모두 운산으로 후퇴하여 돌아갔고, 도로 위에는 이미 한국 보병들의 시체가 무질서하게 나뒹굴었다.

쉬웨는 껄껄대며 크게 웃었다: "이것이 최정예인 남조선의 제1사단이란 말인가? 장 대머리(장제스를 비웃는 말-옮긴이)의 부대보다도 훨씬 못하구나!"

이후 쉬웨는 부하들을 인솔하여 꼬박 3일 동안을 굳게 지켰다. 그들은 미군 전투기들의 폭격과 대규모 탱크의 돌격과 셀 수 없는 맹렬한 포화를 버티면서, 단지 보병의 소화기에만 의지하여, 원래 정예 부대라고 알려진 한국 제1사단을 운산 시내에서 꼼짝도 못하게 막아냈다. 스바오산(石寶山, 1925~1950)이라는 이름의 병사는 진지가 위급할 때 폭파통(압착하여 일정한 크기로 만든 폭약-옮긴이) 하나를 안고 적진으로 뛰어들었다. 이 지원군 병사는 최초로 적과 함께 죽음을 택한 영웅이었다. 바로 병사들의 이렇게 두려움을 모르는 전투 정신에 힘입어, 제360연대는 마침내 주력 부대가 올 때까지 버텨내어, 중국과 미국의 양쪽 군대가 처음 벌인 전투에서 승리를 거둘 수 있게 했다.

제120사단 제360연대의 쉬웨 연대장이 처참한 방어전을 치르고 나서 한 시간 후에, 제118사단의 덩웨 사단장도 큰 승리를 거두었다. 온정리 북쪽을 침범한 한국 제6사단의 강력한 1개 대대가 그에게 전멸하고 말았다.

산기슭에 있는 도로 위의 적들이 의기양양하게 진격하는 것을 보았을 때, 온정리 이북의 도로 양 옆에 있는 산비탈의 풀숲 속에 잠복해 있던 병사들은 모두 사단장이 매복 공격하기에 좋은 지점을 찾아낸 것에 대해 감탄했다. 적들은 바람에 흔들리는 마른 풀밖에 보지 못했지만, 중국 병사들은 오히려 적들이 말하는 소리까지도 들을 수 있었다. 쌍방의 거리가 이처럼 가까워졌는데도, 중국 병사들은 땀 한 방울도 흘리지 않았다. 이들 중국의 노련한 병사들이 치른 전투는 아마도 저 한국 병사들이 평생 동안 들었던 것보다도 더 많을 터이니, 이렇게 반드시 이길 매복 공격을 하는 것은 너무나 시시한 일이었다.

그러나 한국 병사들은 박식하고 경험이 많은 중국 병사들로 하여금 놀라서 눈이 휘둥그레지게 만들었다. 그들은 뜻밖에도 자동차로 12문의 105밀리 유탄포를 끌고 가면서 앞에서 길을 열었고, 보병은 포병의 뒤에서 전진하고 있었다. 세계 어느 나라 육군의 전투 수칙에도 이렇게 황당한 행군 대형을 볼 수 없을 것이다.

"개자식들이 정말 미쳤구나!" 제354연대장 추촨위(褚傳禹, 1919~1999)는 한국 군대의 대형을 눈으로 보고도 감히 믿을 수가 없었다.

"이 개자식들은 아마도 앞으로는 행군하는 일만 남았다고 생각하는 것 같구먼." 정치위원인 천예(陳耶)는 머리를 흔들며 불가사의하다고 느꼈다.

한국군은 덩웨가 만들어 놓은 자루 안으로 점점 깊이 들어오다가, 아무도 생각지 못하게 몇 대의 포차(砲車: 대포가 달린 차-옮긴이)가 속도를 높이더니, 뜻밖에도 갑자기 덩웨의 사령부 쪽으로 달려왔고, 뒤따르던 부대는 사격을 가했다. 산전수전 다 겪은 덩웨도 순식간에 방어하지 못하여, 하마터면 큰일이 날 뻔했다. 다행히 그의 주변에 있던 정찰 중대의 젊은 병사들이 선전하여, 한바탕 미친 듯이 사격을 가해 한국군의 화력을 제압하고 지휘부를 엄호하여 산에 올라 진지를 탈취하여 점거했다. 화가 난 덩웨가 막 화를 내려는데, 전방의 총소리가 콩을 볶듯이 울려 퍼졌다. 한국군의 보병 대대가 모두 매복 공격권 안에 들어왔을 때, 갑자기 맹렬한 분노의 소용돌이처럼 제354연대의 모든 장병들이 일제히 발포하자, 도로 위에 있던 한국 병사들은 추풍낙엽처럼 쓰러졌다. 중국 포병의 명수인 허이칭(何易淸)이 쏜 박격포탄이 한국군 뒤쪽에 있던 트럭에 명중하자, 적들의 퇴로가 막혀버렸다. 항미원조의 첫째 날에 공을 세운 이 박격포는 이후 특별히 베이징의 중국인민혁명박물관으로 운반되어 영구 보존되고 있다.

몇 분간 화력이 급습한 다음, 중국 병사들은 착검한 소총을 들고 요행히 살아남은 한국 병사들을 향해 달려갔다. 겨우 20분 만에 이 강력한 보병 대대는 완전히 끝장났다. 이때 이름을 알 수 없는 미국 군사 고문이 사망했고, 또 다른 군사 고문인 글렌 C. 존스[127]가 생포되었다. 미국인들은 그가 전쟁포로수용소에서 굴복했다고 하는데, 중국인들은 그가 부상으로 인해 포로수용소에서 사망했다고 한다. 어쨌든 간에, 이들 두 미국인은 이 전쟁 과정에서 중국 군대에게 목숨을 잃고 포로로 잡힌 첫 번째 미국인들이었다.

매복전이 시작된 후에, 한 중대 소속의 중국 병사가 매복 공격권의 입구에서 구조에 나선 한국의 후속 부대를 완강하게 저지했다. 이 격전 과정에서 한 소대의 병사가 정확히 70명의 한국 병사를 전멸시켰다.

날이 어두워지기를 기다렸다가, 적기들이 활동하기 불편해진 틈을 타 덩웨는 부하들을 이끌고 역습에 나섰는데, 온정리로 돌진하여 다시 한국군 1개 대대를 무찔렀다. 한국군 제1사단의 2개 대대는 이렇게 궤멸되었다. 이전에 펑더화이의 옆을 스쳐 지나가며 압록강으로 진격했던 제6사단 제7연대는 퇴로가 막혀, 중국인들이 말하는 '독 안에 든 자라'가 되어버렸다.

덩웨가 온정리에서 매복하여 전투를 벌이고 있던 바로 그때, 한국군 제6사단 제7연대는 뜻밖에도 수십만 명에 달하는 중국군 부대와 마주치지 않고, 중국-조선 국경에 있는 초산으로 돌진했다. 미국인들은 전쟁이 끝난 후에 말하기를 그들이 "기적적으로 바늘구멍을 뚫었다"고 했지만, 사실 그것은 어리석게도 관 속으로 기어 들어간 것이었다. 제7연대의 고문인 미국 소령 플레밍(Fleming)은 매우 흥분하여 얼어붙은 압록강 위에서 발을 힘껏 구르면서, 크게 웃으며 말했다: "하하, 나는 유명해졌다, 나는 처음으로 압록강에 도달한 미국인이다!"

일찍이 인민군에게 얻어맞아 정신이 어지러워진 한국 병사들은 더욱 광분했다. 그들은 노래를 부르며 춤을 추었다. 이후 플레밍의 지휘 아래 기관

127 중국 측 자료에서 당시 계급이 중위였다는 것은 확인할 수 있지만, 그 외의 자세한 사항은 찾아볼 수 없다.

총과 대포를 거치하고 강 건너편의 중국 국경 안으로 맹렬히 발사했다. 한 꾸러미의 탄환을 중국 영토에 쏘았고, 포탄 한 발을 중국에 발사했다.

일본 도쿄의 신문은 즉시 호외를 발표했다: "유엔군이 중국 영토를 향해 대포를 시험 발사했다."

하느님은 누군가를 멸망시키려 하면, 반드시 먼저 그를 미쳐 날뛰게 만든다. 뜻밖에 중국 영토에 사격을 가한 그 미친 부대에게 죽음의 시각이 다가오고 있었다. 그들은 조선 전쟁 기간 중에 처음이자 마지막으로 중국-조선 국경에 도달한 한국 부대였다.

덩웨의 승전보가 잇달아 전선에서 10킬로미터도 떨어져 있지 않은 대유동의 지원군 사령부에 전해졌다: "첫 전투에서 승리를 거두었다!"

승리의 소식이 빠르게 사령부에 전해지자, 여러 장수들은 매우 기뻐했다. 마침내 전투가 시작되었고, 첫 번째 전투를 잘 싸웠다. 한국 군대를 대처하는 것은 마음속으로 자신이 있었다.

펑더화이는 손을 휘저었다: "자, 나를 대신하여 포상하도록 명령을 전달하고, 전보를 쳐서 제40군단 제118사단을 표창하시오. 개전 첫날 잇달아 두 번의 전투를 승리하다니, 상을 받을 만하지!"

베이징에서 마오쩌둥과 저우언라이 등은 승리했다는 전보를 손에 쥐자 길게 숨을 내쉬었다. 이날은 이때부터 정식으로 항미원조 기념일이 되었다.

6

서부전선에서 전투가 시작되었을 때, 제42군단의 2개 사단은 필사적으로 황초령과 부전령(赴戰嶺)[128]을 넘어가고 있었다. 인민군 총사령부에서는 확보할 수 있는 모든 포차(砲車)·수송차·민간 차량 등 운송 수단들을 전부 그러모았는데도, 결국은 2개 대대밖에 실어 나를 수 없었고, 제42군단 장병

128 함경남도의 개마고원 부근에 있는, 해발 1,200~1,400여 미터의 고개들이다.

들은 두 다리로 뛰어갈 수밖에 없었다.

선발대로 간 제124사단의 부참모장 궈바오헝(郭寶恒, 1921~1996)은 자동차를 몰고 곧바로 장진으로 가서, 한 칸의 초가집에 설치한 인민군 총사령부를 찾았다. 인민군 총사령관 최용건(崔庸健, 1900~1976)이 맞이했는데, 그의 왼팔은 부상을 당해, 붕대로 가슴 앞에 걸고 있었다. 중국에서 여러 해를 보낸 적이 있는 이 조선군 총사령관은 궈바오헝을 한 손으로 끌어안더니, 계속해서 말했다: "마오 주석은 훌륭합니다. 주더 총사령관은 훌륭합니다. 펑더화이 총사령관은 훌륭합니다!" 기뻐하는 기색이 그의 말에서 넘쳐났다.

궈바오헝은 즉시 최용건에게 전장의 형세를 설명했다. 지원군의 주력은 서부전선에 있으며, 동부전선에는 단지 제42군단의 2개 사단밖에 없는데, 임무는 황초령에 가서 미국 제10군단과 한국 제1군단이 북쪽으로 밀고 올라오는 것을 막아, 서부전선의 작전이 승리하도록 보장하는 것이라고 알려주었다. 최용건은 즉시 고개를 돌려 부하 장교에서 명령했다: "탱크 여단, 포병 여단, 그리고 보병 전부를 그들에게 주어, 그들이 통일적으로 지휘하도록 하라."

이어서 최용건이 궈바오헝에게 말했다: "적들은 3일 이내에 강계(江界)에 도달할 것으로 예상되는데, 나는 내일 적들이 다시 한번 맹공을 할 거라고 예측합니다. 원산·고원(高原)·함흥에서부터 지안(輯安)으로 이어지는 도로가 있는데, 해발 1천 미터의 황초령이 바로 이 도로의 요충 지대입니다."

궈바오헝은 곧바로 힘든 전투가 제42군단을 기다리고 있음을 예감했다.

문을 나와, 궈바오헝은 한 인민군 장교에게 제42군단에 속하게 될 인민군의 실력과 상황에 대해 묻고는, 자기도 모르게 속으로 깜짝 놀랐다. 탱크 여단에는 겨우 9대의 탱크밖에 없고, 포병 여단에는 단지 13문의 대포밖에 없으며, 보병 여단에는 6개 대대 500여 명밖에 없었다. 인수인계가 끝난 뒤, 인민군의 병참보급을 책임진 박상(朴相)이 또한 찾아낼 수 있는 모든 식량인 감자 3천 근, 벼 2천 근 및 부상당한 소 한 마리를 지원군에게 넘겨주었다.

인민군이 보내준 보급품들을 가지고, 제42군단의 병사들은 필사적으로 황초령으로 달려갔다. 제42군단장 우루이린은 한쪽 다리가 전쟁 중에 부러져, 사람들은 그를 "우 절름발이"라고 불렀는데, 미국인들조차도 이 별명을 매우 빨리 잘 알게 되었다. 20년 뒤, 키신저가 비밀리에 중국을 방문했을 때, 우루이린 중장이 저우언라이를 대동하고 접견했다. 저우언라이가 키신저에게 우루이린 장군을 소개할 때, 키신저가 말했다: "아닙니다. 미국은 우 장군에 대해 결코 생소하지 않습니다. 나는 심지어 우 장군의 별명도 알고 있습니다!" 세 사람은 일시에 함께 크게 웃었다.

이때의 우루이린은 당연히 훗날 키신저를 만났을 때와 같이 한가롭지 않았다. 장차 미국인들이 소문만 들어도 간담이 서늘해지는 이 용맹한 장수는 마음이 불에 타 들어가듯이 조급했다. 한국 수도사단이 이미 황초령과 하천 하나를 사이에 두고 있는 마봉산(摩峰山)을 빼앗아 차지하고 있어, 지금의 속도로는 황초령을 먼저 점령할 수 없었기 때문이다.

"자애로움만으로는 병사들을 장악할 수 없다." 우루이린은 매섭게 명령을 내렸다: "부대에 명령하여 매일 야간 행군 속도를 지금의 130리에서 180리의 속도로 높이게 하라!"

제42군단 병사들이 찐빵처럼 부어오른 다리를 끌면서 미친 듯이 달려 유담리(柳潭里)에 도착했을 때, 드디어 인민군이 보낸 18대의 자동차를 보았다. 즉각 이 자동차들에는 바퀴와 사람이 서 있을 수 없는 곳을 제외하고, 심지어 운전석 지붕·차문·차 보닛 위에까지 급히 전장으로 가야 하는 병사들을 가득 태웠다. 인민군 운전병과 지원군 장병들은 모두 생사를 돌보지 않고, 미친 듯이 달린 다음 마침내 기선을 잡았다.

23일에 마봉산을 점령한 한국 수도사단이 시간을 끌면서 대열을 정비하고 있을 때, 제42군단의 선봉 장병들은 25일 황초령 정상과 전초 기지인 연대봉(煙臺峯)에 올라, 즉각 한국군의 첫 번째 공격을 격퇴했다. 이렇게 서부전선에서 덩웨가 온정리에 매복하여 전투를 벌이고 있을 때, 동부전선에서도 교전이 시작되었다. 제42군단의 주력은 계속해서 황초령과 부전령으로 가서 전개를 완료하고, 방어 진지를 점령하여, 북진하고 있는 한국 제1군단·미국 제10군단과 격렬한 교전을 벌였다. 동부전선이 이렇게 우루이린에 의해 단단히 굳어지자, 펑더화이는 안심하고 서부전선에서 전투를 벌일 수 있었다.

중국 군대가 항미원조 전쟁을 시작한 첫째 날 아침, 맥아더는 평양에서 부대를 검열하고 있었다: "나는 명령한다. 제1진으로 북한에 도착한 미국 병사들은 한 걸음 전진하라."

맥아더의 외침에 회답한 사람은 몇 사람 되지 않았다. 스미스 별동대는 진즉 일반 부대와 별 차이가 없어졌다. 맥아더는 흥이 다 깨져서 일본으로 돌아갔다. 그때, 그는 마침내 중국인들이 조선에 출병했다는 인적 증거를 얻었다. 한 명의 중국 병사가 운산 부근에서 한국군 제15연대에게 포로로 잡혔다. 그는 '전쟁 포로 1호'가 되었다. 이 중국 전쟁 포로는 즉시 비행기로 평양에 있는 제8집단군의 지휘부로 보내져 심문을 받았다. 다음날, 다시 세 명의 중국군 포로들이 평양으로 보내졌다. 같은 날, 서부전선의 제42군단에서 하나의 작은 재난이 발생했다. 소총조차 제대로 갖추지 못한 10여 명의 수송병들이 한국군의 진지로 잘못 들어가는 바람에, 대부분 포로로 잡혔다. 한국 제1군단장 김백일은 이 중국인들을 보고 크게 놀랐다. 그는 우루이린과 이틀 동안 싸웠는데, 아직까지도 자신이 싸운 것은 인민군이라고 여기고 있었다. 김백일은 즉시 이 전쟁 포로들을 도쿄로 보냈고, 이후 맥아더가 직접 이 병사들을 심문했으며, 또한 그들을 "중국이 조선을 침략한" 증거로 삼아 유엔에 보냈다. 정보 당국자들이 작성한 「심문 보고서」는 즉시 워싱턴과 미국 극동 사령부로 보내졌다.

"불가능해." 맥아더는 자신의 성미를 참아가며 「심문 보고서」를 절반쯤 읽고는 손가는 대로 던져버렸다: "조선에 들어온 중국 군대가 조직적이라는 것을 보여주는 확실한 증거는 없어." 이때까지도 맥아더는 뜻밖에 여전히 중국 군대가 이미 조선에 들어왔다는 것을 믿지 않았다.

워싱턴도 맥아더에 비해 나을 게 없었다. 중앙정보국은 「심문 보고서」의

출처와 내용에 대해 가장 낮은 등급을 매겼다. 미국 군사 정보 요원들은 이때까지도 중국이 이미 조선에 출병했다는 것을 믿으려 하지 않았다. 그들은 빈곤하고 나약한 중국 놈들이 감히 그럴 수 없다고 생각하고 있었다. 이후, 미국 국방장관 마셜 5성 장군은 매우 괴로워하며 에둘러 이렇게 말했다: "우리는 무엇이든 알고 있다고 여겼지만, 실제로는 아무것도 알지 못했다. 하지만 상대방은 뭐든지 알고 있었고, 그리하여 전쟁이 시작되었다."

펑더화이가 지금 가장 바라는 것은 바로 미국인들이 계속해서 이렇게 거만하고 안하무인의 상태에 빠져드는 것이었다. 그의 소원은 이루어졌다.

7

지원군과 한국 군대가 접전을 벌인 지 이틀이 지났는데, 펑더화이 등 장수들은 기쁘면서도 걱정스러웠다. 기쁜 것은, 적들이 여전히 부주의하여 상대를 얕잡아보고 있는 데다, 또한 첫 전투에서 한국 군대의 내막을 파악했다는 점이다. 한국 부대의 전투력은 매우 나빴다. 비록 모든 것이 미국식 장비지만, 화력은 결코 그다지 강하지 않았다. 각 사단에는 단지 105밀리 유탄포 대대 하나밖에 없었고, 그 병사들은 모두 강제로 징집되어 입대한 지 반년도 안 된 신병들로, 전술적 기술 수준이 매우 낮아, 조직을 세심하게 잘 짜기만 한다면, 지원군이 완전히 그들을 섬멸할 수 있었다. 걱정스러운 것은, 부대의 이동이 더뎌, 꾸물대다가 제 위치에 도달하지 못하여, 자칫 한국군 제6·제7·제8사단을 일거에 소탕한다는 원래 정했던 작전 계획을 달성하지 못할지도 모른다는 것이었다.

10월 27일 밤, 철저하게 가려진 가설 건물에 설치된 사령부 안에는 어두컴컴한 유등(油燈)이 켜져 있었고, 며칠 동안 눈을 붙이지 못한 지원군 장교들은 긴박하게 적의 상황을 파악하고 있었다.

펑더화이는 지도 앞에 서서 냉소를 지었다. 지도에는 적군을 나타내는 수없이 많은 파란색 화살표들이 압록강을 향해 뻗어 있었다: "맥아더는 여전히 병력을 나누어 무모하게 돌진하고 있습니다. 남조선 제6사단의 주력은 이미 희천에 들어왔고, 남조선 제1사단은 아직 운산 이북의 아군 진지를 공격하고 있습니다. 미군 제24사단과 영국군 제27여단은 이미 각각 태천(泰川)과 정주(定州)로 달아났습니다. 전체 서부전선 적군의 우익은 모두 남조선군인데, 지금 그들은 이미 우리에게 저지당해 온정리-운산 일선에서 움직이지 못하고 있습니다. 좌익의 미군과 영국군은 아직 아군의 저지를 받지 않기 때문에, 이미 돌진하기 시작했습니다. 나는 먼저 제38군단과 제40군단의 2개 사단을 집중시키고, 거기에 다시 제42군단의 1개 사단을 추가하여, 모두 6개 사단의 병력으로 희천에 있는 적인 남조선군 제6사단의 주력과 남조선군 제8사단의 2개 연대를 섬멸할 것입니다. 동시에 제39군단을 운산 서북 지역으로 보내, 남조선군 제1사단의 북진과 희천에 대한 지원을 저지함으로써, 제66군단으로 하여금 미군과 영국군의 전진을 저지할 준비를 하도록 할 것입니다. 나는 제38군단을 '주먹'으로 삼아, 한 방에 서부전선 적군의 우익을 쳐부수고, 돌파구를 열어 적군의 왼쪽 측면 배후로 들어가, 서부전선의 적군을 포위하여 청천강 이북에서 섬멸할 것입니다. 이제 곧 제38군단을 보게 될 것입니다."

다만 제38군단의 오랜 기반은 펑더화이가 핑장(平江)에서 봉기를 일으켰을 때의 홍군 제3군단의 일부로, 그는 자신이 직접 키운 홍군 부대의 그러한 천신만고를 두려워하지 않는 전투정신이 반드시 제38군단에 싹터 있으리라고 믿었기 때문에, 그는 가장 어렵고도 막중한 임무를 제38군단에게 부여했다.

그러나 제38군단은 펑더화이를 실망시켰다. 희천으로 가는 도로 위에서 바쁘게 뛰어다니는 제38군단 장병들은 달리기는커녕 걷지도 못하고 있었다. 밤이 되자 모든 도로는 북쪽으로 철수하는 백성들과 인민군으로 넘쳐났다. 27일 밤이 되었는데, 그들은 목적지에서 60킬로미터나 떨어져 있었다.

넝화가 펑더화이에게 이 소식을 알렸을 때, 펑더화이는 벌컥 화를 냈다: "량 어금니(제38군단장인 량싱추의 별명-옮긴이)는 일을 어떻게 하는 거야? 이렇게 느려 터지기가 전족한 여자 같으니, 큰일을 그르치겠어."

제팡이 전황을 설명했다: "제39군단의 제117사단과 제40군단의 일부는 이미 운산 이북에 도착하여 남조선 제1사단과 전투에 돌입했고, 제120사단은 온정리 동쪽에 도착하여 남조선 제6사단의 2개 대대와 전투에 돌입했으며, 동부전선의 제42군단 주력은 황초령에 곧 도착합니다. 적들은 동·남·서남 등 세 방면에서 온정리를 향해 이동하여, 온정리에 있는 아군 부대를 협공하려고 시도하고 있고, 희천의 적들은 이미 철수한 듯합니다."

펑더화이는 즉각 눈을 부라렸다: "달려갔어야 할 거 아냐?"

홍쉐즈가 일어서더니, 일부 병력은 시가지에 있는 적들을 포위하고, 일부 병력은 매복해 있다가 이들을 지원하러 오는 병력을 유인하여 섬멸할 작전 방안을 즉석에서 제시했다: "펑 사령관님, 희천의 적들을 우선 섬멸하려는 계획을 즉시 포기하고, 제40군단을 사용하여 온정리를 향해 공격해 들어오는 적을 단호히 저지하여, 그들이 우리나라를 향해 포를 쏘는 괴뢰군 제6사단 제7연대와 합류하지 못하게 할 것을 건의 드립니다. 그리하여 압록강 강변에서 궁지에 처해 있는 미친개들을 포위는 하되 섬멸하지는 말고, 희천·운산에 있는 적의 6~7개 연대가 구원하러 오도록 유인한 다음, 제38군단과 제39군단을 집중하여 구원하러 오는 적을 운산 이북에서 포위 섬멸하는 게 좋겠습니다."

덩화와 한셴추는 이 의견에 전적으로 동의했다.

"모두가 재능 있는 지휘관들이오." 펑더화이는 슬며시 고개를 끄덕이더니, 즉시 말했다: "그렇게 합시다."

그러나 적들은 이 계책에 걸려들지 않았다.

다음날 하루 종일, 적과 아군 쌍방의 주력이 모두 대치하고 있었다. 뜻밖에 그 미친개 부대가 도망치려고 했는데, 바로 그때 마오쩌둥이 급하게 지원군 사령부에 전보를 보냈다: "첫째, 고장(古場)과 초산 일대의 남조선군 제7연대를 확실히 붙잡아두고 도망치지 못하게 해야 합니다. 그렇게 하면 남조선군의 제1·제6·제8연대가 증원하지 않을 수 없을 것이니, 싸워볼 만합니다. 둘째, 아군의 3개 군단이 모두 와서 동시에 전투 배치를 완성해야 합니다. 그렇게 하면 아군이 공격할 때 신속하고 맹렬하게 힘을 발휘하여, 확실히 적들을 섬멸할 수 있습니다."

펑더화이는 마오쩌둥의 전보를 보고 긴장하며 사색에 잠겼다: '더 이상 이렇게 대치할 수는 없다. 시간을 끌면 우리의 대군이 조선에 들어왔다는 사실이 드러나게 되어, 적들이 일단 경각심을 느껴 위축되면 싸우기가 힘들어진다. 너희가 감히 싸우러 오지 않으면 우리가 가서, 서부전선 우익의 적들을 계속 붙잡아두고 매섭게 두들겨 패는 게 낫지. 남조선군을 치면서 아무래도 힘을 좀 아끼려면, 좌익의 미군을 놓아주어, 그들로 하여금 계속 북진하게 하여 병력을 분산시켜야 한다…….'

잠시 생각하고 나더니, 펑더화이는 이렇게 명령을 내렸다: "제40군단의 주력은 온정리로 진격하는 적들을 신속하게 섬멸하고 나서, 남쪽으로 돌격하고, 제40군단의 제118사단은 신속하게 돌아와 제50군단의 제148사단과 협력하여 신속하게 남조선군 제6사단 제7연대를 소탕한다. 이 미친개들이 감히 우리나라를 향해 포를 쏘았으니, 반드시 모두 섬멸해야 한다. 제39군단은 구성(龜城)[129]으로 가는 도로를 열어주어, 적군의 좌익인 미국 제4사단으로 하여금 계속 북진하게 하고, 집중된 병력은 먼저 운산에 있는 남조선군 제1사단을 포위한 다음, 때를 기다렸다가 적을 섬멸한다. 제38군단은 신속하게 희천을 공격하여 점령한 다음, 구장군(球場郡) 군우리(軍隅里)[130] 방향으로 돌격하여, 적군의 남쪽 퇴로를 차단한다."

펑더화이가 칼을 쓱쓱 갈고 있을 때, 한국 제2군단장 유재흥(劉載興, 1921~2011) 소장은 부하들을 호되게 꾸짖고 있었다: "너희들은 온정리로 공격해 들어가, 반드시 온정리에 버려둔 차량과 대포들을 가지고 와!"

그는 덩웨가 첫 전투에서 노획했던 대포들을 매우 아까워하고 있었다.

2개 연대의 한국 군대는 과연 발분하여 갑자기 펑더화이의 도마 위로 공

129 평안북도 내륙에 있는 군(郡)이다.
130 지금의 평안남도 개천시 부근에 있는 마을이다.

격해 들어왔다. 그들이 마침내 버려두고 갔던 대포와 트럭들을 보았을 때, 또 다시 자신들이 새로 가져온 트럭과 탱크들을 모두 물밀듯이 돌진해온 중국 군대에게 선사해주고 말았다.

이때는 그 미친개 부대를 계속해서 남겨두는 것이 중국 군대에 대해 이미 아무런 가치도 없어졌다. 10월 29일 밤, 출국 이후 첫 전투를 막 끝낸 제118사단은 쌓인 눈으로 허기를 달래면서 해발 2천 미터의 산속에서 두 다리에 의지하여 이틀 동안 300킬로미터를 행군했으며, 그 선두 부대인 제353연대는 남쪽으로 도망치는 한국군 제7연대를 향해 정면으로 달려갔다. 산과 들에는 온통 중국 군대의 나팔 소리가 우렁차게 울려 퍼졌으며, 병사들은 성난 목소리로 적들에게 외쳤다: "이 미친개들을 모조리 죽여라."

이 한국 부대의 무모한 행위가 중국 군인들의 엄청난 적개심을 불러일으키자, 제118사단의 맹렬한 공격으로 한국군 제7연대는 순식간에 사라져버렸는데, 전투 시간이 매우 짧았다.

"비통하구나! 압록강 강변에서 무기를 씻은 용감한 장병들은, 결국 이 거센 바람과 사나운 파도 속에서 돌파해 나오지 못하고 말았도다." 한국 전쟁사는 이렇게 몹시 비통하게 서술하고 있다. 그리고 그들 "용사"의 치부를 감추기 위해 이렇게 기록했다: "위에서 서술한 바와 같이, 우리 군은 중공군이 인해전술을 이용해 전투를 진행한 가장 험악한 상황에서도, 적을 섬멸하기 위해, 죽을지언정 굴복하지 않고 용감하게 헌신했다."

그러나 미국인들은 사실대로 말했다: "나중에 노획한, 한 폭의 손으로 그린 지도가 뚜렷이 보여주듯이, 단지 1개 대대의 중국 군대가 그 매복 공격의 임무를 진행하여, 그들이 남한 제7연대를 격파했다."

전투가 끝나고, 중군 군대는 한국 제7연대의 2,700명을 사살하거나 생포했으며, 한국 군대를 지휘하여 중국 영토에 사격을 가했던 미국 소령 플레밍도 생포했는데, 그때 그는 몸에 15발의 총탄을 맞은 상태였다. 그를 제외하고도, 제7연대를 따라 압록강 주변에 왔던 미국인들은 전부 섬멸되었다.

이때 플레밍은 도리어 자신은 문명인이라고 상기시켰다: "나는 대학생이고, 문명인이오."

숨을 헐떡이는 플레밍은 이런 말로 목숨을 구걸했다.

3년 후, 그는 살아서 미국으로 돌아갔다.

덩웨의 젊은 목소리가 다시 한번 지원군 사령부에 울려 퍼졌고, 그가 다시 승리의 소식을 전했다. 펑더화이는 크게 웃었다: "저 사람 덩웨는 대단해! 천경이 말의 꼬리를 이용해 그를 초지에서 끌어내 그의 목숨을 구해낸 보람이 있어.[131] 자, 특별히 전보를 쳐서 제118사단을 표창하시오."

각 부대들의 행동은 모두 매우 순조로웠는데, 제42군단의 2개 사단은 동부전선의 황초령 정상에서 10만 명의 적군을 맞아 한 걸음도 나아가지 못하고 있었다. 제39군단은 이미 3면에서 운산에 있는 한국군 제1사단을 포위했고, 다시 일부 병력은 시가지에 있는 적들을 포위하고 일부 병력은 매복해 있다가 이들을 지원하러 오는 병력을 유인하여 섬멸할 준비를 갖추고서, 적군이 운산을 구원하러 오도록 유인했다. 오직 제38군단만이 두 번이나 펑더화이를 실망시켰다. 이 군단의 제113사단은 28일에 희천에 진입한 후, 늦게 29일 황혼 무렵에야 공격을 개시했는데, 이들이 희천으로 돌격해 들어갔을 때, 한국군 제8사단은 일찌감치 도주하여 그림자도 보이지 않았다. 결국 2개 연대가 거둔 전과는 적군 19명을 죽이거나 포로로 잡은 것뿐이었다.

이렇게 되자 펑더화이는 화를 냈다: "량싱추, 량싱추, 자네가 나의 군사전략을 망쳐버렸다. 나는 자네를 용서할 수 없다. 추격하라. 계속 추격하여, 구장군 군우리 방향으로 공격해 나아가, 적군의 퇴로를 차단하고, 적들이 청천강 남쪽으로 철수하지 못하도록 하라!"

펑더화이가 군단장 량싱추를 크게 꾸짖자, 량싱추도 제113사단장 양다이(楊大易, 1919~1997)를 크게 꾸짖었다. 희천을 공격하는 것이 오래 끌어 시기

131 대장정 시기에 소장 계급이던 천경은, 학질에 걸려 길에 쓰러진 채로 경련을 일으키고 있던 소대장 덩웨를 위해 자신이 타던 말을 양보하려 했다. 덩웨가 도저히 그럴 수는 없다고 하여, 결국 말의 꼬리를 잡고 걸어서 갔다고 한다.

를 놓친 것은 모두 양다이 탓이었다. 양다이도 마음속으로는 고충이 있었지만 말을 하기 어려웠다. 그가 인솔하는 부대가 희천으로 진군하는 도중에 길에서 후퇴하고 있는 인민군 장교 한 명을 만났다. 공교롭게도 이 조선 동지는 제112사단의 노병으로, 톈진 전투[132]를 치르고, 얼마 전에야 조선으로 돌아왔다. 원래 소속되었던 부대로 돌아오자, 자연히 아무 거리낌 없이 이야기했다. 먼저 그가 미국 비행기의 지독한 점에 대해 한바탕 침이 마르도록 이야기하자, 양다이는 어쩔 수 없이 음식으로 그의 입을 막아, 사기에 영향을 주지 않으려고 했다. 공교롭게 그 식사를 할 때, 이 옛 전우는 또 제112사단이 희천을 공격하려 한다는 것을 알았는데, 결국 시시콜콜한 것들을 많이 아는 이 동지의 말은 다시 양다이를 놀라게 했다: "희천은 미국의 흑인 연대[133]에게 점령되었네." 미국인? 그것도 흑인이라니! 매우 생생하게, 희천은 전부 한국군이라고 말하지 않았던가? 이것은 중대한 군사 상황이다! 양다이가 서둘러 량싱추에게 긴급하게 전보를 쳐서 보고하자, 량싱추도 감히 소홀히 하지 못하고 다시 지원군 사령부에 전보를 쳤다. 동시에 제113사단에게 희천 이북에 있는 인민군의 대규모 무기고로 가서 보호하라고 명령했다. 진짜 정황을 파악한 것도 늦었고, 승리할 수 있는 기회를 완전히 놓치자, 화가 난 량싱추는 전화로 정보를 제공한 양다이를 호되게 꾸짖었다.

"자네가 거짓으로 군사 상황을 보고하다니, 참으로 대담하군. 자네가 나에게 흑인 연대를 찾아내주게. 나는 바로 그 흑인 연대를 원하네."

한바탕 호되게 꾸짖고 나서, 량싱추는 자신의 책임도 적지 않다는 것을 깨달았다. 양다이가 상부에 보고한 정보가 맞았지만, 자신은 왜 포로를 붙잡고 직접 심문하지 않았던가? 그는 자신의 머리를 쳤다. 이제는 공을 세워 과오를 씻을 수밖에 없었다.

"양다이, 이번 전투로 제38군단의 체면을 모조리 다 잃었네. 더구나 바지

132 1949년, 베이징과 톈진 일대에서 국민당 군대와 벌인 전투를 말한다.

133 1950년 당시, 미국 제25보병 사단의 제24연대는 장교를 제외한 모든 병사들이 흑인으로 구성되어 있었다.

조차도 걸치지 않은 망신을 당했네! 자네는 즉시 비호산(飛虎山)[134]을 공격하고, 비호산을 점령하면 즉시 군우리를 공격하여, 서부전선에 있는 적들의 퇴로를 차단하게. 제335연대의 판톈언(范天恩, 1922~2001)에게 알려, 그로 하여금 주도하여 비호산을 공격하도록 하게. 비호산을 차지하지 못하면 살아서 돌아오지 말게."

제112사단은 제38군단의 주력 사단이었고, 제335연대 또한 제112사단의 정예 부대로, 그것은 강철 칼의 칼날이자 예리한 검의 칼끝이었다. 연대장인 판톈언은 '판 호랑이'라는 별명을 가진, 전직 제38군단의 작전과장이었다. 조선 전쟁이 일어나자, 이 군단 작전과장은 무슨 말을 해도 듣지 않고, 군대를 인솔하고 가서 싸우지 않으면 안 된다고 우기자, 량싱추는 어쩔 수 없이 그를 연대장에 임명했다. 이러한 연대와 연대장에 대해, 량싱추는 믿을 수 있었다.

8

펑더화이의 대규모 공세는 이미 전개되었는데, 맥아더는 여전히 바보짓을 하고 있었다. 그의 서부전선 우익의 한국 부대는 이미 펑더화이에 의해 큰 구멍이 나버렸지만, 좌익의 미군과 영국군은 오히려 여전히 압록강을 향해 맹렬하게 진격하고 있었다. 펑더화이는 서부전선의 미군과 영국군이 가능하면 멀리 진격하기만을 바랐다. 그렇게 되면, 격퇴당한 한국군 방향으로부터 에워싸 미군과 영국군의 퇴로를 차단하여, 그들이 도망갈 수 없게 만들려고 했다.

30일, 미군과 영국군은 서부전선의 한쪽 측면이 어떻게 되었는지는 신경쓰지 않고, 아직도 오로지 "말에게 압록강 물을 먹일" 생각만 하고 있었다. 중국-조선군이 쏜 포탄 한 발이 참전하러 온 오스트레일리아 대대장 그린

134 평안남도 개천시 동북쪽에 있는 산이다.

(Charles Hercules Green, 1919~1950) 중령의 옆에 떨어졌고, "호주군 사령관 희생"이라고 일본 신문도 톱뉴스를 게재했다. 그린 중령은 조선 전장에서 미군을 제외하고 처음으로 사망한 유엔군 장교였다.

11월 1일 정오, 오산에서 미군이 조선을 공격하는 첫 번째 총을 발사했던 별동대의 지휘관인 스미스 중령은 마침내 압록강에서 18마일밖에 떨어지지 않은 청고동(淸固洞)[135]까지 도달했다. 이는 미국 제8집단군이 조선 전쟁 기간 동안에 압록강에 가장 가까이 접근한 때이다. 이날 밤, 인민군의 T-34 탱크 7대와 미군의 퍼싱 탱크 10대가 서로에게 사격을 하여, 5대의 T-34 탱크가 격파되었다. 이때가 바로 미국 제8집단군이 조선 전쟁 기간 동안에 승리의 정점에 도달한 순간이다.

막 탱크전에서 승리를 거둔 스미스 중령은 다음날 압록강 강변에서 어떻게 사람들이 평생 잊지 못할 경축 의식을 치를 것인지를 궁리하고 있었는데, 놀라운 명령이 전해졌다: "즉시 철수하라! 1분이라도 허비해서는 안 된다!"

스미스 중령은 넋이 나갔다. 다음날 압록강의 중국 국경에 도달하여, 승리로 이 전쟁을 끝낼 수 있는데, 이러한 때 뜻밖에 철수하라니? 워커 장군이 실성한 것은 아닌가!

워커는 실성하지 않았고, 그가 받은 충격의 정도는 스미스 중령보다 훨씬 엄중했다. 중국인들이 참전했다! 서부전선의 우익이 붕괴되었다. 미국의 정예 부대인 제1기병 사단이 뜻밖에도 운산에서 중국인들에 의해 머리가 깨져 피를 흘리고 있었다.

9

평더화이가 아직 대거 출격하지 않았을 때, 전체 전장에서 단 한 명의 한국군 장교만이 중국군의 대부대가 이미 전장에 투입되었다고 확신했다.

135 우리 측 자료에서는 평안북도와 북한 전체 지명에서 '청고동'을 확인할 수 없다.

한국 제1사단장 백선엽은 일본 군대의 하급 정보 장교였는데, 그는 중국 동북 지역에서 중국공산당의 항련(抗聯: 항일동북연합군의 약칭-옮긴이)과 수년간 전투를 치렀으므로, 중국인들을 매우 잘 알고 있었다. 25일에 쉬웨 연대장이 운산에서 전투를 벌이면서부터, 그는 줄곧 그의 전진을 저지한 것이 중국 군대일 거라고 의심하고 있었다. 3~4일 동안 전투를 벌이고도, 그는 운산에서 한 걸음도 나가지 못했는데, 하급 부대의 보고는 이러했다: "적들이 운산 주위에서 신속하게 전진하고 있으며, 적의 군대가 산에서 이동할 때에는 마치 산 전체가 움직이는 것처럼 보입니다." "적들은 교묘하게 위장된 깊은 참호를 통과하면서 극도로 완강하게 저항하고 있으며, 제15연대와 제12연대가 주축이 되어 공격하고 있는 고지는 하룻밤 사이에 벌집처럼 변했습니다. 반복적인 포격과 폭격을 당함에도 불구하고, 적들은 여전히 조금도 두려워하지 않으며, 한국 군대가 한 걸음 다가갈 때마다, 비가 쏟아지듯이 수류탄들이 머리 위에서 쏟아집니다."

세상에, 이게 중국인이 아니고 누구란 말인가?

백선엽은 즉시 미국 제1군단장인 밀번(Frank W. Milburn, 1892~1962) 중장에게 보고했다: "모든 시체들은 중국인의 것입니다. 우리의 전방에 있는 모든 군대(나는 1만 명 정도로 추산함)는 모두 중국인이며, 북한 군대에 혼재해 있는 개별 중국인이 아닙니다."

워커는 밀번이 보내온 보고를 받고 나서 그것을 비웃으면서, 이 한국 병사들이 전투력이 약하니 중국인들을 만났다고 거짓말을 하는 것이라고 여겼다.

워커는 즉시 평양에 주둔하고 있는 제8집단군 예비대인 미국 기병 제1사단에게 운산으로 가라고 명령을 내렸다. 그 구체적인 임무는 한국 제1사단이 방어하는 지역을 통과하여 계속 압록강으로 공격하는 것이었다.

기병 제1사단의 제8기병 연대는 10월 29일 오전에 평양에서 출발하여, 당일 밤에 집결지에 도착했다. 제5기병 연대가 그 뒤를 바짝 따라가, 운산을 돌파한 다음, 쓸모없는 한국 병사들을 도와 진격 임무를 완수할 준비를 했다. 그러나 이때, 각 방면의 정보를 모두 취합한 다음, 지원군 총사령부는 이미 청천강 이북까지 달아난 적군이 단지 5만 명뿐인 데다, 분산 고립된 상태에 있다고 판단했다. 그리고 중국 군대는 곧 12만 명 내지 15만 명의 인원을 작전에 투입할 수 있었으므로, 펑더화이는 마침내 총공격을 가하기로 결정했다. 그가 제38군단에게 준 임무는 비호산을 점령한 후, 개천(价川)과 군우리로 공격하여, 적군이 도망칠 퇴로를 차단하는 것이었고, 제39군단에게 준 임무는 운산을 공격하여, 정면에서 적들을 향해 돌파하는 것이었으니, 중국군과 미군이 대결하는 것은 이미 피할 수 없었다.

이는 또한 최정예 부대끼리의 한바탕 대결이기도 했다.

미국 육군 제1기병 사단은 제2차 세계대전에서 전공이 혁혁했다. 작전 중에는 언제나 길을 여는 선봉을 담당했으며, 지금까지 패배를 당한 적이 없어, "항상 승리하는 사단"이라는 명예를 누려왔다. 비록 이때 이 사단은 이미 중형(重型) 기계화 보병 사단으로 개편되었지만, 전통을 유지하기 위해 이 사단은 줄곧 "기병 사단"이라는 칭호를 유지했으며, 장병들은 모두 말 머리로 도안한 견장을 패용했다. 당시의 사단장인 호바트 게이(Hobart R. Gay, 1894~1983)는 명성이 높은 인물로, 비록 계급은 소장에 불과했지만, 그는 바로 제2차 세계대전 중에 패튼 장군의 참모장이었으며, 미군이 공인하는 "장갑에 유능한 인재"였다.

한국 제1사단이 운산에서 막혀 있었으므로, 워커는 즉시 이 정예 부대를 꺼내 들었다. 그는 호바트 소장에게 명령했다: "나는 자네의 정예 부대를 활용하여 이 혈로를 열고, 압록강에서 말에게 물을 먹일 것이네."

10월 31일, 기병 제1사단의 선두 부대인 제8기병 연대가 운산으로 돌격해 들어갔다. 이 연대는 장비가 매우 선진화되어 있었고, 대단히 강한 화력과 기동력을 갖춘 합성 부대였다. 이 부대는 1개 기계화 보병 연대를 골간으로 하여, 1개 포병 대대·1개 전차 대대 및 공병·통신·수송 분대가 배속되어 있어, 화력이 중국 군대의 1개 군단을 훨씬 뛰어넘었다.

제8기병 연대장 팔머(Raymond D. Palmer) 대령은 운산에 도착하자 한층 더 한국인들을 경멸했다. 두들겨 맞고 놀라 허둥대며 어쩔 줄 모르던 한국 부대는 결국 그에게 즉시 방어 임무를 인계받으라고 요구했다. 방어 임무를 인계하라고? 팔머는 코웃음을 치며 말했다: "나는 예전부터 방어 같은 건 알지 못하오. 나는 진격하는 것밖에 모르오." 양측은 한바탕 말다툼을 벌이다가, 결국 다음과 같이 논의하여 결정했다: "일단 한국군이 잃어버린 땅을 수복하면, 미군이 즉시 방어 임무를 인계받아, 압록강을 향해 공격한다." 백선엽은 아무것도 모르는 팔머를 보며 고개를 저었다: "운산 주변에는 이미 중국 군대로 가득 차 있을 것이고, 그들의 전투력은 매우 막강하니, 당신들은 조심해야 합니다."

팔머는 비웃었다: "중국인이라고요? 그 황인종들도 싸울 줄 안답니까?"

이렇게 조롱 섞인 말을 듣자, 중국인과 같은 황인종인 백선엽은 단지 괜히 말했다가 본전도 못 찾았다고 느꼈다.

미군의 한 말단 참모가 이 대화를 듣고는, 사단 본부에 이러한 정황을 종합하여 보고하도록 요구하자, 팔머는 코를 씰룩거리며 말했다: "총성이 아직 울리지도 않았는데 먼저 보고하는 것, 그것은 제1기병 사단의 기풍이 아니다!"

팔머는 운산시를 돌파해 나가 압록강에서 말에게 물을 먹이려고 했다. 운산시의 외곽에는 중국의 정예 부대인 제39군단도 호시탐탐 이를 갈면서, 운산 시내에 있는 적들을 한입에 삼켜버리려 했다.

제39군단의 전신은 마오쩌둥이 "중국 혁명을 위해 큰 공을 세웠다"고 칭찬했던 "쉬 호랑이[徐老虎]"라 불리는 쉬하이동(徐海東, 1900~1970) 대장이 통솔했던 홍군 제25군이다. 이 부대에서 중국 인민해방군의 고위 장교 수백 명이 배출되었는데, 명장 한셴추가 바로 그 중 대표적인 한 명이다. 이 부대는 홍군 시절 전투력이 강력하기로 전체 군대에서 유명했다. 장정에 참가한 4개 군단 가운데, 후베이(湖北)의 홍안(紅安)에서부터 장정을 시작한 강철 같은 군대인 이 홍군 제25군은 여러 가지 역사적인 기록들을 창조했다. 겨우 3천 명으로 구성된 예비 부대로서, 이 강한 부대는 출발 시간이 가장 늦었는데도 산베이에 가장 먼저 도착했다. 세 방면의 주력 홍군은 장정 도중에 인원이 절반으로 줄었는데, 오로지 이 고독한 주력 부대만은 내내 혈전을 치르면서 류즈단(劉志丹, 1903~1936)과 회합했을 때, 그 인원이 뜻밖에도 후베이에서 출발할 때보다 수백 명이나 증가해 있었다. 그뿐 아니라, 그들은 장정 과정에서 산난(陝南)의 근거지도 남겨두었다.

이 부대는 중국 혁명을 위해 뛰어난 공훈을 세웠다. 마오쩌둥이 이끌던 홍군 제1방면군이 축소하여 편제된 산간 지대(陝甘支隊)가 산베이에 도착했을 때는 3천 명밖에 남아 있지 않았고, 실력도 먼저 도착해 있던 홍군 제25군단보다 강하지 못했다. 그런데 장궈타오의 제4방면군에 예속되어 있던 부대인 이 홍군 제25군은 사심과 잡념이 전혀 없어서, 겨우 7천 대양(大洋)[136]밖에 갖고 있지 않던 군자금 가운데 5천 대양을 떼어내어 극도로 궁핍한 처지에 있던 중앙 홍군에 주었고, 다시 재편성하면서 중앙 홍군에 편입되어, 제15군단이라고 바꿔 불렀다. 마오쩌둥은 그제야 비로소 실력을 갖춘 2개의 군단을 보유한 홍군 제1방면군을 재건했다. 항일군(抗日軍)이 활발히 일어나자, 이 부대는 팔로군 제115사단의 제344여단에 편성되어 타이항산으로 힘차게 전진했으며, 주력 부대는 또 황커청(黃克誠, 1902~1986) 대장이 이끌고 남하하여 쑤베이(蘇北: 장쑤성 북부 지역-옮긴이) 근거지를 건립하고, 신사군(新四軍)의 정예 주력인 제3사단을 편성하여, 일본 침략자들이 소문만 들어도 간담이 서늘해지도록 무찔렀다. 해방 전쟁이 시작되자, 제3사단의 3만 5천 명의 장병들은 동북 지역으로 용감하게 나아감으로써, 공산당에서 가장 먼저 동북에 들어갔고, 인원이 가장 많고, 전투력이 가장 강한 주력 부대가 되어, 공산당이 전체 동북 지역을 점령하는 데 큰 공을 세운 다음, 마침내 고스란히 제39군단에 재편성되었다. 이는 모든 중국공산당의 지도자와 해방군 장교들이 매우 아끼고 소중히 여기는 정예 부대였다. 아마도 쉬하이동을 질투하던 린뱌오는 예외였겠지만, 그도 어쩔 수 없이 제39

136 대양(大洋)은 중화민국 시절의 화폐 단위로 지금의 위안(元)에 해당한다.

군단을 중용하지 않을 수 없었다. 미국 기병 연대장 팔머는 결국 이러한 부대를 감히 우습게 여겼으니, 그 결과는 패배하는 것 이외에 어찌 다른 길로 갈 수 있었겠는가?

10

"이 몸은 운산 시내에 있는 남조선 제1사단을 안주 삼아 술을 마시겠다." 제39군단장 우신촨(吳信泉, 1912~1992)이 지휘부 안에 걸려 있는 운산의 지도를 매섭게 노려보면서 말했다. 제39군단장을 맡을 수 있는 사람은 오직 산전수전을 다 겪은 뛰어난 장수일 수밖에 없으니, 우신촨의 지휘 능력은 생각해보면 알 수 있었다.

우신촨은 너무 오랫동안 기회를 엿보고 있었고, 정예 부대인 제39군단도 너무 오랫동안 기회를 엿보고 있었다. 운산은 조선 운산군(雲山郡)의 군청 소재지이자 조선 북부 교통의 중심지이며, 조선 북부 산악 지역의 입구이기도 했다. 이 작은 산간 도시의 전략적 위치는 매우 중요했다. 일단 이곳을 함락시키면 청천강 평원을 내려다볼 수 있어, 필연적으로 미군을 놀라게 할 것이기 때문에, 다른 형제 부대들의 승전보가 빈번히 전해질 때에도, 일찍이 운산의 삼면을 포위하고 있던 제39군단은 운산 시내에 있는 적들을 바라보면서 침만 삼킬 수밖에 없었다. 이제 드디어 젓가락을 움직일 수 있게 되었다. 제39군단 장병들은 숨을 죽인 채 한국 제1사단을 송두리째 한입에 삼키려고 기대하고 있었는데, 뜻밖에도 미국인들을 마주치게 되었다.

11일 새벽, 운산 지역에는 짙은 안개가 자욱했는데, 날마다 벌어지는 격전이 큰 산불을 일으키는 바람에(나중에 미국인들과 한국인들은 모두 중국 군대가 미국 공군의 공습을 피하기 위해 10여 곳의 산에 불을 질렀다고 말했다), 짙은 안개와 연기가 함께 피어오르자, 겨우 10미터 거리밖에 볼 수 없었다. 오직 시계(視界)에 의지해서만 정찰할 수 있던 제39군단은 미국 기병 제8연대가 이미 운산에 도착했다는 것을 전혀 발견하지 못했다. 우신촨은 당일 저녁 7시 30

분에 운산의 한국군을 향해 총공격을 개시하기로 결정했는데, 곧 총사령부의 전보를 받아보니, 제1기병 사단이 이미 운산 방향으로 떠났다고 했다. 그는 즉시, 나중에 중국 군대에서 가장 나이 어린 장군이 되는 왕푸즈(王扶之, 1923~2020)가 인솔하는 연대를 남쪽으로 파견하여 운산에 있는 적들의 퇴로를 장악하고, 북쪽으로 지원하러 오는 미군 지원군을 저지하도록 했다.

선비의 풍모를 지닌 장수인 왕푸즈는 즉시 제343연대를 이끌고 강행군하여 운산에 있는 적들의 주요 보급선인, 용흥동(龍興洞)에서 운산으로 통하는 도로로 갔다.

정오가 되어, 짙은 안개가 점차 걷히자, 제343연대의 움직임이 미국 공군에게 발견되었는데, 한 대의 미군 정찰기 조종사가 지면으로 접근하더니 깜짝 놀라 소리쳤다: "이건 내가 본 가장 기이한 장면이다. 두 대열의 적군 보병들이 운산 서쪽 명당동(明當洞) 부근의 동남쪽 작은 길을 따라 가고 있는데, 우리의 포탄이 직접 그들의 대오 안에 떨어지고 있는 데도, 그들은 여전히 끊임없이 전진하고 있다."

기병 제1사단장 호바트 게이는 보고를 듣고는 깜짝 놀랐다. 적군이 운산에 있는 기병 제8연대의 퇴로를 차단하려는 것이었다. 그는 즉각 기병 제8연대의 배후에 있는 기병 제5연대에게 명령을 내려, 곧바로 북쪽을 향해 도로를 따라 순찰하게 하고, 운산의 기병 제8연대는 곧 후방으로 철수할 요지인 거인교(居仁橋)를 확보하도록 했다.

노련한 홍군 연대인 이 제343연대는 미군 비행기들과 포화들이 겹겹이 둘러싼 봉쇄를 돌파하고, 적군보다 한 발 먼저 점령하여 도로를 차단했다. 야전 진지조차도 아직 구축되지 않았는데, 기병 제5연대장 존슨(Harold Johnson, 1912~1983) 대령이 북쪽으로 보낸 순찰대가 도착했으니, 달리 무슨 말이 더 필요하겠는가? 중국 군대는 미군과 처음으로 교전을 벌여 전면적인 승리를 거두었다. 이 첫 전투에서 50여 명의 미군 병사들을 섬멸했다. 맹렬하게 몇 분간 공격을 했는데, 지프차와 트럭에 타고 있던 60여 명의 미군 병사들 가운데 단 몇 명만이 운 좋게 살아서 도망쳐 연대장인 존슨에게 이 소식을 전했다.

존슨 대령은 이 소식을 듣고 초조해졌다. 그는 이 문제의 엄중함을 알고 있었다. 운산시로 진격했던 기병 제8연대의 퇴로가 차단된 것이다.

"제1대대는 출격하여, 즉각 도로를 막고 있는 적들을 궤멸시키고, 제8연대로 통하는 도로를 열어라." 대령은 즉각 명령을 내렸다. 제1대대가 막 출발하자, 그도 직접 제2대대를 인솔하여 출발했다.

혈전이 시작되었다.

탱크 포탄과 중포(重砲) 포탄들이 왕푸즈 연대의 진지를 초토화시켰다. 수십 대의 미군 전투기들이 뒤따라 또 날아와서 폭탄을 투하했고, 또한 억수같이 퍼붓는 장대비처럼 가솔린을 뿌려대자, 제343연대의 진지는 곧 불바다가 되었다. 거의 다 끝났다고 느꼈을 때, 존슨이 공격을 개시하라고 명령하자, 끊임없이 미군 보병들이 중형(重型) 탱크의 지원을 받으면서 제343연대의 진지로 들이닥쳤다. 중국 군대의 한 부대대장은 겁쟁이가 되어 도망쳤지만, 남아 있던 모든 장병들은 불바다 속에서 밀어닥치는 미군 병사들을 낙화유수처럼 쓰러뜨렸다. 한 차례 작은 반격을 가했는데, 40여 명의 미군 병사들이 곧 군복의 여기저기에서 연기가 피어오르는 중국 병사들의 포로가 되었다.

미국 병사들은 연달아 돌격해 올라온 다음에는, 연달아 도처에 시체들을 남겨두고 물러났다. 그들은 정말이지 감히 자신의 눈을 믿을 수가 없었다. 아무도 그처럼 지옥 같은 네이팜탄의 맹렬한 화염 속에서 살아나올 수는 없었다.

그들이 어찌 알았겠는가? 농민을 중심으로 조직된 중국 군대의 토목 공사 작업 능력이 감히 세계 최고라고 할 만하다는 것을. 제343연대 병사들은 포화를 무릅쓰고 악착같이 방화구(防火溝)를 파서 자신의 목숨을 보전했다. 전투가 끝난 뒤, 왕푸즈는 미친 듯이 전투를 치른 병사들이 여전히 미친 듯이 도랑을 파고 있는 것을 놀랍고도 의아하게 바라보았다. 더욱 미국 군인들로 하여금 믿을 수 없게 한 것은, 중국 군인들의 전투 정신이었다.

포로가 된 미국 사병

다섯 명의 미국 병사들은 한 명의 중국 병사가 용감하게 죽음을 두려워하지 않고 손에 수류탄을 든 채, 맹렬하게 사격을 하고 있는 55톤 무게의 탱크에 달려드는 것을 멍하니 바라보았다. 곧 탱크의 포탑 안에서 들리는 묵직한 폭발음이 들리더니, 탱크 위에서 놀라 멍하게 있던 다섯 명의 미국 병사들은 일제히 이 왕유(王友)라는 이름의 중국 병사를 향해 손을 들었다.

제343연대는 싸우면 싸울수록 용감해져서, 황혼 무렵에 어둠이 깔릴 때까지, 기병 제5연대는 여전히 반걸음도 나아가지 못했다. 미군 비행기가 어둠 속에서 감히 폭탄을 투하하지 못하자, 미국 병사들이 싸울수록 피로해지는 것을 눈으로 보고는, 왕푸즈는 마침내 제1대대에게 출격하라고 명령했다. 너무 갑작스러워 미처 막아내지 못한 존슨 대령은 얻어맞으면서 계속해서 멈추지 않고 퇴각했고, 제1대대는 완전히 대승을 거두었다. 그 가운데 제1중대는 미군 B중대를 섬멸하여, 1개 중대가 미군 1개 중대를 섬멸한 모범적인 전투 사례를 만들어냈다. 펑더화이는 이 소식을 듣고 크게 기뻐했다. 100만 대군을 통솔하는 총사령관은 이들 100명의 중대원을 표창하도록 특별히 명령을 전했다: "이번 작전 과정에서, 아군 지휘관과 병사들의 전투 소양과 전투 정신이 적들보다 강하다는 것을 알 수 있었다. 우리는 1개 중대로 곧 미군 1개 중대를 섬멸할 수 있다."

왕푸즈는 운산시를 구원하러 온 기병 제5연대를 궤멸시키고, 성공적으로 기병 제8연대의 퇴로를 차단했다. 가소롭게도 운산 시내에 포위되어 버린 기병 제8연대의 팔머는 이때까지도 여전히 압록강으로 북진하려 하고 있었다.

11

적군 부대가 자신의 퇴로를 장악했다는 것을 알았을 때, 팔머는 뜻밖에도 제3대대에게 돌아와서 요충지인 거인교를 굳게 지키면서 후방을 보호라라고 명령했는데, 기상천외하게도 다른 부대에게는 계속해서 압록강으로 진격할 준비를 하라고 요구했다. 연거푸 얻어맞은 한국인들은 상황이 심상치 않음을 깨달았다. 그들은 팔머와 합의하기를, 우선 잃어버린 진지를 다시 탈환하고 나서 기병 제8연대에게 방어 구역을 넘겨주기로 했다. 용기를 내어 다시 중국 군대에게 수백 구의 시체를 선물로 주고서야, 한국인들은 가로막는 미국인들을 밀쳐내고 남쪽으로 도망쳤다. 팔머는 격분하여 이를 갈았지만 어쩔 수 없자, 기병 제8연대에게 시간을 앞당겨 방어 임무를 인계받으라고 명령할 수밖에 없었다. 이렇게 되자, 운산 시내는 순식간에 사람들의 목소리로 떠들썩해지고, 차량들로 북새통을 이루어, 혼란이 극에 달했다. 이 광경이 운산시 외곽에 있는 중국 군대로 하여금 착각하게 했다.

"적들이 노방치려 한다!" 제116사단장 왕양(汪洋)은 직접 최전방 진지에 올라 가까이에서 관찰하고는, 적들이 도망치려 한다고 결론을 내렸다.

"개자식들이 도망치면, 내 안주거리가 없어지는 거 아닌가!" 군단장 우신환은 시간을 당겨 즉각 운산을 향해 총공격을 가하라고 명령했다.

15시 30분, 제39군단 포병과 배속된 2개 포병 연대 및 1개 대대가 운산을 향해 맹렬하게 포격을 가했다. 4시 정각, 8개 보병 연대가 포격을 받아 정신을 차리지 못하는 미국인들을 향해 총공격을 개시했다.

귀청이 찢어질 것 같은 총포 소리와 온 산에 울려 퍼지는 중국군의 나팔 소리는 미국인들을 아연실색하게 했다. 미군의 대대장 밀리킨(John Millikin Jr., 1918~1976) 소령은 제2차 세계대전에 참전했던 노병으로, 견식이 넓다고 할 수 있었지만, 이때는 갈팡질팡하다가 반나절 만에야 중기관총을 사격하라고 명령했다. 온몸을 부들부들 떨던 기관총 사수가 사격 목표를 묻자, 밀리킨은 큰 소리로 외쳤다: "어디로 쏴야 하냐구? 나팔 소리가 나면 바로 그 쪽으로 쏘란 말이다!"

겨우 몇 시간 만에, 제39군단은 회오리바람처럼 운산 주위의 진지를 휩쓸어버렸다. 미군의 전쟁사에서는 이 전투를 다음과 같이 처참하게 서술하고 있다: "자정이 막 지나자, 한국군 제15연대는 더 이상 전투 태세를 갖춘 군대가 아니었다. 대부분이 전사하거나 포로가 되었고, 요행히 탈출한 사람은 매우 드물었다." 한국군 제12연대는 이때 이미 모조리 사라져버렸고, 미군 자신들의 진지마저도 적지 않게 잃어버렸다. 중국 병사들의 용맹함은 절정에 달했다. 미군 기관총 진지를 향해 돌진해 올라간 두 명의 병사들은 행동이 매우 사나워, 총조차도 쏘지 않고, 아예 힘을 합쳐, 기관총과 함께 미군 사수마저도 함께 들어 올려 절벽 아래로 내동댕이쳐버렸다.

한바탕 격전을 치르고 나서, 미국인들은 시외의 모든 진지를 잃고 운산 시내로 허겁지겁 도망쳤다.

이때가 되어서야, 제39군단은 지금 자신들이 쳐부순 것이 미국인이고, 더구나 미군의 최정예인 기병 제1사단이라는 것을 알았다. 우신환은 깊이 생각하더니, 정치위원인 쉬빈저우(徐斌州, 1912~1996)에게 말했다: "고기를 먹다가 뼈를 만났습니다. 어쩐지 화력이 이렇게 강하다 했는데, 알고 보니 미국 최정예군이었고, 계속 공격했습니다. 이 몸야말로 최정예입니다!"

쉬빈저우는 감격했다: "우리 군이 출국하여 치른 첫 전투가 미국 정예군과의 교전이었습니다. 이는 우리 군의 행운입니다. 당연히 병사들에게 알려, 제39군단의 근접전·야간전을 잘하는 특기와 불굴의 혁명 정신을 발양시켜, 우선 기세에서부터 적들을 압도해야 합니다!"

펑더화이의 전보가 도착하자, 우신촨과 쉬빈저우 두 장수는 즉시 숙연해졌다. 전문은 단 한 줄뿐이었다: "미군 최정예 사단을 단호하게 섬멸하라!"

펑더화이의 명령이 즉시 모든 병사들에게 전달되자, 병사들의 기개는 더욱 왕성해져, 모두들 와와 하며 곧바로 소리를 질렀다: "저것들이 최고라면, 이 몸은 최고 중 최고다. 저 개자식들의 정예군들을 철저하게 무찌르자!"

23시가 되자, 운산 시외의 고지들은 모두 제39군단의 자루 속으로 들어왔고, 이제 운산시만 남았다.

사단장 왕양은 예비 부대인 제346연대장 우바오광(吳寶光)을 불러왔다: "발밑에 보이는 것이 운산시인가? 내가 자네 연대를 아끼고 좋아하니, 자네 연대가 가서 주도적으로 공격하게. 내 체면을 손상하지 말게!"

"감사합니다, 사단장님. 제가 먼저 저놈들 중심부를 타격한 다음, 그 주변을 박살내겠습니다!" 우바오광이 기뻐하며 대답했다. 이 용맹한 장수는 직접 돌격 중대인 제4중대를 선택했다: "사단장님은 우리 연대를 매우 좋아하시고, 나는 여러분 중대를 매우 좋아한다. 전투에 미련을 가져서는 안 된다. 일절 아무것도 고려하지 말고 운산 시내 중심으로 돌격해 들어가, 우선 적의 중심을 타격한 다음 점차 사방으로 공격하여, 주력 부대에게 길을 열어줘라. 내 체면을 손상시키지 마라!"

제4중대의 병사들은 사단장의 체면을 손상시키지 않았다. 그들의 기지 넘치는 장거는 심지어 이 전투를 기록한 적들의 서적들마다 모두 널리 알리고 있을 정도이다.

밤의 장막 속에서, 병사들은 질서정연한 전투 대형을 갖추고 운산 시내로 나아갔다. 미군들은 과연 속아 넘어가, 이들을 후퇴하는 한국 부대라고 여겼다. 운산으로 가려면 반드시 거쳐야 하는 삼탄천(三灘川) 다리에서, 매우 대담하면서도 기지가 넘치는 중국 병사들은 또한 만면에 웃음을 띤 모습으로 삼엄한 경비를 하고 있는 미군 병사들과 악수를 하면서, 미군 병사들로 하여금 한미 우호의 따뜻함을 만끽하게 했다. 이렇게 중국군 1개 중대 모두가 힘차게 바른 걸음으로 고개를 쳐들고 활보하면서 운산 시내로 들어갔다.

"1개 중대의 병사들은 종대로 열을 지어 용산동(龍山洞)으로 통하는 간선 도로를 따라 엄숙하면서도 질서정연하게 남쪽으로 접근했다. 이 다리를 경계하던 미군 병사들은 아마도 그들을 남한 군대라고 생각했는지, 검문도 하지 않고 그들을 통과시켰다. 왜냐하면 그들이 당당하고 매우 정숙하게 걸어갔기 때문이다." 미군 전쟁사는 마음 아파하면서도 칭찬하지 않을 수 없다는 태도로 이렇게 기록하고 있다.

다리를 건넌 제4중대는 무엇을 했을까? 미군 전쟁사는 다음과 같이 이어서 기술하고 있다: "종대 대형으로 다리를 통과한 다음, 줄곧 간선 도로를 타고 북진했다. 얼마 지나지 않아 대대 본부에 접근하여, 갑자기 군대 신호나팔을 불자, 일제히 대대 본부를 습격했다. 중국인들은 닥치는 대로 발포하고, 끊임없이 차량 안으로 수류탄과 폭약 꾸러미를 던지면서 차량을 공격했다. 그러나 지휘소 주변에는 아직도 몇 개의 분대가 여우굴이나 은폐된 참호 안에서 쿨쿨 잠을 자고 있었다. ……그들 중 한 병사가 나중에 회상하며 말하기를, '깨어 보니 전투가 이미 시작되었는데, ……누군가가 나를 깨우고 나서 나에게 한 무리의 말들이 달리면서 울부짖는 소리를 못 들었냐고 물었다. ……눈 깜짝할 사이에 우리의 주둔지는 공격을 받아 만신창이가 되었으며, ……내가 멀리에서 들리는 군대 신호 나팔 소리와 말발굽 소리를 들었는데, 나는 내가 아직도 꿈속에 있다고 생각했다. 적들은 마치 구름과 안개를 타고 다니는 것처럼 하늘에서 내려왔으며, 사람의 모습은 흐릿하여 분명치 않았는데, 그들은 사람을 보면 총을 쏘았고, 심지어 총검으로 찌르기도 했다.'"

이렇게 눈 깜짝할 사이에, 위장을 벗어버린 제4중대는 태도를 바꾸어 운산 시내를 미군의 도살장으로 바꿔버렸다. 수류탄 하나가 미군의 대대 본부로 날아들어, 대대장이 즉각 중상을 입고, 온몸에 파편이 잔뜩 박혔다. 한 병사는 잔뜩 독이 올라 미군 지휘소 안으로 돌진하더니, 우왕좌왕하는 한 무리의 미국 병사들을 마주보고 크게 소리쳤다: "이 몸이야말로 최강자다. 항복할 거야 말 거야? 항복하지 못하겠으면 다시 싸우자!" 말을 마치고 나서 하늘을 향해 한 개 탄창을 다 갈겨댔다. 이 미국 병사들은 중국어를 알아듣지는 못했지만 총소리는 알아들었으므로, 황급하게 두 손을 들었다. 자오즈린(趙子林)이라는 부분대장은 그가 폭파시킨 미군의 중형 탱크를 보며 허리가 부러질 듯이 웃어댔다. 그는 그 중형 탱크가 폭파된 것을 보고 나서, 습관적으로 다시 납작하게 찌그러진 지프차를 향해 달려가 보니, 지프차에 타고 있던 몇 명의 미군들이 차가운 강철에 의해 심한 부상을 당한 채 겹쳐져 있었다.

제4중대가 중심을 타격하고 사방으로 공격을 확대함에 따라, 제39군단의 주력 부대가 일제히 사방팔방에서 운산 시내로 한꺼번에 몰려들어 왔다. 제348연대는 신병(神兵)이 하늘에서 내려오듯이, 일거에 운산시 외곽의 서우동(西迂洞) 길목을 점령하여, 미군이 남쪽으로 철수하는 통로를 봉쇄했다. 그들은 또한 운산비행장을 공격하여 점령하고, 조선 전쟁에서 중국 군대의 유일한 전투 사례, 즉 4대의 미군 비행기를 노획하는 전투 사례를 만들어냈다(날이 밝은 후에는 다시 폭파되어 사라져버렸다).

새벽 무렵이 되자, 미군 제8연대의 전투대는 전면적으로 붕괴되었다. 제8연대의 병사들 중 일부는 깊은 산속으로 도주했고, 일부는 남쪽으로 쏜살같이 도망쳤다. 그러나 악몽은 아직 끝나지 않았으니, 도처에 그들을 차단하고 있는 중국 병사들이 있었다. 운산 남쪽 15킬로미터 지점의 도로 입구에서, 하나의 지원군 분대가 미군의 차량 부대 속으로 돌진하여 참혹한 육박전을 선개했는데, 자오쉰산(趙順山)이라는 병사가 자신의 전우에게 상처를 입힌 미국 병사에게 맞선 것은 곡괭이 한 자루였다.

"적은 두 손으로 머리를 감쌌지만 자신을 구하지는 못했지요. 나의 곡괭이가 그의 손등을 뚫고, 그의 머리 전체를 뚫고 들어갔어요." 자오쉰산은 말년에 당시의 혈전을 회고하면서 여전히 그 당시의 혈기가 끓어올라 이렇게 말했다: "이것은 내가 출국해서 치른 첫 번째 전투였지요. 이 전투에서 나는 진짜로 미국인의 전투 역량을 시험해보았는데, 이른바 '최강'이 겨우 이 정도라면, 승리는 영원히 우리의 것이었어요!"

기병 제8연대가 섬멸당하는 것을 보자, 왕푸즈에 의해 막혀 있던 기병 제5연대는 필사적으로 공격하여, 형제 연대를 구하려고 시도했다. 미국 제1군단장 밀번과 기병 제1사단장 게이가 직접 전선에 나가 전투를 독려했다. 기병 제5연대장 존슨 대령은 사기가 크게 진작되어, 직접 무장을 하고 출전하여 지휘하며 돌격하다가, 곧 중국군의 박격포탄에 맞아 산산조각나고 말았다.

밀번 군단장은 수킬로미터 밖의 지원군 진지를 한참 동안 응시하다가, 얼굴이 새파랗게 되어 명령을 내렸다: "나는 부대가 공격을 포기하고, 즉시 남쪽으로 철수할 것을 명령한다."

게이 사단장이 대경실색하여 항변하려 하자, 밀번은 손을 내저었다: "나는 당신이 무슨 말을 하려는지 알고 있소. 나도 여러분들과 마찬가지로 이 결정이 매우 마음 아프지만, 내가 이에 대해 책임질 것이며, 이 결정은 내 인생에서 가장 마음 아픈 결정이오."

밀번 군단장이 말을 마치고 아무렇지도 않다는 듯이 훌쩍 떠나고, 쉬지 않고 눈물을 닦던 게이 사단장을 남겨두었다. 눈물을 멈춘 다음, 게이는 흐느끼며 말했다: "명령을 집행하여, 제5연대를 전투에서 철수시켜라. 신이시여, 그들을 보우하소서!"

역사는 이 순간을 기록하고 있는데, 이 전투는 중국군과 미군 두 군대의 첫 번째 전투였다. 중국의 최정예군인 제39군단과 미국의 최정예군인 기병 제1사단의 결투에서, 제39군단이 대승을 거두었다. 그들이 살상하거나 포로로 잡은 미군은 1,800명, 격추시킨 비행기는 3대, 노획한 비행기는 4대,

파괴하거나 노획한 탱크 28대·자동차 170대·화포 119문이었다. 이번 전투는 미국 기병 제1사단의 휘황찬란한 역사에서 첫 패배로, 그 기병 제8연대의 제3대대는 전멸했다. 11월 6일, 미국 육군은 이 대대의 부대 고유번호를 삭제할 수밖에 없었다(번호를 삭제당하는 것은 어느 국가·어느 부대도 가장 두려워하는 치욕이다). 수십 년 뒤, 운산 전투에 참가했던 한 미국 장교는 인터뷰할 때에도 여전히 마음속에 공포가 남아 있었다: "운산? 맙소사, 그건 중국식 장례식이었어요!"

이 '장례식'을 주도한 펑더화이는 껄껄껄 웃으며 말했다: "단 한번도 패한 적이 없는 미국의 상승 사단(常勝師團: 싸울 때마다 늘 이기는 사단)인 기병 제1사단이 이번에 패배했는데, 바로 우리 제39군단의 수중에서 패배했어!"

운산의 전투는 중국 군대가 극단적으로 열세인 장비를 갖고 미군을 패배시킨 첫 번째 모범적인 전투 사례로, 이는 일본 육상 자위대 간부 학교의 교재인 『작전 이론 입문』이라는 책에 특별히 수록되어 있으며, 국제적인 영향력을 갖고 있다.

12

제39군단이 운산에서 전투를 벌이고 있을 때, 제40군단도 맹렬하게 반격을 가하고 있었다. 그들은 미국 제24보병 사단의 소령 정보과장을 사로잡았고, 두 가지 서양 물건들도 빼앗았다. 하나는 둥그스름하면서 짧고 굵은 강철관이었고, 다른 하나는 꽁무니가 나팔처럼 생겼고, 포탄 몸통 위에 수많은 눈이 달려 있는 괴상한 포(砲)였다. 이 두 가지 물건을 연대·사단·군단을 거쳐 지원군 사령부로 보냈는데 아무도 아는 사람이 없자, 어쩔 수 없이 스촨의 멘양(綿陽)에 있는 한 무기 공장으로 보냈다. 전문가들은, 이것이 바로 '바주카' 로켓포와 무반동포라는 것을 알아냈다. 이 두 가지 신형 대전차 무기는 즉시 대량으로 복제되어 신속하게 지원군 부대들에게 보급되었다. 매우 빠르게 중국의 신형 89밀리 로켓포와 무반동포는 조선 전장에서 크게 위력을 발휘하여, 수많은 미군 탱크를 파괴했다. 1년 뒤, 문등리(文登里)에서는 미군의 '전차 부대 기습전'을 막아내는 큰 공을 세웠다.

제39군단과 제40군단이 승리했다는 소식이 지원군 사령부의 장수들을 매우 흥분시키고 있을 때, 제38군단은 다시 한번 펑더화이를 실망시켰다. 이 정예군은 뜻밖에도 세 차례나 군사 계획을 그르쳤고, 또 미군의 퇴로도 차단하지 못했다.

10월 31일, 제38군단은 신흥리(新興里)와 소민리(蘇民里)를 공격하여 점령했다. 제39군단이 운산에서 전투를 시작했을 때, 그들은 구장군 방향으로 돌격하여, 측면으로부터 미국 제8집단군의 뒤쪽으로 진입하려고 시도했다. 그들이 군우리·개천으로 돌진할 수만 있다면, 청천강 이북에 있던 5만 명이나 되는 적군 전체가 펑더화이에 의해 포위되어 전멸하게 되어 있었다. 애석하게도 지형이 생소했고, 욕망이 강해 허둥대던 간부와 병사들은 다시 싸움터에서 떠나기를 아쉬워하다가, 11월 2일이 되어서야 제38군단은 군우리에 도달했다. 이때 워커는 우익이 이미 전부 붕괴되었고, 중국인들이 이미 좌익의 미군과 영국군의 배후로 가로질러 갔다는 것을 알고는, 놀라서 11월 2일 새벽에 모든 전선에서 철수를 시작하자, 제38군단은 결국 적군의 퇴로를 차단하는 임무를 완수할 수 없었다. 펑더화이는 이 소식을 듣고 벌컥 화를 냈다: "량싱추! 에이, 량싱추! 나는 절대로 널 용서할 수 없다!" 제38군단은 그가 지휘했던 옛 부대의 기초 위에서 발전해 온 군단이었는데, 그것이 바로 군대를 다스리는 데 매우 엄격한 펑더화이를 더욱 화나게 했다: "제38군단에게 알린다. 계속 전진하여 싸워라. 비호산을 점령하고, 군우리를 공격하라!"

펑더화이는 단단히 화가 나 있었다.

13

판텐언은 1950년에 연대장에 부임하여, 부대를 이끌고 항미원조 전쟁에 참가했다. 첫 번째 전역에서 그는 개인화기만으로 무장한 1개 연대(정치위원은 자오샤오윈(趙霄雲)를 지휘하여 유엔군 제9군단의 후방으로 돌진하여 비호산을 점령하고, 제9군단의 보급 기지인 군우리를 위협했다. 나중에 유엔군과 한국군 제7사단 및 미군 제5연대의 일부가 많은 전차의 지원을 받으면서 반격했으나, 5일 밤낮을 굳건히 지켜내다가, 스스로 적군으로부터 벗어났기 때문에 유명해졌다.

일본인은 『조선 전쟁 명인록(朝鮮戰爭名人錄)』에서 중국의 한 연대장을 이렇게 기록하고 있다: 2001년 12월 1일, 전(前) 중국군 총참모부 작전부 부부장 판톈언이 세상을 떠났으며, 향년 79세였다. 비호산을 점령하라는 명령을 받았을 때, 판톈언은 젊고 혈기왕성했지만, 전투에서는 사납고 용맹하며 지혜와 계략이 뛰어나기로 제38군단 전체에서도 유명했던 용맹한 이 장수는 피곤해서 견딜 수 없었다. 그가 양다이 사단장으로부터 명령을 받았을 때, 그가 유일하게 요구한 것은 "잠 좀 자게 해주십시오!"였다. 양다이는 판톈언이 이 말을 마치자마자 선 채로 잠을 자는 것을 놀랍고도 신기하게 바라보았다. 판톈언은 이미 4일 밤낮 동안 잠을 자지 못했다. 양다이는 눈물을 흘리며 판톈언을 흔들어 깨웠다: "맞은편의 비호산을 즉각 점령하라!"

두 눈이 충혈된 판톈언은 직접 비호산에 있는 적군의 배치를 정찰하고, 11월 4일 새벽, 며칠째 한 끼도 먹지 못한 제335연대 장병들을 이끌고 안개비가 내리는 틈을 타 한국군 제7사단을 무찌르고 비호산을 점령했다.

판톈언은 비호산 정상에 오르자 즉각 명령을 내렸다: "1개 대대를 앞쪽 군우리로 보내 공격하라!" 비호산은 군우리와 개천의 맨 뒤에 있는 방어막이었다. 개천과 군우리는 교통의 중심지였고, 군우리는 유엔군이 북진하는 병참 기지이기도 했으므로, 군우리를 차지하면, 유엔군의 퇴로는 곧 차단되었다.

군우리를 향해 공격하던 1개 대대가 곧바로 포탄을 맞고 돌아왔다. 군우리를 지키고 있던 적군이 공격 부대보다 많았다. 워커는 이미 이 거대한 빈틈을 발견하고, 청천강 이남으로 후퇴하면서, 미군 제2사단을 보내 군우리를 엄호하게 했다.

공격의 실패는 판톈언을 노기충천하게 했다. 그는 즉각 1개 대대를 추가로 보내 군우리를 공격하라고 명령을 내렸는데, 대대가 출발하기 전에, 사단의 새로운 명령이 하달되었다. '공격을 중지하고, 현위치에서 방어하라'는 것이었다.

지원군 사령부 지휘소 안에서, 펑더화이는 매우 통탄하고 있었다. 유엔군이 기계화 장비들에 의지하여 매우 빠르게 이동하여, 하루이틀 만에 전부 청천강 이남으로 도망쳐버리자, 판톈언의 작전은 이미 의미를 잃어버렸기 때문이다.

이제, 새로운 전략 계획이 그의 머릿속에서 구상되기 시작했다. 그것은 곧 조선의 전쟁 국면을 완전히 반전시킬 구상이었다. 이 구상은 또한 판톈언 연대가 비호산을 사수하여 적군을 감당해냄으로써, 다시 새롭게 병력을 배치할 시간을 얻어내야 했다.

판톈언은 전체 연대 장병들을 이끌고 맨몸으로 미군과 한국군이 가진 수백 문의 대포·수천 회에 달하는 비행기의 미친 듯한 폭격 및 적군 2개 사단의 수많은 공격을 견뎌내고 있었다. 배가 고파 견딜 수 없던 중국 병사들은 꼬박 5일 밤낮 동안 적군으로 하여금 한 걸음도 전진하지 못하게 했다. 진지에서 한 병사는 희생되기 전에 가족들을 걱정한 게 아니라, 거듭 반복해서 이렇게 말했다: "우리는 지원하여 조선에 와서 미국 놈들과 싸우는 겁니다, 우리는 지원하여 조선에 와서……."

전투가 마지막 날에 이르자, 비호산의 전체 전선은 육박전에 돌입했다. 연대 병사들은 식사도 하지 못했을 뿐만 아니라, 총포조차도 탄약이 바닥나자, 이제는 단지 총검·야전삽·돌멩이와 이빨밖에 남아 있지 않았다. 제335연대에 탄약이 바닥난 것을 얕잡아보고, 2개 사단의 적군은 한 차례 육박전을 벌이자마자 곧 20미터 밖으로 물러나 한숨을 돌리고는 다시 돌진해왔다. 바로 이렇게 하고도 여전히 제335연대의 진지를 뚫지 못했다.

이때 사단장 양다이가 명령했다: "비호산의 진지에서 철수하여, 30킬로미터 후퇴하라!"

눈이 빨개진 판텐언은 분노하여 소리쳤다: “여기서 후퇴하면 압록강입니다. 목숨을 걸고 싸우면서 적들을 한 걸음도 나아가지 못하게 막고 있는데 퇴각이라니요! 그럴 수 없습니다!”

“즉각 명령을 집행해!” 양다이도 분노하여 소리치기 시작했다. 그도 매우 분노했다. 미국 비행기들이 그의 사령부를 공습했는데, 이 공습으로 그도 무려 230명의 병사들을 잃었기 때문에, 그의 마음속에서도 피를 흘리면서 말했다: ‘왜 철수해야 하지? 왜 철수해야 하지?’

14

서부전선에서 혈전을 치르고 있던 바로 그때, 제42군단의 2개 사단은 동부전선에서 험준한 지형을 이용하여, 한국의 수도사단을 공격해 황급히 머리를 감싸고 도망치게 만들었다. 운산 전투가 시작되기 하루 전날, 제10군단의 지휘관 알몬드 소장은 기병 제1사단보다 전투력이 더욱 강한 미국 해병대 제1사단에게 한국 수도사단을 교대하여 계속 공격하라고 명령했다:

“너희들이 이 일대를 소탕하고 나면, 남한 군대가 너희들을 교대한 다음, 우리는 미군을 북한에서 철수시킬 것이다.”

미국 해병대 제1사단은, 나중에 중국 군대에게 조선 전장에서 가장 전투력이 강했다고 인정받은 미군 부대로, 이 부대 장교들의 자질은 매우 뛰어났다. 알몬드의 이러한 허풍을 듣고 나서, 장교들이 뜻밖에 아무도 대꾸를 하지 않자, 알몬드는 매우 불쾌했다.

해병대 제1사단 장교들은 잘 알고 있었던 것이다. 사단 작전처장은 지도를 보면서 두려워 떨고 있었다. 그들과 서부전선의 제8집단군 사이의 거리는 80킬로미터였는데, 서로 간에 지상의 정찰 연락조차도 없었다. 그런데 전진할 길에는 무수히 많은 험산준령을 통과하는 하나의 산간 도로밖에 없었고, 도로 양 옆은 온통 구름 위로 우뚝 솟아 있는 깎아지른 듯한 절벽들이었다. 알몬드는 뜻밖에도 그들에게 이러한 쥐덫으로 곤두박질쳐 들어가라고 명령했다.

고집스런 알몬드는 어떠한 의견도 듣지 않았다. 오랫동안 맥아더의 참모장을 맡으면서, 알몬드도 맥아더와 마찬가지로 가증스럽게 변해버린 것이다. 해병대 제1사단 장교들은 마주보며 탄식했다.

해병대 제1사단장 스미스(Oliver Prince Smith, 1893~1977)는 군단장의 결심이 확고하다는 것을 알자, 어쩔 수 없이 물러나면서 부차적인 것을 요구했다: "그렇다면 저희가 하갈우리(下碣隅里)에 비행장을 건설하여, 보급을 받고, 부상자들을 철수시키게 해주십시오."

알몬드는 매우 놀라면서 말했다: "어찌 사상자가 나온다는 건가?"

"그는 심지어 사상자가 나올 수 있다는 것도 인정하지 않았는데, 이것이 바로 우리가 직면한 상황이었어요." 사단장 스미스는 전쟁 후에 매우 슬퍼하면서 회고했다.

이 비행장은 이후 4,500여 명의 부상자들을 철수시켰으며, 해병대 1사단의 목숨을 구해주었다.

명령을 받고 선봉에서 싸운 것은 해병대 제7연대였는데, 그 연대장 리첸버그(Homer Litzenberg, 1903~1963) 대령은 독특한 인물로, 미군 내에서 "날쌘돌이 리첸버그"라고 불렸다. 그는 매우 경각심을 갖고 있었다. 출발하는 날 밤, 그는 뜻밖에 자기 연대 장교들에게 깜짝 놀랄 말을 했다: "동지들, 나는 틀림없이 중국 군대를 만날 것이고, 우리는 매우 빨리 제3차 세계대전의 개막전에 참가하게 될 거라고 예상합니다."

그러나 이러한 경각심도 아무런 소용이 없었으니, 밤은 중국 군대의 것이었다. 운산에서 전투가 시작된 날 밤, 제7연대가 중국 군대의 야간 습격을 받자, 리첸버그는 뒤돌아 도망치는 날쌘돌이가 되었다. 미국인들 스스로 이렇게 말했다: "그들이 사방으로 목숨만 건져 도망치는 속도는 놀라웠다."

애석하게도 매우 빨리 동이 텄고, 낮은 미국인들의 것이었다. 해가 뜨자, 리첸버그는 공군의 엄호하에 야간에 뿔뿔이 흩어진 부대를 다시 집결시킨 다음, 강력한 공중과 지상 화력의 엄호에 의지하여 제42군단의 진지를 공격했다. 그러나 단지 중국의 수류탄을 배불리 먹은 것 말고는 아무것도 얻지 못했다. 제42군단장 우루이린은 교활하고 괴팍하게도, 뜻밖에 일본인들을 상대하던 방식으로 미국인들을 상대했다. 그는 이러한 행동이 매우 쓸모가 있다는 것을 알았다.

우루이린은 공병(工兵)에게 명령하여 도로 양 옆의 산기슭에 수백 킬로그램의 폭발력이 강한 폭탄들을 설치하고, 미국인들이 오기를 기다렸다가 전화기를 사용하여 폭발시켰다. 그 결과 단 한 번의 폭발로 5대의 미군 탱크를 파괴하고 8대를 손상시켰다(이후 제4차 전역에서, 제42군단의 공병이 폭발시킨 폭약이 산의 절반을 솟구쳐 오르게 하여 무너뜨리자, 수십만 톤의 돌멩이들이 미군 탱크 20대를 납작하게 만들었고, 또 다른 20대는 폭탄에 파괴되거나 손상되었으며, 사망한 미군 병사들은 그 숫자를 헤아릴 수 없었다). 우루이린은 그 후 마오쩌둥이 직접 만나 표창했던 희한한 전법과 지원군 장병들의 뛰어난 전술적 전투 기술에 의지하여, 미국의 최정예 해병대 제1사단을 밤낮으로 편하게 지낼 수 없도록 귀찮게 했다.

11월 2일, 전쟁의 귀신 같은 제124사단 참모차장 궈바오헝이 다음과 같은 의견을 내놓았다: "해병대 제1사단은 포병 화력이 막강한 것을 믿고, 오만하기 짝이 없어, 참호도 파지 않을 뿐 아니라, 주둔지에서는 포커를 치거나 술에 취해 난폭하게 굴고 있습니다. 심지어는 보초를 서는 병사조차도 때때로 몰래 막사 안으로 들어가 도박을 하니, 야간 습격으로 포병을 공격합시다."

사단장 수커즈(蘇克之), 정치위원 지톄중(季鐵忠), 군단장 우루이린은 모두 고개를 끄덕였다.

그날 밤, 궈바오헝은 4개 대대를 세 방면으로 나누어 해병대 제1사단의 몇 곳의 포병 진지들로 몰래 쳐들어갔다.

두 방면에서는 어설프게 싸웠다.

한 대대는 너무 욕심을 부려, 다음 대대가 따라오기도 전에 10여 문의 대포를 빼앗았지만, 애석하게도 미군의 인원이 너무 많아서 다시 빼앗겼고, 날이 거의 밝을 무렵에 화를 내며 몰래 진지로 돌아왔다.

두 번째 대대는 귀신을 만나는 바람에, 승리할 수 있는 기회를 그르쳐버렸다. 돌격 분대가 진지의 최전방을 기습했을 때, 30여 명의 미국 병사들이 어수선하게 침낭 안에 누워 코를 고는 것을 보았다. 천재일우의 기회였다. 돌격 분대가 돌격하여 칼을 대려고 하다가, 갑자기 모두가 깜짝 놀라 얼떨떨해졌다. 침낭 밖으로 보이는 미국인들의 머리가 검은색이었던 것이다.

"귀신이다!" 미신 사상을 여전히 강하게 믿던 한 중국 병사가 어리둥절하여 한참 동안 서 있다가, 칼을 내던지고 소리치면서 미친 듯이 뛰어 돌아가자, 1개 분대가 모두 따라서 도망쳐 돌아갔다. 부대대장인 자오지린(趙繼林)은 크게 화를 냈다: "진짜 귀신이 있었어도, 고지를 점령했어야지!"

다시 돌격했을 때는 귀신들이 이미 잠에서 깨어 있었다. 비록 이 미국 흑인 병사는 죽임을 당해 정말로 귀신이 되어버렸지만, 하늘도 빠르게 밝아왔다. 중국 병사들은 수건에 눈 녹은 물을 적셔 이 검은 귀신의 얼굴을 비비면서, 그 검은색이 칠한 것인지 아닌지를 확인하더니, 눈 깜짝할 사이에 재빨리 도망쳐버렸다.

세 방면들 중 단지 한 방면에서만 목숨을 걸고 돌격했다.

제3대대장인 싱자성(邢嘉盛)은 부대를 이끌고 곧장 미군 진영 깊숙이 진격해 들어갔다. 그는 직접 강을 건너 적군의 상황을 정찰하고는, 미군의 한 포병 대대가 20여 문의 포와 10여 대의 탱크를 강가에 놔두고 돌보지 않은 채, 모두 텐트 안에 누워서 잠을 자거나 도박을 하고 있는 것을 발견했다. 수십 개의 텐트들은 한곳에 있었고, 또한 모두 전등을 켜놓고 있었다. 마음이 내키지 않는 듯한 몇몇 보초병들은 뜻밖에 손에 술병을 들고서, 자주 한 모금씩 마셨다. 싱자성은 화를 내며 웃었다: "이렇게 전쟁을 하는 개자식들이 있나?"

그렇다면 또 무슨 말을 할 수 있을까? 전체 대대가 모두 미군 경계 구역에 들어갔는데도 발견되지 않았고, 순식간에 수류탄 소리가 울려 퍼졌다. 이어서 1개 분대가 텐트로 달려들었다. 수십 개의 텐트는 순식간에 하늘로 날아갔으며, 20여 문의 대포와 10여 대의 탱크들도 모두 불덩이가 되었다. 요행히 살아 있던 미국 병사들은 죽거나 도망쳤다. 싱자성이 적을 섬멸할 준비를 하고 있을 때, 다시 1개 대대의 적들이 자동차를 타거나 탱크를 몰고 오는 바람에, 제3대대는 도리어 퇴로를 차단당했다. 쌍방이 한바탕 혼전을 치르면서, 날도 밝았다. 싱자성은 부대를 이끌고 한 고지를 탈취하여 고수했으며, 순조롭게 30여 명의 포로들도 데리고 산으로 올라갔다. 미군의 포위망이 아직 좁혀지지 않은 틈을 타, 이 대담한 대대장은 다시 한 명의 병사로 하여금 구두 메시지를 가지고 화망을 돌파하여 연대 본부로 돌아가게 하여, 연대장인 궈바오헝에게 끝까지 고수할지 아니면 포위를 돌파할지 지시해달라고 요청했다. 사단 작전참모인 차오다린(曹大林)이 10여 명의 정예 병사들을 이끌고, 도중에 여섯 차례의 작은 전투를 치르면서, 미군으로부터 30미터 정도밖에 되지 않는 틈새를 돌파하여 제3대대를 찾아왔다. 그는 싱자성에게 포위를 돌파하라는 명령을 전했을 뿐만 아니라, 세 명의 새로운 포로도 넘겨주었다.

제3대대가 포위를 돌파하려고 하는데, 다시 2개 대대의 미군들이 한 무리의 자동차를 타고 도착했다. 싱자성은 적군의 허점을 간파하고는, 증원된 미군이 아직 차에서 내리지 않은 틈을 타, 뜻밖에 포위망 속에서 두 개의 연속된 회오리바람처럼 산을 달려 내려가더니, 도로에서 한바탕 맹렬하게 타격을 가하여, 20여 분 동안에 다시 30여 명의 포로를 잡고, 2대의 지프와 40대의 트럭을 파괴했으며, 적 130명을 사살하고, 소총 60정과 2대의 무전기를 노획하여 돌아왔다. 전투가 끝난 후, 싱자성은 다시 산 위로 돌아와 고수했다. 연달아서 피해를 당한 해병대 제1사단은 수치가 분노로 변하여, 수십 대의 비행기를 보내 제3대대의 머리 위에서 빙빙 돌았다. 그러나 미군 비행사는 뜻밖에 폭탄을 투하할 수 없었다. 적군과 아군 병력이 복잡하게 뒤엉켜 있었기 때문에, 어쩔 수 없이 지상에서 쌍방이 죽고 죽이는 것을 바라볼 뿐이었다. 일단 공중 폭격의 화력에서 벗어나자, 미국 군대의 허점이 여지없이 드러났다. 최정예라는 해병대 제1사단의 보병과 중국의 1개 보병 대

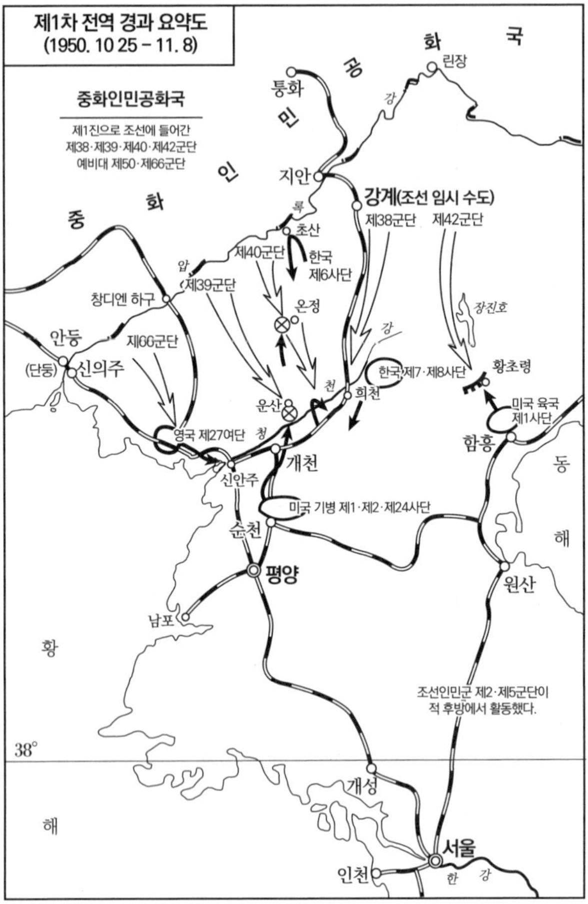

제1차 전역 경과 요약도

대 병사들의 개인 전투력은 한끗 차이에 불과했다.

정오까지 싸웠는데, 4개 대대의 미군은 여전히 제3대대에 대해 어찌하지 못하고 있었다. 사단장 수커즈에게 감당하기 힘든 인물이라고 불리던 싱자성은 매우 임기응변에 능한 사람이었다. 그는 만약 철수하다가 미군 보병들과 간격이 벌어지기만 하면, 하늘에서 수십 대의 미군 비행기들이 폭탄을 투하할 것이라는 것을 알고 있었기 때문에, 차라리 미국 보병들에게 전술 수업을 해주기로 했다. 오후 3시까지 죽기 살기로 싸웠다. 하늘이 빠르게 어두워져, 미국 비행기들이 보이지 않자, 싱자성은 갑자기 한 차례 군대 신호

나팔을 불더니, 화력을 동쪽에 집중시켜 맹렬하게 공격했다. 미군 4개 대대가 벌떼처럼 몰려갔는데, 거기에는 단지 중국군 1개 소대밖에 없었다. 제3대대의 주력은 몰래 서남쪽 방향으로 전장을 빠져나간 것이다.

성난 미군이 방향을 돌려 추격하려 하자, 엄호 임무를 맡아 희생당할 준비를 하고 있던 이 소대도 재빨리 빠져나갔다.

3일 후, 싱자성은 부대를 이끌고 돌아왔고, 큰 공이 그를 기다리고 있었다.

이렇게 제42군단이 13일 밤낮을 연속으로 격전을 벌이면서, 낮에는 지키고 밤에는 공격하자, 10만 명의 적군은 그들에 의해 진이 빠져버렸다. 전투가 갈수록 만족스러워지고 있을 때, 11월 7일에 명령이 떨어지자, 이제 막 화둥(華東)에서 도착한 송스룬(宋時輪, 1907~1991)의 제9병단에게 진지를 넘겨주고, 제42군단은 서부전선으로 철수했다.

11월 7일, 지원군의 제1차 전역은 13일의 전투를 치르고 나서 승리로 끝났다. 중국군은 1만 명의 사상자를 내면서, 부대의 편제를 유지할 수도 없을 정도로 적군 1만 5천 명을 섬멸했는데, 대부분 한국 병사들이었다.

항미원조 제1차 전역에서 승리를 거둔 중국 군대는 알 수 없는 이유로 모든 전선에서 후퇴하기 시작했다. 오직 중국-조선 연합군으로 구성된 소부대 2개만이 예외였다. 대략 2개 대대 정도의 병력을 보유하고 있던 이들 2개 부대는 목숨을 걸고 적진의 후방으로 들어갔다. 얼마 지나지 않아 다시 열대 우림에 가서 베트남 인민군을 도와 프랑스인들을 격퇴하게 되는 제125사단의 부사단장 루푸이(茹夫一, 1916~2007)가 그 중 한 유격대를 지휘했다. 그들의 주요 임무는 적들의 후방을 파괴하고, 정보를 수집하는 것 이외에, 남쪽으로부터 후퇴해 오는 인민군의 주력 부대를 찾아내는 것이었다. 이 소규모의 2개 부대들은 적진의 후방에서 깜짝 놀랄 만한 전투 이야기들을 무수히 만들어내면서, 결국 북쪽으로 돌아오는 인민군 제2군단의 2만여 명을 찾아냈다. 이들 중국군과 인민군이 만났을 때, 다음과 같은 한 가지 감동적인 이야기가 생겨났다. 루푸이는 놀랍고도 기쁘게 바라봤다. 자신이 고생고생하며 찾아낸 이 인민군 영웅 부대 지휘관인 인민군 제2군단의 참

조선과 중국의 병사들이 적진의 후방에서 승리를 거두고 합류했다.

모장은, 바로 자신이 국내에서 생사를 함께했던 오랜 전우이자 중국공산당원인 루저(蘆哲)였던 것이다. 그런데 루저는 심지어 이처럼 어려운 환경 속에서도 자신이 루푸이와 함께 찍었던 사진을 보관하고 있었다. 두 사람은 잠시 함께 꽉 부둥켜안고 큰 울음을 터트렸다.

이 소식이 전해지자, 김일성과 펑더화이는 매우 놀라고도 기뻐했다. 2만여 명의 인민군 주력이 돌아온 것이다.

모든 전선에서 후퇴한 지원군 장병들은, 펑더화이 총사령관의 속셈이 무엇인지 어리둥절했다.

중국인들이 왜 후퇴했을까? 오로지 맥아더만이 '총명'하여, 그 '해답'을 알고 있었다.

"중국인들이 무시할 수 없는 힘을 갖고 있는 것은 아니다."

펑더화이가 파놓은 거대한 함정을 마주한 채, 그는 의기양양하게 자신의 판단을 내렸다.

15

여러 해가 지난 후, 미국 육군의 전쟁사학자 베빈 알렉산더는 몹시 분노하면서 다음과 같이 썼다: "중국 군대의 제1단계 공세는 이미 맥아더와 합동참모회의에 엄중한 경고를 보냈다. 그들의 공격은 신속하고 과감했으며, 규모도 놀라울 정도였다. 중국인들은 일찍이 만약 미군이 전진한다면 정면으로 공격할 것이라고 위협하는 발언들을 한 적이 있었다. 그들은 이미 이러한 위협들과 부합하는 행동을 했음에도, 미군 총사령부는 뜻밖에도 이 경고들을 무시하고 다시 호랑이 굴로 들어갔다. 이것은 정말이지 이해하기 어렵다."

중국 군대는 조선에 들어가 벌인 첫 번째 전투에서 미국인들에게 호된 공격을 가했는데, 미국인들은 뜻밖에도 무관심했다. 그들은 단지 몇 천 명의 중국 민간인 지원자들이 김일성을 도와 싸우고 있을 뿐이라고 여겼다. 모든 미국의 군부와 정계 요원들은 곧바로 이 판단을 뼈저리게 후회했다.

수많은 회고록들에서 미국의 군부와 정계의 요원들은 한결같이, 맥아더가 자신들의 판단 착오를 초래하여, 미국 육군이 유사 이래로 최대의 패배를 당하게 만들었다고 지적하고 있다. 합동참모회의 의장 브래들리는 눈물을 글썽이며 말했다: "그는 항상 우리를 한 무리의 애송이들로 여겼습니다." 그러나 공평하게 말하자면, 맥아더는 물론 눈이 머리 꼭대기에 달려 있었는데, 미국의 요원들은 반대로 장님이어서, 그들은 눈을 감고 중국이 출병했다는 이 잔혹한 현실을 받아들이기를 거부했으니, 자신들이 후에 통렬하게 비난한 맥아더에 비해 어느 것 하나 나을 것이 없었다.

베빈 알렉산더도 마찬가지로 그들을 한 차례 비꼬았다: "비록 그들 한 사람 한 사람의 말과 행동은 모두 사리에 맞았지만, 재난의 발생을 피할 어떠한 행동도 취하지 않았다." 미국 작가 조셉 굴든(Joseph C. Goulden)[137]은 다음과 같이 예리하게 비꼬았다: "펜타곤의 주된 잘못은 너무 겁이 많고 소심하여, 합동참모회의가 맥아더 앞에서는 마치 학교의 남자 어린이가 도시에서 악당을 만난 것처럼 무서워서 벌벌 떨었다는 것이다."

영국인들과 프랑스인들은 비교적 정신을 차리고 있어서, 중국이 출병했다는 사실을 접하자, 그들은 경고했다: "형세가 폭발성 위험을 안고 있다." 미국인들은 귀를 막고 듣지 않았고, 미국의 군대와 정치 기구들은 바로 이렇게 펑더화이의 함정 속으로 한 걸음씩 성큼성큼 걸어 들어왔다.

11월 4일, 중국 군대가 전장에서 일부러 공세를 늦추었을 때, 맥아더는 합동참모회의가 중국의 개입에 관해 물은 전보에 대한 답전(答電)에서 너무나도 확신에 차서 믿지 않을 수 없도록 이렇게 보증했다: "수없이 많은 논리에 부합하는 이유들이 그러한 일은 발생할 수 없다는 것을 증명하고 있습니다. 뿐만 아니라, 아직 충분한 증거도 갖추지 못하고서 (중국이 출병했다는) 그러한 가능성을 말하는 것은 지금 성립될 수 없습니다."

맥아더의 최종 결론은 이러했다: "나는 성숙하지 않은 결론을 성급하게 내리지 말 것을 건의합니다. 나는 마땅히 더욱 전면적인 군사적 사실들을 파악한 후에 다시 최종 결론을 내려야 한다고 생각합니다."

맥아더의 정보처장이며 구제불능의 낙관주의자이자 중국통인 윌러비 장군은 자신 있게 말했다: "나는 일찍이 그들의 수법을 간파했고, 나는 그들이 그렇게 하리라고 예상했으며, 나는 일찍이 베이징은 허장성세가 아닌 것이 없다고 말한 적이 있습니다."

맥아더가 중국이 출병하지 않았다고 보증하자, 트루먼과 워싱턴의 요원들은 마음을 놓았다. 그들은 맥아더를 좋아하지는 않았지만, 맥아더의 군사적 재능을 절대적이고 맹목적으로 신뢰했다. 그러나 불과 하루 만에, 맥아더는 그들의 눈을 모두 화가 나 새빨갛게 만들어버렸다. 맥아더는 심지어 보고도 하지 않고 다시 중국인들을 자극하면서, 압록강대교를 폭격하려고

---

137 1983년에 한국 전쟁을 분석한 책인 *Korea: The Untold Story of the War*를 집필한 미국의 작가이다.

했다.

11월 5일, 맥아더는 극동 공군 사령관 스트레이트마이어 중장을 불러들였다: "조지, 가서 압록강대교를 없애버리시오. 당신이 갖고 있는 모든 날 수 있는 것들을 북한의 상공으로 보내, 2주일 동안 맹렬하게 폭격하시오. 전투기에 탑승한 비행사들의 목숨이 붙어 있는 한 비행하게 하시오! 가서 적들의 모든 교통수단과 모든 시설, 공장·도시 및 마을들을 때려 부수시오."

이 미국 공군 중장은 합동참모회의가 이미 금지령—만주 국경에서 5마일 이내에 있는 일체의 목표들에 대해서는 폭격을 절대로 금지한다—을 내렸다는 것을 알고 있었다. 그는 신중하게 맥아더에게 이 금지령을 언급했는데, 그 결과 얻은 것은 맥아더의 성난 목소리였다: "나는 전장의 지휘관이고, 나는 유엔군 총사령관이오! 나의 어떤 부하에 대해서도, 내가 하는 요구는 단지 '명령을 집행하라'는 말뿐이오!"

스트레이트마이어 중장은 눈치 있게 맥아더의 기분을 알아채고 경례를 했다.

이튿날, 맥아더는 비로소 어린아이 장난처럼 펜타곤에 이 계획을 알렸다. 이때, 극동 공군의 전투기 1천여 대는 이미 연료와 폭탄을 가득 싣고 이륙하려 하고 있었다. 불쌍한 스트레이트마이어 중장은 이 비행기들이 이륙하기 고작 3시간 전에야 워싱턴의 공군 참모총장 반덴버그에게 보고했다.

워싱턴은 맥아더의 보고를 받자마자 즉시 온통 혼란에 빠졌다. 압록강대교를 폭격한다는 것은 가볍게 넘길 일이 아니었다. 이 다리는 국제법적으로 말한다면 절반이 중국에 속해 있는 국경 교량이었다.

전화벨 소리가 워싱턴에 울려 퍼졌다. 애치슨은 심지어 곧바로 고향인 미주리 인디펜던스 시에 있는 고향집에서 휴가를 보내고 있는 트루먼에게 전화를 걸었다. 2시간 후, 합동참모회의의 답변이 맥아더의 수중에 도착했는데, 맥아더는 합동참모회의가 국경으로부터 5마일 이내에 폭격을 금지한다는 명령을 다시 천명하고 있으며, 또한 그가 압록강대교를 폭격하려는 이유가 무엇인지 묻고 있음을 보았다.

압록강대교

"이 얼간이 자식들, 내가 당초 그놈들을 웨스트포인트에서 졸업시키지 말았어야 해." 맥아더는 전보를 보면서 머리를 가로저었다.

이어서, 아마 뇌 속의 매독 병균이 다시 발작을 해서인지(맥아더는 사생활이 문란하여, 심각한 매독을 앓고 있었으므로, 별명이 "매독 사령관"이었다. 그가 사망한 다음, 일부 숭배자들은 아마도 매독 병균이 그의 뇌에 침투하여, 마침내 그로 하여금 말년에 이처럼 엉뚱한 짓들을 하게 한 것 같다고 생각하기도 한다), 맥아더의 반골 기질이 크게 발동했다.

그는 먼저 격앙되어 기자들에게 한 가지 공고를 발표했다: "공산당은 선전포고를 하지 않고 전쟁을 일으켰고, 다른 나라의 공산군으로 하여금 압록강을 넘어 북한에 들어오게 하여, 유사 이래 사람들에게 가장 혐오감을 불러일으키는 국제법을 위반하는 범죄 행위를 저질렀습니다."

계속해서 그는 즉각 다시 "불 같은 격정으로, 대학생처럼" 워싱턴을 향해 가장 엄중하게 항의했다: "대량의 인원과 물자들이 지금 압록강에 있는 모든 교량들을 통해 만주로부터 끊임없이 운반되어 오고 있습니다. 이러한 행위는 내가 지휘하는 부대에 위험이 미칠 뿐만 아니라, 우리로 하여금 전부 섬멸당할 위험에 직면하게 할 것입니다. ……적들의 이러한 증원을 제지할 유일한 방법은 바로 이 교량을 없애버리는 것이며, 아울러 적들이 진격하도록 지원하는 모든 북부 지역의 시설들에 대해 우리 공군이 최대한 파괴하는 것뿐입니다. ……나는 가장 엄중하게 항의함과 동시에, 나는 곧 이 습격을 잠시 중단함과 아울러, 당신들의 지시를 집행할 것입니다. ……나는 당신들의 지시가 아마도 거대한 재난을 불러일으킬 거라고 생각하기 때문에, 나는 마땅히 즉각 대통령께서 사태의 발전에 주의를 기울이시도록 요청해주기를 희망합니다."

맥아더는 이미 자신이 이틀 전에 워싱턴에다 중국이 출병했을 리 없다고 보증했던 것을 깡그리 잊어버렸다. 고작 이틀 만에, 그는 절대로 출병했을 리가 없다던 중국인들이 뜻밖에도 자신의 군대를 완전히 섬멸하려 한다고 말을 바꾸었다.

맥아더는 필요한 때가 되면, 추호도 망설이지 않고 태양이 네모 모양이라고 말할 수 있는 사람이었다. 신분이 고위 통솔자인 사람이, 이렇게 조리와 순서가 없이 이랬다저랬다 해서는 정말 안 된다.

이 항의 전문은 즉각 워싱턴을 발칵 뒤집어놓았다. '졸병 장군'이라는 별명의 브래들리는 회고록에서 이렇게 기술하고 있다: "아무도 맥아더의 반응이 이렇게 격렬할 것이고, 또 그가 스스로 11월 4일에 적군의 역량에 대해 추정했던 것들을 완전히 바꿀 것이라고는 생각하지 못하여, 이는 워싱턴에서 사람들을 매우 놀라게 만들었다." 트루먼은 '항의 전문'을 보더니 분노로 온 몸을 떨었다. 이 미주리 농민의 촌스러운 기질을 지니고 있던 미국 대통령은 한바탕 심한 욕설을 퍼붓고 나더니, 어쩔 수 없이 맥아더의 폭격 계획에 동의했다. 그의 코는 완전히 맥아더에게 꿰어 있었다. 그는 압록강대교를 폭격하지 않음으로써 맥아더의 부대가 완전히 섬멸당하는 책임을 질 수는 없었다.

당당한 대통령이 뜻밖에 전선 지휘관의 명령에 좌지우지되다니! 트루먼은 화가 나서 눈물이 날 지경이었다.

'맥아더가 승리하면 좋은데, 정말로 무슨 일이 생기면, 그는 분명히 책임을 내 머리 위로 떠넘기면서, '당신이 내가 폭격하겠다는 것을 허락하지 않아서 실패했다'는 식으로 말하겠지. 그는 분명히 그렇게 말할 거야. 그 개자식은 분명히 당당하게 그런 식으로 말하겠지!'

트루먼은 마음이 쓰라렸다: "나와 맥아더의 관계는 분명 미국 정치 역사에서 전무후무하게 기괴한 장면일 거야."

트루먼은 부들부들 떨면서 폭격 명령서에 서명하고는, 분노하여 이를 부득부득 갈았다. 그는 분명히 맥아더를 틀어쥘 방도는 없었지만, 그는 매우 빠르게 맥아더를 막다른 골목으로 몰아넣을 수는 있었다.

합동참모회의는 어쩔 수 없이 절충안을 내놓았다. 그들은 맥아더에게 터무니없이 허무맹랑한 답신을 보냈다: "압록강대교의 북한쪽 부분을 폭격하는 것을 허락한다."

미국 공군의 한 익살꾼은 비행기의 앞부분에 이상하고 놀라운 문구를 써 넣었다: "어떻게 다리의 한쪽 끝만 폭격할 수 있지?"

이 명령은 이후 미국 전체 공군의 웃음거리가 되었다.

11월 8일, 대규모의 폭격이 시작되었다. 1천 대의 미국 비행기들이 쉬지 않고 교대로 날아올라, 조선의 모든 폭격할 가치가 있는 것들로 향했다. 중국-조선 두 나라를 연결하는 압록강대교를 포함하는 시설들에 숫자를 헤아릴 수 없는 폭탄들을 투하했고, 중국에 속하는 절반의 교량도 당연히 폭파되었다. 맥아더의 목적이 달성되자, 네모난 태양도 다시 둥글게 변했다.

11월 9일, 그는 다시 낙관했다. 그는 워싱턴에 자신은 "충분한 역량을 가진 증원 부대가 압록강을 건너는 것을 저지할 수 있기" 때문에, 중국인들은 자신의 부대에 어떠한 진정한 위협도 될 수 없다고 말했다. 사실 이때의 압록강은 이미 얼어붙어서, 수백 킬로미터의 강 위는 어느 곳이라도 자동차와 사람이 지나갈 수 있었으므로, 맥아더가 공중 폭격을 통해 지상의 전장을 봉쇄한다는 계획은 공허한 말이 되어버렸다.

16

대규모 폭격이 시작된 날, 한 가지 매우 작지만 중요한 일이 벌어졌다. 미국 공군 F-80 전투기 한 대가 압록강 상공에서 소련제 미그-15 전투기 한 대를 격추시켰는데, 이것은 역사상 최초의 제트기끼리의 공중전이었다. 이때부터 프로펠러 비행기의 시대는 끝나고, 완전히 새로운 공중전 시대가 도래했다. 그러나 이 전쟁에 대해 더욱 중요한 의의를 말하자면, 그 비행기가 소련제였다는 것이다. 스탈린은 다시 생각을 바꾸어, 소련 공군이 제한적으로 작전을 진행하는 데 동의함으로써 조선 전쟁에 개입했다.

11월 7일, 스탈린은 원기 왕성하게 붉은 광장의 사열대에 올라, 전통적인 10월 혁명 기념일의 붉은 광장 열병식을 관람했다. 꼿꼿한 자세로 가슴 높이까지 발을 차며 걸어가는 소련 젊은이들이 사열대 앞으로 와서 큰 소리로 "우라(Ура: 러시아어로 '만세'라는 뜻-옮긴이)" 하고 고함을 질렀다. 이 웅장한 "우라" 소리가 스탈린의 가슴을 설레게 하자, 돌연 호기가 생겼다. 중국 동지들이 이미 미국인들을 청천강 이남으로 물리친 것으로 보아, 미국인들도 그다지 대단해 보이지 않는데, 큰형님이 더욱 힘을 내지 않으면 사람들에게 업신여김을 당할 것이다.

며칠 후, 모스크바 교외의 비행장에는 전체 소련 공군에서 엄격히 선발되어 온 한 무리의 정예 조종사들이 군장을 꾸리고 출발을 기다리면서, 조선의 전장으로 갈 준비를 하고 있었다. 이들을 인솔하는 이는 제2차 세계대전 때 독일 비행기 62대를 격추시킨 소련 공군의 에이스이자, 세 차례나 '소비에트 연방 영웅'의 칭호를 받은 코체더브(Ivan Nikitovich Kozhedub, 1920~1991)였다. 코체더브는 소련에서 가장 유명한 영웅들 중 한 명이었다. 전체 소련에서 단지 세 명만이 세 차례나 '소비에트 연방 영웅'이라는 전체 소련의 최고 영예를 획득했는데, 코체더브가 바로 그들 중 한 명이었다. 그와 함께 이 특별한 영예를 누린 다른 두 명은, 또 한 명의 에이스 조종사인 포크리쉬킨(Alexander Pokryshkin, 1913~1985)과 독-소 전쟁에서 소련에 승리를 가져다준 주코프(Geogry Konstantinovich Zhukov, 1896~1974) 원수였다.

소련 공군이 조선 전쟁에 참여했다는 것은 소련과 미국 두 나라 고위층 사이에서는 공공연한 비밀이었다. 쌍방은 모두 이미 알고 있으면서도 각자 모르는 척하고 있었다. 1990년대가 되어서야, 러시아는 비로소 이와 관련된 자료들을 공개했다.

비밀을 지키기 위해, 수많은 지원군 장교들은 인민군 군복을 입었는데, 소련의 참진 공군들은 또 지원군 군복을 입었다. 그들의 작전에는 몇 가지 금지령들이 있었다. 바다로 나가서는 안 되고, 추격해서는 안 되고, 전선으로부터 60마일 이내의 지역에 들어가서는 안 되었다. 신중한 스탈린은 심지어 비행 중에는 반드시 중국어를 사용하도록 명령했다.

곧바로 미국 조종사들은 압록강 상공에서 적기가 자신들을 공격하기 시작하는 것을 발견하고, 공중전을 벌이는 과정에서 그들은 놀라 어리둥절했다. 왜냐하면 그 적기의 조종사들이 자신들과 마찬가지로 높은 코에 파란 눈을 가진 백인종이었기 때문이다.

그런데 소련인들이 설사 비밀을 지키려고 해도 불가능했다. 순식간에 생사가 결정되는 공중전에서, 소련 비행사들이 어떻게 반드시 중국어로 통화하라고 한 스탈린의 명령을 따르려고 머리를 숙여 무릎 위에 묶어 놓은 중국어 카드들을 볼 수가 있었겠는가?

미국과 소련의 공중전이 시작된 지 불과 2주일 만에, 소련 조종사들은 집단으로 명령을 어기고, 무선에서 러시아어로 통화하기로 결정했다. 사단장 코체더브는 이 때문에 부대를 이끌고 날아올라 작전을 펼치는 연대장 페펠랴에프(Yevgeny Georgievich Pepelyaev, 1918~2013) 대령을 여러 차례 호되게 꾸짖었다. 대령은 결국 화를 내면서, 사단장에 맞서 한바탕 호되게 대들었다: "제기랄, 당신 자신이 가서 한번 싸워보세요!"

이렇게 미군의 감청기 속에서 곧바로 매우 많은 러시아어 음성들이 들리자, 중국인들은 세상 사람들의 이목을 가리기 위해, 그들은 "중국에 거주하는 러시아족"이라고 말했다.

우스꽝스러운 건, 스탈린이 두려워했고, 트루먼도 두려워했다는 것이다. 모든 러시아군 비행사들과 교전했던 미군 대원들은 비행기에서 내리자마자 엄중한 경고를 받았다. 즉 만약 공중에서 겪은 일을 말하면 군법으로 제재한다는 것이었다. 이것이 아마도 중국인들이 말하는 "때리는 쪽이나 맞는 쪽이나 양쪽 모두가 두려워하다[麻秆打狼兩頭怕了][138]"라는 경우일 것이다. 미국과 소련 두 나라가 모두 이로 인해 대규모 정면 충돌을 야기하여 더 큰 전쟁을 초래하는 것을 바라지 않았기 때문에, 쌍방은 모두 비밀을 지키며 공개하지 않았다.

이 공개할 수 없는 전쟁 과정에서, 소련 공군은 345대의 비행기를 잃었고, 200여 명이 전사했다. 1992년, 옐친은 미국 상원에 보낸 편지에서 격추한 미군 비행기는 약 1,309대(사실은 980대뿐이고, 나머지 330대는 중국 공군이 격추한 것이다)라고 언급했다. 이 밖에 소련 공군은 또한 제트기 공중전 시대 이후 지금까지 아무도 그의 전적을 뛰어넘을 수 없는 에이스를 배출했다. 소비에트 연방 영웅의 칭호를 받은 페펠랴에프 대령은 23대의 미국 비행기를 격추했고, 미군의 최신형 전투기인 F-86을 격추하기도 했다. 이것은 소련이 조선 전장에서 얻은 가장 귀중한 전리품이었다. 그러나 코체더브는 더 이상 눈부신 전적을 창조할 수 없었다. 그의 명성이 혁혁하여 그를 잃어서는 안 되었기 때문에, 스탈린이 직접 코체더브 본인은 하늘에 날아올라 작전해서는 안 된다고 명령을 내렸기 때문이다.

소련 공군이 고작 100여 대의 비행기를 참전시킨 것은, 펑더화이의 입장에서는 한 잔의 물로 한 수레의 장작불에 끼얹는 격이었다. 하물며 이때 소련 공군은 또한 단지 몇 대의 비행기만 압록강 상공에 출동시켜 미국 비행기를 한번 기습할 수 있을 뿐이었고, 그들이 작전을 펼칠 수 있는 공중의 영역도 매우 제한되어 있었다. 이후 지원군이 38선으로 진격했음에도, 그들은 평양으로 날아올 수 없었다. 그들의 병력이 가장 많았을 때에도 겨우 2

138 직역하면, "껍질 벗긴 삼대로 이리를 때리니 양쪽이 두려워하다"로, 때리는 쪽이나 맞는 쪽이나 양쪽 모두가 두려워하는 상황을 비유한 중국의 속담이다.

개 사단뿐이었고, 300대의 비행기를 넘지 않았다. 그들의 역할은 중국과 조선 두 나라 군대의 사기를 고무시키는 데 더 많은 의미가 있었다. 바로 '스탈린도 참전했다!'는 상징적인 의미였다.

마오쩌둥은 스탈린에게 일부러 다음과 같이 전문을 보냈다: "소련 조종사들은 공중에서 영웅적인 기개와 강대한 위력을 보여주었으므로……나는 그들에게 감사를 표합니다." 솔직히 말해, 이 말은 사실이었지만, 더 많은 부분은 바로 인사치레 말이었다.

그러나 리지웨이는 후에 매우 솔직하게 말했다: "우리는 북한의 전장 상공에서 거의 저항을 받지 않았다. 뿐만 아니라, 지상의 화력을 제외하면, 우리는 방해를 받지 않고 적의 보급선을 공격할 수 있었다. 처음 1년 동안, 적들은 심지어 방공 화력조차도 아직 공격이 없었다."

펑더화이가 진정으로 의지할 수 있는 것은 여전히 전쟁의 불길 속에서 수많은 투쟁과 시련을 겪어 온 중국 육군이었다.

극동 공군의 대대적인 폭격이 줄곧 2~3주 동안 계속되었고, 맥아더의 '새로운 최후의 총공세'가 곧 시작되려 했다. 바로 이때, 미국의 확실한 맹방인 영국이 튀어나와 압력을 가했다. 미군의 공격 속도를 늦추도록 요구하면서, 적어도 유엔군과 국경 사이에 완충 지대를 만들어야 한다고 했다. 교활하고 간사한 영국인들은 미국인들보다 총명했고, 그들은 창강(長江)에서 이미 신중국의 군대에게 고통을 겪은 적이 있었다.[139] 존 불(John Bull)[140]은 철저한 현실주의자로, 이때의 영국은 이미 홍콩에서 중국과 이익이 큰 무역을 진행하고 있었다(영국인들이 현명한 선택을 했기 때문에, 1997년 이후에도 중국인들은 그들로 하여금 홍콩의 많은 경제적 이익을 확보도록 보장해주었다). 동시에, 영국인들은 현명하게도 서방 세계의 전략적 중점이 유럽에 있어, 극동에서 깊이 빠져들수록 스탈린이 기뻐한다는 것을 잘 알고 있었으므로, 그들은 실

139 앞에서 언급했던, 1949년 4월 20일, 양쯔강 하류에서 군함 애머시스트 호(HMS Amethyst)가 중국 군대에게 공격받은 사건을 말한다.

140 영국을 의인화하여 중년의 남성으로 묘사할 때 사용하는 이름이다.

제로 중국을 더 자극하기를 원치 않았다(이후 2년간의 전쟁 과정에서, 영국과 프랑스는 모두 자신들은 지금까지 중국과 전투한 적이 없으며, 그들은 단지 유엔의 명령을 받들어 북조선과 싸울 뿐이라고 공개적으로 선포했다).

미국 합동참모회의가 영국인들의 의견을 맥아더에게 전해주자, 맥아더는 기세등등하게 이 의견을 논박했을 뿐만 아니라, 신랄하게 영국인들에게 "뮌헨"[141]을 회상하라고 요구했다. 영국인들은 무리하게 계속 미국인들을 따라 해나갈 수밖에 없었다.

전장에서 들려오는 소식은 갈수록 맥아더를 기쁘게 해주었다. 각 부대가 공격 출발 지점에 도달했을 때 거의 저항을 받지 않았다. 땅속에서 뚫고 나오는 것 같던 중국인들이 수많은 파괴된 총과 대포를 내버려두고, 이미 도망쳐버려 온데간데없었다. 심지어 그들에게 포로가 되었던 1천여 명의 유엔군 포로들조차도 놀라서 풀려나 돌아왔다.

'수천 명의 중국인들은 분명히 놀라서 만주로 돌아갔을 거야. 당연히 비할 데 없이 위력적인 미국 공군에 의해 폭사했을 가능성이 훨씬 크겠지. 중국인들은 무시할 수 없는 세력이 아니었군.' 맥아더는 만족하며 이렇게 생각했다. 지금 그는 전면적인 공군의 공격은 이미 목적을 달성했으며, 남은 일은 지상의 부대들로 하여금 줄곧 압록강까지 진격시키기만 하면 된다고 확신하고 있었다.

맥아더는 평양에 가서 '불독' 워커에게 이렇게 같이 말했다: "11월 23일에 병사들이 추수감사절을 잘 보내도록 하고, 반드시 모든 청년들이 칠면조를 먹을 수 있도록 하세요. 11월 24일에는 최후의 총공격을 개시합니다." 이어서 그는 곧 전 세계로부터 멸시와 조소를 당하는 말을 했다: "나는 크리스마스에 아이들을 집으로 돌려보낼 것이오!" 자신의 뜻을 다 말하지 못했다는 듯이, 그는 다시 매우 흥겨운 공고를 발표했다: "만약 성공한다면, 이는

141 1938년, 영국과 프랑스는 나치 독일과의 전쟁을 피하기 위해, 나치 독일의 요구를 일방적으로 들어주는 뮌헨 협정을 체결했다. 이러한 노력에도 불구하고, 영국과 프랑스는 결국 제2차 세계대전의 발발을 막지 못했다.

사실상 전쟁을 끝냈다고 봐야 합니다."

맥아더는 훈시를 마친 다음 비행기에 올라 압록강 하구로 날아가라고 명령하여, 자신이 직접 중국 군대의 동정을 정찰하려고 했다. 부관 휘트니와 수행기자들은 모두 그것은 너무 위험하다고 항의했다.

맥아더는 웃으면서 말했다: "대담한 행동이야말로 바로 가장 안전한 것입니다!"

비행기가 압록강에 도착한 다음, 맥아더는 동쪽으로 방향을 바꾸라고 명령하더니, 곧바로 러시아 국경으로 날아갔다. 맥아더는 항로를 따라가며 눈길이 닿는 데까지 멀리 내려다보았는데, 휘트니는 이렇게 기록했다: "우리의 눈앞에 펼쳐진 것은 끝없이 광활하고도 매우 황량한 산야와 높낮이가 고르지 않은 구릉과 크게 아가리를 벌린 골짜기들이었으며, 압록강의 가득한 푸른 강물은 소리도 없고 냄새도 없는 두꺼운 얼음으로 덮여 있었다."

맥아더는 아무것도 정찰하지 못했다.

줄곧 맥아더에 대해 불만을 품고 있던 워커는 맥아더가 압록강으로 날아갔다는 사실을 알고 난 뒤에 낮은 소리로 중얼거렸다: "쓸데없는 짓을 하고 있군!" 결국 조심하지 않아서 틈만 있으면 파고드는 기자가 듣게 되었는데, 워커는 기자가 다시 한번 말해 달라고 요구하자 즉각 엉겁결에 부인했다.

눈과 얼음으로 뒤덮인 곳에서 칠면조를 먹고 있던 미국 병사들은 이 소식을 듣고 나서 비꼬며 말했다: "이 노인네는 아직도 여전하군. 그의 비행기가 추락하면, 중국인들이 그의 파이프를 줍겠지. 그러면 스탈린이 아주 기뻐할 거야. 왜냐하면 그도 파이프 담배를 피우니까."

이번의 아무런 효과가 없는 정찰로 인해, 맥아더는 미국 공군의 '수훈 비행 십자훈장(Distinguished Flying Cross)'을 받았다.

싸움에서 진 맥아더의 오만방자함이 비할 바 없을 때, 싸움에서 이긴 펑더화이의는 도리어 교훈을 총결하면서 직무를 다하지 못한 장교들을 호되게 비판하고 있었다.

펑더화이는 단지 맥아더가 마지막으로 한번 주제넘게 나서도록 해줄 것이다.

17

"량싱추, 모두가 자네를 전투에서 단련된 용맹한 호랑이 장수[虎將]라고들 말하지만, 개소리야. 쥐새끼 장수[鼠將]지!" 펑더화이는 적군의 퇴로를 차단하지 못한 량싱추를 호되게 꾸짖었다.

량싱추는 회의가 열렸을 때 펑더화이가 자신과는 악수하지 않는 것을 보고는 곧 마음속으로 야단났다는 것을 알았지만, 펑더화이가 사람을 이렇게 무섭게 대할 줄은 전혀 생각하지 못했다. 상사와 동료들 앞에서 펑더화이는 그의 체면을 완전히 뭉개버렸다. 그의 두 다리는 자신도 모르게 벌벌 떨렸고, 눈은 바지의 끝단을 응시하면서 감히 머리를 들지 못했다. 이는 지금까지 칭찬만 들어왔던 명장에게는 두려우면서도 부끄러운 일이었으니, 온몸에서 땀이 줄줄 흘러내렸고, 두 개의 크게 튀어나온 앞니는 아랫입술 위에서 덜덜 떨리고 있었으며, 머리는 땅으로 파고 들어가지 못하는 것을 한스러워하고 있었다. 뜻밖에도 펑더화이는 여전히 끝까지 물고 늘어졌다: "제39군단은 운산에서 미국인들과 잘 싸웠고, 제40군단은 온정리에서 남조선인들과 잘 싸웠고, 제42군단은 동부전선에서 훌륭하게 싸웠다. 오직 너의 제38군단만은, 내가 너에게 희천으로 질러 들어가라 했는데, 너는 왜 질러 들어가지 않은 거야? 어, 왜 질러 들어가지 않았냐고? 일개 흑인 연대가 너희들을 무서워서 오줌 지리게 한 거야? 제38군단이 주력이라고? 주력은커녕 개뿔이다!"

얼굴마저도 욕을 먹어 덜덜 떨리던 량싱추는 더 이상 참을 수가 없었다. 량싱추를 욕하는 것은 괜찮지만, 제38군단을 욕해서는 안 되었다. 이 부대가 얼마나 영광스러운 부대인가? 군인의 명예심이 량싱추 자신도 모르게 낮은 목소리로 한마디 하게 했다: "욕하지 마십시오……."

목소리는 비록 낮았지만, 이 순간 쥐 죽은 듯이 조용하던 회의장에서 모두가 량싱추의 이 한마디 말대꾸를 또렷이 들었다. 덩화는 마음속으로 이제 끝장났다고 생각했다. 이렇게 펑 사령관이 크게 화를 내는데, 감히 말대꾸를 하다니! 과연 군대를 매우 엄격하게 다스리는 펑더화이는 불같이 화를 냈다.

"욕하지 말라니, 나는 욕을 해야겠어!"

"탕!" 펑더화이가 손바닥으로 매섭게 탁자를 치자, 전장을 거리낌 없이 누비던 장수들은 마치 늦가을 매미처럼 입을 다물었다.

"니가 잘 싸우지 못하면, 나 펑더화이는 너 량싱추의 어머니를 욕할 것이다! 나 펑더화이가 잘 싸우지 못한다면, 너 량싱추가 펑더화이의 어머니를 욕해도 좋다!"

펑더화이의 이 말은 빈말이 아니었다. 그는 부하들에게 엄격했고, 자신에게는 더욱 엄격했다. 산베이의 시푸(西府)[142]에서 대패한 다음, 그는 간부들이 모두 모인 회의에서 자신의 군모(軍帽)를 찢어버리면서 통렬하게 자신을 욕했다: "펑더화이, 아아 펑더화이, 너 이 개자식은 마르크스-레닌주의를 어디서 배워먹은 거야?"

이러한 사람은 다른 사람을 욕할 자격이 있다. 그는 계속해서 감히 머리를 들지 못하는 량싱추를 매섭게 노려보면서 말했다:

"니가 시간을 끌어 군사 계획을 실행할 기회를 놓친 것은 군율에 따라 참형에 처해야 하는 일이야! 니 어머니를 욕하는 것은 정중한 셈이야! 나는 다른 재주는 없고, 마속(馬謖)의 목을 베는 재주만은 아직 있다!"

량싱추는 더 이상 감히 입을 열지 못했다.

한바탕 욕을 하고 나자, 펑더화이의 분노는 점차 가라앉았다.

"군령은 산이 뒤집어지는 것과 같고, 명령을 내리는 것은 칼을 사용하는 것과 같네! 결연하게 명령을 집행하지 못하면서 싸움은 무슨 개뿔이나 싸움을 하겠나? 지금 우리는 맥아더를 함정에 빠뜨리려고 하고 있네. 맥아더

142 산시성(陝西省)의 관중(關中) 평야 서부 지역 일대를 가리키는 지명이다.

는 매우 오만하여, 지금까지도 우리의 주력 부대가 압록강을 건넌 것을 인정하지 않고 있네. 그는 지난번에 추수감사절 전에 조선을 점령하겠다고 했는데, 이 계획은 우리의 제1차 전역에 의해 분쇄되었네. 지금 그는 다시 크리스마스 전에 전쟁을 끝내고, 부대로 하여금 일본에 돌아가서 크리스마스를 보내게 하겠다고 말하네. 오만한 군대는 반드시 패한다고 했으니, 내가 바라는 것은 바로 그의 이러한 광기네!"

펑더화이는 성큼성큼 지도 앞으로 갔다: "맥아더의 계획은 우선 지상 부대로 탐색적 공격을 진행하는 것인데, 이것은 이미 시작되었소. 동시에 그는 공중 폭격을 사용하여 압록강의 교량과 포구들을 파괴하여, 우리 동북 지역의 부대와 물자가 조선으로 들어오는 통로를 막으려 하는데, 이것 또한 시작되었소."

덩화가 끼어들어 말했다: "그는 그럴 능력이 없습니다. 우리 송스룬의 제9병단 12개 사단이 지금도 끊임없이 조선으로 들어오고 있습니다!"

펑더화이가 계속 말을 이어갔다: "맥아더의 최종 전략적 의도는 미국 제10군단의 알몬드로 하여금 장진호(長津湖)에서부터 서진하게 하고, 제8집단군의 워커로 하여금 청천강을 거쳐 북쪽을 침범하게 하여, 최후에는 강계(江界) 이남의 무평리(武平里)에서 회합하여 하나의 큰 자루를 만들어, 우리 군과 인민군을 이 자루에 담아 포위하여 섬멸한다는 것이오. 우리 군의 주력을 섬멸한 다음에는 중국-조선의 국경까지 나아가, 얼어붙은 압록강 앞까지 빼앗아 전체 조선을 점령하려는 것이오. 그는 지금 꿈을 꾸고 있소!"

참모장 제팡이 일어나서 말했다: "적군은 이 계획을 실현하기 위해, 지금 전선으로 많은 병력을 증원하고 있습니다. 지금 적군의 전선에 있는 지상 부대는 5개 군단의 13개 사단과 3개 여단 및 1개 공수 연대 등 모두 22만 명으로, 제1차 전역 때보다 8만 명이 증가되었으며, 그것도 주로 미군과 영국군입니다. 적의 공군도 2개 신식 제트 전투기 연대를 증원했으며, 비행기는 모두 1,200대입니다. 지금 우리 제9병단의 주력은 이미 지안(輯安)과 린장(臨江)으로부터 조선으로 들어와, 동부전선의 작전 임무를 담당하고 있습니다. 이렇게 아군의 조선에 있는 병력은 이미 9개 군단의 30개 사단 38만 명으로, 적들의 전선에 있는 지상 부대 숫자의 1.7배입니다. 동부전선의 아군은 15만 명, 적군은 9만 명으로, 적의 1.66배입니다. 서부전선의 아군은 23만 명, 적군은 13만 명으로, 적의 1.75배입니다. 동부전선과 서부전선에서 아군 병력이 모두 우세를 점하고 있습니다."

홍쉐즈가 끼어들어 한마디했다: "맥아더의 정보는 정말 형편없군요!"

펑더화이가 웃기 시작했다: "적들이 공격해 들어오려 하지 않소? 그럼 좋소! 우리는 그들을 잘 배치해 놓은 자루 속으로 유인해 들어오게 하여, 각개격파하면 됩니다. 적들이 만약 오지 않으면, 우리가 공격해 갑니다. 어쨌든 금년 안에 다시 싸우지 않을 수 없는데, 반드시 적군 6~7개 연대를 섬멸하고, 전장을 평양·원산 지구로 밀어붙임으로써, 아군이 장차 반격하기 편리하도록 해야 합니다. 그런데……" 펑더화이는 잠시 생각에 잠겼다가 말을 이어갔다: "맥아더는 반드시 올 겁니다. 그가 큰소리를 쳤는데, 오지 않는다면 그는 이른바 '세계적 명장'의 체면을 잃을 것이오. 우리가 향기로운 미끼를 잘 설치하면, 대어가 낚일 거요. 마오 주석과 중앙군사위원회가 이미 우리의 작전 계획을 비준했으니, 지금은 결연하게 적들을 북상하도록 유인해야 합니다. 적들이 북진하기를 기다렸다가, 막 도착한 화둥(華東)의 송스룬 병단이 지세(地勢)를 이용하여 동부전선의 적들을 여러 부분으로 토막 낸 다음 섬멸할 것입니다. 제42군단의 2개 사단은 서부전선으로 이동해, 6개 군단을 집중시켜 서부전선의 적군 제8집단군에 대해 반격할 겁니다. 적 후방의 인민군 주력 부대가 철원의 남북에서 광범위한 유격전을 전개하여, 적의 교통로를 파괴하고, 정면 작전을 병행하면서, 구체적인 부대 배치가 확정되기를 기다릴 겁니다. 다음번에 어느 군단이라도 또 잘못 싸우면, 군단장은 해임될 것이오. 회의를 마칩시다!"

줄곧 회의장 탁자 곁에 서 있던 량싱추는 그제야 비로소 벗어날 수 있었다. 이때, 그는 자신의 체면을 잃게 한 미국인들을 뼈에 사무치도록 원망하면서, 설욕하겠다고 결심했다. 제38군단의 정치위원인 류시위안도 용맹한 장수로, 항일 전쟁 초기에 그는 1개 중대를 이끌고 3천 명의 일본군과 4시간 동안 혈전을 벌여, 국민당 오호장군(五虎將軍) 중 한 명인 웨이리황(衛立煌, 1897~1960)의 목숨을 구해냈었다. 류시위안은 량싱추에게 한두 마디 위로하려고 생각하면서도, 어떤 말부터 해야 할지를 몰랐다. 두 사람은 행장을 꾸리고 식사도 거른 채 출발하려 했다. 막 지프차에 앉았는데, 지원군 사령부의 작전처장 딩간루(丁甘如, 1917~1995)가 와서 량싱추에게 말했다: "펑 총사령관님이 저에게 말을 전하라고 하셨습니다. 회의에서 당신을 좀 심하게 비판하고 화를 냈지만, 당신은 부담 갖지 말고, 다음번 전투에서는 반드시 잘 싸우라고 하셨습니다."

량싱추의 마음이 뜨거워졌다: "펑 사령관님을 원망하지 않소. 그분은 맞게 꾸짖으셨습니다. 다음 전투에서 나는 미국인들의 대가리를 비틀어 요강을 만들어버리겠소. 출발하라."

펑더화이는 복잡한 심정으로 멀찌감치 있는 창가에 서서 멀리 떠나는 지프차를 바라보았다. 제38군단은 자신이 이끌면서 사방팔방에 위세를 떨친 홍군 제3군단으로부터 발전해온 부대로, 좋은 강철일수록 더 많이 망치질을 해야 했다.

18

전장에서, 중국 병사들은 비장의 수법들을 보여주기 시작했다. 싸우면서 후퇴했는데, 길을 따라가면서 곳곳에 찢어진 옷과 헤진 모자·낡은 총과 총탄 등을 버려두니, 완전히 크게 패배하여 퇴각한 모습이었다. 이러한 속임수를 진짜인 것처럼 보이기 위해서, 제1차 전역에서 사로잡았던 1천여 명의 미군과 한국군 포로들을 한 차례 교육한 다음 모두 풀어주었다. 풀어줄 때는 이들을 헷갈리게 하는 수많은 말들도 잔뜩 들려주었다:

"우리가 너희들을 풀어주니, 너희는 다시 우리에게 네이팜탄을 사용하면 안 된다……."

"우리는 인원이 많지 않고, 단지 압록강에 있는 몇 개의 수력발전소를 보호하려는 것이다. 그 전력이 없으면, 우리 동북 지역의 공장들은 가동할 수가 없거든……."

이때 포로를 풀어준 행동은 중국 군대가 실시한 매우 성공적인 심리전이었다. 풀려난 포로들은 적군의 지휘관에게 잘못된 정보를 전달했을 뿐만 아니라, 사실로써 적군이 날조한 "중국인들은 포로를 모조리 죽인다"는 유언비어를 타파하고, 적군의 수많은 병사들로 하여금 중국 군대의 포로 정책을 알게 해주었다. 따라서 제2차 전역의 전투가 시작된 다음에, 수많은 미국 병사들은 형세에 가망이 없어졌을 때 더 이상 완강하게 저항하지 않고, 자원하여 포로가 되었다. 그리고 미국 중앙정보부의 문건이 지적하고 있듯이, 3분의 1의 포로들은 미국의 제도에 대해 회의를 품게 되었고, 3분의 1의 포로들은 전쟁 포로수용소에서 미국에 반대하는 크고 작은 죄행을 저질렀다. 또한 포로들 중 100분의 1은 신앙을 바꾸었는데, 이는 자유 진영 국가들에게 깊은 충격을 주었다. 심지어 미국의 패권 이익을 결연하게 옹호했던 리지웨이조차도 감탄하면서 말했다: "중국인들은 굳세면서도 사나운 투사들이었지만, ……우리는 한국인들에 비하면 그들이 더욱 문명화된 적이라는 것을 발견했다. 매우 여러 차례, 그들은 단지 약간의 음식도 포로들과 함께 나누어 먹으면서, 포로들에게 우호적인 태도를 취했다." 이때의 포로 석방 행동은 훗날 중국 군대의 심리전 교재에 수록되었다.

펑더화이의 적을 유인하는 행동에 보조를 맞추기 위해, 제1차 전역이 승리한 다음, 마오쩌둥은 단지 신화사(新華社)로 하여금 "조선 북부의 어느 지역"이라는 명의로 국내에 한 줄의 간단한 소식만 발표하게 했다: "중국 인민지원군 부대가 참가한 상황에서, 조선인민군은 중요한 승리를 거두어, 11일 동안 적 6천 명을 섬멸하고, 광대한 지역을 수복했다."

맥아더를 현혹시키고, 그로 하여금 중국의 출병 의도와 참전한 전력의 규모를 알지 못하게 하려고, 국내 인민들을 고무시키기 위해 발행하는 신문들조차도 전과를 크게 축소했다.

적들을 기만하는 일련의 조치들을 취한 다음, 지원군 장수들은 마음을 졸이며 맥아더의 반응을 관찰했다.

"너무 늦어, 진격이 너무 늦어." 펑더화이는 지도를 살펴보며 고개를 흔들었다.

"그렇습니다. 11월 6일에 적들이 공격을 시작했는데, 동부전선과 서부전선에서 10일 동안 각각 9킬로미터 내지 16킬로미터를 전진하여, 우리가 적들을 섬멸하려고 정해놓은 지역과는 아직 멀리 있습니다." 제팡이 고개를 끄덕였다.

"아마도 제112사단이 비호산에서 워커를 매우 맹렬하게 맞서고 있어, 그를 놀라게 한 것 같습니다." 홍쉐즈가 이렇게 분석했다.

장수들이 한 차례 상의한 후, 펑더화이는 단호하게 명령을 내렸다: "각 군에 무전으로 명령을 내려, 다시 자발적으로 10킬로미터를 후퇴하게 하시오. 모든 형태의 저지와 반격을 포기하고, 빠르게 후퇴하되, 허점을 드러내지 않게 주의하도록 하시오."

맥아더는 꾐수에 걸려들었다.

중국 군대가 한번 후퇴했다가 다시 후퇴하자, 걸출한 낙관주의자이자 정보처장인 윌러비는 더욱 낙관하면서 말했다: "조선에 온 것은 단지 의용군일 뿐이며, 이미 실증된 중국의 1개 사단은 실제 전투력이 1개 대대에 해당합니다." 그러자 누군가가 즉시 그에게 물었다: "운산 주변에 이미 3개의 사단이 있다는 것이 실증되었는데, 당신의 추측에 따르면 그 실제 병력은 3개 대대라고 할 수 있습니다. 그렇다면, 어째서 제8기병 연대는 그렇게 참혹하게 패배했습니까?" 윌러비는 득의양양하게 다음과 같이 해석했다: "왜냐하면 그 연대는 경계를 소홀히 했기 때문이오. 소수 적들의 과감한 기습에 압도되었기 때문에, 밤중에 궤멸당한 것이오……."

맥아더는 오만하게도 다음과 같이 공언했다: "(중국인들은) 무시할 수 없는 세력이 아닙니다. 병력은 기껏해야 6~7만 명을 넘지 않습니다." 그 자신이 이미 실시한 공중 공격으로 인해 중국의 지원 부대는 전장으로 들어올 수 없게 되었으며, 이미 조선에 들어온 부대들은 폭격으로 지리멸렬하게 철저히 궤멸되었다고 생각했다.

잘못된 판단은 잘못된 행동을 초래하는 법이다. 맥아더는 다시 맹목적으로 무모하게 돌진하기 시작했다. 11월 21일, 서부전선의 유엔군은 이미 '공격 출발선'까지 진격하여, 전투를 위한 전개를 완성했다.

22일과 23일, 맥아더는 계속하여 대거 북진했다. 그가 이처럼 적을 가볍게 여겼기 때문에, 중국 군대는 심지어 미국·일본·남한의 방송에만 의지해도, 어느 적군이 어느 방향으로 가고 있으며, 그 목적지가 어디인지를 대략 알 수 있었다. 그러나 중국의 비밀 보안 업무는 이처럼 잘 지켜져서, 30년이 지난 후에도 미국과 일본 군부의 주류 견해는 여전히 군대를 이끌고 조선에 들어와서 전투를 벌인 사람이 린뱌오와 황융성(黃永勝, 1910~1983)이라고 여기고 있었다.

24일, 펑더화이는 지도 앞에서 미소를 지으며 최후의 전투 배치를 하고, 철저하게 조선 전쟁의 전체 판도를 뒤집을 대전투를 시작하려고 했다.

"전쟁이란, 상대를 속이는 것이다. 따라서 할 수 있으면서도 할 수 없는 것처럼 보이게 하고, 쓰면서도 쓸 수 없는 것처럼 보이게 해야 한다[兵者, 詭道也. 故能而示之爲不能, 用以示之爲不用]." 펑더화이는 중국의 병법이 수천 년 동안 축적해온 정수를 발휘했다. 맥아더에게 유리해 보이게 하여 유인했으며[利而誘之], 상대를 얕보게 하여 교만하게 만들었다[卑而驕之]. 서양 군사계의 거두인 맥아더는 무서운 줄 모르고, 마침내 펑더화이가 파놓은 동양식 전략 전술의 함정으로 파고 들어왔다. 이제 펑더화이는 맥아더를 혼란에 빠뜨려 승리를 취하면[亂而取之] 되었다. 그러나 바로 이때, 펑더화이는 개인의 감정에 심각한 타격을 받게 된다.

11월 25일 새벽 5시, 대규모의 반격이 곧 이날 밤에 시작될 예정이어서, 펑더화이는 시간을 내어 2시간 동안 잠을 잔 다음 일어났다. 그는 한잠 자두지 않으면 안 되며, 이후 6, 7일간은 아마 전혀 잠을 잘 수 없을 거라는 것을 알고 있었다. 잠에서 깬 후, 그는 자신의 작은 방에서 손에 양초를 들고, 습관적으로 직접 그려 무수히 늘어놓은 군용 지도들 앞으로 갔다가, 결국 깜짝 놀라고 말았다. 지도가 보이지 않았다! 펑더화이는 갑자기 화가 치밀어 올랐다. 그가 유일하게 애지중지하는 물건이 바로 이미 매우 익숙해진 그 지도들이었다. 싸움에서 이기려면 그것이 생각을 제공하는 무대에 의지해야 했다. 어느 대담한 놈이 감히 그의 지도를 가져갈 수 있단 말인가?

펑더화이는 고함을 질렀다: "경호원! 내 지도는?"

"지도는 위쪽에 있는 방공호로 가져가서, 모두 걸어 놓았고, 등불도 켜놓은 채, 모두들 사령관님이 오셔서 다음 작전 계획을 논의하시기를 기다리고 있습니다!" 경호원이 오지 않고, 홍쉐즈가 뛰어와서 말했다.

어제, 몇 대의 미군 정찰기가 지원군 사령부의 상공을 왔다갔다했었다. 여러 해 동안 전장에서 체득한 직감은 몇 명의 장군들에게 거기에는 반드시 까닭이 있다고 알려주었다. 몇 명이 한 차례 상의하더니, 모두가 다음날은 반드시 방공을 위해 흩어져야 한다고 느꼈다. 덩화 등 몇 명은 펑더화이가 화를 낼 것을 두려워하여, 늘 펑더화이와 농담을 하는 홍쉐즈에게 가서 펑 총사령관을 방공호로 모셔오라고 구슬렸다. 홍쉐즈는 부드럽게 말하면 받아들이지만 강하게 말하면 반발하는 사람이었다: "가라면 가야지!" 그는 꼼수를 생각해냈다. 먼저 펑더화이가 잠을 자고 있는 틈을 타 그가 애지중지하는 지도들을 가져가면, 그때는 펑더화이가 가지 않을 수 없을 것이다.

"곰보(홍쉐즈의 별명-옮긴이) 니가 위험하다고 생각하면 너나 가라. 내가 보기에는 여기가 매우 좋다." 펑더화이는 과연 화를 냈다.

홍쉐즈가 웃으면서 말했다: "사령관님이 가지 않으시면, 어쩌시렵니까? 지금 간다고 해도 늦었습니다. 자 어서 가십시다, 가시지요." 홍쉐즈가 말을 하면서 눈짓을 하고는, 따라온 몇 명의 경호원들과 억지로 잡아끌어 펑더화이를 방공호로 데리고 들어갔다.

펑더화이가 방공호에 들어간 지 얼마 되지 않아, 갑자기 하늘에서 한바탕 날카롭게 울부짖는 소리가 들려왔다. 방공호에서 바라보니, 하아! 몇 대의 적기가 남쪽에서부터 곧장 날아와서는, 한 바퀴 선회도 하지 않고는, 곧 펑더화이가 막 떠난 건물에 대해 새벽 햇빛을 받아 은백색 빛을 반짝이는 '쇳덩어리'들을 무수히 떨어뜨렸다. 세상에, 저 쇳덩어리는 동굴 속까지도 다 태워버릴 수 있는 네이팜탄이 아닌가! 그 쇳덩어리들이 땅에 떨어지자 곧 한바탕 불바다가 피어오르는 것이 보이더니, 1분도 되지 않아 그 건물은 불타 없어졌다.

펑더화이는 그 건물의 잔해를 보고 나서 다시 홍쉐즈를 보더니, 미안한 마음을 금치 못하면서 입을 열어 무슨 말인가 하려고 하는데, 얼굴이 반쯤 까맣게 탄 참모가 산으로 달려와 큰 소리로 외쳤다: "마오안잉이 안에 있습니다! 가오루이신(高瑞欣, 1927~1950)이 안에 있습니다!"

펑더화이는 마치 전류에 감전된 것처럼, 일순간 멍하니 있다가 눈이 붉어지더니, 큰 소리로 외쳤다: "안잉, 빨리 나와라! 안잉, 빨리 나와!" 그가 목숨을 무릅쓰고 방공호 밖으로 달려 나가자, 몇 명의 경호원들이 그 장면을 보고 결사적으로 그를 붙잡았다. 펑더화이는 격노했다: "놔라! 그러지 않으면 내가 너희들을 죽여버릴 테다. 손 놔라……."

몇 명의 경호원들이 모두 울면서 말했다: "사령관님이 우리를 죽인다 해도 우리는 손을 놓을 수 없습니다……."

얼마 남아 있지 않은 두 구의 검게 탄 시신(나중에 독일제 권총과 손목시계의 잔해를 식별하고서야 마오안잉의 시신임을 확인했다) 앞에 서서, 펑더화이는 마음속으로 망연자실했다. 마오안잉이 죽었고, 자신이 매우 좋아해서 특별히 서북 지역에서 데려온 지 얼마 되지 않은 젊은 참모인 가오루이신도 죽었다. 두 명의 재능이 넘치던 젊은이들이 죽은 것이다.

한참 동안 맑고 묽은 눈물이 펑더화이의 눈에 고였고, 펑더화이는 낮은 목소리로 마오쩌둥이 마오안잉을 전선으로 보내겠다고 할 때 자신이 대답했던 말을 되뇌었다: "이것은 전쟁입니다……."

"마오안잉 동지와 가오루이신 동지를 한 곳에 합장하시오." 펑더화이는 이 말을 한 다음 하루 종일 더 이상 말을 하지 않았다. 홀로 방공호 안에 앉아서 침묵한 채 말을 하지 않았다. 아무도 그가 무엇을 생각하고 있는

지 알지 못했다.[마오안잉이 희생되었다는 전보는 그날로 곧 국내에 전해졌는데, 세심하고 주도면밀한 저우언라이는 작전을 지휘하고 있는 마오쩌둥의 마음에 영향을 미칠까 걱정하여, 1주일 뒤에야 양상쿤(楊尙昆, 1907~1998)으로 하여금 마오쩌둥에게 알리도록 했다. 양상쿤은 일기에 마오쩌둥의 당시 반응을 다음과 같이 기록해 놓았다: "희생당하는 사람이 수천수만 명인데, 이 한 사람만 돌볼 수는 없지. 이미 지난 일이고, 정신은 위대하지만, 사실 충격이 작지 않네. 이것은 어쩔 수 없는 일이네. 아!" 무정함이 반드시 진정한 호걸이라고는 할 수 없으니, 마오쩌둥은 끝내 자식을 잃은 아픔을 억누르지 못하고, 의기소침하게 한마디 했다: "고향에 내려가서 휴식을 취하고 싶은 마음이네."]

그날 저녁까지 펑더화이는 여전히 방공호 입구에 멍하니 서 있었다. 홍쉐즈가 조용히 그의 옆으로 갔다: "펑 사령관님, 뭘 좀 드셔야 합니다."

펑더화이는 몸을 돌려 홍쉐즈의 손을 잡았다: "곰보, 내가 보니 자네는 좋은 사람이네."

홍쉐즈가 대답했다: "저는 본래 좋은 사람이지, 나쁜 사람이 아닙니다."

펑더화이는 여전히 홍쉐즈의 손을 잡고 말했다: "오늘 자네가 아니었으면, 나는 끝장났을 거네."

홍쉐즈는 농담으로 펑더화이의 근심과 슬픔을 덜어주려고 했다: "아침에 저는 경호원들에게 사령관님의 이불을 운반해오려 했는데, 사령관님께서는 기어코 옮기시지 않으시면서, 괜찮다고 말씀하셨습니다. 사령관님께서 꺼내오지 않으셨으니, 오늘밤은 이불을 덮지 않으시는 겁니까?"

"나는 오늘 목숨을 하나 주운 셈이네."

홍쉐즈가 재빨리 기회를 잡아 이렇게 권했다: "이후에는 다시 방공호를 파더라도, 사령관님께서는 꾸짖지 마십시오."

이 말은 펑더화이로 하여금 다시 깊은 생각에 빠지게 했다. 그는 홍쉐즈의 손을 놓고 다시 한참 동안 있다가 비로소 길게 탄식했다: "아, 어찌하여 하필 안잉을 폭사하게 했단 말인가?"

홍쉐즈는 무슨 말로 위로해야 할지 몰랐는데, 펑더화이가 나지막하게 천천히 계속해서 말했다: "내가 맥아더를 잡아 죽이겠네."

19

야위고 작달막한 한셴추가 지팡이를 짚고 직접 제38군단에 왔다. 가장 중요한 임무가 막 비판을 받은 부대에게 다시 주어졌다. 이 부대가 어떻게 싸우는가는, 장차 전체 전쟁 결과에 영향을 미칠 것이므로, 그는 여기에 전선 지휘부를 설치하고, 주재하면서 제38군단과 제42군단을 지휘하여 적군의 퇴로를 차단하고, 정면의 4개 군단과 협력하여 일거에 서부전선의 적군을 무너뜨리려고 했다.

량싱추는 머리에 코트를 덮고 온돌 바닥 위에 누워 있다가, 한셴추가 왔다는 말을 듣고는 일어나서 말했다: "한 형, 당신이 어떻게 싸우라고 하든지 간에 그대로 싸울 것이고, 내가 전면에 나서겠소."

량싱추는 미국인들과 필사적으로 싸우려고 했다.

한셴추는 이 오랜 전우의 성격을 잘 알고 있어, 그는 단지 냉정하게 한마디만 했다: "나는 당신 대신 군단장을 맡으러 온 게 아니오." 말을 마친 뒤 냉정하게 량싱추를 응시했다. 말주변이 없는 한셴추는 심혈을 기울여 이 용맹한 장군·이 영웅적인 부대와 교류했다.

오랜 전우의 냉정한 눈빛을 마주하자, 량싱추는 몸을 똑바로 세우고 말했다: "제40군단으로 하여금 무엇이든 할일이 있으면 하게 하되, 덕천은 제38군단이 포위하겠소."

한셴추는 량싱추의 이 말을 기다렸다. 미국 제8집단군은 목숨을 걸고 필사적으로 북진하고 있는데, 이들의 우익 측면 후방을 엄호하는 한국 제2군단의 2개 사단은 멀리 떨어져서 덕천과 영원에 있었다. 만약 2개 군단이 서로 협력하여, 먼저 덕천을 함락시키고, 다시 영원을 점령한다면, 완전한 승리를 차지할 수 있지만, 시간을 반드시 길게 끌어야 한다. 만약 1개 군단이 하나의 도시를 포위하여 공격한다면, 적의 후방을 향한 진격 속도는 훨씬 빨라진다. 그러나 이것은 모험이어서, 만약 병력 분산이 역량 부족을 초래하여 대치 상태에 빠지면, 전체 서부전선의 계획은 하루아침에 망쳐버릴 수도 있었다.

한셴추가 탁자를 치면서 말했다: "좋네. 당신은 덕천의 남조선 제7사단을 치고, 제42군단은 동시에 영원을 칩시다. 그렇게 남조선 군대의 방어선을 분쇄하면 훨씬 더 깔끔할 거요." 그가 즉시 전화로 펑더화이에게 보고하자, 펑더화이가 한마디로 응답했다: "량싱추의 입심이 꽤 좋군! 그에게 전하시오. 내가 요구하는 것은 적들을 섬멸하는 것이지, 쫓아내는 것이 아니라고!" 이것은 분명히 상대방을 자극하여 분발하게 하는 방법이었다.

량싱추의 정신은 크게 진작되었다: "내가 남조선 제7사단을 포위하여 전멸시키겠소."

"장쿠이인(張魁印, 1922~), 일본인들이나 장대머리(장제스-옮긴이)를 공격하면서 자네는 바지에 오줌을 지린 적이 없는데, 남조선인들이나 미국인들은 어떻게 공격해야 하는지 모르나? 과감하게 적의 후방으로 가겠나?" 량싱추는 정찰과장 장쿠이인에게 물었다.

"늘 하던 대로 하면 그만이지, 무슨 과감하지 못할 게 있겠습니까?" 장쿠이인은 대수롭지 않게 말했다. 그는 대담하기는 호랑이 같으면서도 세심하기는 머리카락 같은 노련한 정찰병이었다.

"좋다. 선발대를 데리고 즉시 출발하라. 전선을 넘어, 몰래 대동강을 건너, 덕천 남쪽에 있는 오릉리(五陵里)로 잠입하여, 도로의 교량을 폭파시켜, 남조선군 제7사단 놈들이 도망칠 곳을 없애버려라!" 량싱추는 매우 격분하여 이를 부득부득 갈았다.

"군단장님, 임무를 완수하지 못하면 저도 군단장님을 뵙지 않겠습니다." 장쿠이인는 가슴을 높이 내밀었다.

24일 밤, 대규모 전투가 벌어지기 하루 전, 제38군단 정찰과장 장쿠이인과 제113사단 정찰과장 저우원리(周文禮, 1923~)는 등에 폭약을 짊어진 321

명의 사나이들을 직접 데리고 전선으로 몰래 침투해 들어갔다. 그들은 한국군의 눈앞에서 어깨를 으쓱거리며 대동강의 수하교(水下橋)[143]를 지나갔는데, 도중에 수십 개의 전설적인 이야기들을 창조해냈다. 마침내 26일 오전 7시 50분, 덕천의 적들이 도망칠 때 반드시 지나가야 하는 무릉리대교(武陵里大橋)를 폭파시켜 날려버렸다. 이번 뛰어난 특수 작전은 이후 거의 모든 중국인들이 아는 영화인 〈기습(奇襲)〉[144]으로 만들어졌다.

량싱추가 분발하고 있을 때, 제42군단장 우루이린도 정치위원 저우뱌오(周彪, 1910~1981)에게 다짐하고 있었다: "량싱추는 체면을 되찾고 남조선 제7사단을 포위하여 섬멸하려 하는데, 체면이 서는 일은 그 혼자 차지하게 하면 안 되지요. 이 몸은 남조선군 제8사단의 심장부를 도려내겠소. 전투가 시작되면, 먼저 돌격 대대를 보내 영원으로 침투해 들어가, 남조선 제8사단의 주력인 제10연대의 지휘소를 탈취하겠소. 지휘소가 없어지면 내가 보기에 그 개자식들은 오래 버틸 수 없을 거요."

측면에서 적을 포위 공격할 임무를 맡은 제38군단과 제42군단이 한바탕 공격을 하려고 단단히 벼르고 있을 때, 정면에서 미국 제8집단군을 공격할 준비를 하고 있던 제39·제40·제66·제50군단의 병사들은 산속에 숨어 총검을 날카롭게 갈고 탄약을 잘 갖춘 채, 야전삽을 이용해 몐빙(面餅)[145]을 굽고, 세숫대야로 콩을 볶고 있었다. 그들은 미군이 사료로 쓰기에도 적절치 않다고 여기는 음식물을 먹으면서 혼신의 힘을 쏟아낼 준비를 했으며, 미군이 용광로에나 던져 넣을 가치조차도 없다고 여기는 하찮은 무기들을 사용하여 중국인들의 위풍을 드러낼 준비를 하고 있었다.

143 물 위로 드러나지 않게 임시로 만든 다리를 가리킨다. 한국 전쟁 기간에 미군의 폭격으로 수많은 다리들이 파괴되자, 수면에 살짝 잠겨 드러나지 않도록 다리를 건설하여, 후퇴하거나 진격할 때, 병력이나 차량 등이 이 다리를 이용했다.

144 중국 인민해방군 산하의 유일한 영화 제작소인 팔일전영제편창(八一電影製片廠)에서 1960년에 제작한 영화이다.

145 밀가루를 반죽하여 구운 중국식 빵의 일종이다.

20

1950년 11월 25일 오후 4시, 덕천 외곽의 크고 작은 산 위에서 줄줄이 신호탄들이 갑자기 하늘로 날아올랐다. 한국 제7사단 장병들이 아직 최고점에 도달하지 않은 신호탄들의 눈부신 궤적을 멍하니 바라보고 있을 때, 맹렬한 포화들이 이미 땅에 떨어졌고, 수많은 사람들이 하늘로 날아올랐다. 이어서 하늘을 붉게 물들인 포화와 함께 귀를 찢는 군대 신호나팔 소리가 사방팔방에서 울리면서, 중국 군대가 공격할 때 외치는 "죽여라" 소리가 천지를 뒤흔들었다.

"꽹과리를 두드리고, 찬바람 속에서 찢어지는 소리를 내는 군대 신호나팔을 불면서, 밀물과도 같이 대병력이 덕천을 포위하고, 큰 함성을 지르며 벌떼처럼 몰려왔다." 한 미국인은 무미건조하게 당시의 광경을 이렇게 묘사했다. 세계 역사의 흐름을 바꾼 청천강 전투와 장진호 전투는 이렇게 시작되었다.

제38군단의 3개 사단은 따로 덕천을 지키는 한국 제7사단을 맡아 공격을 개시했다.

피로가 극에 달했고, 하루도 휴식하면서 정비하지 못한 채, 제1차 전역 후에 적들을 유인하여 깊숙이 들어오게 하는 임무를 완수한 제112사단은, 다시 철수했을 때의 길을 따라 산을 넘고 고개를 넘어 돌아와 싸웠다. 흑인 연대를 잘못 보고했던 사단장 양다이는 부대를 이끌고 필사적으로 덕천을 지키고 있는 적군의 서쪽 배후로 침투해 들어갔으며, 도중에는 거의 적과 싸우려고 하지 않았다. 그들은 적 보급 부대를 순조롭게 격파하고, 1만 마리가 넘는 살아 있는 닭을 노획했는데, 조선에 들어온 이래로 기름기를 먹어보지 못한 병사들은 군침을 삼키며 포기했다. 포로로 잡은 수많은 한국 병사들은 그들이 가고 싶은 데로 떠나라고 해도 떠나려 하지 않았다. 체포한 미국 군사 고문들은 놔둘 수 없었는데, 그들은 죽어도 움직이려 하지 않자, 삼으로 꼰 밧줄로 머리부터 발까지 묶어, 마치 돼지처럼 어깨에 들쳐 메고 뛰었다. 새벽 5시, 제112사단은 제시간에 덕천 서쪽의 운송리(雲松里)를 점령하여, 한국 제7사단의 서쪽 퇴로를 차단했다.

지난번 전역에서 임무를 완수하지 못한 제113사단은, 이번에는 덕천에 있는 적들의 남쪽으로 돌격해 들어가는 임무를 맡았다. 설욕하려고 절치부심하던 제113사단은 처음부터 결전의 태세를 보였다. 각 연대들은 동시에 2개 대대를 전개하여 선봉으로 삼아 돌격하면서, 줄곧 치열한 전투를 치렀다. 밤 9시에는 대동강변으로 돌진하여, 강을 순찰하며 모닥불을 쬐고 있던 한국 병사들을 전멸시켰다. 그때는 엄동설한이었는데, 사단장 장차오(江潮, 1917~1996)와 정치위원 위징산(于敬山, 1919~1996)은 묵묵히 군화·양말·면바지를 벗어 등 뒤에 묶은 다음, 솔선하여 얼음물이 뼛속으로 파고드는 대동강 속으로 뛰어들어, 강 건너편으로 돌진해 갔다. 병사들은 피가 끓어올라, 사단장·정치위원과 함께 물에 뛰어들었고, 병참 보급을 담당하는 여군도 얼음물에 뛰어들었을 때, 한 한국 보병 대대가 곧바로 나루터로 달려왔는데, 신화와도 같은 광경은 이 대대의 한국 병사들을 놀라 기겁하게 만들었다. 섭씨 영하 20도가 넘는 혹한 속에서, 한 무리의 엉덩이가 드러나고 온몸에 얼음이 맺힌 중국인들이 수면 위로부터 모두 얼음꽃을 사방으로 흩뿌리면서, 착검하고 함성을 지르며 그들을 향해 돌진했다. 어떤 병사는 뜻밖에 식칼을 들고 멜대를 휘두르면서 돌격했다. 그는 바로 중국 군대의 취사병이었다.

이건 인간이 아니라, 신(神)이었다! 거대한 공포가 순식간에 이 대대를 무너뜨렸다. 맞아 죽은 병사들을 제외하고, 제113사단 병사들은 몇 분 만에 140여 명을 사로잡았다.

이 전투를 치르고, 제113사단 병사들은 서로 부축하고 의지하면서 쉬지 않고 목적지로 쏜살같이 달려갔다. 책임과 명예는 그들로 하여금 걸음을 멈출 수 없게 했으며, 혹독한 추위도 그들로 하여금 걸음을 멈추게 하지는 못했다. 만약 휴식을 취하려 했다면, 대동강을 걸어서 건너온 병사들은 즉시 얼어붙어 얼음인간이 되어버렸을 것이다.

제113사단은 이렇게 싸우면서 달렸다. 덕천 남쪽의 차일봉(遮日峰)과 갈동(葛洞)을 점령했을 때에야, 사단장 쟝차오는 비로소 손목시계를 볼 수 있었다. 8시 정각, 서둘러 도착했다. 한국 제7사단은 또 하나의 퇴로를 차단당했다.

제112사단과 제113사단이 한국 제7사단의 배후로 공격해 들어감과 동시에, 제114사단은 정면에서 한국 제7사단에게 맹공을 개시했다. 부군단장 장융후이(江擁輝, 1917~1991)가 직접 앞장서서 전투를 지휘하여, 첫 번째 공격에 한국군 제7사단을 박살냈으며, 전투는 매우 순조로웠다. 새벽 5시가 되자, 한국 제7사단은 마지막 몸부림을 치면서, 사방에서 포병을 동원하여 마구 포격을 퍼부었다. 장융후이는 일단 시작하면 끝장을 보는 사람인지라, 1개 대대를 파견하여 한국군 제7사단 포병들을 다시 한번 공격하여, 순식간에 자동차 50대와 대포 11문을 노획했다.

전투가 시작된 지 겨우 10여 시간 만에, 량싱추는 덕천을 철통같이 에워쌌다. 26일 오후 3시, 제38군단의 총공격이 시작되었다. 4시간 후, 한국 제7사단은 사라졌으며, 이 사단에 배속되었던 8명의 미국 군사 고문들은 한 명도 도망치지 못하고, 부대가 통째로 중국 군대의 포로수용소에 들어갔다. 제7사단이 갖고 있던 156문의 대포와 218대의 자동차가 전부 제38군단의 수중에 들어가자, 적지 않은 중국 병사들이 처음에는 일본의 38식 소총으로 돌격을 개시했는데, 전투를 끝냈을 때는 미국의 톰슨 기관단총을 어깨에 메고 있었다.

밤이 되자, 한셴추는 군단장 량싱추·정치위원 류시위안과 함께 불타는 덕천으로 들어갔다. 불빛이 한셴추의 차갑고 엄숙한 얼굴을 비추었는데, 그의 얼굴에는 조금도 기쁜 기색이 없었다.

"진정한 시련은 뒤에 있소." 한셴추가 량싱추와 류시위안에게 말했다.

제38군단이 한국 제7사단을 포위 섬멸한 것과 동시에, 우루이린도 한국 제8사단에 대해 공격을 개시했다. 제42군단의 한 돌격 대대는 한국군의 진지에 몰래 침투하여, 비수로 한국 병사의 숨통을 끊어버렸고, 이어서 영원

외곽의 보호벽인 566고지로 돌격했다. 잠에서 깬 한국 병사들이 상당히 완강하게 저항하자, 쌍방은 한바탕 백병전을 벌였다. 이로 인해 그들은 큰 손해를 입었다. 총검술은 그때까지 탄약이 충분치 않았던 중국 보병의 비장의 무기로, 일본인들과 전쟁할 때, 주더·펑더화이·류보청 같은 통솔자들 모두 총검술 교재 집필에 참여했다. 중국 군대 스스로 전장에서 피로써 고안해낸 총검술은 포로로 잡힌 일본 장교들조차도 감탄해 마지않았으니, 한국 병사들이 어찌 견딜 수 있었겠는가?

566고지에서, 한국 병사들은 종종 두세 명이 한 명의 중국 병사를 포위하여 찔렀는데, 조선어로 "죽여라"하는 목소리가 하늘을 흔들 듯이 울려 퍼졌다. 백병전을 오랫동안 경험한 중국 병사들은 절대로 그렇게 소리를 내지 않았다. 싸울 때 "죽여라" 하고 외치는 것은 적들을 놀라게 할 수는 있지만, 체력을 소모하기 때문이었다.

한바탕 찔러 죽이는 육탄전을 벌이고 나더니, 함성을 지르던 한국 병사들은 참혹한 비명을 지르며 땅에 쓰러졌고, 소리를 지르지 않으면서 총검을 쥐고 맹렬하게 찌르던 중국의 노련한 병사들은 다시 566고지를 점령한 다음, 또 하나의 한국군 중대를 무찌르고, 곧이어 영원 시내로 달려갔다.

시내에 들어가 보니, 세상에나! 시가지 밖에서는 열기가 하늘에 닿을 듯이 전투를 벌이고 있었지만, 시가지 안쪽은 정적에 휩싸여 있었다. 돌격 중대를 인솔하던 부대대장 쑨광산(孫光山)은 웃었다. 정말로 적군의 뱃속에 들어온 것이었다.

두 말 없이, 쑨광산이 한국 제8사단 제10연대 지휘소의 문짝을 걷어차자, 부연대장을 포함하여 안에 있던 30여 명의 연대 장교들이 일제히 손을 들었다. 제3중대도 17명의 미군 병사들을 사로잡았는데, 그 중에는 몇 명의 미국 여군들도 포함되어 있었다. 이것은 아마도 지원군이 미국 여군을 포로로 잡은 유일한 사례일 것이다. 날이 밝자, 도망치던 제10연대장도 우회한 부대에게 붙잡혔는데, 이 다정한 한국 연대장은 이때까지도 한 손으로 마누라의 손을 잡아끄는 걸 잊지 않고 있었다.

"어떻습니까? 량 어금니보다 못하지 않지요? 하하하!" 우루이린이 다리를 절뚝거리면서 정치위원 저우뱌오에게 물었다.

"그렇습니다. 우리 제42군단은 비록 제4야전군에서 가장 나이가 어린 군단이지만, 형님들에게 얕보여서는 안 됩니다." 저우뱌오도 매우 기뻐했다.

야간전이 끝났을 때, 미국 방송국의 아나운서는 전 세계를 뒤흔드는 뉴스를 발표했다: "대한민국 군대의 제2군단은 섬멸되었습니다. 중국 군대의 맹렬한 공격으로, 24시간도 되지 않아 완전히 소멸되어, 더는 존재하지 않으며, 다시는 이 부대의 흔적을 찾을 수도 없습니다."

맥아더의 서부전선 우익이 두 차례나 펑더화이에 의해 무너졌다. 다만 이번에는 중국 장교들이 지난번처럼 그를 가만두지 않았다. 펑더화이는 엄중한 명령을 내려, 량싱추와 우루이린에게 뚫린 구멍으로부터 계속 안쪽으로 뚫고 들어가, 맥아더의 서부전선 좌익의 미군과 영국군 퇴로를 철저하게 차단하게 했다. 장군에게는 장군의 관심사가 있는지라, 량싱추는 단지 한국군 제7사단을 포위 섬멸하려는 생각만 했다. 총사령관은 총사령관의 관심사가 있는지라, 펑더화이는 맥아더를 포위 섬멸하려고 마음을 정했다.

21

이때까지도, 맥아더는 아직 정신을 차리지 못하고 있었다. 26일부터 27일까지 사이에, 서부전선 좌익의 미국 제1군단은 여전히 정주(定州)와 태주(泰州)를 향해 북진하며 공격하고 있었다. 이 광경을 보고, 지원군 사령부 지휘소에서 긴장하며 전쟁의 형세에 관심을 기울이던 펑더화이 등은 치아를 드러내고 쾌활하게 웃어댔다.

불독 워커는 비교적 총명한 편이어서, 이번 크리스마스 공세가 시작되기 전에 그는 전선의 지휘관들에게 신신당부했다: "중국 음식 냄새를 맡으면 곧바로 후퇴하라." 그는 가슴 가득 불안해 하며 이렇게 추측했다: "중국 군대는 분명 어디선가 우리를 기다리고 있을 것이다." 그러나 대통령마저도 맥아더를 어찌할 수 없었는데, 워커가 감히 자신의 사령관을 상대로 무엇을 말할 수 있었겠는가? 더구나 맥아더가 자신에게 불만을 품고 있다는 것은 모두가 알고 있는 사실이었다.

그러나 워커는 자신의 지휘 능력과 그렇게 우수한 무기 장비들에 의지하여, 중국인들도 그를 물리칠 생각을 하지 못할 거라고 자신했다. 서부전선의 우익이 붕괴된 다음, 워커는 제1기병 사단의 1개 연대와 터키 여단을 파견하여 구멍을 막았다. 비로 이렇게, 워커는 자신이 가진 최후의 예비 부대를 경솔하게 사용해버렸다. 겨우 2~3일 후에, 그는 바로 분명 이 결정 때문에 온몸을 떨면서 후회하게 될 것이다. 그러나 이 일은 확실히 그를 탓할 수만도 없었다. 제38군단과 제42군단이 워커의 등뒤에 칼을 꽂고 있을 때, 제39·제40·제50·제66군단 또한 그의 좌익 정면에서 그에게 가차 없이 공격을 가하고 있었다.

워커는 이 순간에도 근본적인 대처를 하지 못하고, 머리가 아프면 머리를 치료하고, 다리가 아프면 다리를 치료하는 식으로 임시방편의 조치밖에 취할 수 없었다. 측면으로 우회한 2개 군단이 우익의 한국군에게 공격을 가한 지 불과 10시간 만에, 제40군단은 좌익의 미국 제2사단에 대해, 제39군단은 미국 제25사단에 대해 호된 공격을 가했다. 제50군단과 제66군단도 영변과 개천에 대해 돌격하기 시작했다.

제40군단은 처음부터 범상치 않았다. 먼저 신흥동(新興洞)에서 미군 3개 대대를 해치우더니, 이어서 소민동(蘇民洞)으로 달려가 다시 200여 명을 해치운 다음, 방향을 바꾸어 구장(球場)과 개천으로 진격하여, 미국 제2사단의 퇴로를 차단하고, 제39군단과 협력하여 미국 제2사단을 해치우려고 했다.

제390연대는 어둠 속을 10킬로미터 달린 다음, 장병들은 땀으로 흠뻑 젖은 면바지도 벗지 않고 청천강의 얼음물 속으로 뛰어들었다. 온통 땀투성이의 뜨거운 몸은 갑자기 얼음물에 일격을 당하자, 중국 병사들은 모두 눈이 번쩍 뜨였다. 그들은 뼈를 찌르는 고통을 꾹 참고, 맞은편 강기슭으로 묵묵히 걸어갔다. 맨 앞에서 걸어가던 황궈중(黃國忠, 1918~1997) 부사단장은 키가 작아, 강 가운데에서 머리끝까지 잠겼는데, 다행히 경호원들이 그를 건져냈다. 황궈중의 머리가 물 밖으로 나오자, 얼굴과 머리카락은 즉각 얼어버렸다.

미군이 화력으로 저지하자, 끊임없이 중국 병사들은 강 가운데에서 쓰러져 물에 떠내려갔고, 살아남은 사람들은 강기슭으로 돌진하여 몸에서 행동을 방해하는 얼음 덩어리들을 깨뜨리면서, 온 몸에 얼음 갑옷을 입고 미군에게 공격을 개시했다. 미국 제2사단 본부 헌병대와 마주친 2개 소대의 중국 병사들이 희생된 뒤, 시체를 수습한 동료들이 보니, 수십 명에 달하는 중국 병사들의 시신은 온 몸이 얼음과 서리였고, 총을 쥐고 땅에 앞으로 엎드린 채, 전부 전투 태세를 유지하고 있었다고 한다.

26일까지 싸운 결과, 미국 제2사단은 제40군단의 매서운 타격을 받아, 이미 전체 전선이 붕괴되려 하고 있었다.

상초동(上草洞)에서 미국 제25사단 제24연대 C중대 148명의 흑인들은 어쩔 수 없이 제39군단의 제347연대에게 투항했다. 이는 조선 전쟁 중에 중국 군대에게 부대가 통째로 투항한 유일한 미군 중대였다. 지금까지 모든 미군·일본군·한국군의 전사(戰史)에서는 이 사건을 전혀 언급하지 않고 있다. 3개월 뒤에, 전부 흑인으로만 구성된 보병 제24연대는 해산되었다. 이 전역 후에, 미군은 더 이상 흑인 병사들만으로 구성된 부대를 편성하지 않고, 모든 흑인과 백인은 혼합하여 편성하기 시작했다.

27일, 일본인들이 두려워하면서 "저명한 용장[著名虎將]"이라고 부르던 황푸군관학교 1기생인 송스룬이 제9병단을 이끌고 동부전선에서도 공격에 돌입했다. 낭림산맥에 매복해 있던 제9병단 장병들이 돌진해 나와 즉각 용감하게 싸워, 단번에 미국 제10군단의 해병대 제1사단과 보병 제7사단을 다섯 토막으로 쪼개버렸다.

동부와 서부 양쪽 전선이 모두 붕괴되는 것을 보자, 마침내 중국인들의 의도를 알게 된 맥아더는 다시 한번 크게 어리석은 짓을 했다.

28일, 언제나 친히 전선에 나가 주제넘게 굴던 맥아더가 뜻밖에 전선에서 정신없이 바쁜 워커와 알몬드 등을 도쿄로 불러 회의를 개최했다. 이것은 조선 전쟁 중에 맥아더가 전선에 있는 장수들을 후방으로 불러 개최한 유일한 회의였다. 이 회의는 훗날 미국과 일본의 군사(軍史) 학자들 모두에게 "가장 기괴한 회의"라고 일컬어지고 있다. 전방의 붕괴가 코앞에 닥쳐 있는데, 지휘관들이 뜻밖에도 후방으로 가서 한가하게 담소를 나누다니! 펑더화이에게 따귀를 한 방 맞고 천당에서 지옥으로 떨어졌다고 할 수 있는 맥아더는 이미 마음이 매우 심란했다.

마침내 회의에서는 다음과 같은 결론을 내렸다: "현재, 중국 제4야전군의 5개 군단이 제8집단군을 상대하고 있으며, 제3야전군의 2~3개 군단이 해병대를 습격하고 있다. 중국은 그들의 정규군 정예 부대를 정식으로 참전시켰으므로, 집단군은 평양-원산 라인으로 후퇴할 필요가 있으며, 전세를 안정시킨 다음에 다른 시도를 해야 한다."

회의를 하는 동안, 낙관주의자인 정보처장 윌러비 소장은 줄곧 한마디도 하지 않았고, 어떤 비판에 대해서도 반응을 보이지 않았다.

맥아더는 결정을 내리고 나서, 곧 워싱턴에 보고함과 아울러 같은 내용의 성명을 발표하면서, 목소리를 높였다: "완전히 새로운 전쟁이 일어났다."

다음날 『아사히신문(朝日新聞)』은 다음과 같이 보도했다:

"국경을 넘은 중국 군대는 20만 명으로, 맥아더 장군은 새로운 전쟁에 직면했다고 발표했다. 전쟁을 조기에 끝내겠다는 소망은 물거품이 되었다."

20만이라는 이 숫자는 이때 이미 중국이 조선에 들여보낸 병력보다 훨씬 적었다.

바로 맥아더가 아무 효력도 없는 회의를 진행하고 있을 때, 진짜 타격이 눈앞에 닥쳐왔다. 제38군단 장병들은 보병 공격의 역사에서 기적을 창조했다. 그들이 하룻밤 사이에 145리(약 72.5킬로미터-옮긴이)를 행군해 군우리로 돌진하여, 일거에 서부전선 미군의 가장 편리한 퇴로를 일거에 차단하자, 맥아더의 주력인 제8집단군은 전멸당할 위험에 직면했다.

22

한셴추는 묘향산 강선동(降仙洞)에 있는 전선 지휘소로 들어가더니, 곧바로 지도를 걸라고 명령했다. 그는 매우 엄숙한 표정으로 량싱추와 류시위안에게 말했다: "당신들을 찾아온 것은, 바로 직접 만나서 제38군단의 다음 임무가 매우 엄중하다는 것을 분명히 말하려는 것이오. 제42군단은 바깥쪽으로 우회하는 일을 맡고, 당신들은 안쪽으로 우회하는 일을 맡아야 합니다. 첫째, 제113사단은 오늘밤과 내일 새벽까지 삼소리(三所里)로 돌진해야 하고, 둘째, 제112사단은 신속하게 하일령(夏日嶺)을 점령해야 합니다. 그러나 관건은 삼소리입니다. 삼소리의 남쪽에는 대동강이라는 천연의 해자(垓字: 적의 침입을 막기 위해 성 주위에 파 놓은 연못-옮긴이)가 있어 적들이 북쪽으로 지원하는 것을 막아주고 있고, 북쪽에는 형제산(兄弟山)이 도로를 막고 있어 적들이 남쪽으로 도주하는 것을 저지하고 있습니다. 제113사단이 삼소리를 차단하고 나면, 거기에서 남쪽으로 도주하는 것은 미군 3개 사단일 거요. 그 중 기병 제1사단은 전통 있는 정예 부대이고, 미군 제2사단은 제2차 세계대전 때 유럽의 주력군이었소. 미군 3개 사단은 300여 대의 탱크와 400여 문의 대포를 보유하고 있지만, 제113사단에게는 단지 10여 문의 박격포와 소량의 대전차수류탄밖에 없습니다. 그러나 당신들은 진격해야 할 뿐만 아니라, 적들도 막아야 합니다!"

한셴추는 말하면서 지도 위에 있는 개천·하일령·삼소리 등 세 곳에 세 개의 커다란 붉은 동그라미를 그렸다.

"제113사단 지휘소를 연결하게."

제113사단장 쟝차오가 전화를 받았다. 한셴추의 침착하고 차가운 목소리는 즉각 그를 숙연하게 만들었다: "여러분은 모두 경험이 많은 군인들이니, 이번 임무의 중요성은 모두 잘 알 것이오. 그러나 나는 또한 반드시 여러분에게 몇 마디 해야겠소. 이 임무는 매우 중요하여, 서부전선의 성패가 여기에 달려 있소. 이 임무는 대단히 어렵소. 여러분들은 곧 사방에서 적들의 공격을 받을 거요. 몇 배의 적들과 수십 배에 달하는 화력의 공격을 받게 될 겁니다. 따라서 나는 여러분들에게 분명히 말하건대, 여러분들은 반드시 당성(黨性)으로써 보증하여, 조금도 부족함이 없이, 결단코 임무를 완수하시오!"

"예!" 쟝차오 사단장은 수화기를 든 채 차렷 자세를 취했다.

한셴추는 한마디씩 끊어가며 구두로 명령하기 시작했다.

"첫째, 여러분들은 반드시 오늘 오전 6시 전에, 현지에서 출발하여 삼소리로 우회하여 돌진해야 합니다. 잘 알겠소?"

"알겠습니다!"

"둘째, 도중에 아무리 큰 어려움과 사상자가 있더라도, 여러분들은 오로지 앞으로, 앞으로, 두려워 말고 앞으로 나아가시오. 한 사람만 남더라도 삼소리로 돌격해야 합니다! 분명히 알겠소?"

"알겠습니다!"

"셋째, 삼소리에 도착하면 아무리 큰 대가를 치르더라도, 여러분들은 반드시 단호하게 적들을 막아내야 합니다! 이번 전투에서 대승을 거둘 수 있느냐 없느냐, 펑 사령관님의 계획이 성공할 수 있느냐 없느냐는 모두 여러분들에게 달려 있습니다. 분명히 알아들었소?"

"잘 알았습니다!"

"전투가 끝나고, 나는 이 세 가지 사항에 따라 여러분들의 전투 태도를 검사할 거요. 출발하시오!"

쟝차오는 전화기에서 한셴추가 탁자를 치는 소리를 들었다.

"우리는 갑시다!" 쟝차오는 권총을 들어 올리며 부사단장 류하이칭(劉海淸, 1921~2007)에게 말했다.

"가면서 밥을 먹고, 가면서 임무를 하달하시오. 한 사람도 낙오해서는 안 되오!" 제113사단의 선두 연대장 주웨칭(朱月淸)이 자신의 대대장들에게 말했다.

"뛰어, 대대를 따라 뛰어, 삼소리까지 뛰어가면 곧 승리한다!" 중대장·소대장·분대장들은 덕천에서 싸우면서부터 휴식을 취하지 못한 병사들을 필사적으로 독려했다.

제113사단은 쏜살같이 삼소리를 향해 달려갔다.

23

"우리도 갑시다."

한셴추와 량싱추·류시위안은 몇 대의 지프차에 올라타더니, 그들은 따로 제38군단의 주력 부대와 함께 개천 방향으로 도로를 따라 돌격했다.

한셴추의 지프차는 매우 빠르게 제112사단 부대를 추월하여, 곧바로 하일령 고개로 돌진했다. 하일령은 덕천 서쪽 20킬로미터에 위치하고 있으며, 10미터 정도 폭의 험준한 골짜기가 고갯마루를 통과하고 있고, 동서 방향으로 뻗어 있는 하나의 도로가 고개를 관통하고 있는데, 이것은 군우리로 갈 때 반드시 거쳐야 하는 곳이다.

몇 차례의 굉음을 내면서, 한셴추의 지프차가 고개로 돌진했다. 그가 차에서 내려 바라보니, 고개 아래의 평원이 광활하여 아득하고, 눈 덮인 들판은 망망한데, 한 줄로 늘어선 자동차들이 정면으로 달려오고 있었다. 적들이었다.

한셴추는 두 걸음에 차에 뛰어오르더니, 지원군 사령부의 정보처장 추이싱농(崔醒農, 1914~1998)에게 즉시 돌아가자고 명령했다. 마침 달려온 부대를 보고, 추이싱농이 크게 소리쳤다: "한 사령관님의 명령이다. 즉각 산골짜기를 앞다퉈 점령하라. 적들이 올라온다."

부대는 즉각 눈에 불을 켜고, 산골짜기를 향해 한바탕 맹렬하게 달려갔고, 워커가 보내 틈새를 막고 있던 터키 여단의 1개 중대는 한 걸음 먼저 와서 감제고지에 도착해 있던 중국 군대에게 전멸했다.

뒤따라 올라온 한셴추가 파괴된 8대의 자동차들과 산골짜기의 거리를 걸음 수로 대충 측정해보니, 38미터였다. 포로를 심문하여, 여기에 와서 빈

틈을 막고 있던 것이 터키 여단이라는 것을 알았다. 이 정보는 신속하게 펑더화이에게 전해졌고, 펑더화이는 제팡에게 물었다: "그 터키 여단은 어떤 부대인가?"

제팡이 말했다: "그들은 5천여 명이고, 유엔군 소속이며, 싸우는 게 매우 야만적이어서, 백병전을 좋아한다고 합니다."

펑더화이는 경멸하듯이 웃었다: "야만성에 의지해서는 싸워서 이길 수 없네. 제38군단은 그 터키 어단을 전멸시켜야 하네."

밤이 되자, 하일령 주봉(主峰)에 모닥불이 피어올랐다. 터키인이 먼저 도착했다.

모닥불에 둘러앉아 불을 쬐고 있던 터키인들은 흥분을 멈추지 않았다. 그들은 전선에 나가자마자 전투에서 승리를 거두고, 무수히 많은 적들을 죽이거나 부상을 입혔으며, 수백 명의 포로도 잡았다. 그들은 지금 마음속 깊이 미국인들을 깔보고 있었다. 그들 자신의 경험에 따르면, 중국인들을 무찌르는 것은 그야말로 양을 잡는 것보다도 쉬운데, 미국인들은 어째서 패배를 당했는지 정말이지 알 수가 없었던 것이다. 중국인들이 세계에서 가장 강하다는 미국인을 싸워서 이길 수 있고, 터키인은 다시 중국인들을 싸워서 물리쳤으니, 그렇다면 터키인은 어느 위치에 있어야 한단 말인가? 터키인이 대승을 거두었다는 소식이 미군 제2사단에 전해지자, 장교들은 놀라워하면서도 기뻐했다. 그들은 터키인들이 이렇게 대단하리라고는 생각하지 못했다. 서둘러 몇 명의 통역관들을 보내 포로를 심문했는데, 두세 마디 질문을 해보고는 진실을 알아냈다. 제기랄, 터키인들이 싸워 이긴 것은 후퇴해오던 한국군 패잔병들이었던 것이다. 지금 이 터키 병사들은 아직도 자신들이 싸워 이긴 것이 자기편이라는 것을 모르고 있었다. 그러나 그들은 매우 빨리 진짜 중국 병사들이 얼마나 잘 싸우는지 알게 될 것이다.

량싱추와 류시위안이 제114사단 지휘소에 급히 도착했는데, 그곳은 하일령 주봉에서 단지 2킬로미터밖에 떨어져 있지 않았다. 자이중위(翟仲禹) 사단장과 장융후이 부군단장이 작전 방안을 상의하고 있었다.

기습한다! 주요 지휘관들은 결심했다.

제342연대장 순홍다와 정치위원 왕성리(王聖禮)는 병사들을 데리고 오더니 노획한 미군 군화를 벗게 했다. 중국 장병들은 맨발바닥으로 조용히 소리 나지 않게 30센티미터 정도 깊이의 얼음과 눈 속을 밟으며 하일령 주봉으로 기어올랐다.

가까워지고, 더 가까워지자, 불을 쬐고 있던 터키 병사들의 말소리까지도 똑똑히 들렸다. 순홍다오가 손을 흔들자, 무리를 이룬 수류탄들이 즉각 모닥불 더미 쪽으로 날아갔고, 불을 쬐고 있던 터키 병사들은 폭발하여 흩어지는 불덩이와 함께 사방으로 흩뿌려졌다. 고작 20분 만에 하일령 주봉은 중국 군대의 수중에 들어왔다.

"이것은 진짜 중국 군대다!" 터키 장교들은 침착하고 차분하게 말하면서 자신의 모자를 벗어놓더니, 고함쳤다: "이 모자를 경계로 한 발자국이라도 후퇴하는 놈은 죽는다!"

터키인들은 제정 러시아와 싸웠던 사납고 매서운 반격을 가했다. 펑더화이의 말이 옳았다. 야만에 의지해서는 싸워서 이길 수 없다. 날이 밝았을 때, 5천여 명의 터키 여단은 채 2개 중대도 남지 않았다.

소식이 지원군 사령부에 전해지자, 펑더화이는 웃었다.

24

제38군단의 주력이 터키 여단을 맹렬하게 공격하고 있을 때, 제113사단의 장병들은 이미 몸에 남은 마지막 힘을 다 짜내고 있었다. 그들은 싸우면서 달렸다. 무수히 많은 한국군 패잔병들을 무찌르면서, 한 걸음도 멈추지 않고 삼소리를 향해 미친 듯이 달렸다. 일부 병사들은 뛰고 또 뛰다가 땅에 쓰러져서 일어나지 못했으며, 일부 병사들은 피곤함이 극에 달해 길 가운데에 쓰러지자, 전우들로 하여금 자신을 밟아 깨우게 한 다음 계속 달렸다. 가장 힘든 것은 포병이었다. 무거운 부품과 포탄이 자신을 눌러 허리조차

펼 수 없었지만, 한 걸음이라도 보병과 떨어질 수는 없었다. 지금 제113사단이 전진하도록 지탱해주는 것은 이미 체력이 아니라 순전히 정신력이었다. 해발 1,250미터의 장안산(長安山)을 넘을 때, 모든 장교들은 앞으로 돌진하여 길을 열었고, 병사들은 긴 인간 사슬을 만들어 서로를 끌고 당겼다. 제113사단은 이미 실성한 상태에 빠져 있었다. 그때, 위로는 사단장까지, 아래로는 취사병들까지, 제113사단의 모든 사람들은 생각조차 굳어버려, 피로가 극에 달한 대뇌 속에는 오직 '삼소리'라는 세 글자밖에 없었다. 모두의 발바닥들은 이미 체력에 의지해서 앞으로 내딛는 것이 아니라, 비범한 의지력에 의지해 밀고 나아갔다. 이렇게 사람의 심금을 울리는 밤에, 제113사단 장병들은 지금까지 어느 군대도 깨뜨리지 못한 한 가지 세계 기록을 조용히 세우고 있었다. 어떠한 말도 그들의 쾌거 앞에서는 초라했고, 아마도 오직 덩화가 했던 말만이 이를 형용할 수 있었을 것이다.—"기적이다, 기적이야!"

날이 갈수록 밝아졌고, 제113사단은 산을 넘어 도로로 내려갔다. 선두가 삼소리로부터 겨우 30리 떨어진 곳에 이르자, 하늘에는 선회하는 적기들로 가득해지기 시작했다.

"모든 위장을 전부 던져버려라. 어떠한 방공 조치도 취해서는 안 되며, 산림 속으로 숨어들어가도 안 된다. 도로를 따라 당당하게 전진하라!" 제113사단의 지휘관들은 병사들과 함께 달려가면서 명령을 내렸다.

미국 공군은 속임수에 넘어갔다. 오직 중국인들만이 위장하여 방공을 하니, 후퇴해 오는 것은 분명히 한국군 부대일 거라고 생각했다.

전우애로 충만한 미국 비행사들은 무전으로 삼소리에 있던 한국 치안군에게 퇴각하는 국군에게 줄 쌀밥과 끓인 물을 준비해 놓으라고 요구했다: "소금에 절인 생선을 많이 준비하라. 그들의 몸은 분명히 염분이 부족할 것이다." 이렇게 꼼꼼하기가 가정주부 같았다. 하지만 애석하게도 쌀밥과 소금에 절인 생선은 모두 중국 병사들의 뱃속으로 들어가고 말았다.

도착했다. 마침내 도착했다.

"무전을 쳐서 보고하라!" 전위 연대의 연대장인 주웨칭이 동행하며 전진하던 사단의 통신주임인 장푸(張甫)에게 군단과 사단에게 신속히 보고하라고 명령했다.

펑더화이·덩화·홍쉐즈 등등, 이미 6일 밤낮 동안 잠을 자지 못한 지원군 사령부의 장교들은 모두 충혈된 눈으로 통신실에 둘러서 있었고, 수십 대의 무전기들은 모두 제113사단의 주파수에 맞춰져 있었다. 제113사단이 실종된 지 이미 꼬박 하룻밤이 지났다. 제38군단의 군단 본부에서 한셴추와 량싱추는 눈밭 위에서 쩔쩔매며 빙빙 돌고 있었고, 담배꽁초들이 땅 위에 한 바퀴 둘러져 있었다.

"걔들은 어디로 간 거야? 젠장, 밤새 소식이 없으니." 펑더화이가 초조하게 물었다.

"38군단에 물어보십시오." 덩화가 안달했다.

"소용없어. 38군단도 113사단이 어디로 갔는지 몰라." 펑더화이가 말했다.

재치 있는 제113사단의 지휘관들이 미군의 방향 탐지를 예방하기 위해, 무전기를 꺼놓았다는 사실을 아무도 알지 못했다. 장푸가 무전기를 켜고 5분이 지나자, 한 무리의 남쪽으로 도망치는 적군이 한꺼번에 몰려왔다. 이것은 의심할 여지 없이 중국 군대가 처음으로 크게 성공한 전자전(電子戰)이었다.

갑자기 지원군 사령부의 근무자들이 큰 소리로 외쳤다: "무전이 통합니다. 무전이 통합니다. 113사단을 찾았습니다. 그들이 삼소리에 도착했습니다."

지원군 사령부의 장교들은 일제히 길게 탄성을 질렀고, 펑더화이는 의자에 털썩 주저앉았다: "아이고, 이제 안심이다. 마침내 나타났구나. 마침내 나타났어."

덩화가 큰 소리로 외쳤다: "이것은 기적이다, 기적! 14시간 동안 두 다리로 싸우면서 72.5킬로미터를 행군했어. 그것도 지도상의 직선거리로. 이것은 기적이야, 기적!"

그렇다. 제113사단의 쾌거는 확실히 기적이었다. 전쟁의 신 같은 중국 병사들이 기적을 창조한 것이다. 그들이 지나간 것은 완전히 산길이어서, 실제 길이는 지도상의 72.5킬로미터라는 숫자보다 훨씬 더 길었다. 그러나 바로 이 숫자로도 세계 보병 전쟁사에서 전에 없는 기록을 창조한 것이다. 이 기록은 지금까지 어느 나라 군대도 깨지 못했다. 1990년, 세계를 깜짝 놀라게 한 걸프 전쟁에서, 매우 현대화된 미군과 영국군의 중무장 장갑 부대가 평평한 이라크의 사막에서, 이미 일패도지하던 이라크 군대를 맞아 매일 밤낮으로 진격한 거리가 고작 50~60킬로미터였다.

"우리 부대가 적들보다 먼저 삼소리에 도착했습니다!"

"적들이 삼소리를 거쳐 철수하려고 합니다."

"우리 부대에게 임무를 지시해주십시오."

수많은 소식들이 펑더화이의 수중에 날아들자, 펑더화이는 보고를 들으면서 지도를 살펴보았다.

"큰일났다!" 펑더화이는 아연실색했다. 삼소리 서쪽에는 또 하나의 도로가 북쪽에서 남쪽으로 관통하고 있었고, 작은 마을인 용원리(龍源里)가 거기에 걸쳐 있었다. 적군이 삼소리에서 저지당하면, 틀림없이 길을 용원리로 바꾸어 남쪽으로 도망칠 것이다. 펑더화이는 즉시 제113사단에게 용원리도 차단하라고 명령을 내렸다. 지원군 사령부의 다급한 통신 요원이 '용원리(龍源里)'를 '용천리(龍泉里)'로 오타를 쳤지만, 그것은 이미 중요하지 않았다. 영리한 제113사단의 지휘관들이 이미 이 틈새를 발견하고는, 1개 연대를 그곳으로 보내 놓았기 때문이다. 이뿐만 아니라, 자발성이 매우 풍부했던 제113사단의 지휘관들은 또한 1개 대대를 파견하여 안주(安州)로 통하는 도로의 다리도 폭파해버렸다.

"즉시 답전을 쳐라." 펑더화이는 명령을 내렸다: "쇠못처럼 꼼짝 말고 거기를 지켜라!"

중국 군대의 출정사(出征史)에 길이 빛날 삼소리와 용원리의 저지전(沮止戰)이 시작되었다.

이것은 중국 군대가 10여 문의 박격포·수백 정의 기관총·수천 정의 소총과 총검을 가지고 미국 군대의 수백 대의 비행기·수백 대의 탱크·1천 문이 넘는 대포와 벌인 전투였다.

서부전선에서 궤멸되어 퇴각해온 미군들은 초조해서 눈에 핏발이 섰다. 미군 제2·제25사단과 터키 여단의 잔존 부대 및 미국 기병 제1사단·한국군 제1사단 모두가 3면에서 포위되었다. 삼소리와 용원리를 열지 못하면, 곧 막다른 길이었다. 오직 목이 막혀 죽기 전에 목구멍에 걸린 두 개의 뼈다귀를 토해내야만 구출될 수 있었다. 포탄은 가져갈 수 없어, 전부 쏘았다. 미군의 1개 지원 포병 대대는 22분 동안에 3,206발의 포탄을 발사하여, 1분당 8발의 포탄을 발사하는 세계 최고 기록을 수립했다. 보병도 모두 차를 타고 몰려와 돌격했다. 막다른 골목에 몰린 미국인들은 뜻밖에도 '인해전술'로 공격했다. 수백 수천 명의 병사들이 제113사단의 저지(沮止) 진지에 대해 맹공을 퍼부었다. 미국 극동 공군은 동원할 수 있는 모든 비행기를 보내, 수백 대의 비행기가 번갈아가며 제113사단의 진지에 대해 무차별 폭격을 가했다.

미국인들은 감히 자신들의 눈을 믿을 수 없었다. 저 지옥의 불바다 같은 고지에서 인간은 더 이상 살 수 없었지만, 미국 병사들이 이미 한 사람도 없을 것 같은 그러한 고지들을 점령하려 할 때마다, 중국 병사들은 거듭 미친 듯이 사격을 개시하고 총검으로 찔러 죽였다.

"중국인들은 포화에 거의 상해를 당하지 않는 것 같자, 미국 병사들은 그런 상황에서도 살아남을 수 있는 중국 병사들에 대해 갑자기 본능적으로 경외하는 종교적 마음을 품게 되었다."

중국 병사들은 공격을 받아도 죽지 않는 신이 아니라, 그들도 마찬가지로 폭탄·포탄·총탄에 온 몸이 새카맣게 타버릴 수 있고, 사분오열되어 파열될 수 있고, 싸우다가 온 몸에 구멍이 숭숭 뚫릴 수 있는 평범한 사람들이었다. 그러나 이들은 중국 인민의 가장 우수한 자녀들로 구성된 영웅적인 군대였고, 이 군대는 두려움을 모르는 혁명 정신과 장엄하고 소박한 정의감으로 충만해 있어, 이 군대는 단 한 사람이라도 아직 살아 있기만 하면, 그는 곧 싸우러 나갔던 것이다.

가장 처절하게 싸운 것은 제337연대 제3중대의 용원리 저지전과 판톈언의 제335연대 제3중대의 송골봉(松骨峰) 저지전이었다. 하늘에서부터 땅까지 포화가 갈아엎었고, 수십 대의 탱크가 연대급 보병을 엄호하여 돌진하면서, 미군들은 모든 수단을 다 사용했다. 그러나 이들 2개 중국군 중대의 진지 앞에서, 6시간 동안 미군은 결국 한 발짝도 나아가지 못했다. 가장 가까워졌을 때, 포위된 미군은 북상하여 구원하러 와 있던 기병 제1사단의 탱크에 그려진 흰색 별 표시를 볼 수 있었지만, 그 짧은 수백 미터조차도 결국 돌파하지 못했다. 왜냐하면 그곳에는 중국 병사들이 있었기 때문이다.

각각 미국인 시체 수백 구가 이들 두 개의 진지 앞에 쓰러져 있었고, 2개 중대의 중국 병사들도 머지않아 모조리 죽을 상황이었다. 탄약은 벌써 다 써버렸는데, 미국인들이 또 올라왔다.

"진즉 본전은 찾고도 남지 않았는가!" 송골봉 위에서 마지막까지 살아남은 9명의 중국 병사들은 서로 이렇게 말했다. 운 좋게 살아남은 전우들은 서로 이별의 인사를 했다: "저승에서 다시 만나자, 좋은 형제들아!" 그런 다음 각자 총검을 꽂고, 야전삽을 들고, 온 몸에 붙은 불꽃이 돌진해오는 미군 병사들을 향해 최후의 돌격을 했다. 총검은 휘어졌고, 야전삽을 들어 올릴 수 없자, 돌을 사용하거나 치아로 물어뜯었으며, 팔로 죽을힘을 다해 미군 병사를 껴안아 자신의 온 몸에 붙어 있는 세찬 불로써 그들을 태워 죽이기도 했다.

이것은 마귀와의 싸움이었다. 미국인들의 정신은 마침내 붕괴되어, 그들은 더 이상 아무도 없는 이 두 개의 진지를 공격할 엄두를 내지 못했다. 전투가 끝난 후, 웨이웨이(魏巍, 1920~2008)라는 중국 작가가 송골봉에 올라갔는데, 그는 몇 세대의 중국인들로 하여금 피가 끓어오르게 하는 장면을 목격하고는 펜으로 기록했다. 그것이 바로 중국 중학교의 어문(語文) 교과서에 실려 있는 명문들 가운데 하나인 「누가 가장 사랑스러운 사람인가[誰是最可愛的人]」이다.

밤이 되자, 중국 군대의 총공격이 개시되었다. 제38군단 부군단장인 장융후이가 산 정상에 올랐는데, 눈앞에 펼쳐진 광경은 전쟁터에서 수십 년을 보낸 장융후이로 하여금 손에 땀을 쥐게 했다:

"내가 높은 곳에 서서 멀리 남쪽을 바라보니, 차가운 달과 별이 빛나는 전쟁터에서 간간이 우레와 같은 소리가 하늘을 찢을 듯이, '우르릉 쾅쾅, 우르릉 쾅쾅' 하며 끊이지 않았다. 수십 킬로미터 길이의 전선에서는 줄을 잇는 예광탄·조명탄·신호탄들이 공중에서 어지러이 춤추었고, 포탄의 날카로운 소리와 수류탄·폭파통·다이너마이트가 내는 둔탁한 폭발음들이 협곡에서 쉬지 않고 메아리쳤다. 적군과 아군 쌍방은 도로를 따라 복잡하게 뒤엉켜 격렬하게 싸웠다. 그것은 내가 군대에서 지낸 수십 년 동안 본 적이 없는 웅장하고 광활한 장면이었다. 적들이 버리고 간 대포·탱크·장갑차와 각종 크고 작은 자동차들이 끊이지 않고 구불구불 멀리 이어져 있어, 한눈에 다 볼 수 없었으며, 곳곳에는 서류·종이·사진·포탄·미군 군기(軍旗)·남조선군의 태극기 및 기타 군용 물자들이 흩어져 있었다……."

이 큰 전투 과정에서, 미국 제2사단은 궤멸되어, 도망쳐 돌아간 병력은 전체 사단 편제 정원의 20%에 불과했다. 이 사단은 소유하고 있던 수백 대의 탱크와 수백 문의 대포와 천 대가 넘는 차량을 잃었다. 미국인들은 이 사단이 인디언의 태형(笞刑)을 받았다고 말했고, 이 산골짜기는 인디언의 태형장(笞刑場)이라는 이름을 얻었다. 매사에 진지함을 추구하는 일본인이 사료에 뜻밖에도 인디언의 태형 설명도—두 줄로 길게 늘어선 인디언들이 그 행렬 속으로 통과하는 죄인에게 매섭게 채찍을 휘두른다—를 그려 놓았는데, 이 그림은 확실히 이 사단이 당했던 모든 것을 간결하면서도 명료하게 설명해주고 있다.

미국 제25사단과 미국 기병 제1사단도 모두 심대한 타격을 입었다. 맥아더를 더욱 놀라게 한 것은, 또 하나의 중국 부대가 숙천(肅川)과 순천(順天)을 향해 돌진해 오고 있어, 미군 기병 제1사단이 필사적으로 그들의 남진을 저지하고 있다는 것이었다. 그것은 제42군단의 신발조차도 없는 용사들이

미군 탱크의 잔해

진행하는 공격이었다. 제42군단이 정말로 순천과 숙천까지 들어오면, 미군 제8집단군은 완전히 끝장나게 되어, 황해로 뛰어드는 것 말고는 갈 곳이 없었다.

미국 제9군단은 삼소리에서 포위망을 돌파하기가 불가능하다는 것을 알았고, 배후에서도 제39군단과 제40군단이 맹공을 가해 오자, 놀라서 2천 대의 자동차와 수백 대의 탱크와 1천 문이 넘는 대포를 전부 버리고, 가벼운 무장으로 서쪽으로 방향을 틀어 미국 제1군단과 회합하여, 제8집단군 전체가 12월 1일에 숙천에서 해안을 따라 나 있는 도로를 통해 남쪽으로 도망쳤다. 중국 군대에게 포로가 된 인원만 해도 3천 명이나 되었다.

"미국 역사상 노정이 가장 길었던 퇴각"(애치슨의 말)이 시작되었다. 10일 동안에 미국은 300킬로미터를 패주했으며, 제8집단군의 워커 중장은 또한 후퇴 도중에 차량이 전복되어 사망했다(조선의 역사에서는 인민군 유격대에게 피격되었다고 기록하고 있다).[146] 며칠 전까지만 해도 여전히 의기양양하던 맥아더가 지금은 "북조선 산비탈에 있는 강아지풀만 봐도 벌벌 떨었으며", 제8집단군은 38선까지 퇴각하고서야 비로소 잠시 멈추었다. 12월 6일, 제39군단이 49일 동안 함락되었던 조선의 수도 평양으로 돌진해 들어갔다. 중국 군대의 대승은 이미 이루어졌으며, 조선 전쟁의 전황은 완전히 뒤집혔다.

제38군단의 전황 보고를 보더니, 6일 밤낮 동안 잠도 못 자고 쉬지도 못한 펑더화이는 마음속으로 생각했다: '이 부대는 강철 부대로다.'

덩화는 자존심이 매우 강한 장수인데, 제38군단의 옛 상관으로서, 펑더화이가 제38군단을 매섭게 꾸짖은 것이 그를 매우 괴롭게 했다. 제38군단이 이번 전장에서 위세를 떨치자, 덩화는 매우 기뻐하며 펑더화이에게 말했다: "어떻습니까? 펑 사령관님. 제38군단이 아직 쓸 만하지 않습니까?" 펑더화이는 기뻐서 입을 다물지 못했다: "맞네, 맞아. 정말로 훌륭한 부대야." 그는 제38군단에게 내리는 표창장을 갖고 가려는 참모를 불러 세우더니, 붓을 들어 전보 문안의 마지막 문구인 "중국 인민해방군 만세" 뒤에, 다시 "제38군단 만세"라는 한 문구를 추가했다.

몇 명의 부사령관들은 모두 놀라 멈춰 섰다. 비록 펑 총사령관이 상벌을 분명히 하여 군대를 지휘했지만, 중국어에서 '만세'라는 이 두 글자는 함부로 외칠 수 있는 말이 아니었기 때문이다. 펑더화이는 부사령관들이 모두 아무 말도 하지 않는 것을 보고는, 웃으면서 말했다: "말이 없으면, 동의하는 거요. 가져가서 발표하시오. 전군에 통보하고, 군사위원회에도 보고하시오!"

전보를 보내고 나서, 펑더화이는 자신의 감정을 억제하지 못하여 목이 잠겨 노래를 부르기 시작했다: "말 한 마리가 떠나가네[一馬離了]……."

"서량의 변경으로[西凉界]……."[147] 마찬가지로 목이 잠겼지만 박자가 잘 맞는 또 하나의 목소리가 노래를 이어갔다. 그는 바로 중국 군대에서 유명한 경극광(京劇狂)인 덩화였다. 그는 심지어 군단장 시절에 사로잡은 국민당 군

146 한국 측 자료에는, 워커 장군이 의정부에 있는 미군 부대를 방문하러 가는 길에 교통사고로 사망했다고 기록되어 있다.

147 "말 한 마리 떠나가네, 서량의 변경으로"라는 노래는 경극 〈홍종열마(红鬃烈馬)〉의 한 토막인 '무가파(武家坡)'에 삽입된 노래의 첫 소절이다.

대의 한 경극단을 설득하여 조선에 가서 병사들을 위해 공연하게 한 적도 있었다.

그들이 부른 것은 '득승령(得勝令)'[148]이었다.

량싱추는 표창장을 받고서 깜짝 놀라 어리둥절했다. 닭똥 같은 눈물이 이 용맹한 장수의 눈에서 흘러내렸다.

이리하여 '만세군(萬歲軍)'이라는 명예로운 이름이 전 중국에 널리 퍼졌다.

49년 후, CCTV에서 두 그룹의 베이징 어린이들이 노래 제목 맞추기 대회 결승전을 벌이고 있었다. 서로 양보 없이 겨루고 있을 때, 그 중 한 그룹의 어린이들이 갑자기 일어나서 함께 소리 높여 노래를 불렀다.

강철의 부대, 강철의 영웅.

강철의 의지, 강철의 마음.

핑장(平江)에서 기의(起義)[149]하여 징강산[150]으로 올라갔고,

철의 흐름이 북쪽을 향했다네.

핑싱관(平型關)[151]에서 크게 싸우니, 왜놈의 간담이 서늘해졌다네.

남북에서 싸우느라, 어렵고 힘들었어도 완강했네.

압록강을 넘어가서, 벽혈(碧血)을 이웃 나라에 뿌렸네.

피로 물든 군기(軍旗)는 붉었고, 위명(威名)은 천하에 널리 퍼졌네.

……

위대한 공산당을 따라 용맹하게 앞으로 나아가세.

[鋼鐵的部隊, 鋼鐵的英雄.

鋼鐵的意志, 鋼鐵的心.

---

148 경극 등 중국 전통극에서 사용되는 곡조 중 하나이다. '승리를 얻은 노래'라는 뜻으로, '덕승령(德勝令)'이라고도 한다.

149 1928년 7월 22일, 후난성(湖南省) 핑장현(平江縣)에서 공산당의 홍군이 기의한 일을 가리킨다.

150 마오쩌둥이 대장정을 시작한 곳이다. 핑장에서 기의한 홍군은 징강산에서 합류했다.

151 1937년 9월 25일, 팔로군 제115사단이 일본군과 전투를 벌인 곳이다.

平江起義上井岡, 鐵流向北方.

大戰平型關, 敵寇心膽寒.

南征北戰, 艱苦又頑强.

跨過鴨綠江, 碧血灑鄰邦.

血染戰旗紅, 威名天下揚.

……

跟着偉大的共産黨勇猛地向前進.]

그들이 이겼다.

사회자와 다른 편 어린이들이 무슨 군가냐고 물었을 때, 이 어린이들은 앳된 어린이 목소리로 또렷하게 대답했다.

“제38집단군의 군가!”

25

“춥구나!”

동부전선에서는, 아군과 적군 쌍방 병사들의 피도 곧 얼어붙으려 했다.

서부전선에서 큰 전투가 벌어지던 같은 시간에, 동부전선은 지대가 높고 추운 개마고원의 장진호를 중심으로 하여, 중국 군대 제9병단이 미국 제10군단과 극도로 열악한 자연 조건에서 혈전을 벌였다. 영하 30~40도의 기온에서, 인류는 전투는 말할 것도 없고 생존마저도 어렵다. 쌍방은 이 때문에 매우 고통을 받으면서도, 모두 용감무쌍하고 견인불발하는 수많은 행위들을 했다.

11월 중순, 미국 해병대 제1사단과 미국 제7사단의 10만여 명이 함흥에서 강계로 통하는 도로를 따라, 김일성의 임시 수도인 강계로 밀고 나가기 시작했다.

미국 해병대 제1사단장 스미스는 매우 신중하고 영리한 장수였다. 제42군단이 벌인 이전의 저지전이 이미 그를 매우 깜짝 놀라게 만들었으므로, 길을 막고 있던 그 중국인들이 쥐도 새도 모르게 사라진 다음, 스미스는 부대를 이끌고 북쪽으로 갈수록 마음이 더욱 무거웠다. 그들의 발밑에는 울퉁불퉁하고 평탄하지 않은 자갈이 깔린 도로와, 굽이지며 뻗어나간 험준한 낭림산맥의 골짜기가, 줄곧 북쪽의 중국을 향해 구불구불 뻗어 있었다. 만약 미국이라면, 이 길은 시골길이라고도 할 수 없을 정도였다. 그런데 자신과 제7사단의 4만여 명에 달하는 부대·200대의 탱크·600대의 자동차가 결국 엉망진창이고 유명무실한 이 유일한 도로를 따라 100킬로미터나 늘어져 있었다. 도로 양 옆의 저 험준한 봉우리들을 올려다보면서, 스미스는 마음속으로 부들부들 떨고 있었다. 사응령(死鷹嶺)·검산령(劍山嶺)·황산령(荒山嶺)·설한령(雪寒嶺)·덕동관(德洞關: 중국인들이 황초령을 부르는 다른 이름-옮긴이) 등등 단지 지명을 듣기만 해도 이곳이 얼마나 험악한지 알 수 있었다. 중국인들이 만약 산에서 돌격해 내려와 어느 한 구간의 도로라도 차단한다면, 가장 명성이 높은 해병대 제1사단과 태평양을 휩쓸었던 강력한 부대인 보병 제7사단은 모두가 장진호 주변에서 얼어 죽을 수밖에 없었다. 스미스는 중국인들을 보면 퇴각하기로 결심했다.

보병 제7사단장 데이비드 바(David G. Barr, 1895~1970)도 매우 총명한 장수였다. 11월 21일, 그의 제17연대는 마침내 압록강 주변의 혜산진(惠山鎭)까지 돌격하여, 득의양양하게 중국을 마주보는 강변에 성조기를 계양하자, 군단장 알몬드가 특별히 비행기를 타고 날아와서 제17연대에게 훈장을 수여했다. 이는 전쟁 중에 압록강 강변에 도달한 유일한 미군 부대였다. 맥아더조차도 축전을 보내왔다: "겨우 20일 전에, 제7사단이 마침내 이원(利原)의 해안에서 상륙 작전을 실행하여, 험준하고 가파른 산속에서 200마일이나 전진했고, 또한 혹한 속에서 완강한 적을 무찔렀다. 이 일은 장차 뛰어난 군사 업적으로 역사책에 기록될 것이다."

축전을 받은 사단장 데이비드 바는 뜻밖에도 전혀 감동하지 않았다. 군단장 알몬드가 연회장에서 제7사단의 영광을 크게 떠벌이고 있을 때, 사단장 바는 오히려 애를 태우며 스미스와 소규모 회의를 열었다: "그는 나를 아무것도 돌보지 말고 전진하도록 다그쳤습니다. 측면의 보호도 없고, 날씨는 극도로 열악하며, 우리가 지닌 보급은 지금까지 하루치 사용량을 초과한 적이 없는데, 압록강변의 전초 진지 하나를 점령하니, 제기랄 이 빌어먹을 전쟁을 이긴 줄 아는 것 같습니다. 이것은 정말로 이해할 수 없습니다. 이렇게 거의 길도 없는 괴상한 곳에서, 우리는 조심하는 것이 좋습니다. 세상에! 우리는 이미 18명 병사들의 두 다리가 얼어버렸습니다!"

다시 한바탕 한파가 몰려와, 매일 최저 기온이 이미 영하 45도 내지 50도까지 내려가자, 미군의 모든 기계화 차량들은 반드시 2시간마다 15분씩 시동을 걸지 않으면 그것은 더 이상 움직이지 않았다. 카빈 소총은 나뭇가지처럼 얼어서 한번 부딪치면 부러져버렸다. 이렇게 강철조차도 견디지 못했으니, 사람에 대해서는 더 말할 나위가 없었다.

지금까지 지대가 높고 추운 지역에서 싸워본 적이 없는 미국 병사들은 매우 고통을 받았다. 비록 따뜻한 침낭을 가지고 있었고, 입고 싶으면 얼마든지 입을 수 있었으며, 무한한 양의 식량이 있었지만, 모든 사람들이 동상에 걸려 손발이 까맣게 변했다. 요행히 살아남은 한 해병대원은 이렇게 회상했다: "보온을 위해 옷을 많이 입는 것이 불가능하여, 사람들이 장갑·방한 코트·내의·목도리를 비롯한 모든 것들로 꽉 동여매자, 산을 오를 때에는 반드시 땀이 나기 마련이었어요. 그 결과, 일단 누구나 전진을 멈추면, 땀이 빌어먹을 옷 속에서 얼어붙었어요. 아아, M1 소총이나 카빈 소총과 화목하게 지내려고 하는 것은 그야말로 기상천외한 일이었습니다. 이 강철이라는 놈은 얼음이어서, 손이 거기에 달라붙어버렸는데, 그것을 떼어내는 유일한 방법은 피부를 한 꺼풀 포기하는 것뿐이었습니다. 나의 입은 열리지 않았고, 나의 침과 수염은 함께 얼어버렸어요. 수백만 달러를 들여 연구 제작한 특제 겨울용 신발 끈이 달린 방수화는 혹독한 추위 속에서 몇 시간 동안 움직이지 않자, 사람들을 견딜 수 없게 했습니다. 땀에 젖은 발이 서서히 부어올라, 아파서 죽을 지경이었습니다. 나는 누구나 다 이런 생각을 하고 있었다고 믿습니다. '우리는 무엇을 위해 아시아의 몰아치는 눈바람 속에 와야만 했을까?'"

"바로 이런 상황인데, 알몬드는 아직도 공격, 공격을 요구하고 있어!" 스미스 사단장은 어리석은 군단장에 대해 분노와 원망으로 가득했다.

11월 25일, 서부전선에서 전투가 시작되었는데, 동부전선은 의외로 아무런 움직임도 없었다. 바로 이날, 해병대 제1사단은 옷차림이 허술하고 심한 동상에 걸린 중국 포로 3명을 잡았는데, 그들의 자백은 스미스를 깜짝 놀라게 했다. 그들은 중국 군대의 제20군단과 제27군단이 미국 제10군단의 양 옆에 매복하고 있으며, 그들은 언제든지 공격할 준비가 되어 있다는 것이었다. 중국인들을 매우 잘 알고 있는 맥아더는 이 일에 대해 이렇게 반응했다: "그럴 리가 없소! 일반 병사들이 그렇게 많이 알 리가 없어요. 동양인들은 매우 교활하고, 그들의 까만 눈 속에는 늘 상대방을 조롱하는 기색이 있어요. 그들은 상대방에게 불길한 꿈을 꾸게 하려고 자신의 강대함을 과장해서 말하기를 좋아하오."

스미스는 정말로 안심할 수 없자, 곧 헬리콥터를 타고 전장을 돌아보면서, 뭔가를 발견하기를 바랐다. 그는 실망했다. 온도계를 보니 영하 45도였다. 스미스는 다시 약간 안심이 되었다. 이런 혹한에서, 땅바닥에 10분만 엎드려 있다가는 다음번 식사를 할 수 없었다. 방한 장비가 이렇게 좋은 미군도 모두 꽁꽁 얼어서 견딜 수가 없는데, 옷이 허술하고, 먹을 것과 입을 것이 부족한 중국 병사들이 이렇게 눈이 잔뜩 쌓인 높은 산과 험준한 고개에서 어찌 살아남을 수 있겠는가? 알몬드가 공격하라고 하면 공격하자. 누가 그를 군단장으로 만들었던가?

스미스는 틀렸다. 10만 명에 달하는 중국 강남(江南)의 수향(水鄉) 출신 장병들은 인간이 견딜 수 없는 고통을 견뎌내고 있었다. 매일 돌덩이처럼 얼어버린 몇 알의 감자에 의지하여 허기를 채웠으며, 한 겹의 얇디얇은 고무 밑창이 달린 신발을 신었고, 홑겹의 속이 텅 빈 솜저고리를 입고 있었다. 심지어 여름용 홑옷을 입고 있는 사람도 많았다. 많은 전쟁과 어려움을 겪은 이들 장병들은 강인한 신념과 비할 데 없는 의지로 섭씨 영하 45도의 설원 속에 엎드린 채, 눈처럼 하얗게 얼어버린 두 손으로는 소총을 꼭 쥐고서, 언제라도 스미스와 바에게 치명적인 일격을 가할 준비를 하고 있었다.

26

제9병단의 15만 명은 11월 7일·12일·19일의 3일 내에 교묘하고 신속하게 압록강을 건넜다. 사령관 송스룬은 17세에 황푸군관학교를 1기생으로 졸업했으며, 부사령관은 영국 군함을 포격했던 용맹한 장수 타오용(陶勇, 1913~1967)이었다. 이들 두 사람은 자신이 통솔하는 3개 군단에 대해 자신감을 갖고 있었다.

제20군단은 중국 남부 지방에서 3년간 유격전을 계속했던 홍군 독립 사단의 기초 위에서 발전한 철의 군대였고, 제26군단은 일본인들과 전투를 하면서 단련되어 온 강한 군대였으며, 제27군단은 해방 전쟁 기간 동안, 멍량구(孟良崮)에서 위세를 떨쳤고, 신속히 창강(長江)을 건너 상하이에 웅거했던 이름난 군대였다. 게다가 원래 타이완을 평정하기로 정해졌던 군대의 주력으로서, 이들 3개 군단은 심지어 중국 군대의 전통적인 3·3제(制)[152] 편제와는 달리, 각 연대를 모두 4·4제 심지어는 5·5제까지 대대를 강화하여 초과 편제한 결과, 3개 군단의 병력이 15만 명이나 되었다. 이러한 3개 군단이 수중에 있으니, 어떠한 적이라도 전혀 문제될 게 없었다.

오직 기후와 보급만이 이 두 명의 용맹한 장수들을 걱정하게 했다. 이들 3개 군단은 모두 제3야전군 부대로, 줄곧 기후가 따뜻한 화둥(華東)과 화난(華南)의 전장에서 옮겨 다니며 싸웠다. 동북 지역으로 출동하라는 명령을 받기 전에는, 타이완을 공격할 부대의 주력으로 확정되었던 제9병단은 줄곧 중국 타이완의 아열대 기후 때문에 골치를 앓았지만, 지금은 반대로 한

152 중국 특유의 군대 편제 방식으로, 10명의 병사가 1개 분대, 3개의 분대가 1개 소대, 3개의 소대에 취사병 및 보급 담당 등을 추가하여 약 100명 정도로 1개 중대를 편성한다. 마찬가지 원리로 300명이 1개 대대, 1천 명이 1개 연대, 3천 명이 1개 여단, 1만 명이 1개 사단, 3만 명이 1개 군단을 이룬다.

대 기후에 가서 싸워야 하는 상황으로 바뀌어버렸다.

더욱 걱정스러운 것은, 조선에 들어가는 것이 너무 급작스러워, 부대가 아직 동북으로 가는 기차에 타고 있을 때에야 비로소 통지를 받은 것이다. 제20군단이 산하이관(山海關)에 도착했을 때, 총참모부의 몇 명의 고위 참모들이 자동차를 타고 와서 군사 열차를 가로막더니, 직접 열차에 올라와 "긴급히 조선으로 들어가라"라는 명령문을 읽었고, 부대는 그제야 어디로 가는지를 알았다. 전방의 군사 상황이 화급하여, 펑더화이 총사령관이 줄곧 급히 증원해주기를 바라자, 원래 랴오양(遼陽)과 선양에서 겨울옷으로 갈아입기로 되어 있던 10여만 명의 장병들은 어쩔 수 없이 직접 압록강 강변으로 이동하여 조선으로 들어갔다. 임시로 정차했을 때, 동북 변방 부대는 제9병단의 옷이 이렇게 얇은 것을 보고 깜짝 놀라, 긴급히 간부와 병사들에게 자신의 옷과 방한모를 벗어서 제9병단에게 주도록 했다. 그러나 이렇게 임시로 벗은 옷과 모자들조차도 대다수는 군용 열차에 실어주지 못했다. 열차에서 내리자, 화난의 온대 기후에 맞는 겨울옷만을 입고 있던 십만 명이 넘는 장병들은 추워서 몸을 부들부들 떨기 시작했다. 심지어 송스룬과 타오용마저도 쉴 새 없이 떨고 있었다. 제9병단의 연대장 이상 간부들의 솜옷조차도 아직 지급되지 않고 있었다.

조선에 들어간 첫날, 두 장군은 상황이 녹녹치 않다는 것을 알았다. 뜻밖에도 첫날부터 700여 명이 동상에 걸릴 정도로 추웠다. 그들은 나중에야 1950년의 겨울이 조선에서 50년 이래 기온이 가장 낮은 겨울이라는 것을 알았다. 땅에는 눈이 30센티미터 남짓 쌓여 있었고, 낮 기온이 가장 높을 때도 영하 20도였으니, 밤에는 말할 필요조차 없었다. 그리고 그들이 있는 장진호의 전장은 조선 북부의 가장 추운 지역으로, 평균 해발이 1000~2000미터(중국의 피서지 루산廬山과 비슷함)이며, 숲은 우거지고, 인가(人家)는 적은 데다, 단지 몇몇 산길로만 다닐 수 있었다.

급하게 조선에 들어간 제9병단은 각 분대의 10여 명 가운데 단지 한두 벌의 솜옷밖에 없자, 밤이 되면 병사들은 어쩔 수 없이 이 한두 벌의 솜옷을 눈 위에 펼쳐 놓고, 10여 명이 이 솜옷 위에서 서로 껴안아 상대방의 체온으로 영하 45도에 달하는 혹한의 침습을 막아냈다. 추위를 막기는커녕, 얼어 죽지만 않아도 천만다행이었는데, 매번 아침 점호를 할 때마다 대오는 크게 줄어들었다.

부대를 가장 힘들게 하는 것은 병참보급이 따라오지 못하는 것이었다. 동부전선에는 단 하나의 산간도로가 있어서 겨우 자동차가 달릴 수 있었지만, 하늘 도처에는 미국 비행기들이어서, 제27군단의 물자를 가득 실은 40대의 트럭들이 네이팜탄을 한번 맞고 모조리 불타버렸다. 그리하여 어쩔 수 없이 부대는 도망자들처럼 가벼운 차림으로 전진할 수밖에 없었다. 이렇게 혹독한 추위는, 고열량의 음식을 잔뜩 먹어도 막기 어려웠지만, 부대에는 허기를 채울 만큼의 얼어버린 감자와 차오멘(炒麵)[153]조차도 제대로 공급되지 못했다. 어떤 여성 병사는 식량 한 포대를 짊어지고 산을 오르다가 지쳐서 피를 토했는데(나중에 전투가 시작되었을 때, 전투에 투입된 중국 부대는 적어도 이틀, 많게는 9일 동안 따뜻한 음식을 한 입도 먹지 못했다), 방공을 위해 불도 피울 수 없었으므로, 굶주림과 추위에 시달리는 병사들은 따뜻한 물조차도 마시지 못했다.

무기와 장비도 대단히 참담했다. 동부전선은 지대가 높고 추운 산악 지역에서 작전을 하여, 탄약 한 발과 전투식량 하나까지 사람이 어깨에 의지하여 등에 짊어지고 운반했다. 제20군단의 보병들은 병사들마다 단지 80발의 총탄밖에 휴대하지 않았다. 대구경의 대포는 지세가 험준하여 운반하기가 곤란했기 때문에 전부 압록강 이북에 두고 와서, 부대는 단지 중·소구경의 박격포만을 메고 산에 오를 수밖에 없었다. 그러나 포탄 또한 많이 가져가지 못해, 82밀리 박격포는 포탄을 90발밖에 가져가지 못했고, 60밀리 박격포는 60발밖에 가져가지 못해, 수류탄이 뜻밖에도 중무기(重武器)가 되었다. 이 싸움은 정말이지 어려운 싸움이었다.

---

153 볶은 곡물을 갈아서 만든 일종의 미숫가루.

많은 눈이 쌓인 높은 산에서 사람들이 식량을 운반하고 있다.

송스룬과 타오용은 어쩔 도리가 없자, 제26군단을 2선에 남겨둘 수밖에 없었다. 출격한 2개 군단은 먹을 것조차도 공급이 모자라는데, 어떻게 3개 군단을 보내겠는가? 이제 현대화된 전쟁은 또한 당시 중국의 장교들에게 새로운 과제를 제기했다. 창군한 날부터 모든 것을 적에게 빼앗아서 사용하던 중국 군대는, 현대화된 병참보급 체계가 매우 중요하다는 것을 깨닫기 시작했다.

11월 25일, 서부전선의 반격이 시작되었다. 펑더화이는 원래 동부전선에서도 동시에 반격을 가하려고 했다. 그러나 지금까지 한 치의 착오도 없이 명령을 집행했던 용장인 송스룬도 제시간에 공격을 할 수 없을 만큼 부대가 큰 어려움을 겪고 있었다. 한두 자[尺] 깊이로 눈이 쌓인 상태에서는 제시간에 공격 위치에 도착할 수 없었다. 동부전선은 하나의 독립된 방향이어서, 공격을 미루어도 전반적인 형세에는 손상이 없다고 판단하여, 펑더화이는 송스룬이 공격을 이틀 미루는 것에 동의했다.

11월 27일 밤 10시, 낭림산맥의 산속에서 갑자기 천지를 뒤흔드는 군대 신호 나팔소리와 함성이 울려 퍼지면서, 송스룬과 타오용이 제20군단과 제27군단의 8개 사단을 지휘하여 미국 제10군단에게 맹렬한 공격을 가했다. 추워서 손발이 곱은 10만 명의 중국 장병들이 산을 달려 내려가서, 하룻밤 사이에 미국 제7사단과 해병대 제1사단을 다섯 토막으로 쪼개버렸다. 분할하여 포위하는 것은 순조롭게 진행되었지만, 포위된 적을 섬멸하기는 뜻밖에 비할 데 없이 힘들었다.

포위된 적들은 신속하게 대응하여, 즉시 200여 대의 탱크로 세 곳의 포위당한 주요 지역에 환형(環形) 방어선을 형성했다. 중국 군대는 각 연대마다 8~9문의 구식 바주카포뿐이어서, 탱크의 방어선을 뚫기 어려웠다. 화력 돌격에 사용할 대포는 한 문도 없었고, 단지 갖고 있는 중·소구경의 박격포만으로 보병의 돌격을 엄호하려고 시도했지만, 전혀 생각지도 못하게 박격포의 강철 포신마저도 이러한 혹한을 견디지 못하고 수축되어서 포탄이 거의 들어가지 않았다. 포병들이 급하게 불로 물을 끓여 뿌리고서야, 간신히

조선 사람들은 "조국을 위해 지원군을 돕자"라는 구호 아래, 밤낮없이 물자를 운반하며 중국 인민지원군의 전투를 도왔다.

지원군이 높고 추운 산에서 공격하고 있다.

포탄을 집어넣을 수 있었다. 명사수들이 정확히 조준하여 포탄 한 발을 발사했는데 불발이었다. 다시 발사했는데 역시 불발이었다. 훗날의 통계에 따르면, 혹한 때문에 3분의 2의 포탄이 폭발하지 않았다고 한다.

포병들은 날아간 불발탄을 보고 대성통곡을 했다. 이 포탄들은 모두 보병 형님들이 사력을 다해 짊어지고 온 것들이었다. 박격포 같은 경포(輕砲) 화력의 엄호조차 받지 못하자, 보병 형님들은 오직 소총과 기관총만으로 적의 강철 같은 보루를 공격할 수밖에 없었다.

중국 군대의 보병들은 모든 상상력을 발휘하여, 가장 훌륭한 전술을 사용하여 적들의 환형 방어선을 돌파하러 갔다. 그러나 물질적 역량의 거대한 격차는 정신력과 전술에 의지하여 완전히 보완할 수 있는 게 아니었다.

강철 같은 1개 중대의 병사들이 모조리 공격할 때 갑자기 땅에 쓰러져 죽었는데,[154] 그들의 굶주리고 추운 몸은 이미 극한의 생존 환경을 초과하여 견디지 못한 것이다. 물질적 조건이 훨씬 우월한 미군 병사들도 극도로 참혹했다. 미군의 위생병들은 구급 혈액을 양털 내의 속의 겨드랑이에 넣고,

154 제27군단 제80사단 제240연대 제5중대가 야간 공격을 하는 과정에서 미군의 화망을 피해 눈밭에 엎드렸는데, 극심한 추위로 인해 모두 동사했다고 한다.

모르핀 주사를 입 속에 물고 있어야만, 이 구급품들이 응고되지 않게 할 수 있었다. 이렇게 극한의 환경에서, 많은 미국 병사들은 중국 군인들의 매서운 공격과 혹한을 맞이하자 정신이 이상해졌는데, 많은 미국 군인들은 뛰어난 영웅적 기개를 보여주기도 했다. 유담리에서 중국 군대가 진지로 돌입하여, 미군과 피비린내 나는 백병전을 벌였다. 필립스(Walter Phillips, 1917~1950) 중대장은 눈이 벌게져서, 소총 하나를 주워 눈밭에 꽂더니, 분노하여 소리쳤다: "우리는 빌어먹을 이곳을 지켜야 한다." 외침 소리가 채 끝나기도 전에 그는 난사된 총을 맞고 사망했다. 덕동관에서는 일부 중국 병사들이 2개를 한 세트로 만든 수류탄들을 양말 속에 넣고 미국 진지를 향해 맹렬하게 던지자, 미국 해병대는 눈 내리는 밤에 달빛에 의지하여 야전삽을 미친 듯이 휘두르며, 마치 소프트볼 경기를 하듯이 공중에서 수류탄을 막아냈다. 비록 적지 않은 사람들이 폭사했지만, 진지는 굳게 지켜냈다.

훗날, 중국 군대의 권위 있는 전사(戰史)에서는, 미국 해병대 제1사단은 "미국에서 전력이 가장 강한 부대"라고 객관적이고 공정하게 평가했다. 그러나 미국 해병대 제1사단이 아무리 완강하게 저항해도, 전쟁의 형세는 이미 그들이 반드시 패배하게 되어 있었다. 접전을 벌인 지 고작 하루 만인 28일, 형세가 심상치 않다고 본 맥아더는 그들에게 남쪽으로 포위망을 돌파하라고 명령했다. 사기를 북돋우기 위해, 스미스 사단장은 눈을 부릅뜨고 부하들에게 이렇게 말했다: "후퇴라고? 빌어먹을, 우리는 방향을 바꾸어 공격할 따름이다!"

스미스는 비록 체면을 세우려 했지만, 그가 말한 것은 분명한 사실이었다. 남쪽으로 후퇴하는 것은 분명히 남쪽으로 공격하는 것이었다. 왜냐하면 그들의 퇴로는 이미 중국 군대에 의해 일찌감치 차단되어 있었기 때문이다.

미국 제10군단은 필사적으로 후방으로 병력을 집중시키기 시작했다. 먼저 임시 비행장이 있는 하갈우리로 결집시킨 다음, 다시 남쪽으로 도망치려고 시도했다. 무리를 이룬 미국 비행기들은 도주로에 있는 모든 산들을 폭격했다. 한 차례 전투 동안에, 폭격기들은 지원군이 점령하고 있는 하나의 산마루를 25분 동안 내내 폭격하여, 그곳을 "세계에서 가장 쓸모없는 땅들 가운데 하나"로 만들어버렸다. 그러나 여전히 불요불굴의 중국 병사들은 산마루 위에서 치명적인 총탄을 발사했다. 솔직히 말하자면, 설령 미국의 최정예인 해병대일지라도, 병사 개개인의 전투 능력은 중국 병사들만 못했다. 만약 비교가 되지 않던 물질적 역량이 중국 군대의 전투 능력 발휘를 억제하지 않았다면, 미국 해병대 제1사단은 거의 아무도 살아서 도망칠 생각을 하지 못했을 것이다. 미국인들 스스로도 이 점을 인정하고 있다. 하갈우리에서 발생한 일이 특히 이러한 사정의 본질을 잘 말해주고 있다.

하갈우리에서 스미스 사단장은 간이 비행장을 건설하여 일본에서 수송되어 온 물자의 보급을 받기로 결정했다. 고도로 현대화된 미국 해병대의 공병들은 사흘 만에 탱크가 통행할 수 있도록 길을 확장했다. 불과 열흘 정도의 시간에, C-47 수송기가 이착륙할 수 있는 간이 비행장이 하갈우리의 사방이 산으로 둘러싸인 작은 골짜기 안에 만들어졌다. 공병대가 비행장을 건설하는 것과 동시에, 보급병들과 수송대는 공급 기지를 건설했고, 의료 부대는 야전 병원을 지었다. 즉시 미국 공군은 스미스에게 긴급히 필요한 탄약·식품·의약품·방한복·유류 등을 대량으로 운반해 왔다. 스미스가 필요로 하는 것은 그들이 무엇이든 바다 건너 일본에서 실어 왔다. 수송량이 이처럼 많았기 때문에, 미군이 최후에 이곳에서 도망칠 때에는 불도저와 탱크를 몰고 와 천 톤이나 되는 각종 물자를 파괴했다. 이와 같은 시간에, 중국 본토와는 단지 얼어붙어서 어디로나 왕래할 수 있는 압록강 하나만을 사이에 두고 있던 중국 군대는 기본 생존을 보장하는 데 필요한 물자조차도 얻을 수 없었다. 하갈우리를 포위 공격하는 데 참가하고 있던 중국의 유명한 영웅인 양건스(楊根思, 1922~1950)는, 전투에 투입되기 전에, 단지 조그만 바구니 두 개 분량의 고구마만을 얻어다 100여 명이나 되는 자신의 병사들에게 허기를 채워주었다.

100여 년 동안이나 계속 쇠약해져서, 중국 군대는 사람의 힘으로 싸웠고, 국력이 풍부한 미국인들은 기계의 힘으로 싸웠다.

이렇게 큰 차이가 나는 물자의 대비에 직면했는데, 중국 군대의 전투는 기세가 하늘을 찌를 듯이 높았고, 위세가 적의 간담을 서늘하게 했으며, 그 용감한 정신과 전투력은 세계의 어떤 군대보다도 훨씬 뛰어났다.

제25군단 제58사단은 하갈우리 방향으로 증원하러 가던 미국의 한 부대를 옴짝달싹 못하게 포위했으며, 미국 AP통신 기자 프랭크 노엘(Frank "Pappy" Noel, 1905~1966)을 생포했다. 이 미국과 영국 두 나라의 혼합 부대는 멸망할 운명으로 정해져 있었다. 한 중국 장교가 포로로 잡힌 미군 중사를 데리고 조용히 영국군 진지로 들어갔다. 영국군 지휘관인 맥로린(John McLaughlin, 1918~2002) 소령은 뜻밖에도 신사다운 위엄을 드러냈다: "항복하러 온 거요?" 맥로린 소령은 아마도 자신이 마주하고 있는 사람이 여전히 1840년의 중국인이라고 여기는 듯했다. 그의 부하 장병들이 가지고 있는 탄약은 가장 많이 가진 사람이 고작 8발뿐이었고, 중상자가 이미 수두룩했는데, 그는 대가를 치를지언정 억지로 태연한 척하고 있었다.

중국 장교는 경멸하는 투로 말했다: "당신들에게 투항을 요구하러 온 거요! 그러나 한 가지 조건은 동의할 수 있소. 당신들의 중상자는 고토리로 돌아가도 좋소."

맥로린은 시간을 끌면서 구원병이 오기를 기다릴 생각이었으나, 중국 장교는 냉소를 지어 보였다: "정신 차리시오, 항복하지 않으면 곧 당신들을 모두 없애버릴 것이오."

소령은 항복했다.[155]

제58사단 병사들은 즉각 아무것도 신경 쓰지 않고 도로 위에 있는 트럭으로 돌진하여 물자들, 즉 먹을 것·입을 것·무기 등 자신들에게 필요한 것은 무엇이든 빼앗았다.

나중에 미국인들은 논리적으로 맞지 않게 기술했다: "중국인들은 중상자

155 미국 측 자료에는, 맥로린 소령이 중국군 장교에게 "우리는 당신들이 우리를 패배시켰기 때문에 항복하는 게 아니요. 우리는 우리의 부상자들을 보살펴야 하기 때문에 항복하는 거요. 만약 우리가 우리의 부상병들을 대피시킬 수 없다면, 우리는 계속 싸울 거요." 라고 말했다고 기록되어 있다.

들을 떠나게 해주겠다는 약속을 결코 지키지 않았지만, 그들은 중상자들을 한옥 안으로 옮기는 데에는 확실히 동의했다. 그리고 공산군들이 산으로 되돌아간 하루 동안에, 부상자들은 고토리로 철수할 기회를 얻었다."

미국인들은 죽어도 중국 군대의 기사도 정신을 인정하지 않았지만, 또한 사실에 굴복하지 않을 수도 없었다. 이들 과대망상증 환자들은 근본적으로 중국 군대의 무덕(武德: 무인이 갖추어야 할 덕목-옮긴이) 전통이 2천 년 이전까지 거슬러 올라갈 수 있다는 것을 알지 못했다.

이 격전 과정에서만, 중국 군대는 총 922명의 미군 증원 부대 가운데 321명을 죽였다. 미국의 군사(軍史)는 참담하게 기록하고 있다: "전사자 가운데 61명은 영국 코만도 대원, 48명은 제1해병 연대 G중대 장병, 169명은 육군 제31연대 B중대 장병, 50명은 해병대 사단 지휘부의 장병이었고, 43명은 탱크·트럭 및 통신 부대 장병들이었으며, ……그 밖에 75대의 차량도 손실했다." 미국인들은 또한 240명이 포로가 되었다는 것은 밝히기를 원치 않았다.

미국인들과 영국인들은 죽음의 기운으로 가득 찬 이 골짜기에 '지옥불 계곡(Hellfire Valley)'이라는 웅장한 이름을 지어주었다.

27

'지옥불 계곡'에서 혈전이 한창일 때, 막 베이징에서 중국 전투 영웅 대표 회의에 참석했던 제58사단 제172연대 제3중대장 양건스가 1개 소대를 데리고 와서 1072고지를 인계받았다. 이곳은 하갈우리를 내려다볼 수 있는 요충지였다.

진지에 오르기 전에, 양건스는 칼로 에는 듯이 아픈 마음으로 병사들을 바라보았다. 이 혈기왕성한 젊은이들은 모두 배가 고파 풀이 죽어 있었다. 어떤 병사는 신발 끈을 묶고, 어떤 병사는 수류탄 자루를 묶으면서, 아무도 소리를 내지 않았고, 아무도 말을 하거나 웃지 않았다.

양건스는 기분을 전환시키려고 했다: "노래는 좋은 것이다. 부르기 시작하면, 어떤 어려움도 달아난다."

병사들은 부르지 않았다. 노래가 밥을 대신할 수는 없었고, 노래는 부를수록 배가 더 고파지기 때문이었다.

"오늘은 식량이 없으니, 우리 먹지 말고, 오늘은 어제와 이렇게 이어가자. 우리에 대해 말하자면, 이것은 처음도 아니고, 마지막도 아니다. 이는 다반사였다."

대대 본부의 통신병이 와서 위급한 상황을 구제해주었다. 그는 두 개의 작은 광주리를 메고 와서 말했다: "양 중대장님께 보고 드립니다. 이 고구마는 연대 본부가 우리 전위 대대의 전체 대대에게 주라고 허락한 겁니다. 대대장님은 제3중대가 전위 중대이니 마땅히 제3중대에게 주어야 한다고 말씀하셨습니다." 양건스는 친히 스스로 모든 병사들에게 고구마 3개씩을 준 다음, 병사들을 데리고 진지로 올라갔다.

온전한 대대의 미국 해군 해병대원들이 1072고지를 향해 돌격해 올라왔고, 이어서 8대의 탱크도 출동했다. 돌격해 올라오면 격퇴되었고, 다시 올라오면, 또 한 무더기의 시체를 남기고 달아났다. 양건스는 심지어 자신이 직접 한 명의 병사를 데리고 폭약을 이용해 대형 탱크 한 대를 폭파시켰다.

혈전은 새벽부터 정오까지 계속되었는데, 양건스는 이미 미군의 공격을 몇 번이나 물리쳤는지도 알지 못했으며, 단지 몇 백 구의 미국인 시체들이 이미 소고령(小高嶺)을 가득 덮었다는 것만 알았다. 남아 있는 병사들은 멀지 않은 곳에 있는 비행장 위에서 계속 왔다갔다하는 미군 비행기들을 보면서 매우 안타까워했다. 아아, 대포까지는 필요 없고, 박격포 하나로 몇 발의 포탄을 쏘기만 하면, 저 비행장은 끝장날 것이고, 이 포위망 안에 있는 1만 명의 미군들도 끝장날 텐데!

그러나 없었다. 중대에 없을 뿐만 아니라, 대대와 연대에도 포가 없었다.

거대한 굉음이 하늘에서 들려왔다. 양건스가 고개를 들었는데, 그는 지금까지 이렇게 밀집되어 날아오는 적기들을 본 적이 없었다. 100대가 넘는 비행기들이 촘촘하게 몇 개의 층을 이루어 맹렬하게 몰려온 것은, 뜻밖에도

10여 명의 중국 병사들을 폭격하기 위해서였다. 지상에서 100여 문의 대포들도 진지를 향해 맹폭을 개시했다. 미국은 양건스의 진지를 제거하지 않으면 안 되었다. 그 고지는 비행장을 내려다볼 수 있을 뿐만 아니라, 도로까지도 막고 있었다. 미군의 무차별 폭격이 얼마나 오래 계속되었는지 알 수 없었다. 마침내 포화가 멈추고 나자, 양건스는 흙 속에서 헤집고 나온 병사들에게 말했다.

"우리의 용감함이 있기만 하면, 적의 완강함은 없다!"

이 말은 이후 중국 군대의 누구나 다 아는 명언이 되었다.

"적은 매섭지만, 우리는 그들을 제압해야 한다. 총탄이 바닥나면 개머리판으로 끝까지 싸우고, 개머리판이 부러지면 다시 야전삽으로 끝까지 싸워라. 진지는 잃어서는 안 된다. 진지를 잃는 것은 치욕스러운 일이다."

양건스는 최후의 맹세를 했다: "한 명이 남아도 진지를 지켜야 한다!"

다시 한번 공격을 격퇴하고 나자, 진지에는 단지 세 사람만 남았다. 양건스는 실탄이 바닥난 중기관총 소대장을 불렀다: "부상당한 사수를 데리고 철수하라. 빨리 철수하여 중대 지도원[156]에게 말하라……."

소대장이 다음 말을 기다리고 있는데, 양건스는 뜻밖에 이렇게 말했다: "아무 말도 할 필요 없다. 지도원이 제3중대를 잘 인솔할 것이다……."

이제 진지에는 양건스 혼자만 남았고, 하늘은 이미 황혼에 가까웠다. 1개 소대를 데리고 수백 명의 미국 병사들을 죽이고도 아직 두 명이 남았으니, 밑지지 않았고, 큰 이익을 얻었다.

양건스는 곳곳에서 연기가 나는 군복을 입고, 아무도 없는 진지를 순시하며, 찾아낼 수 있는 모든 TNT 폭약 덩어리들을 모아 무게가 수십 근이나 되는 폭약 꾸러미를 만들었다. 그런 다음 화력의 살상을 피할 수 있는 곳을 찾아 드러누웠다.

다시 한바탕 천지를 뒤덮을 듯이 맹렬한 포화가 지나간 다음, 한 미국 해

156 중국 군대는 각 중대마다 중대장과 정치지도원(政治指導員)을 두고 있다. 정치지도원은 줄여서 '지도원'이라고 하며, 작전 업무가 아니라 정치 업무를 담당한다.

병대원이 푸른색의 군기를 들고 수백 명의 미군을 인솔하여 목에 힘을 주고 고지로 올라왔다. 그들은 이 진지에 있던 중국인들이 이미 모조리 죽었다고 생각했다.

양건스는 일어나서, 도화선에 불을 붙이더니, 곧바로 미국 군기를 향해 돌진해 갔다. 거기에 미국인들이 가장 많았다. 맹렬하게 돌진해오는 중국인을 보자, 미군 기수는 당황하여 군기를 내던지고 뒤돌아 도망쳤고, 수백 명의 미국 해병대원들도 당황했다. 죽음을 각오한 이 중국 병사를 대하자, 그들은 기는 사람은 기고, 달리는 사람은 달렸다. 양건스는 발로 미국 해병대의 군기를 밟고, 벌떼처럼 산을 내려가는 미국 병사들을 향해 재빨리 달려갔다.

만 명이 넘는 미국 병사들은 이때부터 다시는 감히 아무도 없는 이 고지를 향해 한 발짝도 내딛지 못했다. 이것은 분명한 역사적 사실이다.

양건스는 영웅들이 구름처럼 많은 중국 군대에서 최초로 '특급 영웅'이라는 특별한 영예를 얻은 군인이다. 중국 군대가 존재하는 한, 양건스의 이름과 전투 정신은 영원히 존재할 것이다. 그의 중대는 중국 군대 최고 지휘부에 의해 '양건스 중대'라고 명명되었다. 이후 수십 년간, 그의 용감했던 행적은 중국 땅에 널리 전해졌다.

그가 희생된 곳에, 조선인들은 비석을 세우고, 이 중국 영웅을 영원히 기억하며 잊지 않고 있다.

28

현격하게 차이가 나는 물질적 조건에서, 전투의 교착 상태를 피하기 위해, 송스룬과 타오용은 싸우는 방법을 바꾸어, 우선 미군의 환형 방어 진지를 먹어 치우는 데 역량을 집중하기로 했다.

11월 30일, 제27군단 가운데 2개 사단의 병력과 전체 군단의 포병을 집중시켜, 신흥리에 있는 미국 제7사단 제31연대를 포위 공격했다. 병력은 적보다 4배나 많았고, 화력도 적보다 약간 우세하여, 이번에는 성공할 수 있었다.

제27군단 병사들은 온 몸에 수류탄을 잔뜩 걸고, 수류탄을 투척하면서 전진하여, 미군의 환형 진지 외곽 방어선을 일거에 돌파했다. 이어서 미군 연대 지휘소와 대포 진지로 돌진하더니, 한바탕 총을 난사하여 연대장 맥클린(Allan D. MacLean) 대령을 사살하고,[157] 미군 포병들을 사방으로 뿔뿔이 도망치게 했다. 미군 진지는 온통 혼란에 빠졌다. 사단장 스미스는 한 무리의 병력을 파견해 구출하게 했는데, 호되게 당하고 돌아가자, 그는 제31연대가 전멸하는 것을 눈을 멀겋게 뜬 채 바라볼 수밖에 없었다.

전쟁이 끝난 후에, 미국 군대는 마침내 부대 명칭이 '북극곰 연대'인 제31연대가 전멸했다는 것을 인정했다: "제31보병 연대 제3대대는 원래의 병력이 1,053명이었는데, 지금은 장병 및 배속된 한국 병사를 다 합쳐도 180명뿐이고, 다른 각 대대들의 손실도 이 대대와 별 차이가 없다." 전투가 끝나고 나서, 한 중국 보병 대대장은 어떤 병사가 알록달록한 천 조각을 주워 와서 보자기로 사용하는 것을 보고, 그는 이 보자기에 대해 관심을 가졌다. 알고 보니 이것은 '북극곰 연대'의 연대 깃발이었다. 오늘날 이 깃발은 중국혁명군사박물관의 전시품으로 전시되어 있다.

이것은 조선 전장에서 중국 군대가 통째로 미군 1개 연대를 섬멸한 유일한 사례이다.

12월 4일, 유담리에 있던 해병대 제1사단 제5연대와 제7연대는 마침내 하갈우리로 철수했다. 그들은 3일 동안에 고작 22킬로미터를 갔는데, 도중에 중국 군대에 의해 겹겹이 차단당해 공격을 받는 바람에, 1시간당 평균 겨우 300미터밖에 갈 수 없었고, 22킬로미터의 도로에서 1,500여 명의 사상자가 발생했다. 이것은 지옥으로 가는 길이었다.

157 미국과 한국의 자료에 따르면, 당시 맥클린 대령은 전투 중에 실종된 것으로 처리되었다. 나중에 송환된 포로의 증언에 의해, 중국군을 아군의 증원 부대로 오인하고 사격을 중지했다가 포로로 잡혔으며, 그 후에 사망한 것으로 밝혀졌다.

이것은 단지 시작에 불과했다.

12월 5일, 하갈우리에서 지키고 있던 스미스는 알몬드 군단장으로부터 단 한마디의 명령을 받았다: "가능하면 빨리 함흥 지역으로 철수하라."

스미스는, 후퇴하는 도로에는 분명히 시체가 산을 이루고 피가 바다를 이룰 것이고, 또한 철수가 늦어질수록 상황이 더 나빠질 것임을 알고 있었지만, 그는 지금 움직일 수 없었다. 그의 수중에 있는 5천 명의 부상병이 그의 발목을 잡고 있었다. 어떻게 해야 하나? 항공기로 수송하자! 그때 미국 병사들이 죽음을 두려워하고 있는 모습이 드러났다. 즉 한 군의관은 이상하다고 느꼈다. 자신이 관리하던 텐트 안에 450명의 부상병이 있었는데, 그날은 의외로 941명을 운송한 것이다. 날이 어두워져, 군의관이 비행장에서 돌아와 보니, 텐트 안에는 여전히 260여 명이 있는 것이 아닌가! 스미스 사단장은 크게 노하여, 즉시 군의관들은 누가 비행기에 탈 자격이 있는지를 판정하라고 선포했다.

극동 공군의 막강한 수송 능력에 의지하여, 스미스는 5천여 명의 부상자들을 매우 신속히 수송했으며, 심지어는 2백여 구의 시체들까지도 수송했다. 마침내 무거운 짐을 벗어던지자, 이제 그도 도망쳐야 했다.

12월 5일 밤, 하갈우리에 있는 모든 미군의 대포들이 양쪽 산을 향해 맹렬한 포격을 개시했다. 12월 6일 새벽, 대규모 철수가 시작되었다. 하갈우리는 철저하게 궤멸되었다. 미군은 먼저 폭약으로 폭파한 다음, 불도저로 평평하게 밀어버렸으며, 마지막에는 식품·의복·탄약을 산처럼 쌓아놓고 휘발유를 뿌려 태워버렸다. 파괴를 끝내고, 미국인들은 도망쳤다.

하루 종일 겨우 5킬로미터밖에 도망치지 못했는데, 도로 양쪽 산속의 도처에서 총탄이 날아오고 있었다. 해질 무렵, 송스룬의 예비 부대인 제26군단이 도착하여 다시 한번 맹공을 퍼부었다. 미국 제57포병 대대장(원문에는 '卡罗. D. 曾顿斯' 중령이라고 되어 있으나, 구체적인 영문명과 경력을 확인할 수 없음-옮긴이)은 훗날 당시의 광경을 회상하면서 감탄을 금치 못했다:

"해병대원들은 지금까지 이렇게 많은 중국인들이 벌떼처럼 몰려오는 것을 본 적이 없었다. 중국인들은 매번 완강하게 공격했다. 비록 해병대의 포병·탱크와 기관총이 온 힘을 다해 사격했지만, 중국인들은 여전히 끊임없이 몰려왔다. 그들의 죽음을 두려워하지 않는 정신은 해병대로 하여금 숙연한 존경심을 불러일으켰다."

"중국 병사들의 그림자가 조명탄의 청백색 불빛 아래 드러났는데, 그렇게 완강한 공격은 본 적이 없다."

하갈우리로부터 18킬로미터 떨어진 고토리까지 철수하는 데, 미국 해병대 제1사단은 38시간이 걸렸다. 세계에서 기계화 수준이 가장 높았던 이 부대는 평균 시간당 500미터밖에 갈 수 없었고, 1킬로미터마다 사상자가 34명씩 발생했다.

이렇게 절체절명의 시각에 다시 한바탕 빌어먹을 한파가 몰려왔다. 미국 병사들은 추워서 매섭게 욕설을 퍼부었는데, 중국 군대의 많은 장병들은 이미 욕도 나오지 않았다. 어떤 고지에서는 중대 병력 전부가 동사하기도 했다.

고토리에서, 1만 4천 명의 미군 병사들은 서로 두려운 소식을 전하고 있었다. 그것은 바로 후퇴하는 길에 반드시 지나야 할 수문교(水門橋)가 중국인들에 의해 폭파되었다는 것이었다.

전체 서방 세계의 조선 전쟁 관련 서적들에서는 이 수문교에 대해 특별히 중요하게 다루고 있는데, 중국의 사료들에서는 아주 적게 언급하고 있으며, 설령 다루더라도 종종 간략하게만 언급할 뿐 상세히 서술하지는 않고 있다. 이 다리는 문제를 매우 잘 설명해줄 수 있다.

그 다리는 장진호로 물이 들어가는 수로 위의 허공에 떠 있는 1차선 교량으로, 다리 밑은 매우 깊은 연못이어서, 수문교가 폭파되면 함흥으로 달아나는 미국 병사들은 하늘 이외에는 달리 갈 수 있는 길이 없었다.

12월 1일, 제20군단이 수문교를 폭파하자, 미국 해병대 공병은 나무로 만든 다리로 대체하여 차량을 통행시켰다. 12월 4일, 중국 군대가 두 번째로 수문교를 폭파하자, 미국 공병들은 다시 강철로 차량이 통과할 수 있는 다리를 건설했다. 이어서 중국 병사들이 더욱 모질게 폭파시키자, 원래 있던 다리를 다시 잘 수리할 수가 없었다. 이번에는 아예 미국 공군이 일본에서 한 세트의 무게가 1.1톤이나 되는 차량 통행용 다리 부품 8세트를 일거에 공수해 왔다. 이처럼 강력한 종합 국력에 의지하여, 미국인들은 본토에서 1만 킬로미터나 떨어진 북조선의 깎아지른 절벽에 불과 이틀도 안 걸려서 적재 중량 50톤에, 퇴각하는 부대의 모든 차량을 통과시킬 수 있는 다리를 건설했다. 미군의 현대화된 장비의 뛰어난 작전 능력이 이 다리에서 남김없이 뚜렷이 드러났다.

수문교를 통과하자, 스미스는 부하들을 거느리고 함흥으로 계속 도주했고, 제20군단 장병들은 모든 것을 아랑곳하지 않고 완강하게 차단하여 공격했다. 이곳은 후방에서 더욱 멀리 떨어져 있어서, 이곳에서 지키고 있던 중국 병사들의 보급은 이미 완전히 끊겼다. 미국 병사들은 맨발의 중국 병사들이 자신들을 향해 돌격하는 광경을 끊임없이 보았는데, 이 광경을 보면서, 그들은 심지어 꿈같다는 느낌을 갖기도 했다.

9일, 황초령 남쪽으로 도주하는 적과 진흥리(眞興里) 북쪽으로 지원하는 적들이 온 힘을 다해 1081고지를 협공했는데, 이것이 마지막으로 거쳐야 할 요충지였다. 제60사단 장병 300명은 식량이 이미 바닥났고, 방한복이 매우 적은 극도로 열악한 환경에서 장렬하게 희생되었다.

"이 중국 병사들은 그들의 임무를 충실히 수행했으며, 한 명도 항복하지 않고 끝까지 완강하게 싸웠다. 모두가 전사할 때까지 결연히 진지를 지켰으며, 한 사람도 살아 돌아가지 못했다." 미국인들은 이렇게 이들 중국 장병들의 용맹한 행적을 존경스럽게 기록했다.

제20군단은 눈을 부릅뜨고 싸웠는데, 역사는 다음과 같이 기록하고 있다: "10일 17시, 포위를 돌파한 적이 전부 황초령을 빠져나가 도주하자, 제20군단은 비록 추위와 굶주림과 사상자로 인해 감소된 인원이 대단히 많았지만, 여전히 제58사단과 제60사단의 전투가 가능한 100여 명을 적극적으로 조직한 뒤, 제60사단 참모장이 인솔하여, 상재동(祥在洞)을 거쳐 직동(直洞)

방향으로 평행추격(平行追擊)[158]을 실시했다."

2개 사단에서 단지 100여 명만 남아 전투를 할 수 있었지만, 여전히 이들은 적들을 공격하려 했다. 이것이 바로 중국의 군대였다.

"함흥으로 도주한 미국 해병대 장병들은 몹시 피로하고 곤경에 처해 있었으며, 철모부터 수염·코트·군화 위에까지 온통 얼음과 서리가 매달려 있었다. 가벼운 부상자들은 서로 부축하면서, 이를 악물고 무거운 발걸음을 옮겼으며, M1 소총은 비뚤비뚤하게 몸에 걸려 있었다. 뒤따르는 자동차들에는 정신을 잃고 깨어나지 못하는 중상자들로 가득했다. 어떤 병사는 아예 자동차의 라디에이터 위에 묶여 있었는데, 딱딱한 나무판처럼 얼어붙어 있었고, 온 몸에는 아직 응고되지 않고 얼어서 하나의 덩어리가 된 분홍색 핏덩어리들로 가득했다."

"해병대 역사상, 지금까지 이처럼 비참한 고생과 고통을 겪은 적은 없었다. 이것은 그야말로 지옥의 길이었다."

12월 24일, 불요불굴의 제9병단 장병들이 인민군의 협조하에 미군 제10군단을 흥남항(興南港)으로 몰아내자, 미국 극동 공군의 모든 전투기들이 흥남항 상공에 집결하여 해병대 제1사단의 철수를 엄호했다. 미국 해군 함포가 도시 주위를 맹렬하게 포격했는데, 이렇게 강력한 화력의 엄호하에, 미군은 흥남항을 통해 10만 5천 명의 사람, 1만 7,500대의 차량, 35만 톤의 물자를 실어 날랐다.

스미스 사단장은 군함 위에서 인원 현황 통계표를 보더니 부들부들 떨었다. 원산에 상륙하면서부터 흥남으로 철수하기까지, 해병대 제1사단의 전투병은 4,810명이 줄었고, 비전투병은 7,313명이 줄어 있었다. 이것은 미국 군대에서 가장 잘 싸울 수 있는 이 부대가 받은 가장 궤멸적인 타격이었다. 그들이 흥남에서 철수한 마지막 날이 때마침 크리스마스였으니, 맥아더가

158 중국의 군대 용어로, '초월추격(超越追擊)'이라고도 한다. 퇴각하는 적과 평행한 방향으로 진행하는 추격을 일컫는 말이다. 그 목적은 앞질러 가서 포위 섬멸에 유리한 지형을 선점하려는 것이다.

조선 전쟁을 끝내겠다고 공언했던 '크리스마스 공세'는 결국 크리스마스 당일에 수치스러운 실패로 끝나고 말았다.

서부전선에서 승리한 후, 동부전선에서도 눈부신 전략적 대승을 거두었지만, 펑더화이는 동부전선의 전투 보고를 보면서 마음이 매우 무거웠다. 동부전선의 사상자가 4만여 명인데, 그 가운데 동사하거나 동상을 입은 자가 3만여 명(동사는 1천여 명)이었다. 이는 중국 군대의 전쟁사에서 가장 참혹한 동상의 교훈이었다. 제9병단의 어떤 부대는 동상으로 감축된 인원이 무려 22%에 달했다. 히틀러가 모스크바를 침공했을 때 동상으로 감축된 인원이 겨우 3%였음에도, 침공이 실패한 것은 날씨 때문이라고 여겼다니…….

제27군단의 전투 보고는 다음과 같이 기록했다: "전투 중에 병사들은 눈이 쌓인 땅바닥에서 야영을 했는데, 발·양말과 손이 눈덩이처럼 하얗게 얼어서 수류탄의 안전핀 고리조차도 당길 수가 없었다. 신관도 발화되지 않았고, 박격포탄은 추위로 수축되어, 박격포탄의 열 발 중 일곱 발이 폭발하지 않았으며, 병사들 손의 피부가 포탄이나 포신과 한데 달라붙어버렸다."

전투가 끝난 후, 제9병단 전체가 갑자기 동상을 치료하는 야전 병원이 되어버렸다. 일부 경험이 없는 위생병들은 부상병의 동상 부위를 불에 쪼였는데, 많은 사람들이 이 때문에 또 팔다리를 절단해야 했다.

송스룬이 고생 많았고, 장병들이 고생 많았다!

마오쩌둥과 펑더화이는 모두 동부전선의 부대에게 표창하고 격려하는 위로 전문을 보냈다.

얼어서 기력을 잃은 제9병단은 제3차와 제4차 전역에 참가할 수 없었다. 중앙군사위원회는 원래 제9병단을 귀국시켜 휴식하면서 정비하게 하려 했지만, 제9병단 장병들은 결단코 거부했다. 그리하여 제5차 전역에서 다시 제9병단의 군기(軍旗)를 내걸었다.

1950년 12월 24일, 항미원조의 제2차 전역이 승리로 끝났다. 중국 군대는 성공적으로 전진하여 38선에 도달했다. 전역 중에 섬멸한 적은 3만 6천

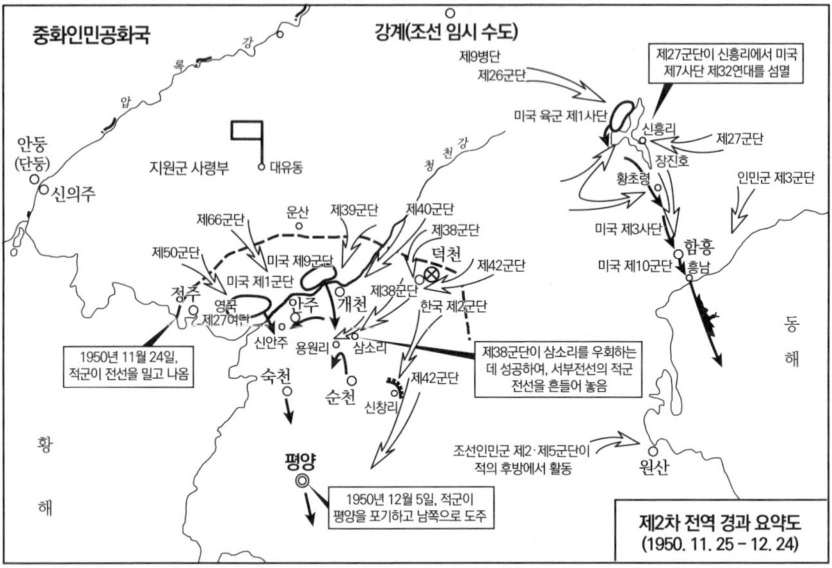

제2차 전역 경과 요약도

여 명이고, 그 가운데 미군이 2만 4천여 명이었다. 미국 제8집단군 사령관 워커 중장은 후퇴 도중에 차가 뒤집혀 사망했다. 중국 군대의 전투 중 사상자는 3만 700명이고, 동상에 걸린 사람은 5만여 명이었다. 세계를 뒤흔든 이 전쟁 과정에서, 펑더화이는 중국을 잘 알고 있다고 자만하는 맥아더에게 전투학(戰鬪學) 과목을 가르쳐주었고, 중국 군대 전통의 적 후방으로 우회하여 공격하는 전술로 맥아더의 시야를 넓혀주었다. "이 신기한 전술은 종종 신식 무기보다도 더욱 위력을 발휘했다." 중국의 저명한 전쟁사학자인 쉬옌(徐焰, 1951~)은 이렇게 평론했다. 이 청천강 강변과 장진호 호반에서 목숨을 건 대결을 통해, 중국 인민지원군은 철저하게 조선의 전황을 뒤바꿔놓아, 양양(襄陽)과 그 주변을 제외한 38선 이북의 전 지역을 수복했다. 이것이 바로 공화국 역사책에 길이 남을 "청장대첩(淸長大捷: 중국인들이 청천강 전투와 장진호 전투를 함께 부르는 명칭이다-옮긴이)"이다.

29

중국인 자신을 포함한 전 세계가, 믿기 어려운 이 거대한 승리에 깜짝 놀랐다.

"이것은 위대한 군대이고, 펑더화이는 동방의 걸출한 통솔자이다."

스탈린은 전쟁에 관한 보도를 보고 눈물을 흘렸다: "반드시 1951년 3월 전에 신속히 중국 동지들 36개 보병 사단 전체의 장비 주문품을 다 공급하고, 또한 즉시 3천 대의 차량을 보내시오!"

전체 소련 사회는, 중국 군대가 그렇게 초라하고 원시적인 무기로 유엔군을 물리친 것에 대해 탄복했다.

이때부터 중소 관계는 약간 미묘하게 바뀌기 시작하여, 소련은 비교적 진심으로 중국을 원조하기 시작했다.

이때, 중국의 저명한 경제학자인 마인추(馬寅初, 1882~1982)가 동유럽에서 세계평화보위대회에 참가하고 있었는데, 말년의 마인추는 여전히 격정적으로 당시의 광경을 회상했다: "지원군이 평양을 수복했다는 소식이 전해지자, 수천 명의 세계 각국의 회의 참여 대표들이 박수를 치면서 '마오쩌둥 만세'·'신중국 만세'를 외쳤는데, 그 시간이 뜻밖에도 10분이나 되었지요. 참으로 국제 회의 과정에서는 대단히 보기 드문 광경이었어요……."

중국 군대가 조선에 들어갔을 때, 대부분의 조선 동지들은 매우 비관적으로 이렇게 말했다: "당신들의 계획은 매우 좋지만, 장비가 너무 좋지 않아서, 아마도 미군을 이기지 못할 겁니다."

제1차 전역에서 중국 군대가 주로 공격한 것은 한국군이었는데, 조선 동지들은 또 이렇게 말했다: "당신들이 한국군을 물리치는 것은 가능한데, 미군을 물리치기에는 부족합니다." 여전히 배짱이 부족했다. 제2차 전역이 끝나자, 지원군의 위신은 조선 인민들 사이에서 전에 없이 높아졌다: "마오 주석은 위대하다. 주더 총사령관[159]은 위대하다. 조선은 구원받았다!"

아편 전쟁이 시작되면서부터 중국인들을 제대로 보지 못했던 일본인들이 받은 충격이 아마 가장 컸을 것이다. '지나(支那)'라는 멸칭은 청천강 전투와 장진호 전투 이후부터 순식간에 일본인들의 말 속에서 사라졌다. 선양(瀋陽)의 전범관리소에 있던 일본 전범들조차도 이후에는 비로소 진심으로 사상 개조를 받아들이기 시작했다.

16개국 연합군의 국가들을 물리친 것이 뜻밖에도 불과 얼마 전까지 '동아병부(東亞病夫)'라고 불리는 나라였다는 사실에, 전체 서방 세계도 깜짝 놀랐다.

미국인들은 매우 직접적으로 말했다: "미국 전통의 이상과 정의관(正義觀)이 중국의 대군에 의해 분쇄되었다. 미국인들은 아마 이렇게 심각한 상처와 좌절을 겪은 적이 없었을 것이다." 동양통인 맥아더는 자신의 중국에 대한 지식이 한순간에 모두 낡아빠진 것이었다는 것을 침통하게 알았다: "반드시 이러한 관점에서 이 문제를 보아야 한다. 완전히 새로운 상황에서, 강대한 군사력을 갖춘 완전히 새로운 강대국과 완전히 새로운 전쟁을 진행했다."

미국은 이때부터 신중국이 거인이라는 것을 인정했다.

이 대첩에 대해 가장 정확하고 적절하게 평가한 사람은 영국 옥스퍼드 대학의 국제 전략 연구자인 로버트 오닐(Robert J. O'Neill, 1936~)이다. 전쟁이 끝나고 수십 년 뒤, 그는 자신의 저서인 『청천강 전투와 장진호의 전투』에서 이렇게 말했다: "중국은 그들의 승리 과정에서 일약 다시는 아무도 얕볼 수 없는 세계의 대국이 되었다. ……만약 중국인들이 1950년 11월에 장진호 전장에서 주도권을 잡지 못했다면, 이후의 세계 역사 진행은 분명히 달랐을 것이다."

이것은 세계 역사를 바꾼 전쟁으로, 중국인들은 대승을 거두었다.

중국 인민은 매우 감격했다. 중국이 조선에 출병했다는 소식은 마침내 더 이상 비밀을 유지하지 못하게 되었으며, 대승의 낭보는 수많은 중국인들로

159 당시 주더는 중앙인민정부 부주석 겸 중국 인민해방군 총사령관이었다.

一九五〇年十一月五日 星期日

人民日報

今天本報提要

各民主黨派聯合宣言

誓以全力擁護全國人民的正義要求，擁護全國人民在志願基礎上為抗美援朝保家衛國的神聖任務而奮鬥・

중국의 각 민주 당파들이 공동 선언을 발표하여, 전국 인민의 항미원조보가위국(抗美援朝保家衛國) 투쟁을 옹호했다.

하여금 뜨거운 눈물을 흘리게 했다. 톈안먼 광장의 사람들은 밤새도록 미친 듯이 기뻐했으며, 중국의 온 나라 사람들 모두가 매우 기뻐했다. 중국인들이 기뻐한 데에는 그 이유가 있었다. 즉 불과 50년 전, 2만 명의 8국 연합군이 200만 명의 군대를 보유한 청나라 정부를 무찌르고, 중국의 수도에 쳐들어가[160], 중국의 황제와 태후를 핍박하여 시안(西安)으로 도망치게 했다. 겨우 5년 전에는, 일본 군대가 또한 중국의 곳곳을 휘젓고 다녔다…….

100년 동안 온갖 강도와 괴롭힘을 당하고, 다른 이들의 침입을 받아 호되게 당한 중국 인민들은 정말이지 감히 믿을 수가 없었다. 신중국이 성립된 지 겨우 1년 만에, 중국 군대가 뜻밖에 주도적으로 적을 맞이하여 싸울 수 있게 되었고, 나라 밖으로 출격하여, 열흘 남짓 동안에 이웃 나라에

160 1899년부터 1901년까지, 중국에서 일어난 의화단의 난으로 인해, 중국에 거주하고 있던 수많은 서양인들이 끔찍하게 살해당했다. 그러자 영국·미국·러시아·독일·프랑스·오스트리아-헝가리·이탈리아·일본 등 8국 연합군이 베이징을 점령하고 신축조약(辛丑條約)을 체결하여, 중국으로부터 많은 이권들을 빼앗아갔다.

서 16개 나라의 수십만 명에 달하는 연합군을 400킬로미터나 싸워 물리쳤다니! 일반 인민들은 마오쩌둥이 톈안먼 성루 위에서 말한 "중국 인민이 일어섰다[中國人民站起來了]!"라는 선언이 빈말이 아님을 철저하게 믿었으며, 중국 인민의 민족 자긍심과 애국주의 정신이 전에 없이 높아졌다. 이때부터 일찍이 흩어진 모래와도 같았던 중국 인민은 중국공산당의 깃발 아래 매우 굳게 뭉쳐, 수많은 새로운 목표들을 향해 돌진했으며, 국내의 반동 세력은 곧 활동을 멈추었다. 국제적으로나 국내적으로나, 중국공산당의 집권 지위는 더 이상 아무도 뒤흔들 수 없었다.

이 전쟁이 일거에 완전히 새로운 중국을 만들어냈다.

顔斶齊王各命前, 多年矛盾廓無邊, 而今一掃新紀元…….

(안촉顔斶과 제나라 임금이 각자 자기 앞으로 오라 명하니,[161]

오랜 세월 모순은 끝없이 커져갔는데,

이제 일소하고 신기원을 이루었네…….)

기뻐하며 어쩔 줄 모르던 마오쩌둥은 붓을 들더니, 줄곧 존경해오던 류

161 『전국책(戰國策)』의 고사를 활용한 구절이다. 안촉이 제(齊)나라 선왕(宣王)을 만났을 때, 선왕이 "안촉은 앞으로 나오라!"라고 말하자, 안촉이 "왕께서 앞으로 나오십시오!"라고 말했다. 선왕이 불쾌해 하자, 좌우 신하들이 말하기를, "왕은 군주이고 안촉은 신하이거늘, 왕이 앞으로 나오라고 했는데 안촉이 왕을 앞으로 나오라고 말할 수 있는가?"라고 했다. 안촉은 이에, "제가 앞으로 나간다면 권세를 흠모하는 것이 되고, 왕께서 앞으로 나오시면 선비를 구하는 것이 됩니다. 제가 권세를 흠모하는 것은 왕이 선비를 구하는 것만 못합니다."라고 말했다. 선왕이 화가 나서 얼굴을 붉히며, "왕이 귀한가? 선비가 귀한가?"라고 묻자, 안촉은 선비가 귀하다고 대답하고는, 이어서 "옛날 진(秦)나라가 제나라를 공격할 때, 유하혜(柳下惠) 무덤의 50보 안에서 나무를 하는 자는 용서 없이 처형한다고 했지만, 제나라 왕의 머리를 얻는 자에게는 만호후(萬戶侯)에 봉하고 황금을 하사하겠다고 했습니다. 이것을 보면 살아 있는 왕의 머리는 죽은 선비의 무덤만도 못합니다."라고 말했다. 선왕은 "안 선생이 과인과 함께 지낸다면, 최고의 요리를 먹고, 편안한 수레를 타고, 처자식은 화려한 의복을 입을 것이다."라고 말하자, 안촉은 "저는 돌아가기를 원합니다. 맛있게 저녁을 먹으면 고기를 먹는 것과 같고, 편안히 걸으면 수레를 타는 것과 같으며, 맑고 깨끗하고 곧고 바른 마음이면 스스로 즐거울 뿐입니다."라고 대답하면서 끝내 벼슬을 사양했다.

야즈(柳亞子, 1887~1958)[162]를 위해 이 「완계사(浣溪沙)」[163]를 썼다. 그는 조금도 과장하지 않았으니, 실제로 청장 대첩의 총성이 잦아들면서, 중국의 신기원은 시작되었다.

30

중국인들은 미친 듯이 기뻐하고 있는데, 미국인들은 놀라서 허둥대고 있었다. 11월 30일, 트루먼이 기자회견에서 한 말은 전 세계를 깜짝 놀라게 했다: "줄곧 적극적으로 원자폭탄 사용을 검토하고 있습니다……."

이것은 미국인들이 최초로 신중국에 핵 위협을 가한 것으로, 이는 신중국의 지도자들에게 자신의 첨단 무기를 만들겠다는 결심을 크게 불러일으켰다. 곧바로 중국은 핵무기를 연구 제작할 인재들을 준비하기 시작했다. 트루먼은 중국인들을 깜짝 놀라게 한 게 아니라, 반대로 유럽인들을 놀라 자빠지게 했다.

트루먼이 원자폭탄 사용을 고려하고 있다는 발언이 끝나자, 수많은 유럽의 유엔 주재 대사들은 미국의 유엔 대사인 오스틴(Warren Robinson Austin, 1877~1962)을 둘러싸더니, 많은 사람들이 "눈물을 글썽이며" 오스틴에게 미국이 전쟁의 확대를 피할 기회가 있는지 없는지를 물었다. 이때, 유럽은 아직 제2차 세계대전이 남겨놓은 폐허 속에 있어서, 그들은 실제로 새로운 전쟁이 발발하는 것을 두려워했다. 뿐만 아니라, 또한 그들은 타협할 수 없는 의식 형태를 가진 적인 소련이야말로 유럽에 대한 진정한 위협이라고 여기고 있는데, 지금 미국인들은 동유럽에 수백만 명의 병력을 배치하고 있는

162 중국의 시인 겸 정치인이다. 1949년 이전에는 국민당 정부에서 일했으나, 공산당 정권이 세워진 이후에는 중앙인민정부 위원 등을 역임했다.

163 '완계사'는 사(詞)의 사패(詞牌) 이름이다. 사는 일반적으로 곡조를 나타내는 사패를 제목으로 삼기 때문에, 편의상 첫 번째 구절 혹은 부제(副題)가 사실상 제목 역할을 하는 경우가 많다. 이 작품의 부제는 '和柳亞子先生(류야즈 선생에 화답하며)'로, 마오쩌둥이 1950년 11월 중국 인민지원군의 승전보를 듣고 지은 것으로 알려져 있다.

소련이라는 거대한 위협은 고려하지 않은 채, 여전히 "예측할 수 없는 시간과 가장 곤란한 상황을 초래할 수도 있는 전략적 조건하에서, 그들을 아시아 전쟁의 진흙탕 속으로 끌어들이려 하고 있었다".

일 처리가 노련하고 계획이 용의주도한 영국인들은 초조했다. 100명 이상의 영국 의원들이 애틀리(Clement Richard Attlee, 1883~1967) 수상에게 보낼 항의 서한에 서명하여, "어떠한 상황에서도 원자폭탄을 사용하는 것"에 단호히 반대했다. 가장 유명한 반공주의자이자 전 수상인 처칠조차도 반대자의 행렬에 섰다. 처칠은, 아시아의 전쟁을 확대하는 것은 유럽의 방어력을 약화시킬 수 있고, 미국의 안전을 위협할 수 있다고 여겼다.

전에 없던 거대한 압력에 직면하자, 애틀리는 워싱턴으로 날아가 트루먼과 회담했다.

이번 회담은 미국과 영국이라는 이 확실히 믿을 수 있는 형제가 드물게 공개적으로 첨예하게 대립하는 순간이었다.

애틀리는, 유엔이 담판하여 조선에서 철수하는 것 외에는 출구가 없으며, 심지어 중국 타이완이 차지하고 있는 유엔 내에서의 중국 의석까지도 베이징에 양보할 수 있다고 생각했다. 트루먼은 단호히 한국과 타이완을 포기하거나 베이징이 유엔의 의석을 차지하게 할 수는 없다고 했다: "중국을 한번 훈계하는 것 이외에는, 아무것도 그들에게 해줄 것은 없소!"

회의에서 3일 동안 말싸움을 하다가, 애틀리 수상은 미국인들에게 다시 "양의 가죽을 쓴 늑대"(최초에는 처칠이 자신의 정적인 램지 맥도널드에게 한 욕설이다)라는 욕을 먹고 런던으로 돌아갔다. 그는 트루먼에게 "원자폭탄을 사용하지 않겠다"는 약속을 받아냈다. 동시에 그와 트루먼은 조선 문제에서 가까스로 다음과 같은 의견 일치를 보았다: "군사적으로 쫓겨나기 전까지는 한국에 주둔할 것이며, 또한 전황이 호전되기 전에는 중국과 담판을 진행하지 않는다."

그때, 트루먼은 이미 맥아더를 몹시 원망하고 있었다. 이 패장은 자신의 지휘 착오를 반성하지 않고 있을 뿐만 아니라, 워싱턴에 끊임없이 전보를 쳐서 자신이 "치명적인 재난에 직면해 있다"고 알리면서, 대규모 증원을 요구했다. 동시에 끊임없이 말도 안 되는 기자회견을 열어 이렇게 말했다: "워싱턴의 관료들이 놀라 허둥대며 어찌할 바를 모르는 것은 이치에 맞지 않습니다. 내 부대는 실패한 것이 아니라, 교묘한 후퇴를 하고 있는 거요……."

트루먼은 이미 맥아더에 대해 이가 갈릴 정도로 증오했지만, 그는 아직도 무슨 방법을 써야만 이 늙은이를 다룰 수 있을지 몰랐다. 출신이 미천한 트루먼은 맥아더와 같은 명문세가의 후손들에 대해 늘 마음속 깊이 무력감과 열등감을 가지고 있었다. 만약 맥아더와 마찬가지로 이름난 가문 출신인 루즈벨트였다면, 아마도 일찌감치 맥아더에 대해 조치를 취했을 것이다.

이리저리 따져보고는, 미국 군부와 정계의 수뇌들은 비록 중국인들에게 얻어맞아 부끄럽고 분한 나머지 화가 났지만, 여전히 전 세계와 적대하는 일은 면하려고, 감히 전쟁을 확대하지는 못했다. 트루먼과 애치슨은 이미 체면을 지킬 수 있으면서도 전쟁을 멈출 수 있는 방법을 애써 찾고 있었는데, 미국의 군부와 정계 수뇌들은 전쟁을 계속할 몇 가지 원칙들을 얻어냈다: 전략의 중점은 유럽에 두며, 아시아의 지구전에 말려들어서는 안 되며, 한국에 군대를 증파하지 않으며, 38선의 안정을 유지하며, 38선의 전쟁 전 상태를 회복한다는 것 등등이었다.

12월 7일, 중국 주재 인도 대사 파니카르가 갑자기 중국 외교부에 13개국[164]이 연합하여 제창한 비망록을 전달했다. 이 제안에서는, 전쟁을 하는 쌍방이 우선 38선에서 휴전한 다음, 담판하여 조선 문제를 평화적으로 해결하자고 제의했다.

이에 대해 파니카르는 이렇게 설명했다: "이것은 구미(歐美)에 속하지 않는 모든 국가들이 처음으로 연합하여 제출한 건의입니다. 따라서 만약 중국이 38선을 넘지 않는다고 선포하면, 곧 이들 국가로부터 환영과 도의적 지지를 받을 것입니다."

164 주로 아시아와 아프리카 국가들이다.

비망록은 곧바로 저우언라이와 마오쩌둥의 책상 위에 전달되었다. 어떻게 할 것인가? 중국에게 38선을 넘지 말라고 요구하는 것은 중국공산당이 단결하려고 가장 주의를 기울이는 제3세계의 중도 세력들이었지만, 마오쩌둥과 저우언라이는 이것은 틀림없이 미국인들이 띄운 탐색용 애드벌룬일 거라고 보았다.

중국에게 38선을 넘지 말라고 요구하는 것은 미국에게 숨 돌릴 기회를 주는 것이 아닌가? 마오쩌둥은 여러 모로 생각했지만, 이것은 분명히 중도 세력들이 제시한 것이었다. 중도 세력을 손상시키는 것은 바로 적의 역량을 증가시키는 것이었다.

12월 8일, 중국 외교부의 아시아국장은 인도 대사관의 참사관을 만나, 그에게 4가지 문제를 제기했다. 그 가운데 하나는 "어째서 미국이 38선을 공격해왔을 때는 13개국이 비난을 하지 않았는가?"였다.

12월 11일, 저우언라이가 오랜 친구인 파니카르를 만나 매우 진지하게 말하기를, 문제의 관건은 미국에 있는데, 지금까지 아직 미국과 유엔이 평화적으로 조선 문제를 해결하기 바란다는 구체적 표현을 보지 못했다고 했다.

신중국을 건국한 지도자들은 모두 구사일생의 전장에서 싸워온 사람들로, 오랜 기간에 걸친 전쟁의 삶은 그들로 하여금 오늘날의 사람들이 이해하기 매우 어려운 비범한 경계심을 연마하게 했다. 그들은 마셜이 중국 내전을 중재할 때 미국인들에게 크게 받은 교훈이 있어, 그들은 이미 끊임없이 배신하여 신의를 저버리는 미국인들에 대해 가장 기본적인 신뢰를 잃어버린 상태였다. 사료의 기록에 따르면, 마오쩌둥은 이때 이미 최소한 1년의 지구전을 벌일 준비가 잘 되어 있었다고 한다. 지구전에 돌입한 이상, 언제 38선을 넘느냐는 것은 결코 그다지 중요한 일이 아니었다. 그러나 13개국의 제안은 그로 하여금 '그것이 숨 돌릴 시간을 벌기 위한 계책은 아닐까?' 하는 경각심을 갖게 해주었다.

당연히 중국공산당 최고 지도자의 추측은 일리가 있는 것이었다. 왜냐하면 이때, 미국의 합동참모회의는 이미 다음과 같이 제안했기 때문이다: "합의를 이루기 전에, 맥아더 사령관은 작전에서 38선의 제한을 받지 않는다." 이 말은 바로, 만약 중국과 조선의 한쪽이 합의를 받아들이면, 중국과 조선 군대는 38선을 넘어 적들을 공격할 수 없다는 의미였다. 유엔군은 바로 그 틈을 타 휴식을 취하면서 정비할 수 있고, 휴식과 정비가 끝난 뒤에는 다시 적당한 시기와 구실을 찾아 북쪽으로 공격해 올 수 있었다.

소련공산당 중앙정치국도 다음과 같이 논평했다: "보는 바와 같이, 이 모든 것들은 사람들로 하여금, 침략국 정부가 제3차 세계대전을 준비하면서 무엇을 했는지를 상기하게 해준다. 그것들은 영국과 미국이 새로운 전쟁 계획을 준비하여 너무 멀리 나갔음을 말해준다."

평생 동안 굴복하는 것을 가장 증오했던 마오쩌둥은 비밀리에 방문한 김일성에게 이렇게 말했다: "기왕 미국인들이 감히 무력에 호소한 이상, 중국 지원군은 끝까지 함께하겠습니다. 제1차 전역과 제2차 전역을 치렀지만, 여전히 충분하지 않으며, 여전히 계속 싸워야 합니다. 그들이 감히 38선을 넘어 북진해오는데, 우린들 어찌 38선을 넘어 남진할 수 없단 말입니까?"

국가의 통일을 간절하게 원했던 김일성은 흥분하여 대답했다: "맞습니다. 승세를 몰아 전진해야 합니다!"

두 지도자는 모두 싸우려고 했다. 그러나 어떠한 어려움과 고난도 두려워하지 않으며, 용감히 100만 대군 속으로 들어가 대장의 목을 베어왔고, 중국 군대에서 '장비(張飛)'라는 별명으로 불리던 펑더화이는 뜻밖에도 보기 드물게 이번에는 싸우고 싶어 하지 않았다.

제5장

전쟁 국면의 변화 (1)

1

평더화이와 지원군의 여러 장수들은 모두 즉시 38선을 넘어가려 하지 않았다. 전선에 있는 장수들은 중국 군대가 어떤 물질적 조건과 어떤 전장의 환경에서 싸웠는지를 너무 잘 알고 있었다. 직접 체험을 통해, 그들은 미군의 현대화된 전력의 우세에 대해 어떠한 환상도 품지 않고, 모두들 지구전을 벌일 마음의 준비를 하고 있었다. 그들은 중국 군대의 조금도 두려워하지 않는 뛰어난 혁명 정신·매우 의기양양한 투지·대단히 탁월한 전략 전술 방법 및 비길 데 없는 지휘의 유연성도, 쌍방의 물질적 역량에서의 매우 큰 차이를 완전히 보완할 수는 없다는 것을 인식하고 있었다.

하늘과 낮은 모두 미국인의 것이어서, 마차 한 대라도 적기에게 발견되면 즉시 무리 지어 대오를 이룬 적기들이 날아와 폭격하고 총을 갈겨댔다. 조선에 들어간 부대의 자동차는 모두 1,300여 대였는데, 겨우 한 달 만에 1천 대나 폭파되었으니, 하루 평균 30대의 차량이 미국 비행기에 의해 하늘로 날아가버렸다. 제38군단은 조선에 들어갈 때, 100대의 차량을 배정받았는데, 조선에 들어간 지 20일 만에 겨우 6대만 남아 달릴 수 있었다. 제27군단은 45대의 차량을 배정받았는데, 7일 후에는 39대를 잃었다.

미국의 비행기는 동해안에서 서해안까지 폭격했고, 압록강에서 한강까지 폭격했으며, 폭격 시간은 밤낮이 없었고, 사격의 목표는 크고 작은 것을 가리지 않았다. 목표를 찾기 위해, 몇몇 포악한 비행사들은 목숨을 걸고 비행 고도를 낮추었다가, 산에 부딪치거나 전깃줄에 걸리는 일들이 때때로 발생했다. 심지어 지원군 부사령관 훙쉐즈도 이런 경우를 두 차례 목격했다. 한번은 미국 비행기 한 대가 위력 시위 삼아 고압선 사이를 통과하다가, 결국은 꼬리 부분이 걸려버렸다. 또 한번은 비행기 한 대가 너무 낮게 날다가, 결국 큰 나무를 두 동강내버렸다. 국내의 전장에서는 모든 물자들을 적들에게서 취할 수 있었지만, 장제스에게 어디 이러한 공군력이 있었던가? 조선 전장에서는 이러한 방법이 거의 통하지 않았다. 제1차 전역이 끝난 후,

지원군 총사령부는 소탕 작전에 참가하여 60여 대의 자동차를 노획하자, 펑더화이는 손실한 자동차를 보충할 방법이 없어 걱정하고 있다가, 이 소식을 듣고 매우 기뻐했다.

병사들은 산골짜기로 자동차를 몰고 와서 다시 그 위에 풀 다발을 쌓아 올려 은폐했다. 훙쉐즈가 직접 이 작업을 감독하고 검사했는데, 생각지도 못하게 미국 비행기 한 대가 초저공으로 정찰하면서, 강한 기류가 생겨 뜻밖에 위장했던 풀 다발들을 모두 벗겨버렸다. 그러자 수십 대의 적기들이 즉각 벌떼처럼 몰려와서 한바탕 무차별 폭격을 가하여, 30여 대의 자동차를 잃어버리자, 펑더화이는 화가 나 노발대발하며 사령부의 책임을 물으려 했다. 하지만 누구를 책망할 수 있겠는가? 국내의 전쟁에서는 모두 이렇게 위장하지 않았던가?

제2차 전역은 더욱 비참했다. 한번에 2천여 대의 자동차를 노획했는데, 모두 미국 본토의 자동차 공장에서 직접 수송해온 것들로, 주행거리가 겨우 100~200킬로미터밖에 되지 않은 새 차들이었다. 전군의 모든 사람들이 이를 매우 환호하며 기뻐했다. 막 포로들을 동원하여 200대를 끌고 나왔는데, 수백 대의 적기들이 날아와서 남아 있는 것들을 모조리 폭파시키자, 숲속에 숨어 있던 병사들은 마음이 아파 피눈물을 흘렸지만 어쩔 도리가 없었다.

한마디로 말하자면, 미국은 전장에서 절대적인 제공권을 보유하고 있어, 지원군 총사령부조차도 사흘이 멀다 하고 폭격을 당하여, 당당한 총사령부가 결국 마오안잉 한 명을 지키지 못했다. 전방위적으로 압박을 받는 병참보급선은 더 말할 필요가 없었다.

중국 군대의 병참보급 물자는 압록강에서부터 수십 킬로미터를 운반하는 데에도 큰 대가를 치러야 했다. 도로로는 감히 가지 못했고, 철도는 폭격으로 끊어져, 오직 원시적인 인력으로 짊어지고 나를 수밖에 없었다. 탄약은 말할 것도 없고, 병사들이 먹을 차오멘이나 입는 솜옷마저도 공급하지 못했다. 동부전선의 3개 군단은 최전선의 전투원들을 제외하면, 위로는 군단장과 사단장부터, 아래로는 춤추고 노래하는 문공단원(文工團圓)과 물을 끓이고 밥을 짓는 취사병까지 동원하여 식량을 메고 산으로 올라갔다. 이렇게 또한 수천 명의 강철 같은 병사들이 적의 화력에 희생된 게 아니라, 멀쩡하게 얼어 죽고 굶어 죽었으며(나중의 계산해보니, 동부전선의 식량은 부대의 최저 생존 필요량의 절반 밖에 충족시키지 못했다고 한다), 수많은 전사들이 모두 짚신을 신었고, 심지어는 맨발로 싸우기도 했으며, 굶주린 채 섭씨 영하 40도의 눈밭에서 적군을 향해 돌격했다.

서부전선에서는, 제42군단 1개 분대는 상급 부대에서 한 켤레의 솜을 넣은 방한화를 내려 보내자, 병사들은 누구라도 보초를 서야만 이 소중한 방한화를 신을 자격을 갖기로 결정했다. 꼬박 겨울이 지나가고, 압록강에서부터 38선 이남에 이르기까지 싸웠는데, 이 방한화는 뜻밖에 전혀 손상되지 않았고, 나중에 다시 온전하게 방어 임무를 교대하러 온 부대에게 넘겨주었다.

지금, 지원군의 주요 물자 수송 방식은 사람이 등에 짊어지고 가는 것이지만, 이런 원시적인 방법으로 현대화된 대규모 전쟁을 지탱해갈 수 있을까?

제1차·제2차 전역 때, 병참보급선이 겨우 100킬로미터였음에도 대처하지 못했는데, 지금은 압록강으로부터 400킬로미터나 떨어져 있으니, 상황이 더욱 나빴다. 병사들은 총과 실탄이 부족했고, 부대의 탄약 비축량은 거의 없었다. 병사들은 매일 반(半)기아 상태였는데, 공습을 피하기 위해서는 산으로 들어가 고개를 넘어 오솔길로 갈 수밖에 없었다. 하지만 오직 음식이 있어야만 버틸 수 있는 극한적인 상태의 체력을 나오게 해줄 텐데, 이렇게 가다가는 철인(鐵人)이라 해도 끝장날 판이었다. 또한 이렇게 현대 전쟁의 병참보급 체계에서도 크게 낙후되어 있었다. 미군은 13명의 병참보급병이 전투병 1명의 전투를 지원하는데, 지원군은 1명의 병참보급병이 수백 명의 병사들이 전투하는 데 필요한 것들을 지원했다. 심지어 체계적인 병참보급 체제조차도 없었다. 전문적인 병참보급 부서는 없고, 사령부 안에 병참보급과가 설치되어 있었다. 전체 지원군의 병참보급을 책임진 것은 멀리 선양에 있는 동북 군구의 병참보급 부서였으며, 조선 전선의 지휘부에 있는 10여 명이 수십만 대군의 의식주와 용품을 책임져야 했다. 지금 압록강에서 400킬로미터 떨어져 있음에도 이미 이렇게 곤란을 겪고 있는데, 더 남쪽으로 가서 싸운다면 어떻게 물자들을 공급할 수 있겠는가?

반대로 미군을 보면, 지상의 단 1개 군단이 7천 대의 자동차를 가지고 수송했으며, 해상에서는 수백 수천 척의 대형 선박들이 미국·일본·한국 사이를 쉴 새 없이 왕래했고, 공중에서도 숫자를 헤아릴 수 없는 수송기들이 수시로 긴급 기동 지원을 제공했다. 그리하여 비록 본토에서 2만 킬로미터나 떨어져 있었지만, 물자가 부족할 염려는 전혀 없었으며, 마시는 물마저도 일본에서 수송해 왔다. 지원군은 육군 하나로만 상대방의 육·해·공 3군을 대응했는데, 상대방은 사방을 포위하고 지원군의 한 방면을 공격했다.

또 전장에서도 거의 비교할 수 없는 화력의 차이가 있었다. 미군 1개 군단에는 탱크 430대가 있었는데, 지원군은 6개 군단에 한 대도 없었다. 미군 1개 보병 사단에 배속된 포병은 432문의 대구경 유탄포와 캐넌포(Cannon포: 일반적으로 프랑스어식으로 '카농포'라고 부르며, 포신이 길어, 주로 원거리 사격에 사용하는 대포-옮긴이)를 갖고 있었고, 또 대량으로 더 큰 구경의 화포 지원을 추가로 받을 수도 있었다. 그러나 지원군 1개 사단에는 단지 1개의 산포(山砲) 대대뿐이었고, 다른 나라 군대에서는 일찍이 폐기한 중간 구경의 산포 12문을 갖추고 있었다. 산포라고? 미군은 심지어 이 말을 알지도 못했다. 통신 지휘 상태를 보면, 미군 1개 사단은 무전기 1,600대를 보유하고 있어, 무선통신이 소대와 분대까지 직접 전달될 수 있었다. 지원군은 조선에 오기 전에 군대 전체의 곳곳에서 그러모아, 겨우 조선에 들어가는 각 군단마다 수십 대의 무전기를 배당하여, 가까스로 대대까지는 배치했는데, 대대 이하는 전적으로 두 다리·호루라기·군대 신호나팔 및 신호탄에 의지했으며, 심지어는 신호탄조차도 적어서 감히 많이 쓸 수 없었다. 설사 중국 군대가 자랑으로 여기는 보병일지라도, 그들 손에 있는 물건들 역시 낡아빠진 것들이었다. 제38군단 같은 정예 주력 부대도 뜻밖에 90%의 병사들이 아직도 일본이 1905년에 설계하여 형태가 고정된 38식[165] 소총을 사용하고 있었다.

병사를 자식처럼 아끼는 펑더화이는 부대가 보고해온 병사들의 용감한 행적들을 보자, 감동스러우면서도 한편으로는 마음이 아팠다. 지원군이 생명으로 승리를 바꾼 것이었다.

"이런 병사들을 두세 명의 값어치 없는 미국 도련님 같은 병사들과 바꾸는 일을 나는 하지 않겠다!" 펑더회이가 이와 유사한 말을 한 번만 한 게 아니다.

전쟁에서 싸우는 것은 물론 사람의 지혜·용기·체력이지만, 그것은 강철·폭약 및 각종 물자들도 같이 하는 것이다.

펑더화이는 이미 이 전쟁은 지구전이 될 것임을 간파하고 있었다. 중국 군대는 정신력과 전투력은 비록 강하지만, 극도로 빈약한 국력에 제한을 받아 제대로 발휘할 수 없었으며, 그의 정교한 지휘 예술이 달성할 수 있는 전쟁의 효과마저도 미국인들의 풍부한 실력 앞에서는 또한 크게 줄어들 수밖에 없었다. 펑더화이는 통솔자로서 극도의 고통을 느꼈다.

펑더화이뿐만 아니라 지원군의 많은 장교들도 승리 앞에서, 전쟁의 형세가 어떻게 발전해 갈 것인지에 대해 분명하게 인식하고 있었다. 줄곧 최전선에서 분주하게 누비고 다닌 '선풍(旋風) 사령관' 한셴추가 바로 그 대표적인 사람들 중 한 명이었다. 한셴추는 이렇게 생각했다: '제1차·제2차 전역의 승리는 적들이 우리의 사정을 알지 못하고 있었고, 우리를 우습게 여기면서 무모하게 돌진해온 그 약점을 이용했기 때문인데, 지금은 적들이 신중해졌고, 심지어 지원군의 실력을 과대평가할 때도 있으니, 지원군은 절대로 지나치게 낙관하거나 냉정을 잃어서는 안 된다.'

산전수전을 다 겪은 한셴추는 전선에서 미군의 화력과 물자 보급을 보고 매우 큰 충격을 금할 수 없었다. 지원군은 배를 곯으며 섭씨 영하 30도가

165 '38식'에서 숫자 38은 메이지(明治) 38년(1905년)을 의미한다.

넘는 눈밭에서 맨발로 추격했고, 쇳덩어리처럼 차가운 참호 안에 웅거하며 지켰다. 반면 미군 진지에서는 헬리콥터가 날아와서 탄약·식품·침낭·약품 등을 내려놓았고, 또 이어서 부상자들을 실어갔다. 지원군 병사들은 눈밭 위에 담요를 깔고 그 위에 엎드려 사격을 했고……, 지원군 병사는 목에 걸친 길쭉한 쌀 주머니에 의지해 목숨을 유지했는데, 미군은 5킬로그램짜리 깡통을 따서, 1개 분대가 한 끼를 배불리 먹었다. 그것은 영양 성분이 잘 계산되어 있음은 말할 것도 없고, 그 안에는 담배와 성냥, 심지어 화장지까지도 들어 있었다.

그때만 해도 중국에서는 '종합 국력'이라는 말이 없었는데, 한셴추 자신이 이 말을 발명했다. 그는 미국이 보여준 이러한 것들을 가리켜 "총체적 국가 실력"이라고 불렀다.

조선의 전장에 나갔던 중국 군인들은 모두 "총체적 국가 실력"이라는 것에 충격을 받았다. 특히 전쟁을 지휘하는 장교들이 그러했다. 이들은 조선에서 절실하게 체험했기 때문에, 조선에 들어가 싸웠던 장수들은 귀국한 후에 모두 중국 군대의 현대화를 적극적으로 추진하는 중심이 되었으며, 이들 장교들은 거의 대부분이 '문화대혁명' 기간 중에 잘못을 범하지 않았다. 조선의 전장은 그들로 하여금 물자와 정신의 관계에 대해 매우 분명한 인식을 갖게 해주어, 호언장담이 그들의 두뇌로 하여금 이성을 상실할 정도로 뜨거워지게 하기는 어려웠다. 애석하게도 1959년 루산(廬山)의 풍파로(230쪽 각주 참조-옮긴이), 많은 영재들이 해임된 펑더화이와 함께 불운한 일들을 겪었다. 펑더화이의 뒤를 이은 린뱌오는 중국 군대가 조선의 전장에서 얻은 소중한 경험과 교훈을 모조리 내팽개치고, 단지 홍보서(紅寶書: 문화대혁명 기간 동안에 유행한 마오쩌둥 어록 및 선집을 가리킴-옮긴이)를 손에 들고 줄줄 외우기만 하면 모든 전쟁에서 이길 수 있을 것처럼 만들었다. 1960년대 말이 되자, 조선에 가지 않았던 린뱌오는 뜻밖에도 아들인 린리궈(林立果, 1945~1971)로 하여금, 이렇게 하면 두 대의 자전거를 하나로 합쳐서 물사를 수송하여 소련에 맞설 것인지를 연구하게 했다.

그의 이러한 일련의 조치들은 중국 군대의 현대화 건설이 제자리걸음하게 했을 뿐만 아니라, 크게 후퇴시켰다. 그리하여 베트남에 대한 반격 전쟁(1979년에 있었음-옮긴이)에서 비로소 그로 인한 나쁜 결과들을 고스란히 드러나게 했다. 그때, '문화대혁명' 과정에서 다행히도 살아남은, 조선 전쟁에 참가했던 장교들은 다시 새로운 시대 중국 군대 건설의 원로가 되었다.

2

거듭해서 생각한 다음, 펑더화이는 38선을 넘지 않는 편이 좋다고 생각했다. 부대는 실제로 피로가 너무 심해 매우 힘들어 하고 있었다. 조선에 들어온 뒤 1개월 동안 연달아서 두 번의 전역을 치렀고, 병사들은 아직 충원되지 않은 데다, 식량과 탄약 모두 이미 부족했다. 가장 좋은 것은, 일정 기간 동안 휴식을 취하면서 정비하고, 병력을 보충하고, 물자들을 수송해오고, 부대를 정돈하여, 이듬해에 봄이 되어 날씨가 따뜻해지기를 기다렸다가, 38선을 돌파하는 것이었다. 펑더화이는 마오쩌둥에게 자신의 의견을 전보로 보고하고, 자신의 사령부를 성천군(成川郡) 서남쪽 5킬로미터 지점에 있는 군자리(君子里)로 전진하여 옮겼다. 이때의 펑더화이 사령부는 지원군의 사령부였을 뿐만 아니라, '중국 인민지원군과 조선인민군 연합 사령부'였다. 이 기구는 조선의 작전 범위 및 전선의 모든 활동들을 통괄했으며, 줄여서 '연합 사령부[聯司]'라고 불렀고, 대외적으로 공개하지는 않았다.

12월 초, 중국 군대가 승세를 타고 적을 추격할 때, 적의 후방에 있던 인민군 주력 부대와 성공적으로 합류했다. 인민군은 흩어졌던 대원들을 한데 모아 돌아온 부대가 이미 3개 군단이나 있었으며, 보충한 다음 막 전투력을 회복한 상태였다. 제2차 전역에서의 승리로 고무되자, 조선의 남북에서 싸우다 돌아온 인민군 주력 부대는 싸우려는 정서가 매우 고양되어 있어, 중국과 조선의 군대가 정식으로 어깨를 나란히 하고 싸울 수 있게 되었다. 두 나라의 군대가 작전을 하는데, 누가 지휘를 해야 할 것인가? 이 문제는 해결하지 않으면 안 되었다. 지휘가 통일되어 있지 않았기 때문에, 두 차례에 걸친 전역에서 모두 여러 번 피의 교훈이 있었다. 제38군단은 인민군 부대의 잘못된 보고를 곧이듣고, 제113사단을 파견하여 희천(熙川) 이북의 무기고를 지켰기 때문에, 적의 퇴로를 차단할 기회를 놓쳐버렸다. 또 인민군의 탱크 부대가 제39군단을 향해 오인 사격을 하는 바람에, 포위되어 있던 미군 제24사단의 일부가 그 기회를 틈타 남쪽으로 도주했다. 이러한 일들로 인해 마오쩌둥과 김일성 모두 매우 가슴 아파했다. 그러나 이 문제를 해결하는 것은 결코 간단하지 않아, 시간을 매우 오래 끌었다. 제1차 전역에서부터 시작하여 제2차 전역이 곧 끝나갈 무렵야 비로소 정식으로 해결되었다.

제1차 전역 때, 펑더화이는 인민군이 적 후방의 전장을 열어주기를 희망했다. 김일성은 동의했는데, 조선 주재 소련 군사 고문 바실리에프(Vasiliev)는 동의하지 않았고, 조선 주재 소련 대사 스티코프는 가능하다고 생각했다. 이렇게 작은 전술적인 문제도 해결하기가 이처럼 어려웠으니, 고도로 민감한 지휘권 문제에 대해서는 더 말할 필요도 없었다. 지휘를 통일하는 문제는 조선과 중국의 두 당·두 나라·두 군대 간의 관계와 관련되어 있었으며, 심지어 소련도 거기에 개입되어 있었다. 그러나 이 문제는 또한 해결하지 않으면 안 되었다. 부대가 누구의 말을 들어야 할지를 모르고서, 어떻게 싸울 수 있겠는가?

마오쩌둥·저우언라이·펑더화이가 서로 의논한 뒤, 마침내 저우언라이로 하여금 마오쩌둥이 스탈린에게 보내는 전문의 초안을 책임지고 작성하게 하여, 중국·소련·조선이 각각 한 사람씩을 보내 당(黨)의 3인 소그룹을 만들고, 3자가 연합하여 지휘하자고 했다. 그러나 스탈린은 이때 소련 군대의 조선 주재 군사 고문에 대해 매우 불만을 갖고 있었다. 그들의 터무니없는 지휘가 없었다면, 인민군이 남쪽에서 대패하지는 않았으리라고 여기고 있었다. 더 중요한 것은, 스탈린은 소련이 지휘에 참여하는 것은 좋지 않다고 생각하고 있었으며, 동시에 그는 중국 군대의 뛰어난 전략 전술에 감탄하고 있었다는 점이다. 마침내 중국과 조선 두 나라 군대가 통일하여 지휘하는 것에 찬성한다는 답신을 보내옴과 동시에, 중국의 지휘자가 주요 책임을 져야 한다는 의견도 제시했다.

큰형님이 동의하자, 중국과 조선은 자연히 일을 처리하기가 쉬워졌다. 12월 4일, 제2차 전역의 대승이 이미 확정적일 때 '연합 사령부'가 설립되었다. 펑더화이는 사령관 겸 정치위원, 덩화와 인민군의 맹장 김웅(金雄)이 부사령관, 박일우는 부정치위원이 되었다. 김웅은 동부전선으로 가서 김웅 지휘부를 조직하여, 동부전선의 인민군 제2·제3·제5군단 등 3개 군단을 지휘했다. 박일우는 지원군 사령부에 주재하면서 연락을 담당했다. '연합 사령부'는 인민군에게는 연합 사령부 명의로 명령을 하달했으며, 지원군에게는 여전히 지원군 사령부 명의로 명령을 하달했다. 이것은 지휘의 통일성을 확보할 수 있으면서도, 중국과 조선 두 나라 군대의 서로 다른 특징을 함께 고려한 동양적인 색채가 풍부한 통솔 기구였다고 할 수 있다.

펑더화이는 군자리에 있는 사령부에서 마오쩌둥의 답신을 초조하게 기다리고 있었다. 12월 13일, 마오쩌둥의 답신이 도착했다. 답신에서는, 국제 형세의 관점에서 볼 때, 미국과 영국이 38선을 이용해 군대를 정비하여 다시 전투를 벌이려는 음모를 반드시 깨부숴야 하며, 38선을 넘지 않으면 안 된다고 명확하게 지적했다.

곧 새로운 전역이 시작되는데, 펑더화이는 대단히 큰 모순에 빠져들었다. 군사적으로는 싸울 수 없었지만, 정치적으로 반드시 싸워야 했다.

펑더화이는 당성(黨性)과 군기를 목숨처럼 여기는 사람이었다. 그는 한편으로 어떤 군사 학설을 뛰어넘어서라도 싸우겠다고 결심하고, 적극적으로 준비를 시작했다. 다른 한편으로 그는 재차 마오쩌둥에게 간언했다. 그의 간언은 펑더화이의 군사적 재능과 실사구시적인 엄격한 태도를 잘 보여주었다:

"제가 보기에, 조선 전쟁은 변함없이 상당히 장기적이고 힘들 것 같습니다. 적들이 공격에서 방어로 전환하면서, 전선이 짧아지고, 병력이 집중되었으며, 정면이 협소해지니, 자연히 종심(縱深)이 증가하여, 각종 병종(兵種)들간의 연합 작전에 유리해졌습니다. ……아군은 지금 여전히 확고하게 전진해야 합니다. 부대가 원기(元氣)를 크게 손상시키면 안 된다는 점에 대해 말씀드리자면, 지금 비록 그 정점에 이르지는 않았지만, 이미 2개월 동안 안전하게 휴식하지 못했고, 물자가 제때 보충되지 못한 데다, 기후마저 추운 것은, 엄중히 주의할 만합니다. ……위와 같은 여러 가지 원인들 때문에, 저는 8일에 주석님께 보낸 전보에서 잠시 38선을 넘지 않고 작전할 것을 제안 드렸습니다. 주석님께서 13일에 보내주신 답신을 받은 후로, 지금 이미 지시대로 38선을 넘어 작전하고 있습니다. 만약 의외의 변화가 없다면, 전투에서 패하는 일은 없겠지만, 공격에 차질이 생겨 크게 승리하지 못할 가능성은 있습니다……."

마오쩌둥의 답신이 매우 빨리 도착했다. 그는 38선을 넘어 작전할 것을 고집했을 뿐만 아니라, "남조선 군대의 대부분 혹은 전부를 섬멸할 수만 있다면, 미군이 고립될 것이고, 만일 다시 몇 개의 미국 사단을 섬멸할 수 있다면, 조선의 문제는 더욱 잘 해결될 것"이라고 갈망했다.

마오쩌둥은 결국 몸이 후방에 있어, 전장의 실제 상황에 대해서는 단지 전문을 통해서만 이해하고 있었으므로, 펑더화이를 비롯한 전선의 장교들이 느끼는 그러한 절실한 느낌들을 가질 수 없었다. 이때 그는 여전히 "만일 몇 개의 미국 사단을 섬멸할 수만 있다면"이라고 생각하고 있었는데, 이는 이미 중국 군대의 능력을 크게 넘어서는 것이었다. 전체 조선 전쟁 3년 동안에, 중국 군대는 단지 동부전선의 특수한 지리적 조건에 의지해 미군 1개 연대를 섬멸할 수 있었을 뿐이다. 이어지는 승전보가 그로 하여금 자신의 실력을 높게 평가하고, 미군의 현대화된 전쟁 장비의 위력을 낮게 평가하도록 만들었다. 이 위대한 군사 전략가도 때로는 적을 가볍게 여겼던 것이다.

그러나 바로 이때 그와 펑더화이의 서로 다른 견해는, 두 사람 모두 옳았다. 펑더화이는 전선에서 병사들을 통솔하고 있었으므로 군사 전문가의 관점에서 바라볼 수밖에 없었고, 마오쩌둥은 베이징에 있었으므로, 급변하는 국제 정세를 두루 살펴야 했으므로, 정치의 관점에서 문제를 바라보았다.

3

피로가 극에 달했으나 승리에 크게 고무된 병사들은 38선을 향해 나아갔다. 제9병단의 3개 군단이 동상을 치료하기 위해 잔류한 것을 제외하고, 중국 군대 6개 군단 23만 명과 인민군 3개 군단 7만여 명은 드높은 기세로 조선의 남쪽으로 돌진했다.

수십만 대군의 보급을 보장하기 위해, 전체 중국이 모두 동원되기 시작했다. 저우언라이는 특별히 선양에 가서 '차오멘과 삶은 고기[煮肉][166]에 관한 회의'를 개최하여, 모두가 반드시 차오멘과 삶은 고기 생산의 목표를 완수하도록 독려했다.

차오멘은 매우 중국 특색을 띤 편의 식품으로, 일정 비율의 밀·콩·수수쌀 혹은 옥수수를 볶아서 가루로 만든 다음, 식염을 첨가하여 만든다. 전투할 때, 지원군 병사들은 차오멘 주머니를 휴대하고 다니다가, 배가 고플 때 차오멘을 한 움큼 쥐어 입 안에 넣고, 다시 몇 움큼의 눈을 먹으면서, 계속해서 싸울 수 있었다. 차오멘은 분명히 그 당시 중국 군대가 찾아낼 수 있는 가장 훌륭한 전투 식량이었다.

동북 지방은 지원군의 전략적 후방으로서, 모든 인민들이 차오멘과 삶은 고기를 만드는 일에 투입되었다. 집집마다 아궁이에 불이 타올랐고, 차오멘의 향기가 코를 찔렀다. 그러나 가오강은 비록 최선을 다해 노력했음에도 펑더화이의 수요를 확보하지 못했다. 지원군 한 사람당 한 달치 정량의 3분의 1만 공급하려 해도 1,482만 근(斤)의 차오멘이 필요했다. 동북 지방에서 젖 먹던 힘까지 짜내도 단지 1천만 근밖에 해결할 수 없었다. 그리하여 그 열정적인 시절에, 중국의 대지에서는 남녀노소가 모두 동원되었고, 집집마다 차오멘을 굽는 붐이 일었다.

베이징에서는, 저우언라이를 포함한 당·정·군의 지도자들이 바쁜 업무

166 돼지, 소, 양고기를 흐물흐물한 상태로 변하기 전까지 삶은 다음 건조시킨 음식이다. 건조시킨 후에는 각각 1근 크기로 잘라 종이에 포장하여, 일선 부대로 보냈다고 한다.

의 여가 시간에 열심히 차오멘을 만들었고, 감옥 안에 있는 두위밍 등 국민당 전범들도 이 작업에 투입되었다. 공산당에 의해 감옥에 갇힌 이들 국민당 장군들도 매우 열심히 일했다. 그들도 군인이어서, 모두가 일찍이 전장에서 배고픔의 심정을 경험했던 데다, 전쟁의 승리가 그들의 민족적 자긍심을 크게 높여주기도 했다.

언급할 만한 것은, 중국 군대가 참전하기 전에, 마오쩌둥은 관련 부서들로 하여금 미군과 교류한 적이 있던 두위밍 등의 사람들에게 전쟁의 앞날에 대한 견해를 자문해보게 했다. 당시 대다수의 미국을 숭배하던 국민당 장군들이 전쟁의 전망에 대해 비관적으로 느낄 때, 국민당의 명장 두위밍 등 미군에 대해 비교적 잘 알고 있던 몇몇 장군들은 보고서에서, 미군의 약점을 틀어쥐기만 한다면, 그들을 물리칠 수 있을 거라고 지적했다.

차오멘을 담은 자루들이 조선 전선으로 보내졌다. 국내에서 저우언라이 총리까지도 차오멘을 만든다는 소식이 전해지자, 중국 군대의 장병들은 감격해 마지않았다. 이후 차오멘이라는 먹기에 간편한 식품을 가지고 다니던 병사들이 많은 전투에서 승리하자, 병사들은 차오멘이 큰 어려움을 해결해 준 것에 감사했다. 심지어 "차오멘을 위해 공을 세우자"라는 구호를 외치기까지 했다.

그러나 지원군의 병참보급을 주관하던 훙쉐즈는 침울하게 그 당시를 회상했다: "차오멘이라는 것은 장기간 군대의 주식으로 삼기에는 좋지 않았어요. 그 영양 성분이 너무 단순하고, 비타민이 부족하여, 장기간 섭취하면 병사들의 체력과 건강에 나쁜 영향을 미칩니다. 수분 함량이 적기 때문에, 장기간 섭취하면 '열[火]'이 나기 쉬워, 많은 병사들이 구각염(口角炎)[167]에 걸렸고, 또 복부가 터질 듯이 부풀어 오르기도 했습니다." 어떤 병사들은 농담으로, 차오멘을 나무 위에 걸어놓으면 비행기도 공격하지 않을 거라고 했다. 이후 비타민이 부족한 차오멘은 지원군의 밤호랑이들로 하여금 야맹증에

167 입꼬리가 갈라지는 병이다. 비타민 B2가 부족하면 면역력이 저하되어 발생하기 쉽다고 한다.

걸리게 했다. 홍쉐즈는 어쩔 수 없이 여러 사람들의 지혜를 모아 곰곰이 생각하면서, 머리를 써서 새로운 문제를 해결했다. 해결 방법은 간단하고 효과적이면서도 사람들을 서글프게 했다. 첫째는 솔잎을 끓여서 마시는 것이었고, 둘째는 두 눈 딱 감고 살아서 요동치는 올챙이를 삼키는 것이었다. 빈약한 국력은 용맹하게 잘 싸우기로는 세상에 둘도 없는 중국 군대에게 더없는 고통을 주었다.

그때, 홍쉐즈의 머릿속에서는 이미 중국 군대의 병참보급 체계의 획기적 개혁안이 무르익기 시작했다. 그는 이미 거의 막다른 길로 몰리고 있었다. 현대화된 전쟁을 하려면, "온갖 고난을 무릅쓰고 분투하면, 창고가 앞에 있다[小米加步槍, 倉庫在前方]"[168]라는 원시적인 병참보급 체제를 바꾸지 않으면 안 되었다. 그는 병참보급을 나누어 담당하는 부사령관으로서, 두 차례의 전역에서 모두 병참보급에 큰 부족을 겪었다. 부대에서는 불만이 가득했는데, 한셴추가 보고한 부대의 곤란한 상황은 홍쉐즈로 하여금 매우 불안하게 했다. 그는 펑더화이에게 사방의 전투를 감독하고 있던 한셴추로 하여금 자신과 서로 역할을 교대하게 하여, 아예 자신이 전선에 나가고, 한셴추가 병참보급을 담당하게 해달라고 제안했다. 펑더화이가 처음에 동의했으므로, 홍쉐즈는 작별인사를 하러 갔다: "총사령관님, 저는 출발합니다. 다른 지시사항이 있습니까?"

펑더화이는 뜻밖에 깜짝 놀랐다: "자네가 출발하다니, 어디로 간다는 거야?"

"당 위원회가 저를 전선에 보내기로 결정하지 않았습니까?"

펑더화이는 정색을 하며 말했다: "말은 그렇게 했지만, 그렇게 할 수는 없네. 한셴추가 말한 어려움은 우리 모두 알고 있네. 병참보급은 여전히 자네가 관장하고, 한셴추가 전선으로 가는 게 좋네."

168 직역하면 "좁쌀과 보병총을 갖고 싸우다보면, 보급품 창고는 전방에 있다"는 뜻이다. 중국 공산 혁명 과정에서 팔로군이 열악한 조건에서 투쟁하면서, 각종 무기와 식량 등을 적에게서 탈취하여 충당했음을 표현하는 말로, "온갖 고난을 무릅쓰고 분투하면서, 필요한 물품은 적에게서 빼앗아 충당한다"는 의미이다.

원래 펑더화이와 덩화는 의견을 교환한 뒤, 교체하지 않는 것이 좋으며, 게다가 이러한 전장 조건에서 병참보급은 그 누가 관할하더라도 사람의 뜻대로 되기 어렵다고 판단했다.

홍쉐즈는 자신에게 가해지는 중압감을 떨쳐버릴 수 없자, 아예 이렇게 결심했다: '반드시 지원군의 병참보급이 잘 이루어질 방법을 생각해내어, 전선에 있는 장병들로 하여금 배불리 먹고 따뜻하게 입게 하여, 미국인들을 무찌르게 하리라…….'

제3차 전역의 작전 계획이 다음과 같이 확정되었다: 중국 군대의 6개 군단과 7개 포병 연대 및 조선인민군 3개 군단을 좌우 두 개의 돌격 집단으로 나누어, 좌익의 제38·제39·제40·제50군단과 6개 포병 여단·조선인민군 제1군단은 한국군 제6사단과 제11사단을 공격하여 섬멸하는 것을 목표로 삼고, 아울러 기회를 보아 서울을 탈취하기로 한다. 이것이 주공격 방향이다. 우익의 제42군단과 제66군단에 1개 포병 여단을 추가한 것은 보조 공격 방향으로, 오른쪽 주력의 돌파를 보장함과 아울러 가평·춘천 쪽으로 돌격하기로 한다. 또한 협동 작전을 펼쳐 더 왼쪽에 있는 인민군 제5·제2군단은 남진함과 아울러, 춘천과 서울의 교통을 차단해야 한다. 제3차 전역 개시일은 12월 22일이다. 큰 싸움이 다시 시작되려 하고 있었다. 하지만 적은 곧 제법 싸울 줄 아는 전선의 군대 통솔 장교를 교체하려 하고 있었다.

4

12월 23일 밤, 당시 55세의 미국 육군 참모차장 리지웨이 중장은 친구들과 함께 술을 마시고 있었다. 리지웨이가 1917년에 웨스트포인트 사관학교를 졸업할 때 교장이 바로 맥아더였다. 그러나 이 교장에 대해 리지웨이는 그다지 관심이 없었다. 맥아더가 "자신의 말을 과장하고 자화자찬하는 나쁜 습관"과 "거짓으로 일을 만들어 자신에게 공을 돌리기를 좋아하는 버릇"은 리지웨이로 하여금 맥아더를 존경하면서도 가까이 하지 않게 만들었다.

리지웨이는 맥아더가 부하의 공을 가로채 자신의 것으로 삼는 추악한 일을 얼마나 많이 했는지 잘 알고 있었다. 수많은 젊은 장교들이 자신의 참신한 생각을 맥아더에게 보고하면, 맥아더는 마주하고 있을 때는 표정을 드러내지 않다가, 낯빛을 싹 바꾸어 자신의 "새로운 천재적인 전략 구상"이라고 허풍을 떨었다. 그리하여 표절당한 그 세상물정 모르는 어린 장교들은 아연실색했다. 회고록 『한국 전쟁(*The Korean War*)』에서 리지웨이는 맥아더의 치명적 약점들을 가차 없이 지적했다: "맥아더는 주제넘게 나서기를 좋아했고, ……그는 일부러 고결하고 도도한 마음을 길렀다. 마치 그것이 천재의 특징이라도 되는 것 같았는데, 그것은 곧바로 도무지 어울리지 않는 것들로 변해버려……, 그로 하여금 한 명의 사령관이 그의 부하들로부터 얻을 필요가 있는 비판적 의견들과 정확한 평가들을 잃게 만들었다. 고집불통에다 남의 의견을 듣지 않는 그의 성격은……때때로 그를 간단명료한 논리도 고려하지 않고 오로지 혼자만의 주장을 견지하게 했다. 자신의 판단에 대해 굳게 믿고 의심치 않는 그의 성격은, 그로 하여금 일관되고 정확한 예감을 갖게 해주었음과 동시에, 결국은 그를 항명하여 불복종하게 만들었다."

웨스트포인트 사관학교 시절, 사관생도인 리지웨이는 이미 자신이 우수한 장교가 될 모든 소질들을 갖추고 있음을 보여주었다. 그는 용모가 단정하고 위엄이 있었으며, 엄격하면서도 소탈하고, 학교 미식축구 팀의 주장이었는데, 이 자리는 아무나 마음대로 할 수 있는 자리가 아니었다. 미식축구는 미국에서 가장 열광적인 스포츠이고, 웨스트포인트의 미식축구팀은 미국 육군의 간판이었으므로, 이러한 자리에 오른 사람은 거의 대부분이 큰 인물이 되었으며, 육군의 기둥으로 성장했다. 웨스트포인트에서의 경력은 곧 리지웨이에게 출세의 길을 닦아주었다.

군인의 기회는 전쟁터에 있다. 소위 리지웨이는 25년간 온갖 고생을 겪고 나서야 비로소 제2차 세계대전으로 인해 제82공수 사단(82nd Airborne Division) 사단장이 되었다. 그때부터 지금까지 단지 10년밖에 지나지 않았는데, 그는 육군 참모차장의 직위에 올랐다. 리지웨이는 탁월한 개인의 재능으로 자신이 이렇게 빨리 승진하는 것이 이치에 맞음을 증명했다. 그는 미군 내에서 "강력한 의지와 지휘 재능"으로 유명했다. 동료들은 조만간 언젠가 리지웨이가 미국 육군의 최고 지위에 오를 것이라고 모두 인정했다. 어느 나라의 군대에서나, 리지웨이처럼 자신의 재능을 유감없이 발휘하고, 정력이 넘치고, 한창 상승기에 있는 장교가 가장 대처하기 어려운 역할을 맡는다.

한바탕 전화 벨 소리가 맛있는 술이 가져다 준 흥취를 깨뜨려버렸다. 리지웨이가 전화를 받았는데, 콜린스(Joseph Lawton Collins, 1896~1987)[169] 장군의 어조가 급박했다: "매튜, 사고가 났소. 워커가 죽었소. 즉시 펜타곤으로 와서 회의를 여시오."

펜타곤에 가서 리지웨이는 비로소, 심지어 워커가 아직 살아 있을 때 맥아더가 자신을 워커의 후임자에 포함시켜 놓았다는 것을 알았다.

집으로 서둘러 돌아와, 그는 처자식들과 함께, 전장에서 리지웨이 자신에게 무한한 위안을 주었던 사진을 한 장 찍고, 한 통의 유서를 썼다. 그리고 리지웨이가 일본으로 가는 비행기에 오르면서, 그의 조선 전쟁은 시작되었다.

도쿄에 도착한 이튿날, 리지웨이는 그때 위신이 순식간에 여지없이 떨어진 맥아더를 접견했다. 그의 감정은 매우 복잡했다. 그는 비록 맥아더를 싫어했지만 맥아더의 재능과 용기는 숭배했다. 그러나 맥아더가 한번 입을 열자, 리지웨이의 혐오하는 마음이 갑자기 솟구쳐 올랐다.

"매튜, 나는 자네가 분명히 알고 있으리라 생각하는데, 우리가 한국에서 맞닥뜨린 것이 무엇인가? 전쟁일세! 전쟁에서 가장 소중한 것이 무엇인가? 승리일세! 말할 필요도 없이, 군사적인 승리가 우리의 외교적인 지위를 강화시켜줄 수 있을 것이네. 하지만 걱정스러운 것은, 우리는 전장에서 아무 일도 하지 않으면서, 몇몇 정객들이 마음대로 외교적 경로로 출구를 찾도록 맡겨두고 있는데, 그렇다면 우리 같은 군인들은 뭘 하란 말인가?"

'또 시작이군, 또 시작이야.' 리지웨이는 비록 내색하지는 않았지만, 내심

169 한국 전쟁 당시의 미국 육군 참모총장이다.

으로는 극도로 반감을 가졌다. 승리는 언제나 자기 혼자의 것이었고, 패배하면 언제나 무수한 구실들이 있었다. 만약 일은 모두 정객들이 망쳤다면, 전쟁에서는 또 누가 패했단 말인가?

맥아더는 고래고래 쉴 새 없이 소리를 지르면서, 리지웨이가 어떤 반응을 보이는지는 거의 개의치 않았다. 그의 눈에는 리지웨이는 또 하나의 워커 같은 도구에 불과했다.

"누구나 다 알고 있듯이, 공산당 중국의 남쪽 대문은 활짝 열려 있네. 만약 타이완의 중국 군대가 대륙으로 공격을 개시한다면, 분명히 우리가 조선에서 받는 압력은 크게 줄어들 것이네. 나는 이것을 여러 차례 워싱턴에 건의했지만, 그들은 도무지 채택해주지 않네."

이때, 장제스는 이미 두 번째로 맥아더에게 국민당 군대를 파견하여 조선에 들어가 작전하겠다고 제의했고, 국민당의 특수 공작원들은 맥아더의 묵인하에 이미 조선 전장에 널리 퍼져 있었다. 트루먼은 이리저리 따져보고는, 당연히 장제스를 감히 새장에서 풀어주지 못했다. 맥아더는 바로 이것이 자신의 실패를 초래했다고 여겼다.

욕을 하느라 기진맥진한 다음, 맥아더는 비로소 명령을 내리기 시작했다. 그는 리지웨이에게 확실히 진지를 굳게 지켜야 한다고 했다. 특히 서울을 지켜야 한다고 했다. 그러고 나서 다시 조선에 있는 부대의 혼란한 상황에 대해 매섭게 욕설을 퍼부었다. 미국 공군이 특히 멍청하다고 욕을 퍼붓고 나더니 다시 슬프게 한탄하면서 말했다: "나는 확실히 자네를 지지하며, 나는 자네에 대해서는 완전히 안심하네. 알몬드의 제10군단을 자네에게 주어 통일적으로 지휘할 것이네. 자네의 전임자 워커는 이러한 권력을 가져본 적이 없네."

진즉부터 참을 수가 없던 리지웨이가 일어서며 말했다: "총사령관님의 저에 대한 믿음에 감사드립니다. 오늘 오후에 저는 비행기로 한국에 갑니다. 그런데 몇 가지 문제에 대해 총사령관님께 여쭤도 되겠습니까?"

"당연하네. 나는 자네의 어떠한 문제에 대해서도 대답해주겠네. 특히 작전에 관련된 것이라면, 물어보게!"

리지웨이는 맥아더가 다시 교장의 꼴사나운 언동을 늘어놓는 것을 혐오스럽게 바라보았다. 맙소사, 전장에서 군사 문제에 대해 가르침을 청하라니 기가 막혔다. 리지웨이가 물은 것은 정치 문제였다:

"장군님, 만약 소련 군대가 참전하는 상황이 발생한다면, 장군님께서는 제8집단군이 어떤 행동을 취하도록 명령하시겠습니까?"

"아, 나는 그것은 별로 가능하지 않다고 생각하네." 맥아더는 머뭇거리다가 말을 이어갔다: "만약 그런 상황이 발생한다면, 나는 제8집단군을 일본으로 철수하라고 명령하겠네."

"만약 중국 군대가 계속 남진한다면, 남한 사람들이 우리를 배반할 위험은 없을까요?" 리지웨이는 남한 사람들을 믿지 않았다.

"그럴 위험이 있을 수 있네만, 매튜! 지금은 아직 그런 위험까지는 말할 수 없네." 맥아더도 마찬가지로 남한 사람들을 믿지 않았다.

"또, 만약 제가 전황이 우리에게 유리하다고 본다면, 장군님께서는 제가 적들을 향해 공격을 개시할 결정권을 주시겠습니까?" 리지웨이는 지휘권을 요구했다. 그는 바로 맥아더가 원격 조종할 것을 염려하고 있었다.

"매튜, 제8집단군은 자네 소속이니, 자네가 최선이라고 생각한다면, 자네 좋을 대로 하게." 맥아더는 손을 떼지 않으면 안 되었다.

맥아더가 한나절 동안 수다를 떠는 것을 들었는데, 리지웨이가 원했던 말은 이 말이었다. 이제 목적이 달성되었으니 갈 수 있었다. 그러나 맥아더는 매튜가 교장에게 군사 문제의 가르침을 요청하지 않자 자존심이 상한다고 느꼈다. 그는 다시 교육하기 시작했다:

"절대로 노란 피부의 중국인들을 가볍게 보지 말게. 그들은 언제나 대로를 피해 산봉우리와 구릉을 이용하여 침투하고, 야간 행동과 야간 작전에 익숙하네. 그들은 가장 위험한 적이네. 조금만 조심하지 않으면, 큰코다칠 걸세."

리지웨이는 급히 도쿄를 떠나 곧바로 한국의 대구비행장으로 날아갔다.

비행기 문이 열리자, 기자들은 놀라 어안이 벙벙했다. 맙소사, 다시 카우보이 버전의 맥아더가 오다니! 유행에 맞지 않는 이상하게 생긴 모변모(毛邊帽: 가장자리에 털이 달린, 카우보이들이 쓰는 중절모-옮긴이)가 리지웨이의 머리 위에 씌워져 있었고, 공수부대 전투복의 옷깃에는 세 개의 별과 낙하산병 휘장이 반짝반짝 빛났으며, 전투복 겉에는 조끼를 입고 있어, 리지웨이가 허리춤에 차고 있는 대형 리볼버 권총을 딱 적당하게 드러내주었다. 또한 더욱 심오하여 이해하기 어려웠던 것은, 두 개의 거무튀튀한 오이 모양의 대전차수류탄이 리지웨이에 의해 목에 매달려 있어, 미풍이 불어올 때마다 리지웨이의 목에 매달려 있는 그 두 개의 검은 물건들이 사람들의 마음을 졸이게 하면서 양쪽으로 흔들거렸다. 이것은 리지웨의 '영광의 수류탄'이었다. 이 두 개의 수류탄들은 줄곧 리지웨이의 목 위에서 그와 함께 한국에서의 세월을 보냈다.

단지 천하가 혼란스럽지 않을까봐 걱정하는 기자들은 이후에 뉴스거리가 적지 않으리라는 것을 알았으니, 주제넘게 나서기를 좋아한다는 점에서 본다면, 리지웨이와 맥아더는 결코 다른 점이 없었다. 당연히 그도 맥아더와 마찬가지로 지금까지 이것이 일부러 '쇼'를 하는 것이라고 인정한 적이 없었다. 누군가가 대전차수류탄의 필요성을 그에게 물을 때마다, 그는 언제나 분노하여 소리쳤다: "제기랄, 이것은 전쟁이오!"

리지웨이는 정신적 무기력증을 앓고 있는 제8집단군을 정비하기 시작했다. 그가 제일 먼저 한 일은 제8집단군의 사령부 식탁 위에 깔려 있는 더러운 식탁보와 식사를 담아두는 항아리를 치워버린 것이다. 늘 세계의 저명한 인사들이 방문하는 사령부가 뜻밖에도 이러한 물건들로 대충 손님을 접대하면, 부대가 이미 가장 기본적인 명예심을 잃었다는 것을 충분히 알 수 있었다.

이어서 리지웨이는 모든 사람들이나 일들마다 그냥 지나치지 않았다. 지프차 위를 덮는 캔버스 천으로 만든 차 덮개가 가장 먼저 그의 눈에 거슬렸다: "모든 천으로 만든 차 덮개를 뜯어내라! 전장에서 천으로 만든 차 덮개가 있는 자동차에 타는 것은, 밀폐된 자동차 안에서 일종의 스스로를 기만하고 남도 속이는 안전감과 근거 없는 편안함을 편취하는 것이다. 방수포 차 덮개가 총탄을 막아내지 못한다는 건 여러분도 알고 있을 것이다. 이는 막다른 골목에 몰린 타조가 대가리를 모래 속에 처박는 것과 같은 심리 상태다."

제8집단군의 장병들은 새로운 사령관의 방수포 차 덮개 무용론을 불가사의하게 들었다. 이때부터 미군 장교들은 섭씨 영하 30도에서도 덮개가 없는 지프차를 타고 분주히 왕래했다.

리지웨이는 곳곳을 시찰하면서, 헌병과 함께 권총으로 한국 병사들을 압박하여 전선으로 돌려보냈다. 한국 병사가 떠난 다음, 그는 다시 헌병에게 말했다: "조금 있으면 그들은 더 빠른 속도로 돌아올 거다."

부대의 상황은 리지웨이를 크게 실망시켰다. 제8집단군은 이미 모든 자신감을 잃어버렸고, 병사들은 지휘관을 믿지 않았으며, 지휘관들은 싸워서 이길 수 있다고 믿지 않았다. 모든 사람들이 오로지 집에 돌아갈 생각만 하고 있었다.

리지웨이는 먼저 장교들의 생각을 확 바꿔놓기로 결정하고는, 매우 기개 있고 격정적인 연설을 발표했다. 그것은 확실히 훌륭한 문장이었다:

"제군은 모두 들으라. 미국 보병 선배들이 만약 제8집단군의 지금 이러한 모습을 안다면, 틀림없이 화가 나 무덤 속에서 데굴데굴 구를 것이다!"

리지웨이가 연설을 하자 사람들은 깜짝 놀랐고, 장교들은 벌벌 떨었다.

"제군은 다시 중국 군대를 봐라. 그들은 언제나 야간에 행군하고, 궁핍한 생활에 익숙한 데다, 심지어 먹는 것들이 생옥수수 알갱이와 삶은 콩뿐이다. 이것은 제군에게는 그야말로 사료이고 그야말로 견딜 수 없는 것들이다! 그들은 달구지·노새와 당나귀를 능숙하게 이용하여 무기와 보급품을 운송하며, 심지어 사람의 힘으로 어깨에 메거나 등에 짊어져 나르고 있다. 그러나 우리는 어떠한가? 우리 군대는 도로를 떠나면 싸우지 못하고, 길을 따라 있는 고지를 빼앗아 점령하는 것을 중시하지 않고 있다. 지형을 숙지하거나 지형을 이용하지 않으며, 자동차에서 떠나지 않으려 한 결과, 자동차에 탄 사람까지도 함께 끝장나버렸다."

리지웨이는 미군의 약점에 대해 상당히 명확하게 인식하고 있었다:

"나는 제군이, 제군은 보병이라는 사실을 기억하기 바란다! 제군은 반드시 길을 걸을 수 있도록 배워야 한다. 중국 군대는 결코 무슨 하늘이 보낸 병사나 하늘이 보낸 장수가 아니다. 그들도 사람이며, 두 다리와 보병 무기에 의지해 싸운다는 것을 알아야 한다. 그들의 탱크와 대포 수량은 적어서 가련할 정도다. 그들은 제공권이 없으며, 그들의 식량과 탄약 공급은 거의 인력과 가축의 힘에 의지하여 운송하고 있다. 그것은 필연적으로 그들이 연속으로 작전하는 능력에 영향을 미칠 것이다. 이러한 관점에서 보면, 제8집단군은 덮어놓고 퇴각하는 전술을 취해서는 안 되고, 그 대신 공격해야 한다. 일단 실력이 허락한다면, 마땅히 제8집단군을 공세로 돌아서게 해야 한다. 당연히 이러한 공세는 반드시 일치하여 협력해야 하며, 다시는 병력을 나누고 무모하게 공격하는 잘못을 저질러서는 안 된다."

리지웨이는 이미 지원군의 약점을 간파하고 있었다.

이어서, 그가 말하는 말투는 그야말로 마치 중국 보병 중대의 정치교도원이 전투를 시작하기 전에 교육하는 것 같았다:

"전투란 무기에 의지하는 것 말고도, 반드시 정신력에 의지해야 한다. 이 정신력은 고생을 두려워하지 않고, 죽음을 두려워하지 않고, 완강하게 전투하는 정신이다. 최근 몇 개월 동안 적군과 아군이 한국의 전장에서 펼친 대결이, 이 문제를 매우 잘 말해준다. 우리 쪽 장비는 비록 좋지만, 오히려 계속 패배했고, 적군 장비는 비록 나쁘지만, 오히려 연달아 우위를 점했는데, 그 원인이 바로 여기에 있다. 때문에 우리는 모두 반드시 패배주의 정서를 극복하고, 반드시 군대의 위력을 다시 떨쳐야 한다. 미국 육군의 다음 격언을 기억하기 바란다. '그들을 찾아내라! 그들을 물고 늘어져라! 그들을 물리쳐라! 그들을 섬멸하라!'"

마지막으로 리지웨이는 미국 지휘관들에게 중국 지휘관들처럼 몸소 병사들의 앞에 서라고 요구했다:

"제8집단군의 명예를 회복하기 위해, 나는 전군의 장교들은 반드시 솔선수범할 것을 요구한다. 전투할 때, 나는 사단 지휘관들이 자신의 선두 대대와 함께하기를 바라며, 나는 또한 연대의 지휘관들이 전투가 가장 격렬한 대대와 함께하기를 희망한다. 만약 제군이 서류 작업을 해야 할 게 있으면, 저녁에 다시 해도 된다. 낮에는, 전투가 크게 벌어지는 곳이야말로 제군이 마땅히 있어야 할 곳이다."

리지웨이는 곳곳에서 유사한 연설을 했는데, 심지어 해병대 제1사단에게는 "붉은 중국의 피를 씻어내 흰색으로 만들라!"고 요구하기도 했다.

연설을 발표하고도 여전히 부족하다고 느끼자, 리지웨이는 다시 일거에 다섯 명의 사단장들을 해임하고, 거의 모든 사단의 일급 지휘관들을 갈아치웠으며, 자신과 함께 목숨 바쳐 싸울 소장(少將: 한국의 준장에 해당함-옮긴이)들을 발탁했다.

리지웨이는 마치 뜨거운 철판 위의 고양이가 뛰어오르듯이 도처에서 사기를 고무시켰지만, 펑더화이가 그에게 약간의 시간도 주지 않자, 그도 역시 패배를 맛보았다. 그러나 시기가 무르익었을 때, 그는 펑더화이에게 한번 반격을 가할 것이다.

5

1950년 12월 31일 해질 무렵 17시, 중국의 포병이 마침내 전장에 투입되었다. 연달아 적기의 공습을 받아 피해가 막심한 상황에서, 3개 포병 사단이 최선을 다해 전선으로 달려갔고, 100여 문의 대포들을 집중하여 주요 돌격 방향에 화력 준비를 진행했다. 수많은 포탄들이 적군 진지를 맹렬하게 포격하자, 불꽃이 하늘가를 붉게 비췄으며, 적군 진지 위에서는 연기와 불이 피어올랐고, 진흙과 철근에 인체의 사지(四肢) 잔해들이 섞여서 사방으로 흩날렸다. 참호 안에 엎드린 채 돌격 준비를 하고 있던 보병들은 흥분해서 뛰어오르며 크게 소리쳤다: "우리의 포병이다! 우리의 포병이다!"

지원군의 한 부대 병사들이 산을 넘고 강을 건너 유엔군을 향해 공격을 개시하고 있다.

이것은 항미원조 전쟁에서 중국 군대가 최초로 대규모의 포병을 사용한 경우이다. 그러나 애석하게도 대포가 너무 적었다. 3개 사단의 대다수 대포들은 미군 비행기에 의해 파괴되거나, 얼어붙은 도로 위에서 미끄러져버렸다. 포탄도 너무 적어서, 대포 1문당 100여 발의 포탄밖에 없었다. 그럼에도 불구하고, 미군의 대포를 지긋지긋하게 경험한 중국의 보병들은 여전히 매우 기뻐했다.

짧은 포격이 끝나자, 막 몰아닥친 한파가 가져온 영하 30도의 혹한을 무릅쓰고, 중국의 병사들은 참호를 뛰쳐나가 지뢰밭을 돌파하고, 임진강을 건너 용감하게 적진을 향해 돌진했다. 항미원조의 제3차 전역이 시작되었는데, 바로 이날은 중국의 섣달그믐이었다.[170]

펑더화이는 지휘부의 지도 앞에 서서 초조하게 전선의 소식을 기다리고 있었다. 오늘은 섣달그믐이어서, 부정치위원 박일우 부사령관이 이미 두 번이나 대표를 보내 저녁 식사에 초대했다. 하지만 어찌 가서 먹을 수 있겠는

170 한국의 자료에서는 이를 "중공군의 제3차 신정 공세"라고 부른다. 1951년 1월 1일 신정을 전후해서 중국군이 펼친 공세이기 때문이다.

가! 지도 위의 빽빽한 등고선들이 펑더화이의 눈에는 입체적 지형으로 보였다. 그에게는 마치 무수히 많은 용맹한 병사들이 지금 그 위에서 희생을 겁내지 않고 용감하게 전진하는 것처럼 보였다.

제4야전군은 그들의 36개의 사단들 가운데 가장 용맹한 것은 제5사단이라고 공인했다. 제5사단이 개편되고 난 이후의 부대 번호가 제39군단 제116사단인데, 그들은 임진강을 건널 때 전술적인 기적을 만들어냈다.

제116사단장 왕양(汪洋)은 항일 전쟁 시기에 종군하며 충성한 인텔리로, 항일 전쟁 시기의 간부들 중 그의 수준에 도달할 수 있었던 사람은 결코 많지 않았다. 그는 지모가 풍부한 선비풍의 장수였다. 그의 정치위원이었던 스잉(石瑛, 1916~1998)은 제4야전군에서 유명한 맹장으로, 어디에 가더라도 말에 책임을 지는 사람이었는데, 차라리 부군단장을 맡지 않고 사단의 정치위원을 맡겠다고 했다. 이 두 사람은 마음이 매우 잘 맞았다.

공격을 개시하기 전에 왕양과 스잉은 코가 눈밭을 헤집어놓을 정도로 진지의 최전방을 기어 다니면서 지형을 명확하게 살펴보았다. 돌아온 다음 따져보더니, 위험한 군사 행동을 사용하기로 결정하고, 돌파 지점을 임진강의 맞은편 강기슭의 방어하기는 쉽고 공격하기는 어려우며 적 방향으로 굽어져 있는 구역으로 선정했다. 그 이유는 지형이 아군에게 불리하여, 적들은 분명히 방비를 소홀히 할 것이기 때문이었다.

그것만이 전부가 아니었다. 두 사람은 하루를 앞당기기로 결정하고, 7,500명과 70문의 대포를 적진 최전방으로부터 겨우 150미터 내지 300미터밖에 떨어지지 않은 곳에 매복시켰으니, 참으로 대담했다. 기발한 수단을 사용하는 데 익숙했던 우신촨 군단장조차도 이 작전 방안을 듣고 깜짝 놀랐다.

우신촨은 원래 2개 사단을 함께 사용하여 임진강을 돌파하려 했는데, 두 장수가 병력을 보내 기습하겠다고 할 뿐만 아니라, 자신의 1개 사단만이 단독으로 수체가 되어 돌파하겠다고 요구하리라고는 생각하지 못했다. 이는 군단장조차도 지휘하는 격이 아니겠는가?

다행히 우신환의 군사적 사고는 매우 민주적이어서, 격렬한 논쟁을 거친 다음, 그 두 장수의 말이 확실히 일리가 있다고 판단하고, 결국 그들의 계획에 동의했다.

전투가 시작되자, 제116사단의 7,500명 장병들은 단 5분 만에 임진강을 건너, 한국 제1사단이 미처 손 쓸 틈도 주지 않고 공격했다. 얼이 빠져 우두커니 있는 한국 병사들은, 강 맞은편의 사람 한 명 없던 설원에서 갑자기 무수히 많은 병사들이 뛰어나오는 것을 멀뚱멀뚱 바라보면서, 반격할 틈도 없이 낙화유수처럼 쓰러졌다. 제116사단의 이 성공적인 돌파는, 이후 중국 군대에서 용병의 귀재이자 매우 까다로운 류보청 원수를 매우 만족하게 했다. 그리고 중국 군대의 총참모부는 이번 전투를 사단 공격의 모범 사례로 삼고, 자료를 인쇄하여 군사학교와 부대들에 제공해 학습하게 했다.

임진강을 돌파한 다음, 제116사단은 계속해서 남쪽으로 100여 킬로미터를 맹렬하게 공격하여, 곧바로 37도선 부근의 수원에 도달함으로써, 조선전쟁 기간에 중국 군대가 남쪽으로 가장 멀리 공격해 간 사단이 되었다.

제39군단이 임진강을 돌파한 것과 동시에, 제38군단은 단 10분 만에 한탄강에 부교(浮橋)를 설치했다. 우한(武漢) 감옥장직을 내놓고, 오로지 조선에 가서 미국인과 싸우려고 했던 차오워하이가 부대를 이끌고 돌격 대대가 되어 돌격에 성공했다. 한 무리의 적군을 쓰러뜨리고 나서야 비로소 이들 시체의 코가 특별히 크다는 것을 발견했다. 분명히 미국인이었다. 원래는 여전히 전부 한국 병사들이 제1방어선을 수비한다고 생각했었다.

이번에는 차오워하이가 더욱 힘을 내, 일거에 철옹성처럼 견고하다는 적의 진지를 함락시켰을 뿐만 아니라, 마침내 또한 1개 대대가 지원도 없이 홀로 적 후방 40여 킬로미터까지 돌진해 들어갔다. 이튿날, 이 한 마리의 사나운 사자 같은 차오워하이가 이끄는 영웅적인 대대는 다시 영하 20도가 넘는 혹한을 무릅쓰고 한강을 건너, 적의 주둔지를 기습했다. 가는 곳마다 휩쓸어, 미군만 330여 명을 죽였고, 대포 40여 문과 자동차 30여 대를 노획했다. 이는 당시 중국 군대의 2개 포병 연대를 무장시키기에 충분한 장비

지원군이 포화 속에서 차가운 강을 건너, 강 맞은편을 향해 공격하고 있다.

였다. 국내의 전장에서 무수히 많은 큰 공을 세웠고, 조선에 들어와서는 수차례 강한 적을 물리친 차오위하이는 이 전투가 있고 나서 '강철 대대장'이라는 명예로운 칭호를 얻었고, 그가 이끈 제38군단 제114사단 제242연대의 제1대대는 '철군(鐵軍)'이라고 칭송되었다.

제38군단과 제39군단의 양쪽 옆에서는, 제40군단과 제50군단도 전체 전선에서 임진강을 돌파했으며, 좌익의 제42군단과 제66군단 또한 마찬가지로 순조롭게 전진했다. ……200킬로미터 너비의 전선에서 20만 명의 중국 병사들은 지뢰밭을 건너고, 차가운 강을 건넜으며, 빗발치는 적의 총탄을 무릅쓰고 용감하게 앞으로 나아가면서, 적군과 세계 전쟁 역사에서 보기 드물게 힘든 전투를 벌였다. 한 무리의 병사들이 매서운 추위 속에서 쓰러져갔는데, 시체는 곧바로 쇠처럼 딱딱하게 얼어버렸으며, 부상병들은 몸을 비틀면서 설원 위에서 데굴데굴 굴렀다. 10여만 명의 군대를 따라 전진하던 동북 지역의 노무자들이 전장을 샅샅이 뒤져, 그들을 들것에 싣고, 불에 데운 뜨거운 돌을 솜이불에 집어넣어 그들이 체온을 유지하게 하고 나서, 다시 필사적으로 후방으로 운반했다. 사상자의 옆에서는 더욱 많은 병사들이 앞으로 맹렬하게 돌진했다.

1950년의 마지막 날은 전쟁 승리의 경축일이었다. 겨우 한 시간 만에 지원군은 모든 전선에서 리지웨이의 방어선을 돌파했다. 이번 전투에서 시도했던 은폐술과 중국 군대의 뛰어난 위장 능력은 세계 군사 역사에서도 유명한 것으로, 리지웨이마저도 감탄해 마지않았다:

"중국 군인들이 생명의 기운이라고는 전혀 없는 저 황량한 들판에서 새해 첫날 공세를 가할 거라고는 정말이지 생각하지 못했다."

모든 전선을 돌파했다는 소식이 신속하게 펑더화이에게 보고되자, 펑더화이는 그제야 지휘소를 떠나 박일우가 초대한 제야의 식사—가마솥에 삶은 뜨거운 개고기—를 하러 갔다.

6

한셴추는 다시 전방으로 달려갔다. 그는 항미원조 전쟁 동안에 유명한 "한지(韓指: 한셴추의 지휘소라는 뜻-옮긴이)", 즉 한셴추 그 자신과 지원군 사령부 작전처 부처장 양디(楊迪, 1923~2006) 외에 다른 한 명의 참모를 데리고 다니면서, 우익의 4개 군단이 맹렬히 공격해 나가는 것을 통일하여 지휘했다. 한셴추는 작전을 하면서, 줄곧 사무를 처리하는 조직은 반드시 야무지고 효율적이어야 한다고 주장했다. 장백산(백두산-옮긴이)에서부터 하이난다오(海南島)에 이르기까지 그의 지휘소 인원은 10여 명뿐이었다. 그런데 조선에 들어간 이후에는 뜻밖에도 더욱 줄어서, 지금은 3명이 4개 군단을 지휘하고 있었다. 얼마 지나지 않아 그가 서해안 지휘소 사령관에 부임하여, 7개의 군단을 통할하게 되었는데, 그의 지휘소에는 뜻밖에 단지 1명의 경호원과 1명의 취사병만을 추가하자, 사람들은 이를 가리켜 "5명이 7개의 군단을 지휘한다"고 말했다.

한셴추는 제40군단 사령부와 함께 38선을 넘었는데, 도로의 도처에 적들

지원군의 여성 위생병이 부상병을 응급 처치하고 있다.

의 지뢰가 있어서 "쿵쿵" 소리가 멈추지 않았다. 잠시 전에는 한셴추를 인도하던 자동차가 폭발하여 뒤집혔고, 잠시 뒤에는 한셴추를 뒤따르던 자동차가 폭발하여 뒤집어졌다. 뒤따르던 차에는 제40군단의 10명 정도의 지휘소 주요 지휘관들이 타고 있었는데, 모두들 지프가 폭발하면서 눈밭으로 날아가 신음하고 있었다.

이 홍안현(紅安縣) 출신의 장군은 어쩔 수 없이 직접 차에서 내려 부상자들의 응급 처치를 지휘했다.

"정말 이상하군. 앞에서도 폭발했고, 뒤에서도 폭발했는데, 어떻게 중간에 내가 타고 있던 자동차는 폭발하지 않을 수 있는가?" 한셴추는 옛 부하였던 제40군단장 원위청(溫玉成, 1915~1989)을 보며 고개를 저였다.

부상병들에 대한 구조를 막 마치고 나자, 좋은 소식이 들려왔다. A방어선을 돌파하고 난 다음, 이어서 리지웨이의 B방어선도 돌파되었을 뿐만 아니라, 부대가 또한 18곳 내지 20곳에 이르는 미군 캠프도 포위했다는 것이다.

허참, 2개 사단으로 족하다니!

한셴추는 매우 기뻐하면서 양디에게 말했다: "아마도 기뻐하는 건 잠깐일 걸세. 날이 밝으면 또 어떻게 될지 모르네."

과연 포위당한 미군이 밤에 탱크를 이용해 둘러싸고는, 그 안에 숨어서 나오지 않았다. 중국 보병들 손에 있던 경화기로는 철거북(미군 탱크-옮긴이)을 움직일 수 없었고, 포병도 아직 올라오지 않아, 독 안에 든 거북을 보면서 한숨을 쉴 수밖에 없었다. 날이 밝으니, 수많은 비행기들이 오더니 저공에서 총을 갈겨대고 폭격을 하면서 미군의 포위 돌파를 엄호하자, 지상의 철거북들도 기어오르고 자동차들도 움직이기 시작했다. 산 위에 숨어 방공하고 있던 중국 병사들은 어쩔 수 없이 서로 멀뚱멀뚱 눈만 뜨고 적군이 도망치는 것을 바라보다가, 소수의 미군들밖에 섬멸하지 못했다. 안타깝게도 수중에 있는 무기들이 너무 형편없었다.

중국 군대의 우익 4개 군단이 남쪽을 향해 맹공을 가함과 동시에, 좌익의 2개 군단도 용기를 내어 앞을 다투고 있었다. 제42군단은 먼저 제125사단으로 험준한 도성현(道城峴: 포천에서 가평으로 넘어가는 높은 고개-옮긴이)을 일거에 돌파했고, 다시 제124단으로 돌파구를 따라 남쪽으로 맹렬하게 돌진해 들어갔다. 우루이린은 교통의 중심지인 제령리(濟寧里: 가평군 북면에 속함-옮긴이)를 점령하고, 남쪽으로 도주하는 한국군 제2사단과 제5사단의 퇴로를 차단하여, 정면으로 공격하던 제66군단과 힘을 합쳐 이들 2개의 한국군 부대를 섬멸하려 했다.

제372연대 제2대대 정치교도원(대대급 이상에서 정치 공작을 책임지는 장교-옮긴이) 왕헝이(王恒一, 1926~2006)와 제10중대장 왕칭슈(王清秀)는 1개 중기관총 소대와 2개 보병 소대를 데리고, 한국의 궤멸된 군대 안에서부터 한 줄기 혈로를 뚫고 제령리를 향해 맹렬하게 돌진했다. 적목리(赤木里: 가평군 북면에 속함-옮긴이)에 도착했을 때, 목적지까지는 아직 60리가 떨어져 있었는데, 정치교도원과 중대장이 한 차례 상의했다.

중대장은 입심이 대단했다: "적이 우리를 공격하지 않으면, 우리도 그들을

지원군이 야간에 철조망을 넘어 공격을 개시하고 있다.

상관하지 말고, 적이 만약 우리를 공격하더라도, 반격할 만한 가치가 있는지 없는지 판단해 봐야 합니다."

정치교도원은 더욱 웅대한 포부가 하늘을 찌를 듯했다: "맞소. 적들과 뒤엉키지 말고, 길을 따라 가다보면 공격할 만한 적들이 많을 테니, 길을 막지 않으면 굳이 개들을 두들겨 패지 않아도 됩니다. 돌진하여 제령리에 도착하기만 하면, 훨씬 더 많은 적들을 틀어막을 수 있을 것이오."

이 정치교도원은 말하면서 군침을 삼켰다.

미친 듯한 추격이 시작되었는데, 도중에 마주친 한국 병사들은 "마치 원숭이처럼 몇 번 총을 쏘고는" 다시 후퇴하여 돌아갔다. 100명도 안 되는 중국의 이 소부대는 반대로 마치 자신들이 천군만마라도 되는 양, 수천 명이 있는 적들의 중심부로 돌격해 들어갔다.

거림천(巨林川)에 이르러 털옷을 보관하고 있던 창고를 발견하자, 정치교도원은 비로소 마음이 동했다: "한 사람당 털옷 한 벌씩을 챙겨 추위를 막고, 다 챙긴 다음 다시 갑시다!"

털옷을 아직 다 챙기지도 않았는데, 한 병사가 달려와 보고했다: "1개 대대의 적군이 산골짜기에서 공격해오고 있습니다!"

정치교도원은 보병도 배치하지 않고, 3정의 중기관총을 1자로 배치하라고 명령했다. 죽음을 자초하여 오다가, 산비탈이 너무 경사가 심해 오를 수 없자, 적들은 골짜기 아래 모여 있을 수밖에 없었다. 이렇게 밀집해 있으면, 한 방의 탄환이 여러 명을 관통할 수 있었다. 100미터까지 도달하지 않으면 공격하지 말고, 누구라도 감히 먼저 총을 쏘면 기율에 따라 처분하겠다고 했다.

경솔한 5, 6백 명의 한국군이 골짜기 입구까지 뛰어왔다가, 문득 한바탕 중기관총의 맹렬한 소리를 들었다. 10분 안에 300여 명의 한국 병사들은 살아 있는 표적이 되었고, 시체들이 1미터 남짓한 높이로 쌓였다. 중국 군대의 전투는 모두 완벽하게 치러졌다.

이쪽에서 기관총 점호를 하고 있었는데, 저쪽에서 다섯 명의 중국 병사들이 두 명의 미국 장교가 교량을 폭파시키려는 것을 보자, 다섯 명의 중국 병사들은 황급히 일어나 생각할 겨를도 없이 소리쳤다: "미국 장교를 잡아라!" 두 명의 미국인들이 지프차를 타고 도망치자, 다섯 명의 병사들은 도로를 따라 미친 듯이 추격해갔다. 정치교도원은 그들이 조금이라도 피해를 당할까 두려워, 급히 부대를 추스려 뒤따라갔지만, 그들 다섯 명의 병사들은 이미 온데간데없었다.

이들 다섯 명의 중국 병사들은 달려가서 단번에 다섯 명의 한국 병사들을 섬멸하고, 자동차 1대를 불태운 다음 다시 앞으로 돌진하여, 뒤쪽의 정치교도원을 5화리(華里: 1화리는 약 500미터-옮긴이)나 뒤처지게 했다. 정치교도원의 뒤에서는, 대대의 주력과 연대의 주력이 다시 그들을 추격하면서, 길게 늘어선 중국 병사들이 앞을 향해 맹렬하게 달려갔다.

맨 앞에서 달려가는 다섯 명은 정말이지 대담했다. 뜻밖에도 1천 명의 적들이 웅거하며 지키고 있던 큰 마을을 맹렬하게 공격해 갔다. 렁수궈(冷樹國, 1931~1951)라는 이름의 병사는 눈치 빠르게, 덩치가 대단히 큰 미국 장교가 지프차를 타고 도망치는 것을 보고, 냅다 뛰어올라 미국 장교를 껴안고 자동차 아래로 쓰러뜨렸다. 그는 힘이 매우 세서, 열 손가락 모두를 이 미국인의 가슴 앞 살집에 끼워 넣었다. 넘어지자 화가 난 미국 장교가 눈을 떠보니, 까만 총구가 이미 그의 이마 한가운데에 닿아 있었다: "미국 장교가 양손을 들었는데, 통통한 얼굴은 금방이라도 까무러칠 듯한 표정을 지었다." 그는 한국 제2사단의 미군 중령 군사 고문이었다.

멀리서 정치교도원이 인솔하는 수십 명의 병사들이 따라오고 있는 것을 보자, 다섯 명은 다시 달렸다. 그들은 큰 공을 세우지 않으면 안 된다고 결심했다.

다섯 명의 중국 병사들은 달리느라 탱크보다도 우렁차게 숨을 몰아쉬었고, 손의 혈관은 젓가락처럼 굵게 팽창했다. 결국 달려서 제령리에 도착하여, 아무 생각도 않고 쳐들어갔다. 우선 지프차를 보자, 맹렬하게 탄창 하나를 난사하여 운전병을 죽였다. 자세히 보니 바로 다리를 폭파하려고 했던 그 미군 장교가 탄 차였다. 미국인의 네 바퀴가 뜻밖에도 중국인의 두 다리에게 따라잡힌 것이다.

연대장 장징야오(張景耀)가 와서, 한 주먹으로 렁수귀의 가슴을 두드리면서 "잘했어!"라고 말했다. 위아래를 훑어보고는, 이 병사가 뜻밖에도 맨발로 달려왔다는 것을 알고, "영웅에게 신발을 구해 신게 해줘라!"라고 했다.

렁수귀는 중국 군대로부터 '추격 영웅'이라는 영예로운 칭호를 받았다. 용맹한 전사들이 수없이 많은 중국 군대에서 한 개인이 영예로운 칭호를 받기란 하늘에 오르는 것보다도 어렵다.

이때에 이르러, 모든 전선의 적군은 이미 다 붕괴되었고, 전체 유엔군에서 오직 한 사람만이 고집스럽게 역류해 올라가, 돌진해오는 중국 군대에 대해 맞서 나갔다. 그 사람이 리지웨이인데, 그는 '눈사태'처럼 군대가 궤멸하는 것을 막으려 했다.

리지웨이는 회고록에 그 절망적인 순간을 기록했다:

"……새해 첫날 새벽, 나는 지프차를 타고 이 패주하는 부대를 찾아 나서려고 생각했다. 가능하다면, 나는 온갖 방법을 다 짜내서 그들이 줄곧 후방으로 몰려드는 것을 저지하려고 했다. 서울에서 북쪽으로 몇 킬로미터 떨어진 길에서 나는 처음으로 한 무리의 패잔병들을 우연히 만났는데, 그들은 가능하면 빨리 남쪽으로 도망쳐 서울로 가려고 했다. 그들은 무기를 버렸고, 단지 몇 명만이 아직 소총을 가지고 있었다. 나는 지프차를 도로 한복판에 가로로 세워, 그 인파를 저지한 다음, 그들의 고위 장교를 찾아낼 방도를 강구했다. 이전에 나는 여태껏 이런 경험이 없었고, 나는 이후에도 다시는 이러한 일이 없기를 희망했다. 왜냐하면 패주하는 부대를 막을 방도를 강구하려는 것은 바로 눈사태를 막는 것과 같기 때문이다. ……그들의 현직 사단장은 그 경험이 아직 일개 중대장보다도 많지 않았다."

리지웨이의 풍자와 조롱은 한국인들의 자존심을 상하게 했으며, 미국인들은 전투에서 패배할 때마다 책임을 한국군의 머리 위로 떠넘겼다. 이는 그들을 매우 불만스럽게 만들었기 때문에, 한국의 사료들은 맹방에 대해서조차 친절하지 않게 기록하고 있다: "유엔군 병사들은 중포(重砲)·기관총 등 모든 지원 무기들을 내던지고, 트럭에 올라타고 남쪽으로 내달렸다. 차 위에는 사람들로 꽉 차서 어린아이도 비집고 들어갈 수 없었으며, 심지어 소총을 휴대하고 있는 사람조차도 매우 드물었다. 그들은 단지 한 가지 생각만 하고 있었다. 즉 저 무서운 적들을 몇 마일이라도 떨쳐버리고, 필사적으로 달리자! 달리자! 걷잡을 수 없는 후퇴의 거센 물결은 널리 퍼져갔다."

나이아가라 폭포를 쇠삽으로 막아보려고 시도한 리지웨이는 노력을 포기했다. 서울의 동남쪽에 있던 한국 부대가 패배하여 도망치면서, 서울 지역에 있던 10여만 명의 유엔군이 중국과 조선의 부대에 의해 우익으로부터 심각하고 거대하게 포위당하자, 한강 이북에서 배수의 진을 치고 작전하는 위기 국면에서, 그는 빨리 돌아가서 서울을 포기할 준비를 할 수밖에 없었다.

7

3일 오전, 지원군 사령부의 무전 감청 부대는 매우 중요한 기밀을 감청했다. 리지웨이가 서울을 지키지 않고, 미군이 도망치려 한다는 것이었다.

펑더화이는 즉시 제39·제50군단 및 인민군 제1군단에게 서울을 공격하라고 명령했다.

벽제리(碧碲里)에서, 서울을 향해 돌진하던 제50군단이 미국 1개 대대의 저지를 격파했다. 사상자를 제외하고 이 대대의 미국 병사들은 모두 몰래 도망쳐버리고, 자신들의 형제 부대들을 포기한 채 돌보지 않았다. 제50군단은 즉시 멍청하게 남겨진 적군을 에워싸고 공격했는데, 이들은 영국인이었다.

영국 군대는 마치 자신들 대신 일찍이 중국 땅에서 횡포한 짓을 했던 선배들의 빚을 갚기라도 하겠다는 듯이, 조선 전장에서 모조리 패배를 당했으며, 한번도 이긴 적이 없었다. 부도덕한 미국인들은 늘 그들을 희생양으로 삼았다. 그들을 죽은 사람 대신 미군의 철수를 엄호하는 데 충당하지 않으면, 총알받이로 선봉에 세웠다. 아니, 그런데 리지웨이가 도주하는 것을 엄호하던 영국군 제29여단이 제50군단에 의해 저지당했다. 비록 대부분의 영국군은 탱크와 비행기의 엄호하에 후퇴했지만, 일부 부대들은 영원히 영국으로 돌아가지 못했다. 영국군의 정예 장갑 부대인 제29여단 왕립 전차 대대(Royal Tank battalion)와 로열 얼스터 라이플 연대(Royal Ulster Rifles)의 제1대대가 제50군단에 의해 꼼짝없이 포위되었다.

로열 얼스터 라이플 연대장은 일찍이 큰소리치기를, 로열 얼스터 라이플 연대의 전투력은 중국 군대의 1개 사단 혹은 1개 군단과도 싸울 수 있다고 했다. 그러나 포위당한 로열 얼스터 라이플 연대의 1개 대대가 여섯 차례나 대규모 공격을 가했지만, 어떻게 해도 지원군 제50군단의 1개 중대 87명의 중국 병사들이 지키고 있는 고지의 방어선을 돌파하지 못했다. 영국 병사들이 여섯 번째로 작은 고지를 향해 돌진했을 때, 이 중국 중대에는 나팔수인 정치(鄭起, 1932~)와 6명의 병사들이 산 정상에서 웅거하며 지키고 있었는데, 그들은 이미 모든 탄약을 다 써버린 상태였다. 새까맣게 몰려오는 영국군 병사들은 보자, 7명의 중국 병사들은 총검을 부착한 소총을 들었고, 나팔수인 정치는 작은 나팔을 들어 올려, 최후의 결사 돌격을 알리는 나팔을 불었다. 산 정상까지는 단지 10여 미터밖에 남지 않았다는 것을 생각지 못한 영국 병사들은 이미 여러 차례 전투 과정에서 중국군의 나팔소리에 놀라 간담이 서늘해졌던 적이 있어, 처연하고 독하게 죽음을 결심한 중국 군대의 돌격 나팔소리가 들리자 머리를 감싸 쥐고 황급히 산 정상에서 뿔뿔이 도망쳤다. 단지 총검밖에 없던 7명의 중국 병사들은 마침내 기적처럼 진지를 지켜냈고, 대부대가 올 때까지 기다렸다가, 영국 로열 라이플 연대의 1개 대대를 거의 포위하여 섬멸했다. 오늘날, 이 영국 부대의 '녹색 호랑이' 깃발과 중국 병사들에게 결사적으로 돌격하라는 신호를 알렸던 군대 신호 나팔은 중국 인민혁명군사박물관에 함께 전시되어 있다. 이제, 중국 군대는 다음으로 왕립 전차 연대 소속 1개 대대를 포위 섬멸하려고 했다.

결국은 동포이고 동족이었으니, 1천여 명의 영국군이 필사적으로 돌아와 전차 대대를 구원하려 했지만, 도리어 저지당해 시체가 온 들판에 나뒹굴었다. 미국인들은 갈수록 멀리 달아났고, 더 이상 주력 부대도 구원하러 가지 않는 것을 보자, 제29여단의 장병들은 쉴 새 없이 잇달아 가슴 앞에 십자가를 그리기 시작하면서, 전차 대대 형제들을 위해 기도한 다음, 역시 퇴각했다.

밤이 되자, 제50군단이 왕립 전차 대대를 포위하여 섬멸하는 전투가 개시되었다. 산길에서는 곳곳에서 중국 병사들이 폭파통을 들거나 폭약 꾸러미를 들쳐 메고 50톤 무게의 영국 전차를 향해 돌진했는데, 어떤 병사는 폭파 지점에서 너무 가까이 있다가, 결국 진동에 의해 피를 토하기도 했다. 리스루(李士祿)라는 병사는 폭약 꾸러미를 메고 50톤짜리 '센추리온(Centurion)' 대형 탱크 한 대를 해치우고, 자신도 폭발로 인해 기절했다. 깨어난 다음 다시 불을 내뿜는 거대한 탱크 한 대를 향해 돌진하여, 이 매우 거대한 물건이 폭발하여 사방으로 불을 내뿜게 만들었다. 이것으로 아직 끝난 게 아니었다. 두 번째로 깨어난 리스루는 뜻밖에도 악을 쓰며 기어가더니 세 번째로 휘발유를 가득 싣고 있던 작은 탱크를 폭파시켜버렸다……. 하룻밤 사이에 로열 탱크 대대가 보유하고 있던 31대의 탱크는 모두 제50군단에 의해 가장 원시적인 수단으로 해치워졌다.

이 전투는, 조선 전쟁 동안에 유엔군 장갑 부대의 가장 막심했던 한 차례의 손실이었다. 세계에서 탱크를 가장 먼저 발명하고 가장 먼저 사용한 영국군인데, 그들의 정예 장갑 부대인 왕립 중(重)탱크 대대가 중국 군대에 의해 전멸되었다. 이는 또한 중국 군대가 지금까지 섬멸한 외국의 장갑 부대 중 편제가 가장 큰 것이다.

제50군단은 봉기를 일으킨 뒤에 개편된 부대로, 그 전신은 국민당 제60군단이다. 전군(滇軍)[171] 계열이어서, 장제스의 주류 세력에게 "육십웅(六十熊)"[172]이라고 불리며 멸시당하다가, 나중에 군단장 정쩌성(曾澤生, 1902~1973)이 인솔하여 창춘(長春)에서 봉기를 일으켰다. 제50군단이 영국군을 대파했다는 소식이 베이징에 전해지자, 마오쩌둥은 크게 웃으면서 이렇게 말했다: "이 부대는 장(蔣) 아무개 밑에서는 육십웅이었지만, 나 마오(毛) 아무개 밑에서는 오십용(五十勇: 50용사-옮긴이)이로다……."

리지웨이가 서울을 포기할 거라는 소식을 듣자, 한국 대통령 이승만은 초조해졌다: "리지웨이 장군이 말하기를, 그는 한국에 장기간 머물 거라고 했소. 그러나 그는 한국에 온 지 갓 한 주일밖에 안 되었는데 서울에서 철수하겠다니, 설마 그가 지휘하는 군대는 철수하는 것밖에 모른단 말이오?"

리지웨이는 이승만을 안중에 두지 않았는데, 이 꼭두각시가 감히 말대꾸까지 하다니? 그의 모든 것은 미국인들이 준 것이었다.

말재간이 매우 뛰어난 리지웨이는 즉시 맞받아 비난을 퍼부었다: "……전선에 가서 중국 군대가 공격할 때 불어대는 귀를 찢을 듯한 신호나팔 소리를 들어보고, 수많은 중국 군인들이 듣기조차 민망한 서툰 영어로 '총을 버리면 죽이지 않겠다'고 고함치면서 벌떼처럼 돌격하는 광경도 한번 보고, 또 남한 군대가 양떼처럼 패주하는 것도 보라지! 이런 군대가 어떻게 나의 반격 계획을 실행할 수 있겠어? 그리고 진지를 굳게 지키는 것은 곧 장례를 치르는 거나 마찬가지야. ……나 리지웨이는 단지 서울에서 철수하는 것일

171 민국(民國) 시기에, 차이어(蔡鍔)·탕지야오(唐繼堯)·롱윈(龍雲)·루한(盧漢) 등이 주요 지휘관들이었던 윈난(雲南) 지역 부대를 통칭하는 말이다. 지역 군벌로서 독자적으로 활동했기 때문에 국민당 본대와는 사이가 좋지 않았다.

172 중국어에서 '熊'은 약하고 무능한 것을 멸시하여 지칭할 때 사용된다.

중국 인민지원군의 담가대(擔架隊: 부상병을 들것에 실어 후송하는 부대)

뿐, 결코 조선을 떠나는 건 아니야!"

노기충천한 리지웨이는 전화를 걸어, 팔머(Charles D. Palmer, 1902~1999) 준장에게 한강대교에 가서 전권을 갖고 교통을 통제하라고 명령했고, 제8집단군의 수십만 명이 이 다리에 의지하여 목숨을 부지했다:

"자네는 내 명의로 일체의 필요한 수단을 취해, 제8집단군이 끊임없이 계속 통과할 수 있도록 확보하게. ……오후 3시부터는 군용이 아닌 일체의 차량과 행인의 통과를 금지시켜, 교통이 막히지 않도록 하게. ……내가 가장 걱정하는 것은 수십만 명의 서울 피난민들이 한꺼번에 다리에 밀어닥쳐서, 빌어먹을 중국 군대에게 도움을 주는 것이네."

"장군님, 만약 수많은 난민들이 한강대교를 떠나기를 거절하면요?"

"그렇다면 자네의 헌병들로 하여금 그들의 머리 위로 총을 쏘아 경고하게 하고, 만약 그렇게 해도 저지할 수 없으면, 군중을 향해 직접 총을 쏘게!" 리지웨이의 험상궂은 태도, 이것이 바로 미국인들이 한국을 돕기 위해 취한

"정의로운 행동"이었다.

미국 병사들의 검은 총구를 마주한 채, 수십만 명의 서울 난민들은 미국 병사들이 강을 건너는 것을 묵묵히 바라보았다. 리지웨이는 여전히 마음을 놓을 수 없자, 직접 한강대교로 갔다.

한 무리의 병사들이 서서히 몰려와 한강대교를 건넜고, 방대하여 끝이 보이지 않는 기계화 부대가 강 위의 부교(浮橋)로 천천히 달려가자, 중화기들이 부교를 얼음 밑에 있는 강물로 짓눌러 넣었다. ……리지웨이는 가슴이 몹시 두근거렸다: "중국 군대가 중포(重砲)를 몇 발만 쏘면, 제8집단군은 끝장날 거야!"

한셴추는 리지웨이와 멀지 않는 곳에 있었고, 그는 적군이 패주하고 있다는 것을 알고 있었다. 그는 이미 전력을 다해 추격하라고 명령했는데, 수십만 명의 미군은 지금 다리 위에 꽉 들어차 있었다. 만약 대포만 있다면, 비록 한 문이라도 있다면, 한강 다리에 한바탕 포격을 할 텐데…… 아, 단 한 문도 없었다. 포병이 따라오지 않았다. 그의 군대는 마치 인류의 가장 원시적인 군대처럼 맨발로 눈밭 속을 분주히 뛰어다닐 수밖에 없었다. 한셴추는 꽁꽁 얼어 쇠처럼 단단한 흙을 발로 매섭게 동동 굴렀다.

1951년 1월 4일, 제39군단은 곳곳에서 불과 연기가 피어오르는 한국의 수도 서울에 진입했다. 이렇게 중국 육군 제39군단은 조선의 평양과 서울의 두 곳 수도를 해방시킨 유명한 군대가 되었다.

제384연대 부연대장 저우원차오(周問樵)는 한국 대통령 이승만의 욕조 속에 뛰어 들어가서 뜨거운 물로 행복한 목욕을 했다. 이것은 그가 조선에 들어온 후에 한 첫 번째 목욕이었다.

미국 제8집단군 사령부에서는, 중국 병사가 벽 위의 못에 잠옷이 걸려 있는 것을 보았는데, 그 옆에는 한 줄의 글귀도 적혀 있었다: "제8집단군 사령관은 삼가 중국 군대 총사령관에게 안부를 전한다!"

이것은 리지웨이가 직접 쓴 것이었다.

중국 군대가 서울을 함락시켰다는 소식이 국내로 전해지자, 중국 인민들은 들끓었고, 미국과 싸워서 이길 수 없다는 마지막 한 가닥 우려도 사라졌다. 가장 강대한 국가와도 싸워서 이길 수 있다. 그렇다면 우리는 무엇인가? 톈안먼 광장에서는 전승을 축하하는 행사가 밤을 새워 아침까지 진행되었다.

『인민일보』는 사설 「서울의 광복을 축하하며[祝漢城光復]」를 발표했는데, 글의 말미에 선서하듯이 이렇게 썼다: "대전으로 전진하라! 대구로 전진하라! 부산으로 전진하라! 철수하려 하지 않는 미국 침략자들을 바다로 쫓아내버려라!"

지원군의 전선에 있는 장교들의 반응은 완전히 달랐다. 한셴추는 이때 서울에서 이렇게 논평했다고 전해진다: "적당한 정도에서 멈춰야 한다. 한쪽은 강철은 적지만 기개는 넘치고[鋼少氣多], 한쪽은 강철이 많지만 기개가 부족하니[鋼多氣少], 결국 가장 가능성이 큰 것은, 바로 쌍방의 정책 결정자들이 모두 계속 싸울 수 없다는 것을 알고, 협상 테이블 앞에 앉아 흥정하며 입씨름을 하는 것이다!"

펑더화이는 국내의 소식을 듣고 더욱 화를 냈다: "서울을 해방시키니 이러는데, 만약 서울을 잃었더라면, 어떤 당부를 하겠는가?"

화가 가라앉자 다시 긴 탄식을 했다: "저렇게 많은 장비가 훌륭한 적을 단번에 바다로 몰아내라니! 몰아낼 수 있겠어?" 펑더화이는 승기를 타고 추격할 준비를 하지 않았을 뿐만 아니라, 만약 가능하다면, 그는 또한 마오쩌둥에게 미국인들이 제안한 한시적 정전 건의에 동의할 것을 건의하려고도 생각했다.

8

"38선을 통과하고, 눈 녹인 물로 차오몐을 버무리자."

38도선부터 37도선까지 약 100킬로미터 지역에서는, 쌍방이 잔혹한 일진일퇴의 전투를 벌였는데, 미국과 한국 측의 기만 선전으로 인해, 백성들은 모조리 달아나버렸다. 집들은 전부 불타버려 없었고, 중국 군대의 원래 매우 취약했던 보급선이 다시 급격하게 200킬로미터나 연장되어, 이미 단절될 정도까지 늘어났다. 굶주림이 절박한 중국 군대는 비장의 카드를 꺼낼 수밖에 없었다. 항일 전쟁 시기를 경험한 수많은 노련한 병사들을 파견하여 식량 조달 부대를 결성한 것이다. 이들 중국 병사들은 소총 꽂을대를 이용해 땅을 마구 찌르면서, 남한 지주들이 땅광 속에 저장해놓은 식량을 찾으려고 시도했다. 하지만 애석하게도 대부분의 식량 조달 부대가 찾아낸 식량은 자신들이 먹기에도 충분치 못했다.

생존에 가장 기본적인 물자인 식량조차도 확보할 수 없었으니, 추위를 막는 옷과 탄약은 말할 것도 없었다. 많은 병사들이 굶주림과 추위에 시달렸으며, 부대에는 질병이 만연했다. 특히 동상이 심각했다. 제2차 전역 때 동상에 걸린 병사들이 아직 회복되지 않았는데, 제3차 전역에서 임진강을 건너고 나서 다시 손과 발이 검게 변해버린 병사들이 크게 증가했다. 만약 제때 치료하지 않는다면, 그들의 사지는 괴사하여 잘라버려야 할 상황이었다.

펑더화이는 근심에 잠겼다. 만약 국내 전쟁 때의 보병 대 보병이라는 사고방식으로 전장의 형세를 관찰한다면, 적들이 400킬로미터나 퇴각하느라 반드시 병사들은 피로할 것이고 장교는 부족할 터이니, 지원군은 확실히 승기를 타고 추격하는 게 마땅했다. 그러나 현대화된 장비를 소유하고 있는 미군에 대해 말하자면 절대로 그렇지 않았다. 미군은 모터가 달린 장비로 행군하여 철수했으므로 결코 피로하지도 않았고, 또 풍부한 예비 역량과 선진화된 수송 장비들에 의지하여 신속하게 보충할 수도 있었다. 이와는 반대로 중국과 조선 군대는 두 다리에 의지해 눈밭에서 한 달 동안 400킬로미터를 추격했으니, 이미 매우 피로한 상태였다. 후방의 수송 거리가 다시 100킬로미터에서 500~600킬로미터로 늘어나, 더 이상 공격을 진행하기가 너무 어려웠다.

게다가 제3차 전역에서 지원군은 비록 사상자가 5,800명뿐이었고, 인민군은 사상자가 2,700명뿐이었지만, 섬멸한 적군이 1만 9천 명에 불과해, 리지웨

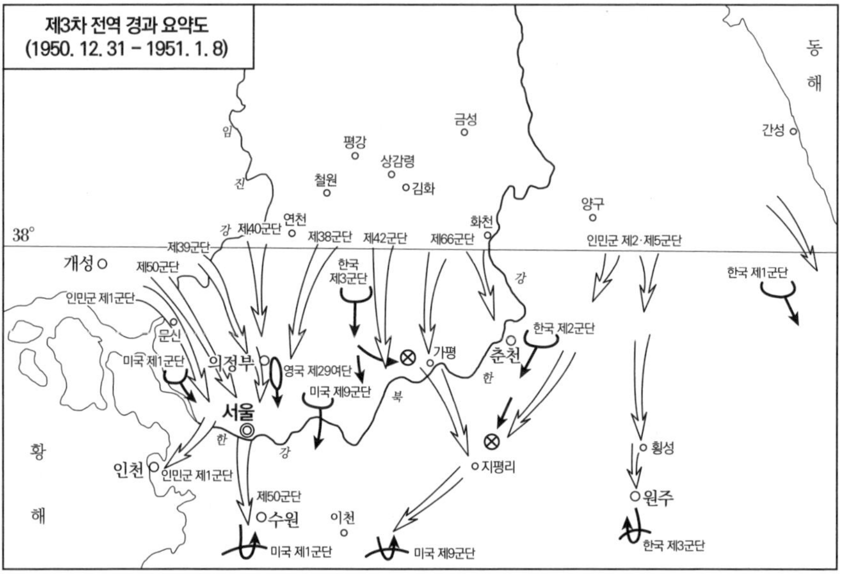

제3차 전역 경과 요약도

이의 주력은 온전한 채 손상을 입지 않았다. 미군은 비록 계속 후퇴하고 있었지만, 하룻밤에 단지 30킬로미터밖에 후퇴하지 못했는데, 이는 딱 지원군이 하룻밤 행군하는 거리였다. 지원군은 밤에는 적을 공격할 수 없었고, 낮에는 반대로 미군의 공중과 지상 화력의 살상 범위 내에 있었다.

이 리지웨이는 호락호락하지 않았다.

더 이상 싸울 수 없다! 펑더화이는 결심했다.

1951년 1월 8일, 정탐을 통해 미군이 오산에 포위망을 설치했다는 것을 알아내고 나서, 펑더화이는 제50군단에게 단호하게 명령을 내려 남쪽을 향해 용감하게 전진하고 있던 1개 여단을 방어로 전환하게 했다. 같은 날, 중국과 조선의 부대는 37도선 전체 전선에서 전진을 멈추었다. 9일 동안 밤낮없이 혈전을 치르면서, 중국 군대는 남쪽으로 100여 킬로미터를 나아가, 38도선을 넘었을 뿐만 아니라, 또한 37도선에 도달하여, 항미원조 제3차 전역은 승리로 끝났다.

펑더화이가 전진을 멈추라는 명령을 내리자, 중국·소련·조선의 내부에서는 갑자기 한바탕 소란이 일어 떠들썩했다.

"전투에서 이기고도 적을 추격하지 않는 경우가 어디 있습니까? 그런 사령관이 어디 있습니까?" 조선 주재 소련 대사 스티코프는 펑더화이에게 화를 내며 소리쳤다.

스티코프는 사실상 조선인민군의 총고문(總顧問)이었다. 바로 그가 인민군을 도와 계획을 세울 때 적을 소홀히 하고 가볍게 여겼기 때문에, 조선 전쟁 초기에 인민군이 먼 거리를 신속하게 남진하도록 하여, 결국 대패하고 돌아오게 만들었다. 인민군에게 손해를 입히는 것만으로는 충분치 않았는지, 이제 그는 다시 지원군에게 손해를 입히려 하고 있었다. 그는 확실히 발끈하고 쉽게 화를 내는 졸렬한 인물이었다.

"여보시오, 펑더화이. 즉시 생각을 바꿔야 합니다. 제3차 전역을 밀어붙여서, 한 걸음도 쉬지 말고 적을 추격하여, 곧바로 부산까지 치고 들어가, 미국인들을 조선에서 몰아내야 합니다!"

스티코프는 군사 전문가의 표정을 지으면서, 거만한 태도로 지시하듯이 마주보고 펑더화이를 꾸짖었다.

펑더화이는 비록 화가 끓어올랐지만, 여전히 스티코프에게 이치를 설명하려 시도했다: "아군은 이미 너무 지쳐 있고, 제공권도 없습니다. 적들은 자동화되어 있고, 아군은 두 다리로 걷는데, 어떻게 적을 따라잡을 수 있겠소? 만약 다시 적들을 조선 반도 동남쪽 모서리로 밀어붙이면, 적들은 집결될 것이고, 또 낙동강으로 가로막히게 되어, 아군이 적을 섬멸하는 데 더욱 불리해집니다."

스티코프는 막무가내였다: "적들을 섬멸하지는 못하더라도, 우리가 더 많은 지역을 차지하는 것도 좋습니다."

펑더화이는 정말 이 사람은 이치로는 깨우칠 수 없다고 생각했다. 이런 스티코프가 어떻게 소련군 고급 장교가 되었단 말인가? 어찌 아군의 일반 병사조차도 알고 있는 이치를 그는 오히려 알지 못한단 말인가?

펑더화이는 화를 억누르며, 스티코프에게 군사학 입문을 강의해주었다:

"적의 군대를 섬멸하지 못하면, 지역을 점령해도 지킬 수 없게 되어, 그 지역도 적들에 의해 빼앗길 것입니다. 왜냐하면 아군이 결코 우세를 점하고 있지 못하고, 또 군대가 지쳐 있으며, 후방은 비어 있고, 보급도 이루어지지 않고 있는 데다, 증원 부대도 아직 오지 않고 있기 때문입니다."

스티코프는 우둔하고 완고하여 설득할 수 없었고, 말이 과장되면서도 책임감이 없었다: "당신이 공격을 계속하기만 한다면, 적들은 틀림없이 계속 패퇴할 겁니다. 적은 섬멸당하지 않으려고, 분명히 조선에서 철수할 거요."

펑더화이는 마침내 화를 냈다. 한 손에 수십만 장병들의 목숨을 쥐고 있는 최고 사령관으로서, 그에게 어찌 이런 수준의 녀석과 티격태격할 시간이 있었겠는가? 그는 상당히 무례하게 설득하기 시작했다:

"당신이 무슨 전쟁을 해봤소? 당신들은, 우리가 공격만 하면 적들이 틀림없이 조선에서 떠날 거라고 믿고 있소. 나는 당신의 의견에 전혀 동의할 수 없소. 나는, 설령 우리가 계속 공격을 하더라도 적들은 틀림없이 조선을 떠나지 않으리라고 생각하오. 내가 인민에 대해 책임지겠소. 만약 잘못되면, 내가 온전히 책임을 지겠소이다."

스티코프는 배후의 실권자 역할에 익숙해져 있었으니, 어찌 펑더화이의 정확하고 확실한 견해를 귀담아 들을 수 있었겠는가? 대화가 끝난 뒤 즉시 스탈린에게 전보를 쳐서 일러바쳤다. 이 논쟁의 결과가 전쟁 전체의 운명과 관련되어 있음을 감안하여, 펑더화이도 사실대로 마오쩌둥에게 보고했다. 지원군이 공격을 멈추고 정비하자는 것은 원래 중국공산당 중앙의 전체 의견이었다. 마오쩌둥과 저우언라이는 즉시 펑더화이를 지지하는 의견을 표명하는 한편, 마오쩌둥 개인 명의로 펑더화이의 보고를 스탈린에게 보냈다.

스탈린은 두 개의 전보를 보고 나서, 파이프로 탁자를 세차게 두드렸다:

"펑더화이는 당대의 군사 전문가이니, 조선 전장의 모든 군사 작전 행동은 펑더화이 동지의 지휘에 따라야 하오. 스티코프를 소환하고, 이 얼간이를 파면하시오!"

스탈린은 이미 인민군의 참패 때문에 조선 주재 군사 고문단에 대해 매우 불만스러워 하고 있었다.

막 스타코프를 처리하고 나자, 김일성도 펑더화이를 찾아왔다. 조선의 최고 지도자로서, 김일성은 가능하면 빨리 조선을 통일하기만을 바라고 있었기에, 펑더화이의 공격 중지 명령은 그를 매우 괴롭게 만들었다.

격렬한 논쟁 후에, 김일성 방의 불빛이 밤새도록 꺼지지 않자, 펑더화이는 경호원에게 수면제 두 알을 보내주라고 명령했지만, 김일성의 고통은 수면제로 완화할 수 있는 게 아니었다.

1월 9일, 마오쩌둥은 펑더화이에게 비장의 카드를 털어놓았다:

"만약 조선 쪽 동지들이 휴식하면서 정비하여 보충할 필요 없이 남진할 수 있다고 생각한다면, 인민군이 전진하여 적을 치라고 제안함과 아울러, 조선 정부가 스스로 직접 지휘를 할 수 있게 하는 겁니다. 그리고 지원군은 인천·서울 및 38선 이북의 수비를 맡는 겁니다."

마오쩌둥은 비록 전쟁의 형세에 대해 다소 낙관적으로 평가하고는 있었지만, 20세기의 가장 위대한 군사 전문가 중 한 사람인 그가 "미군이 스스로 조선에서 물러날 것"이라는 저급한 판단을 하는 잘못을 범할 리가 없었다.

1월 11일, 군자리에 있는 지원군 사령부에서 펑더화이와 김일성은 마침내 충돌할 듯한 분위기가 짙게 감도는 회담을 개최했다.

나중에 김일성에게 '간첩'으로 지목되는 박헌영이 맨 먼저 발언했다.

박헌영: "지원군이 계속 남쪽으로 공격하기만 하면, 미군은 반드시 조선에서 떠날 겁니다."

펑더화이: "정말이오? 만약 아군이 추격하면, 미군이 확실히 물러갈까요?"

박헌영: "그렇습니다."

펑더화이: "당신들의 판단 근거는 무엇입니까?"

박헌영: "미국의 인민들이 반대하고 있고, 부르주아 계급 내부의 모순 때문입니다."

펑더화이는 화가 나서 웃고 싶을 정도였다: "그것이 하나의 요인이긴 하지만, 지금은 결정적인 작용을 하지 못합니다. 만약 다시 미군 3~4개 사단, 5~6만 명을 소멸시킨다면, 이 요인은 곧 유리한 조건으로 변할 것입니다. 다시 두 달 후에, 지원군과 인민군의 역량이 지금보다 더 커지면, 그때 다시 상황을 보고 남쪽으로 진군할 것입니다."

박헌영: "그때가 되면 미군은 분명히 물러나지 않을 겁니다."

박헌영이 회담의 개막을 알리는 징을 치고 나자, 김일성이 요구했다: "보름 이내에 지원군 3개 군단이 남쪽으로 진격하고, 그 나머지는 한 달 동안 쉬면서 정비한 다음에 다시 남진하는 것이 가장 좋습니다."

펑더화이는 곧바로 화를 냈다: "당신들은 미국이 반드시 조선에서 떠날 거라고 말하지만, 당신들도 한번 생각해보시오. 만약 미군이 조선에서 물러나지 않는다면 어떻게 할 겁니까? 빨리 승리하기를 바라면서도 구체적인 준비를 하지 않는다면, 그 결과는 곧 전쟁을 연장시킬 겁니다. 당신들이 전쟁의 승리를 요행에 기댄다면, 곧 전쟁을 실패로 이끌 것입니다! 지원군은 두 달 동안 휴식을 취하며 정비해야 하고, 휴식하며 정비하기 전에는 1개 사단도 남진할 수 없습니다. 만약 내가 중조(中朝) 연합군 총사령관 직무에 적합하지 않다고 생각한다면, 해임해도 좋소!"

펑더화이가 화를 내며 소리치자, 한쪽에 서 있던 중국과 조선의 간부들이 슬그머니 지휘소를 빠져나갔다.

"당신들은 만약 우리가 남진하기만 하면 미군이 물러갈 거라고 생각하는데, 그렇다면 나는 인천에서부터 양양을 잇는 선 이북의 전체 해안 경비와 후방의 교통로를 지키는 일을 모두 중국 지원군에게 맡겨줄 것을 제안합니다. 인민군의 5개 군단 12만 명은 이미 두 달 동안 휴식을 취하며 정비를 했으니, 당신들이 맡아 스스로 지휘하여, 당신들이 원하는 대로 남쪽으로 진격하시오. 미군이 만약 당신들의 예상대로 조선에서 떠난다면, 나는 당연히 조선 해방을 경축하여 만세를 부를 것이고, 만약 미군이 물러가지 않으면, 지원군은 예정된 계획에 따라 남진하여 싸우겠습니다!"

김일성은 뜻밖에 이렇게 말했다: "인민군은 원기를 회복하지 못하여, 단독으로 남진할 수 없습니다."

펑더화이: "그러니까 가서 시험 삼아 해보시오. 경험하여 교훈을 좀 얻는 것도 소중합니다."

김일성: "이건 재미로 하는 게 아닙니다. 한번의 시도로 수만 명의 대가를 지불할 수도 있습니다."

펑더화이: "내가 남진하면 미군이 물러날 거라고 말씀하시지 않았습니까? 이렇게 앞뒤가 모순되는 말을 나는 정말 이해할 수 없습니다."

김일성은 괴로웠고, 펑더화이의 마음도 좋지 않았다. 스티코프가 터무니없는 지휘를 한 것은 용인할 수 없었지만, 김일성이 조선의 최고 지도자로서 조선의 통일을 바라는 심정은 이해할 수 있었다. 하지만 그런 펑더화이의 심정을 김일성은 이해할 수 있었을까?[173]

수년 후, 펑더화이는 중국에서 이렇게 회고했다: "나는 평생을 싸우면서, 그동안 무서웠던 적이 없었지만, 지원군이 되어 38도선을 돌파하고 계속 싸워 37도선에 이르렀을 때, 나는 전후좌우를 둘러보았는데, 확실히 매우 무서웠다. 당시는 나 개인의 안위를 생각한 것이 아니라, 수십만 명의 중국과 조선 군대가 적의 공세에 처해 있는 상황을 보니, 정말로 매우 무서웠다. 나는 며칠 밤 동안 잠을 제대로 못 이루면서, 내내 어떻게 하면 이 곤경에서 벗어날 것인가를 생각했다. 아군이 37도선까지 진격하고 나서는 이미 남쪽으로 수백 킬로미터를 밀고 내려갔으니, 당연히 후방의 물자 보급선을 유지하기가 매우 어려웠다. 이때 적들은 또 비행기를 보내 아군의 수송로를 맹렬하게 폭격하여, 지원군의 각종 물자·식량·탄약의 공급을 매우 곤란하게 만들었다. 공중에서는 적의 비행기가 폭격했고, 지상에서는 미국의 탱크와 대포를 마주했으며, 좌우 연해에는 미군의 함대가 있어, 적들은 배에서 내

173 펑더화이가 남진을 중지했을 때, 김일성은 펑더화이의 멱살을 잡고 집무실의 집기를 때려 부수며 욕설을 했다고 하는데(「김일성, 펑더화이와 주먹질 직전까지…북한 냉대에, 중국 "할 만큼 했는데……"」, 한겨레신문, 2014년 10월 26일자 기사), 이에 대한 신빙성 있는 자료를 찾기는 어렵다. 하지만 전쟁 기간 내내 김일성과 펑더화이의 관계가 좋지 않았다는 것은 다수의 자료들에서 공통적으로 언급되고 있다.

리지 않고도 포탄을 쏠 수 있었다. 게다가 바야흐로 엄동설한이어서, 사방이 눈과 얼음으로 덮여 있었는데, 병사들은 배부르게 먹지도 못하고 따뜻하게 입지도 못해, 비전투 요인으로 인한 감원이 갈수록 많아지고 있었다. 이렇게 엄중한 상황에서, 지원군은 수시로 재난을 당할 가능성이 있었다. 나는 수십만 군대의 생명을 어린애 장난처럼 취급할 수 없었기 때문에, 반드시 단호하게 정지시켜 전진하지 못하게 함과 아울러, 적의 반격을 물리칠 갖가지 준비들을 해야 했다."

펑더화이를 무서워서 떨게 만든 전쟁의 형세라는 것은 예삿일이 아니어서, 미군 장교들 중에서도 뛰어난 리지웨이가 이 점을 보지 못했을 리가 없었다. 그는 김일성이 말한 것처럼 싸우다가 물러날 준비를 하기는커녕, 반대로 그는 즉시 단호한 반격으로 김일성과 펑더화이가 서로 논쟁을 벌여 초래한 고통을 끝내주려고 했다.

9

승리는 중국·소련·조선의 내부 논쟁을 끊이지 않게 만들었고, 패배는 미국 내부를 더욱 떠들썩하게 만들었다. 맥아더는 두 번째로 트루먼에게 해임시켜 달라고 강요했다.

잇달아 전보가 끊임없이 도쿄에서 워싱턴으로 날아갔다. 맥아더는 전쟁을 확대하자고 요구하면서, 이를 위해서는 설령 세계대전이라도 감수해야 한다고 떠벌였다.

그는 중국의 동북 지방을 공습하고, 중국의 해안을 봉쇄하고, 국민당 군대를 조선에 투입해 작전에 사용하기 시작함과 동시에, 중국의 동남 해안을 공격할 것을 요구했다. 이를 위해 그는 심지어 비밀리에 국민당 군대의 우두머리인 허잉친(何應欽, 1890~1987)을 일본으로 초청하여, 국민당 군대가 조선에 들어가 참전하도록 획책했다.

전쟁의 확대가 소련의 참전을 초래할 것인가에 관해, 맥아더의 견해는 위스키를 마시는 것보다도 간단했다. 즉 자신에게 다시 4개 사단을 주면 해결된다는 것이었다.

바꿔 말하자면, 만약 맥아더의 전쟁 확대 요구를 승낙하지 않는다면, 제기랄, 어쩔 수 없이 조선에서 철수하는 방법밖에 없다는 것이었다. 때가 되었을 때 자신을 책망하지 못하도록, '누가 너희들로 하여금 나의 요구를 승낙하지 않게 했는가'를 미리 말해두는 것이었다.

워싱턴의 관료들은 모두 정계의 베테랑들인데, 어찌 맥아더의 어설픈 농간을 간파하지 못하겠는가. 국무장관 애치슨은 전보 용지를 흔들면서 늙은 맥아더의 농간을 사정없이 까발렸다:

"이것은 후세 사람들에게 남겨주는 문건입니다. 만약 이전에 이러한 문건이 있었다면, 그 목적은 단지 언젠가 일이 잘못되었을 때 맥아더로 하여금 비난을 면하게 하려는 것입니다. 뿐만 아니라, 워싱턴에 최대한 압력을 가해, 그들로 하여금 물러서게 함으로써, 입장을 바꿔 전쟁을 확대하자는 자신의 건의를 받아들이게 하려는 것입니다. ……아무것도 증명할 필요가 없이, 나는 이 장군이 지금 고집스럽고 오만불손하기가 구제할 수 없을 정도에 이르렀을 뿐만 아니라, 총사령관의 의도가 기본적으로 불충하고 불순하다고 완전히 믿고 있습니다."

노련하고 신중하며 침착한 국방부 장관인 5성 장군 마셜은, 전보에서 맥아더가 부대의 사기가 저하되었다고 질책하는 단락을 보고는 고개를 저었다: "어떤 장군이 자기 부대의 사기를 불평하는 날은, 바로 자기 자신의 사기를 점검해야 할 때입니다."

트루먼은 두 눈의 초점을 잃고 물끄러미 쳐다보았다. 그는 이 늙은 머저리를 어떻게 처리해야 좋을지 정말 모르고 있었다. 이 뻔뻔한 놈은 자신의 체면을 위해, 결국 미국으로 하여금 한바탕 세계대전을 치르는 것도 감수하라고 했다. ……누군가 그에게 동쪽으로 가라고 하면 그는 한사코 씩씩하게 서쪽으로 달려가려고 했다. 알아두어야 할 것은, 맥아더에 대해 말하자면, 트루먼의 말 한마디 한마디는 모두 명령이었다는 점이다.

분노를 삼키며, 트루먼은 동시에 몇 가지 수를 썼다. 그는 성질을 참고 맥아더에게 사람들로 하여금 머리가 아찔해지게 하는 개인적인 전보를 보내, 맥아더가 미국의 외교 정책을 따르기를 희망했다. 동시에 그는 육군 참모총장 콜린스와 공군 참모총장 반덴버그 장군을 한국으로 보내 현지 조사를 하여, 전쟁의 형세가 정말로 맥아더가 말한 것처럼 전쟁을 확대하지 않으면 한국에서 철수해야 할 정도로 나쁜지 알아보도록 했다. 마지막으로, 트루먼은 중국에게 전쟁을 끝내기 위해 화해를 요청했다.

중국과 조선 군대의 남진을 극도로 두려워했기 때문에, 미국은 1951년 1월 13일에 유엔으로 하여금 먼저 전투를 멈추고 나서 협상한다는 "5단계 제안"[174]을 통과시킴과 아울러 중국에 전달하도록 했다.

전장의 형세에 대해 불을 보듯이 훤히 알고 있던 펑더화이는 즉각 이것은 중국과 조선 측에 유리한 절호의 정전 기회라고 판단했다. 미국인들은 전략적 판단에 잘못을 범하고 있었다.

지원군은 본래 남진할 힘이 없었고, 현재 차지하고 있는 지역을 지키는 것조차 곤란했다. 그런데 미국인들은 이러한 약점을 간파하지 못하고 도리어 적극적으로 전쟁을 끝내기 위한 화해를 요청했다.

만약 이때 정전을 받아들였다면, 휴전선은 37도선에 그어져, 조선의 경제 중심과 전략적 요충지 및 대부분의 국토가 중국과 조선 측의 통제에 놓였을 것이다.

만약 미군이 이후에 정전을 파기하더라도 두렵지 않았다. 바로 협상이라는 이 한숨 돌릴 수 있는 기간을 틈타 병력을 보충하고, 식량을 수송하고, 부대를 쉬면서 정비하게 하여, 다시 싸움을 시작하면 정말로 부산까지 진격할 수 있었기 때문이다.

애석하게도 마오쩌둥이 자신의 역량을 지나치게 높게 평가했고, 또 전체

174 '현 위치에서 휴전, 한반도에서의 평화 회복을 위한 정치 회담 개최, 한반도에서 모든 외국 군대의 점진적 철수, 남북한 관리 행정을 위한 순비 착수, 중국의 유엔 가입과 타이완 문제 해결을 위한 논의 개시'를 가리킨다.

적인 국제정세와 전략적 의도를 고려했기 때문에, 결국 이 전략적 기회의 창구를 놓쳐버렸다.

1월 14일, 마오쩌둥은 펑더화이에게 전보를 보내, 미국인들은 이어서 다음과 같이 두 가지 동향을 보일 거라고 밝혔다: 첫째는 아군이 공격하면 약간 저항하다가 한국을 떠날 것이다. 둘째는 대구와 부산에서 완강하게 저항하다가, 아군에게 공격을 받아 발붙일 수가 없어서 한국에서 떠날 것이다.

마오쩌둥은, 전쟁의 결말은 미국인들이 일본으로 철수해 돌아가는 것이라고 굳게 믿고 있었다.

후세의 중국 역사학자들은 모두가, 이는 마오쩌둥의 전략적 판단에서 한 차례의 실수로, 그가 지원군의 능력을 지나치게 높이 평가하고 있었다고 인정한다.

펑더화이는 비록 확실한 견해를 가지고는 있었지만, 조선에 들어온 이래로 연전연승하자, 어려움도 극복할 수 없지는 않을 것 같다고 여겼다. 그도 지원군의 실력에 대해서도 너무 높게 평가하여, 준비만 잘 하면 당연히 싸워서 이길 수 있을 거라고 여겼다.

중앙군사위원회의 요구에 따라, 지원군 사령부는 신속하게 다음 전역의 목표를 이렇게 정했다: "다음 전역을 개시한 다음, 계속 작전을 펼쳐, 단숨에 해치우고, 적을 섬멸하여, 조선을 전부 해방시킨다……."

펑더화이는 또한 미국인의 실력을 분명히 과소평가했다. 만약 이때 그가 미국인의 역량에 대해 정확히 알고 있었다면, 이 통솔자의 강직한 성격으로 보아, 그는 반드시 정전하자는 의견을 견지했을 것이다.

역사는 곧 역사다. 개국 영웅들은 비록 뛰어난 영재들이었지만, 필경 미국인들과 마주하고 싸운 지는 두 달밖에 되지 않았다.

서방의 위대한 군사 이론가인 클라우제비츠(Carl Philip Gottlieb von Clausewitz, 1780~1831)는 이렇게 말했다: "대다수의 전략적 공격은 단지 그것의 역량이 여전히 방어를 진행할 수 있을 때까지 진행하다가 화해를 기다리는 그 시각에 멈추어야 한다. 이 시각을 초과하면, 형세에 급격한 변화가 발생하여, 자신의 힘으로 감당할 수 없는 반격을 당하게 되어, 공격을 진행한 자는 채무를 지게 된다."

이 기회를 놓쳤기 때문에, 중국군의 약점을 알아챈 리지웨이는 재빨리 펑더화이에게 그의 실력으로 획득할 수 없는 그런 지역들을 토해내도록 강하게 압박하게 된다.

콜린스와 반덴버그가 돌아왔는데, 그들이 가져온 소식은 워싱턴을 미친 듯이 기뻐하게 했다. 그 소식이란, 바로 맥아더가 터무니없는 말을 하고 있으며, 전황은 이미 호전되었다는 것이다.

중국군은 보급선이 연장되어, 보급이 곤란해졌기 때문에, 이미 효과적인 작전을 할 수 없었다. 리지웨이는 쓸 만한 사람이어서, 이미 제8집단군을 정돈하여 나날이 호전되고 있었다. 이뿐 아니라, 그는 즉시 대반격을 가하려 했다.

미국 정부의 태도는 즉각 강경해지기 시작했다.

그때, 밤낮으로 전선을 누비던 리지웨이는 제8집단군에 대대적으로 노련한 병사들을 보충하고, 원산에서 철수해온 미국 제10군단을 최전선에 배치했으며, 많은 신형 무기들도 이동해 왔다.

현재, 전선에서 작전을 펼치고 있는 리지웨이의 부대는 7개 미국 사단과 8개 한국 사단 및 2개 영국 여단으로, 모두 25만 명이었다. 그런데 펑더화이의 최전선 부대는 겨우 28만 명이었고, 그 가운데 지원군이 6개 군단에 21만 명이었다. 병력 수는 비록 조금 더 많았지만, 화력은 몇 배나 모자랐을까? 이것은 아직 대단히 중요한 병참보급의 차이는 계산하지도 않은 것이다.

펑더화이는 이미 심각한 열세에 놓여 있었다.

어떤 의미에서 말하자면, 리지웨이의 공격은 좋은 일이었다. 그는 이때부터 중국 군대의 "갖은 고난을 무릅쓰고 분투한다[小米加步槍]"라는 몇몇 미신을 떨쳐버리고, 중국 군대를 현대화의 길로 나아가게 하는 데 상당한 역할을 했다.

그러나 곧 공격을 개시할 리지웨이는, 자신이 펑더화이를 한 방 때려주려다가, 뜻밖에도 동시에 옛 교장인 맥아더의 따귀까지 한 방 호되게 갈겨주게 되리라고는 생각지 못했다.

10

1951년 1월 15일, 비쩍 마르고 영리한 리지웨이는 단호하게 명령을 내렸다:

"울프하운드 작전(Operation Wolfhound)을 개시하라!"

미군과 한국군으로 이루어진 1개 증원된 연대가 수원과 이천(利川) 사이에서 탐색적인 공격을 개시했다. 매일 자동차에 보병들을 태우고 소규모 탱크 무리의 뒤를 따라다니면서, 넓고 방대한 정면에서 화력 정찰을 하다가, 일단 중국 군대의 주력을 만나면 바로 후퇴한 다음, 포병과 공군을 사용하여 중국군 진지를 맹렬히 폭격했다. 만약 상대방 진지의 취약한 곳을 발견하면, 즉시 강력한 공격을 가해 중요 거점을 빼앗아 점령했다. 1주일 내에, 미군은 오산리(烏山里)를 세 차례 드나들었고, 김량장리(金良場里: 지금의 용인시 김량장동-옮긴이)에 네 차례 진격하여 점거했으며, 이천을 세 차례 빼앗아 점령하면서, 오락가락하느라 눈코 뜰 새 없이 바빴다. 이것이 리지웨이가 발명한 '자석(磁石) 전술'이다.

리지웨이는 이와 같이 상대방에게 달라붙는 전술을 사용하여, 휴식을 취하며 정비하는 국면으로 전환하기를 바라고 있던 중국·조선 군대와 접촉을 계속 유지함으로써, 극도로 지쳐 있는 상대방을 계속 소모시킴과 동시에, 상대방이 어디에 배치되어 있는지를 정찰하여 알아냈다.

"패트리지, 나와 함께 하늘에 올라가 바람이나 쐬지 않겠소? 가서 중군 군대가 뭘 하고 있는지 봅시다." 리지웨이는 제5공군 사령관 패트리지(Earle E. Partridge, 1900~1990)에게 전화를 걸었다.

"좋습니다. 장군님께 저의 비행 기술을 보여드리지요." 패트리지는 매우 시원시원했다.

패트리지 소장이 비행기를 조종하고, 리지웨이 중장이 비행기에 탔다. 이들 두 사람은 AT-6형 훈련기 위에서 망원경으로 중국과 조선 군대의 진지를 자세히 정찰했는데, 두 장군은 오후 내내, 검푸른 소나무 숲이 산세를 따라 구불구불 기복을 이루고 있고, 두툼한 흰 눈이 대지를 덮고 있는 것만 보았을 뿐, 두 사람은 눈이 침침해지도록 살펴보았지만 단 한 사람도 발견하지 못했다.

리지웨이는 이렇게 썼다: "우리는 하나의 살아 움직이는 생물도 발견하기가 매우 어려웠으며, 모닥불의 연기도 없었을 뿐더러, 자동차 바퀴 자국도 없었다. 심지어 사람들에게 밟힌 쌓인 눈도 없어서, 거기에 대부대를 주둔시키고 있다는 것을 나타내주지 않았다."

리지웨이는 여산(驪山)에 있는 제8집단군 지휘소로 돌아가, 다시 중국 군대와 교전했던 모든 기밀 전투 기록들을 취합하여, 꼼꼼하게 펼쳐보며 사색에 잠겼다.

다음과 같은 일련의 숫자들이 리지웨이를 벼락에 맞은 것처럼 만들었다.

미군이 처음으로 중국 군대의 대규모 공격을 받은 것이 1950년 10월 26일이고, 11월 2일에 중국 군대가 공격을 중지하여, 유엔군이 청천강 이남으로 퇴각하기까지, 전투는 8일간 지속되었다. 미군이 두 번째로 압록강을 공격했다가, 11월 25일에 갑자기 중국 군대의 두 번째 공격을 받았는데, 12월 2일에 중국 군대가 공격을 멈추기까지, 전투는 8일간 계속되었다. 12월 31일, 중국 군대는 세 번째로 대규모 공격을 개시했고, 1월 8일에 공격을 멈추기까지, 전투는 8일간 계속되었다.

어째서 중국 군대의 세 차례 공격이 모두 단지 8일간만 지속되었을까? 리지웨이는 흥분하며 자리에서 일어났다. 그는 다음과 같은 해답을 찾아냈다: 중국 군대의 원시적인 병참보급은 단지 부대가 8일 동안만 공세를 유지할 수 있게 해준다. 중국 병사들이 몸에 지니고 있는 식량과 탄약을 모조리 소모하고 난 다음에는, 곧 전투를 멈추지 않을 수 없다.

다시 말하면, 중국 군대가 다시 맹렬한 공세를 취하더라도 최대 1주일밖에 지속할 수 없다는 것이다.

이것은 '주일(週日) 공세'이다!

"중국 군대의 7일간의 공격을 견뎌내기만 하면, 식량과 탄약이 소모된 틈을 타서 반격을 개시할 수 있다!"

리지웨이는 큰 소리로 자기 자신에게 말했다.

흥분된 마음을 억제하며, 리지웨이는 앉아서 두 번째 문제를 연구했다: "왜 중국 군대는 늘 야간에만 공격을 개시할까?"

이는 매우 이해하기 쉬웠다. 강대한 미국 공군 때문에, 중국 군대는 낮에 전혀 활동할 수가 없었다. 하지만 어째서 중국 군대는 늘 매달 월초와 월말의 며칠 동안에 집중하여 공격을 개시하는 걸까?

리지웨이는 천천히 일어나더니, 창가로 갔다.

하늘에 있는 차가운 밤하늘의 보름달을 올려다보더니, 그는 한 미국 병사가 보름달을 가리키며 그에게 한 말을 떠올렸다: "저건 중국인의 달입니다."

리지웨이는 뭔가 깨달은 바가 있어, 탁자 옆으로 돌아가서 자세히 달력을 살펴보았다. 이거다! 이거야! 중국인들이 오직 밤에만 싸울 수밖에 없었던 것은, 강대한 미국 공군의 공격을 피해, 그들의 야간 전투 우위를 발휘하려는 것이었다. 그러나 대규모 야간 전투를 진행하려면 반드시 달빛의 조명에 의지해야 했으므로, 중국인들은 늘 보름달이 뜨는 기간을 선택하여 공격했던 것이다.

그리고 또한 보름달이 되기 전 며칠을 선택하여 공격을 개시한 것은, 그때의 달은 싸움을 계속할수록 달이 둥글어지면서 밝아지기 때문이며, 그들의 주일 공세가 절정에 다다랐을 때 바로 달이 가장 밝았던 것이다.

"하느님! 이것은 또한 '달밤 공세'로군요!"

리지웨이는 이 중요한 비밀을 간파해내자 흥분되어 온몸이 전율했다. '하느님, 미국인들은 확실히 한국에 발붙일 수 있게 되었습니다!'

'이뿐만 아니라, 나는 또한 북쪽으로 공격해야 한다! 공격이다!'

리지웨이는 감격하여 눈을 감고 온몸에 넘쳐나는 행복을 즐겼다. 그는 알고 있었다. 전체 서방 세계가 조선의 전세에 대해 이미 절망하고 있을 때, 그가 만약 일거에 전세를 뒤집을 수 있다면, 그는 곧 새로운 전쟁 영웅이 될 것이고, 권력과 영광으로 통하는 문이 그에게 활짝 열릴 것이라는 것을.

1951년 1월 25일, 중국군의 약점을 꿰뚫어본 다음, 리지웨이는 단호하게 '선더볼트 작전(Operation Thunderbolt)'을 감행했다. 유엔군은 계속된 패배 끝에, 마침내 중국 군대를 향해 대규모 반격을 개시했다.

11

리지웨이가 공격을 개시한 그날, 저우언라이는 동북 지방으로 가서 병참 보급 공작 회의를 소집했다. 이 회의에는 중국 국내의 고위 장성들이 대부분 참석했다.

엄혹한 사실은 중국 군대로 하여금 병참보급의 중요성을 인식하게 해주었다. 저우언라이는 다음과 같이 심각하게 지적했다: "병참보급은 반드시 새로운 지도 사상과 새로운 업무 제도와 새로운 업무 작풍으로, 현대화된 전쟁의 요구에 적응해야 합니다……."

중국 군대는 조용하게 중대한 변화를 진행하고 있었다. 국내 전쟁과 같이 비교적 초보적인 전쟁 방식으로부터 당시의 가장 현대화된 전쟁 방식으로 이행하기 위한 준비를 했지만, 이 모든 것들은 또한 시간을 필요로 했다.

펑더화이는 그의 군사 경력에서 보기 드문 오판을 했다. 이때, 그도 중국과 조선의 고위 간부 연석 회의를 열었다. 조선에 참전한 부대들의 군단장·사단장·연대장들이 대부분 동북의 선양으로 돌아가, 소련 군사 고문이 주최한 '연합병종(聯合兵種) 작전 훈련반'에 참가하여, 소련식 무기로 교체해 현대화된 전쟁을 진행하기 위한 준비를 했다.

중국과 조선 양측의 고위 간부들은 즐거운 분위기에 빠져 있었다.

김일성·펑더화이·가오강 등 122명의 중국과 조선 간부들이 여섯 개의 큰 그룹으로 나뉘어, 1천여 명을 수용할 수 있는 광산 동굴 안에 둘러앉아 있었다. 고급 간부들이라 해도, 벽돌 두 개 사이에 판자를 걸쳐 만든 의자에 앉을 수밖에 없었으며, 심지어 식사 문제도 해결하기가 매우 힘들었다.

중국과 조선 양측 군대가 조선에서 개최한 가장 호화로운 '정상 회담'도 단지 이러한 조건에서 할 수밖에 없었다.

대회는 조선 측의 김두봉(金枓奉, 1889~1960)이 개회사를 했고, 펑더화이가 곧 「세 차례 전역의 총결과 이후의 임무[三個戰役的總結和今後任務]」라는 보고를 했다. 마오쩌둥은 펑더화이의 원고를 반복해서 수정했는데, 여전히 결말 부분에 힘이 부족한 것이 마음에 걸리자, 결국 친필로 한 단락의 글을 첨가하여 고쳤다. 이는 이후 몇 세대의 중국인들이 귀에 익어 잘 알고 있는 명문장으로, 그 시대 중국 인민과 중국공산당 사람들의 진심어린 국제주의 정서를 성실하고 진지하게 반영하고 있다:

"……이리하여, 조선에 있는 모든 중국 지원군 동지들은 반드시 진지하게 조선 동지들에게 배워야 하고, 전심전력으로 조선 인민을 옹호해야 하고, 조선민주주의인민공화국 정부를 옹호해야 하고, 조선인민군을 옹호해야 하고, 조선노동당을 옹호해야 하고, 조선 인민의 지도자 김일성 동지를 옹호해야 합니다. 중국과 조선의 양국 동지들은 형제처럼 친근하게 함께 단결해야 하고, 동고동락해야 하고, 생사를 서로 의지해야 하고, 공동의 적과 싸워 이기기 위해 끝까지 분투해야 합니다. 중국 동지들은 반드시 조선의 일을 자신의 일처럼 여겨야 하고, 교육지휘원[175]과 전투원들은 조선의 산봉우리 하나 물 한 줄기와 풀 한 포기 나무 한 그루를 아껴야 하며, 조선 인민의 바늘 하나 실 한 올도 취해서는 안 됩니다. 만약 우리가 이렇게 할 수 있다면, 최후의 승리는 분명히 얻을 수 있을 것입니다."

펑더화이가 진지하고 낭랑한 목소리로 이 말을 마쳤을 때, 동굴 안에서는 박수 소리가 울려 퍼졌고, 중국과 조선의 많은 간부들은 뜨거운 눈물을 글썽이며 서로 껴안고 악수를 했다. 열렬한 감정이 그들의 마음의 문을 자

175 전투 지휘 장교와 정치위원을 함께 일컫는 말이다.

극했다.

단지 한 사람만이 조용하게 옆에 서서 미소를 짓고 있었다. 불과 얼마 전, 그는 베트남 북부에서 호찌민(胡志明, 1890~1969)·보응우옌잡(武元甲, 1911~2013)과 함께 이런 장면을 막 경험한 적이 있었다. 그는 바로 중국공산당의 총아이자, 중국 군대의 전설적 장군인 천경(陳賡)이었다.

황푸군관학교의 4기 후배인 린뱌오를 제외하면, 중국공산당과 군대 내에 천경을 싫어하는 사람은 아마 없었을 것이다. 천경은 황푸군관학교가 배출한 삼걸(三傑)[176]의 두 번째에 이름이 올라 있으며, 장제스조차도 감히 자신에게 맞서고 자신에게 매섭게 욕설을 퍼붓는 이 학생을 좋아하여, 간신히 붙잡았다가, 결국은 또한 그가 도망치는 것을 보고도 못 본 체 눈감아주었다. 다른 공산당 사람이었다면, 1만 명이라도 죽였을 것이다.

천경은 장제스의 목숨을 구해준 적이 있었고, 저우언라이의 목숨을 구해준 적도 있었다. 그는 싸우면 백전백승이었고, 인솔하는 병력은 비록 많지 않았지만, 사실상 언제나 전략적이고 독립적인 방향의 주장(主將)을 담당했다. 성격에 영원한 어린아이 같은 요소조차도 약간 있던 이 장군은 해학과 유머로 유명했다. 그가 어디를 가든, 거기에서는 폭소가 터져 나왔다. 결혼 다음날 아침 일찍, 그는 방문을 뛰어나와 팔로군 총본부의 마당에서 크게 소리쳤다: "어젯밤에 나는 높은 산 아래 울퉁불퉁한 곳을 올랐는데 마치 평지를 걷는 것 같았다!" 자기의 신부 푸야이(傅涯一)는 수줍어서 하루 종일 밖에 나오지 못했다. 천경은 마오쩌둥에게도 감히 농담을 했으니, 스승인 저우언라이에게는 더 말할 필요도 없었다. 그러나 그는 단 한 사람만은 무서워했는데, 그가 바로 펑더화이였다.

천경은 펑더화이가 지명하여 조선으로 가게 되어 있었다. 그때 천경은 베트남의 밀림 속에서 비밀리에 월맹(越盟) 유격대를 지휘하여 변계 전역(邊界戰域)[177]을 일으켜, 프랑스 식민지 군대를 매섭게 공격했다. 영문을 모르는

176 황푸군관학교 출신의 유능한 장교 세 명을 가리킨다. 천경을 제외한 다른 두 사람은 장셴윈(蔣先雲, 1902~1927)과 허충한(賀衷寒, 1900~1972)이다.

프랑스인들은 깜짝 놀라 소리쳤다: "베트남인들이 하룻밤 사이에 전쟁을 할 수 있게 되었다!"

총참모본부는 펑더화이에게 이런 상황을 알려주고, 그에게 다시 한 사람을 선택하도록 하자, 펑더화이는 이렇게 대답했다: "어느 누구도 필요 없고, 천경이 필요합니다."

펑더화이는 천경의 능력과 인격을 잘 알고 있었고, 그는 이 명장을 진심으로 좋아했다. 두 사람 사이에는 일종의 영웅이 서로를 아끼는 마음 같은 것이 있었다.

천경은 명령을 받자 매우 기뻐하며 북베트남에서 곧장 조선으로 갔다. 펑더화이는 그가 매우 존경하는 통솔자였다. 그는 어느 누구에게나 농담을 했지만 펑더화이에게는 하지 못했다. 그는 꾸짖음을 당한 적이 있었다. 그가 한번은 펑더화이에게 음담패설을 하자, 뜻밖에도 펑더화이는 팔로군의 수많은 고급 장교들이 보는 앞에서 눈을 부라리며 "천경, 자네 건달이구만!"이라고 하여, 천경을 매우 난감하게 만들었다.

그러나 이 일은 두 사람의 감정에 결코 영향을 주지 않았다. 천경은 펑더화이의 쇠나 돌 같은 겉모습 밑에는 동지들에 대한 뜨거운 마음이 있다는 것을 잘 알고 있었다. 펑더화이의 부인인 푸안슈조차도 그가 소개시켜 주었다.

천경의 이번 행차는 현장에 가서 미군의 작전 경험에 대해 고찰하고, 서남 지역에 있던 류보청과 덩샤오핑이 통솔하는 제2야전군이 선발하여 파견한 제3병단을 이끌고 조선에 들어가 참전할 준비를 함과 동시에, 펑더화이의 제2부사령관을 맡는 것이었다. 안타깝게도 여러 해 동안 출정하여 싸우느라 온 몸에 고질병이 생겨, 천경 대장은 급히 갔다가 다시 급히 귀국하여 병을 치료했다. 제5차 전역 후에야 비로소 정식으로 조선에 들어가 군대를 통솔했다.

천경은 열렬한 장면을 보며 미소를 짓고 있다가, 갑자기 정보참모가 급히

177 1950년 9월 16일, 중국의 인적·물적 지원하에, 베트남 인민군이 베트남-중국 국경 지역에서 프랑스의 식민지 군대를 공격한 일을 가리킨다.

펑더화이 옆으로 가서 한 뭉치의 전보를 전해주는 것을 보았다. 펑더화이의 웃음 띤 얼굴은 곧 사라지고, 얼굴이 즉시 엄숙해졌다. 천경이 다가가서 물었다: "총사령관님, 무슨 일입니까?"

"역시 적이네. 뭔가를 염려하면 곧 그게 일어나는군. 전선의 정찰 부대에 따르면 리지웨이가 이미 공격을 시작했다고 하네."

펑더화이는 낮은 목소리로 천경에게 말했고, 이 말은 또한 천경에게만 할 수 있었다: "지금은 정말로 싸우기에 좋지 않으니, 잘 싸우지 못한다면 싸움에서 패할 거야. 리지웨이가 대거 공격해온다면, 서울은 틀림없이 잃게 될 거네."

이때, 중국 군대는 조선에 들어와 연속 세 차례의 전역을 치렀으므로, 제1진으로 조선에 들어온 6개 군단은 이미 병사들이 지쳐 있었고, 사상자로 인해 병력 손실이 매우 컸다. 제3차 전역에서 싸웠던 병력은 대부분이 부대의 노련한 핵심 인원들이었고, 국내에서는 원래 6개 군단의 고참병 4만 명과 신병 8만 명을 보충하기로 정해져 있었는데 늦어져 도착하지 않자, 응급조치로 몇 개 군단의 기관 요원들을 모두 일선의 중대에 보충해주었다. 어느 부대에서나 이렇게 하는 것은 두려워했다. 부대의 전투력을 유지시켜주는 엘리트 인원을 모조리 그러모아 가는 것은 부대의 뼈대를 무너뜨리는 것과 같아, 그 부대는 정말 원기를 잃을 수도 있다. 이것은 병력 보충으로 해결할 수 있는 문제가 아니었다.

최전선의 부대는 싸울 수 없었고, 뒤이어 조선에 들어올 부대는 잠시 또한 오지 못하고 있었다. 제19병단은 아직 동북 지역에서 소련식 무기로 교체하고 있었고, 제3병단은 아직 스촨에서 오고 있는 중이었다. 또 동부전선 송스룬의 제9병단은 동상으로 인한 인원 손실이 너무 큰 데다, 잠시도 숨을 돌리지 못하여, 아직 원산과 함흥 일대에서 휴식을 취하며 정비하고 있었으므로, 2개월 내에 작전에 투입하는 것은 생각할 수 없었다.

이런 상황에서, 펑더화이는 어쩔 수 없이 피로에 지친 6개 군단과 인민군 3개 군단을 이끌고 리지웨이에 맞서 싸울 수밖에 없었다. 이 전쟁에서, 중국과 조선 군대는 기술과 장비 면에서 적보다 열세였을 뿐만 아니라, 병력 대비에서조차도 펑더화이는 우위를 잃고 있었다.

"어휴!" 펑더화이는 한숨을 내쉬었다: "원래 주력을 춘계 공세에 쏟으려고 준비 하고 있었는데, 지금 부득이하게 이 싸움을 할 수밖에 없군. 리지웨이는 정말이지 약점을 찾을 수가 없어."

펑더화이는 답답해 하며 총사령부의 장교들에게 말했다.

암담한 전장의 형세에서, 오직 한 가지 일만이 펑더화이의 무거운 마음을 크게 호전시켜주었다.

12

1951년 1월 21일 정오, 한 통의 급전이 펑더화이에게 전해지자, 지휘소 안에 있던 사람들은 모두 놀라서 어리둥절했다. 그들은 엄숙하고 근엄한 펑더화이가 그런 태도를 잃는 모습을 보았다. 문득 보니 그가 두 손을 하늘로 향한 채 끊임없이 크게 웃으며 미친 듯이 소리를 지르고 있었다:

"우리도 공군이 있다! 우리 자신의 공군이 참전했다! 중국의 공군이 처음으로 싸워서 이겼다. 으하하하……."

펑더화이가 계속해서 공군의 참전을 재촉하자, 공군 사령관 류야러우는 부하들을 모두 미친 듯이 다그쳤다. 그러나 현대화된 군종(軍種: 육군·해군·공군 등 군대의 종류-옮긴이)이 어디 그리 쉽게 확보될 수 있는 것인가?

지원군이 조선에 들어간 바로 그날, 공군도 상하이에서 북상하기 시작했다. 톈진에 도착하여, 군용 열차는 멈추었다가, 밤이 되자 다시 움직이기 시작했다. 흥분되어 매우 늦게야 겨우 잠을 이룰 수 있었던 조종사들은 날이 밝자 둘러보고는 완전히 멍해졌다. 어떻게 다시 상하이로 돌아온 것인가!

원래 이들 조종사들이 조종한 것은 모두 구식 프로펠러 비행기였는데, 지금은 신식 제트 전투기로 교체하여, 이제야 미국 공군과 싸울 수 있게 된 것이다. 조종사들은 어찌할 도리 없이 우스갯말을 했다: "하루 밤낮 항미원조했네."

제트 전투기가 이제 막 이륙과 착륙을 할 수 있게 되자, 류야러우는 부대원들을 다시 북쪽으로 올려 보냈다. 안둥에 도착하자 다시 당혹하여 눈이 휘둥그레졌는데, 기상이 좋지 않았기 때문이다. 대부분의 조종사들은 단지 보통의 기상 상태에서만 비행할 수 있어, 지금 출전하는 것은 도마 위에 고기를 올려 보내는 것이나 다름없었다.

공군 전사들은 압록강변에서 20일 동안 포성을 들으며, 꼬박 20일 동안 울었다. 울음을 그치고 어쩔 수 없이 다시 돌아가서 훈련하게 되자, 부대는 위의 우스갯소리에 이어서 다음과 같은 대응하는 문구를 쓸 수밖에 없었다: "20일 동안 국가보위했네."

12월 4일, 마오쩌둥과 펑더화이의 재촉을 받던 류야러우는 마침내 결심했다. 공군의 최초 부대인 제4사단[178]을 주력으로 삼고, 대대(大隊: 육군의 연대나 대대에 해당하는 부대-옮긴이)를 단위로 하여, 안둥에 주둔하면서 소련군의 도움을 받아 실전에서 단련하기로 했다.

중국 공군 역사에서 획기적인 의미를 갖는 세 번째 북상이 시작되었다.

주더 원수가 직접 나와서 배웅했다. 조종사들은 놀라 어리둥절했으며, 제4사단 강당에는 15분 동안이나 환호성이 울려 퍼졌다. 대대장(大隊長) 리한(李漢, 1924~1997)이 조종사들을 대표하여 발언했다. 이 세상물정 모르는 젊은이는 매우 감격하여 대대의 조종사들을 향해 소리쳤다:

"결심했습니까?"

"했습니다!" 세상이 떠나갈 듯이 대답했다.

"겁쟁이가 있습니까?"

"있습니다!" 세상이 떠나갈 듯이 대답했다.

조종사들은 주더 원수를 보자 매우 긴장해 있었다.

178 최초의 공군 사단이기 때문에 당연히 공군 제1사단이 되어야 했지만, 아무런 공적도 없이 제1사단의 명칭을 얻게 되면 자만심에 빠질 수 있다는 지적이 제기되자, 마오쩌둥이 징강산에서 창건한 홍군 제4군의 선례를 따라, 공군 제4사단이라는 명칭을 얻게 되었다.

주더와 류야러우는 큰 소리로 웃기 시작했다.

제28대대의 조종사들이 갑자기 일어나서 다시 외쳤다: "사내대장부는 있어도, 겁쟁이는 없습니다!"

분노의 함성은 위세가 대단했다.

행사가 끝난 후, 제28대대는 주더와 류야러우 앞에서 비행 시범을 보였는데, 미그-15 전투기 꼬리에 있는 분사구에서 뿜어 나오는 격렬한 풍량이 비행장의 관람대에 부딪히자, 주더와 류야러우는 조금도 사양하지 않고 몇 번이나 튀어 올랐다가 곤두박질쳤다. 조종사들은 깜짝 놀랐는데, 주더는 기어 올라오더니 큰 소리로 껄껄대며 웃기 시작했다: "정말 대단한 제트기야!"

펑더화이가 공군의 승전보를 받은 그날 아침, 공군 제4사단은 중국 공군을 위해 공중전의 수수께끼를 벗겨주었다.

전투는 제일 먼저 출전했던 제28대대가 했다. 제28대대의 조종사들은 전부 해방 전쟁 시기의 동북 지역에 있던 옛 항공학교를 졸업했는데, 다시 새로운 항공학교에서 당시 세계에서 가장 선진적인 소련제 미그-15 제트 전투기로 새로 무장했다. 이 대대의 조종사들은 중국 전투기 조종사의 핵심이었다.

1951년 1월 21일, 대대장 리한은, 오로지 자기들 단독으로만 하면서, 적기를 보면 곧 중국인들에게 회항하라고 명령하는 소련 공군을 벗어나, 미국인과 실력을 한번 겨뤄보지 않을 수 없다고 결정했다.

리한은 당시의 전형적인 혈기왕성하고 세상물정 모르는 젊은이로, 천하에 두려운 것이 없었다. 제트기를 타고 불과 20여 시간밖에 비행하지 않았음에도 여섯 대의 비행기를 인솔하고 가서 수천 시간을 비행한 미국 조종사들과 목숨을 걸고 싸웠다.

여섯 대의 중국 전투기는 청천강 다리를 공격하고 있는 20대의 적기를 맹렬하게 공격했다. 겹겹이 포위된 상태에서, 리한은 F-84 한 대를 발견하자 세 개의 기관포[179]를 일제히 발사하여, 한바탕 맹렬하게 갈겨댔다. ……이

179 미그-15기는 동체 아래 좌측에 37밀리 기관포 1문(실탄 40발), 동체 아래 우측에 23밀리 기관포 2문(실탄 각각 160발)을 기본으로 장착하고 있다.

는 역사적인 순간이었다.

여섯 대의 미그-15기가 전부 안전하게 귀환하자, 소련인들은 리한의 건카메라 필름을 조사해보았다. 미군 비행기에 손상을 입힌 것을 확인했다. 중국 공군이 마침내 푸른 하늘에 날개를 펼친 것이다.

8일 후, 먼저 리한이 정주(定州) 상공에서 소리 높여 고함을 쳤다: "겁쟁이 놈아, 도망치지 마라! 이 몸이 너에게 두 번 키스해주고 나면 가거라!" 그런 다음 공중에 있던 모든 중국 조종사들이 큰 소리로 외치기 시작했다: "명중이다! 명중이다!"

한 대의 미국 공군 F-84가 하늘로 솟구치더니 폭발했다.

리한은 중국 공군에서 처음으로 적기를 격추한 인물로서 역사책에 영원히 기록되었다. 말년에, 속도광인 리한은 소형 자동차도 아니고 모터바이크도 아닌 괴상하게 생긴 동력을 가진 물건을 직접 만들어 스자좡(石家庄)의 대로를 질주했다. 리한은 의기양양하게 그것을 '리한의 벼룩'이라고 이름 지었다.

임종 전, 그의 마지막 말은 다음과 같았다: "당에 감사드립니다. 리한의 모든 것은 당이 준 것입니다."

중국 공군의 개막전은 펑더화이로 하여금 전쟁의 최종 결말에 대해 더욱 자신감을 충만하게 해주었다. 하지만 지금 당장은 그는 또 이 전쟁 과정에서의 한 차례 전역의 승부를 위해 온 정신을 쏟아야만 했다.

"우유와 빵이 있을 테지만, 지금은 아직 워터우(窩頭)[180]를 먹어야 할 것 같소." 펑더화이는 홍쉐즈에게 탄식했다.

공군의 승리는 단지 상징적인 것으로, 지금 당장은 단지 사기를 진작시키는 작용을 할 수 있을 뿐이다.

비행기는 너무 적었고, 조종사들은 너무 신참들이어서, 단지 대문 앞에서 적들에게 잠시 소란을 피울 수 있을 뿐이었다. 미그기는 항속 거리가 짧아

180 옥수수 가루를 쪄서 만든 고깔 모양의 떡을 가리킨다. 당시 중국 북부 일대에서 주로 먹는 간식들 중 하나였다.

전선까지 올 수 없었고, 조선의 비행장들도 모조리 폭격을 당했다. 다시 말하자면, 누가 감히 지금 당장의 어려움을 넘기려고 내일의 종자를 먹어 치우겠는가? 천신만고 끝에 길러낸 보배들을 모조리 소모할 수는 없었다.

공군의 승리로 인한 흥분이 가라앉고 나자, 펑더화이는 다시 지상 전투 연구에 몰두하기 시작했다.

지금은 중국과 조선 양측이 적들을 추격할 것인지 말 것인지 논쟁하는 것은 더 이상 쓸모없게 되었다. 설사 전우애로 넘쳐나는 고위 간부 연석회의였지만, 중국과 조선 양측 간부들은 여전히 때때로 흥분하여 탁자를 치고 일어나, 계속해서 남진해야 하는지 말아야 하는지에 대해 격렬하게 논쟁했다. 이틀 후, 모든 것이 명백해졌다. 1월 27일, 전선의 부대들이 마침내 실제로 입증했다: 적군은 야목리(野牧里: 지금의 화성시에 속함-옮긴이)에서 김량장리에 이르기까지 정면으로 북쪽을 향해 공격을 개시했으며, 그 주력은 수원에서 서울에 이르는 도로 양측을 따라 서울을 향해 맹렬하게 돌격했다. 이는 리지웨이가 하는 대대적인 반격이었다.

조선 동지들은 부끄러워서 진땀을 흘렸다. 미군이 원래 전적으로 남쪽으로 철수할 계획을 세운 것은, 아군으로 하여금 그들의 꾀수에 속아 넘어가도록 유인한 것이었다.

이날, 펑더화이는 어쩔 수 없이 부대에게 "휴식하며 정비하는 것을 멈추고, 전투 준비를 하라!"는 전보를 보냈다. 막 한숨 돌리려던 병사들은 어쩔 수 없이 다시 무기를 손질하기 시작했다. 더욱 참담한 것은 동북 지방으로 돌아가 '연합 작전 훈련반'에 참가하고 있던 군단장·사단장·연대장들이었다. 모두가 전선에서 온갖 고생을 하다가 선양으로 급히 돌아와서, 단지 경극 한 편만 보았을 뿐이고, 아직 강의 한번 듣지 않았거늘, 또 급히 수천 리 밖의 전선으로 돌아가게 되었으니, 바빠서 숨 돌릴 틈도 없었다.

펑더화이는 불길한 예감으로 가득했다. 그는 자신의 지휘 능력을 믿었고, 전투를 잘하는 지원군의 많은 장교들을 믿었으며, 그는 중국 병사들의 영웅적인 기개와 뛰어난 전투 기술을 더욱 믿었다. 그는 리지웨이가 더 이상 아무리 지독하더라도, 지원군을 대패시키는 것은 단념했다고 생각했다. 그러나 그는, 어쩔 수 없이 진행하는 이번 전역에서는 적들의 현대화된 무기로 인해, 매우 지쳐 있고 무기도 매우 열악한 중국 장병들이 중대한 대가를 치러야 할 것임을 예감하고 있었다.

이날 밤, 펑더화이는 군사적인 관점에서, 마오쩌둥에게 다음과 같은 전보 한 통을 보냈다.

(1) ……제국주의 진영의 모순을 격화시키기 위해, 중국과 조선 두 나라 군대가 한시적으로 정전을 지지하여, 인민군과 지원군이 오산의 태평리(太平里)와 원주 남쪽의 단구리(丹邱里)를 잇는 선으로부터 북쪽으로 15킬로미터 내지 30킬로미터까지 철수해도 되는지, 만약 동의하신다면, 소식을 베이징에서 방송해주시기 바랍니다.

(2) ……출격하면 곧 전체적으로 정비와 훈련 계획을 무산시켜, 춘계 공세를 지연시킬 것입니다. 또한 지금은 탄약이 전혀 보충되지 않고 있어, 가장 일러도 아마 다음달 초순은 되어야 겨우 출동할 수 있을 것입니다. 제가 잠시 인천과 거점 진지를 포기하더라도, 국내외 정치에서 허락할 수 있는지…….

펑더화이는 이 방안이 가장 현실적이면서도 가장 좋은 작전 방안이라고 생각했다. 만약 필요하다면, 펑더화이는 조금도 주저하지 않고 인천과 서울을 포기할 준비를 했다.

다음날 밤, 마오쩌둥의 전보가 왔다. 펑더화이는 깜짝 놀랐다. 마오쩌둥은 후퇴하는 것에 동의하지 않을 뿐만 아니라, 즉시 제4차 전역을 시작하도록 요구했으며, 또한 이번 전역의 목표는 더욱 멀리 36도선의 대전과 안동이라는 것이었다. 전문에는 뜻밖에 이런 말도 있었다: "아군이 탄약을 보충하지 못하더라도 그다지 큰 곤란은 아니며, 다만 전력을 집중하여 원주 방향으로 돌격해 간다면, 몇몇 부분의 미군과 4~5개 사단의 남조선군을 섬멸할 역량은 있을 겁니다."

낭만파 시인의 기질로 충만한 마오쩌둥의 머리는 약간 흥분되어 있었다.

펑더화이는 마음속으로 몰래 비명을 질렀는데, 마오쩌둥의 요구는 순전히 공상이었다. 부대가 이때 옛날처럼 정전패(停戰牌)[181]를 내걸고 휴식하며 정비할 수 없음을 안타까워했다. 적들이 이미 문을 찾아와 한 발로 정전패를 걷어 차버려, 37도선조차도 이제 지켜내지 못할 판인데, 다시 36도선까지 공격해 가서 몇몇 부분의 미군과 4~5개 사단의 한국 군대를 섬멸하라니! 설령 리지웨이가 길을 비켜준다고 해도, 36도선에 가서 무엇을 할 수 있단 말인가? 전체 군대가 거기에서 굶어죽으란 말인가?

펑더화이는 머리를 좌우로 빠르게 흔들었다.

마오쩌둥의 명령은 반드시 집행해야 하는 것이고, 군사는 영원히 정치에 복종해야 한다. 그러나 정말로 맹종하기만 한다면 그건 펑더화이가 아니었다. 공산당 내에서 마오쩌둥을 가장 두려워하지 않는 사람이 바로 그였다. 모든 사람이 마오쩌둥을 "주석"이라고 호칭할 때도, 단지 그 혼자만은 여전히 꽤 오랫동안 "마오 형님[老毛]"이라고 불렀다. 펑더화이와 마오쩌둥이 언쟁을 벌인 적도 적은 편은 아니었다. 막 산베이에 도착하자, 마오쩌둥은 동쪽으로 원정을 가서 군벌 옌시산(閻錫山)을 공격하려 했는데, 펑더화이는 황허를 건너가지 않으려 하면서, 마오쩌둥에게 홍군이 언제든지 되돌아올 수 있도록 보증해줄 것을 요구했다. 이로 인해 두 사람은 한바탕 크게 언쟁을 벌였고, 마오쩌둥은 화가 나서 크게 소리쳤다: "니가 절대 보증해. 나는 절대 보증할 수 없어." 이 원정의 승리는 마오쩌둥이 옳았음을 증명했지만, 이것이 물론 펑더화이가 이때부터 마오쩌둥을 맹신했음을 의미하는 것은 아니고, 당내의 다른 간부와 마찬가지로, 언쟁을 해야 할 때 그는 예전처럼 말다툼을 벌였다.

29일, 소집된 지 나흘 만에 중국과 조선의 간부 연석 회의는 제4차 전역

181 옛날 전쟁에서 한쪽 군대가 싸울 의사가 없음을 상대방에게 알리기 위해 내거는 팻말이다.

동원 회의로 바뀌었다.

마오쩌둥의 공격 명령은 집행되어야 하지만, 어떻게 집행할 것인지는 바로 군사적인 기술이었다. 주석의 말을 들어야 하지만, 반드시 자신의 능력을 헤아려서 실행해야지, 결코 맹종하여 무리하게 해서는 안 되었다.

지원군의 많은 장수들이 지도를 에워싸고 머리를 긁적이다가, 마침내 한 가지 묘수를 짜냈다. 만약 아군이 즉각 북쪽으로 이동하면, 형세는 반드시 서울을 조기에 포기하는 쪽으로 흘러갈 것인데, 이것은 정치적으로 아군에게 불리했다. 그리고 마오쩌둥의 명령에 근거하여 즉각 반격하는 것은, 이들 피와 불 속에서 싸워온 장교들이 정말 그렇게 할 정도로 결코 어리석지 않았다. 이들 많은 장교들은 모두 혼자서 한 방면을 맡을 수 있는 인물들로, 마오쩌둥이 부하들의 의견을 아주 잘 받아들인다는 것을 매우 잘 알고 있었다. 중화인민공화국이 수립되기 전에, 몇 번의 경천동지할 대전투들은 모두 마오쩌둥이 전선의 장교들과 서로 끊임없이 이견을 수정함으로써 비로소 승리를 거둔 것이었다. 다만 중국공산당 내에서나 군대 내에서 내부의 논쟁을 공개하는 것을 좋아하지 않았을 뿐이다.

덩화는 귀국하여 일을 처리하러 갔고, 펑더화이·한셴추·홍쉐즈·제팡은 적군과 아군의 태세를 면밀하게 분석했다. 리지웨이의 공격 중점은 서쪽, 즉 서울과 한강 방면에 있었고, 이 전선은 미군이 주를 이루고 있어, 진전이 비교적 빨랐다. 그런데 동쪽은 한국군이 주를 이루고 있어, 진전이 느렸다.

홍쉐즈가 웃으면서 말했다: "이 녀석은 먼저 미군으로 하여금 공격하게 하고 나서, 다시 남조선군을 데리고 갈 생각입니다."

한셴추와 제팡도 웃기 시작했다: "이것이 리지웨이의 허점입니다."

펑더화이가 탁자를 한번 쳤다: "서쪽은 버티고 동쪽은 풀어준다[西頂東放][182]. 셴추는 다시 서부전선으로 가서 지휘소를 조직하고, 제38군단과 제

182 펑더화이가 당시 진지전을 벌이기 불리한 상황에 근거하여 제시한 전략이다. 즉 서부전선은 약체 병력인 제38군단과 제50군단 및 인민군 제1군단으로 하여금 미군과 한국군 최정예 부대의 가장 강한 공격력을 견뎌내게 하고, 동부전선은 반대로 점차 저지하면서, 일부러 적으로 하여금 돌진해 들어오게 유인했다. 이렇게 하여 동부전선의 횡성과 지평

50군단 및 인민군 제1군단을 통합 지휘하여, 한강 남안(南岸)에서 리지웨이의 주요 공격 집단의 공격을 저지한다. 덩화가 돌아온 후에는, 즉시 동부전선으로 가서 제39·제40·제42·제66군단 등 모두 4개 군단을 지휘하고, 적들이 깊이 들어오도록 유인하여, 남조선군을 안으로 들여놓은 다음 반격한다. 적군 1개 내지 2개 사단을 섬멸하고, 다시 적의 종심으로 돌격을 개시하여, 동쪽으로부터 서부전선에 있는 적 주력의 측면을 위협한다. 이렇게 함으로써 리지웨이의 전투 배치를 뒤흔들어, 그들의 공격을 제지한다."

펑더화이는 말을 말치고 한셴추를 응시하며 말했다: "셴추, 자네의 짐이 가볍지 않네. 방어할 종심은 단지 20여 킬로미터인데, 정면은 오히려 폭이 40킬로미터에 달하네. 강이 얼어붙어, 미국인의 탱크가 거침없이 내달릴 수 있는데, 자네가 하는 것은 저지전이니, 미국인들이 화력의 우세를 발휘하는 데 딱 유리하네. 자네는 물러서면 안 될 뿐만 아니라, 또한 좀더 많은 시간도 벌어야 하네. 절대로 너무 빨리 물러서서는 안 되네. 그러지 않으면 시간이 부족하여, 동부전선의 부대가 와서 식량과 탄약을 보충할 수 없네."

한셴추는 천천히 고개를 끄덕이며 낮은 소리로 말했다: "그렇습니다. 한바탕 혈전을 벌여야지요……."

13

중국 군대가 지금까지 겪어본 적이 없는 혈전이 시작되었다. 이제야 중국 군대는 비로소 미국의 현대화된 화력의 매서움을 진정으로 맛보게 되었다. 서부전선의 저지전은 앞선 세 차례의 기동전과는 달리, 진을 쳐놓고 진행하는 진지 방어전으로, 단단히 지키면 곧 지켜졌지만, 단단히 지키지 못하면 곧바로 돌파되었다.

리 일대에서 적군 전선의 일부분이 북쪽으로 돌출되자, 이어서 다시 우세한 병력으로 이 부분을 분할 포위하여 섬멸함으로써, 인위적으로 중국의 지원군이 기동전을 할 수 있는 전기를 마련했다.

중국 군대는 이미 미군의 강력한 화력하에서 고정된 진지를 굳게 지키는 고통을 맛보았다. 제42군단은 제1차 전역의 동부전선에서 황초령을 지키고 있을 때, 비록 진지를 지켜내기는 했지만, 자신의 사상자도 매우 커서, 군단장 우루이린과 량싱추가 함께 펑더화이에게 비판을 받았다.

명장 덩화는 이미 이 문제에 주의하고 있었으며, 또한 특별히 '기동 방어'라는 원칙을 제의했다. 이 원칙은 하나의 진지에서 고수하는 시간은 하루나 이틀보다 길지 않아야 한다는 것이었다. 왜냐하면 하루나 이틀 내에는 적들이 아군의 방어 배치에 대해 정확히 알 수 없어, 공중 화력이 아군에게 위해를 가하는 데 한계가 있기 때문이었다. 그러나 한강 남쪽에 있는 지원군과 인민군 진지의 종심은 겨우 20킬로미터에 불과하여, 많은 중요 거점들은 병사들의 목숨으로만 지킬 수 있을 뿐이었다.

"미국놈들의 포탄은 정말이지 징그럽게 많군!" 제50군단장 정쩌성 중장이 한마디 중얼거렸다. 정쩌성은 과거에 국민당 제60군단장이었는데, 창춘(長春)에서 의거를 일으킨 후에 인민해방군 장성의 한 명이 되었다.

정쩌성은 용모가 위풍당당하고 노련하여, 한눈에 보아도 전형적인 직업군인이었다. 비록 해방군에 합류한 지는 겨우 2년밖에 안 되었지만, 이미 인민군대라는 이 용광로에 의해 새롭게 단련되었다. 그의 부대는 개편되고 나서 많은 공산당의 우수한 간부·지식인이나 노동자 농민 출신의 신병들을 보충하면서, 전투력이 급속히 증강되었고, 부대의 면모가 몰라보게 달라졌다. 그리하여 곧 명령을 받고 남하하여 스촨 진입 작전에 참가했으며, 도중에 여러 차례 전공을 세웠다.

조선에 가라는 명령을 받았을 때, 정쩌성은 부대를 이끌고 후베이의 한커우(漢口)에서 한강(漢江: 창강, 즉 양쯔강 최대의 지류-옮긴이)의 큰 둑을 쌓고 있었다. 조선에 들어간 뒤, 제50군단은 용맹하게 싸워서 여러 차례 승리를 거두었다. 특히 영국 왕립 중(重)탱크 대대를 섬멸하는 전투에서 중요한 역할을 하여 군사(軍史)에 이름을 남겼다. 제3차 전역에서는 더구나 곧바로 수원 부근까지 돌진해 감으로써, 조선에서 가장 멀리까지 공격해 들어간 지원군 부대 중 하나가 되었다. 정쩌성은 줄곧 부대를 따라가며 앞에서 지휘하여, 굳세고 과감함을 과시했으며, 군사적 소양이 매우 풍부하여, 여러 차례 펑더화이의 표창을 받았다. 국민당에서 장제스의 중앙군(中央軍) 직계 부대에게 무시당했던 정쩌성은 진심으로 자신이 가는 길이 옳다고 느꼈기 때문에, 그는 전투에서 공을 세워 자신의 충성심을 보여주려 했다.

지원군의 방어 진지가 초토화되었다.

정치위원 쉬원리에(徐文烈, 1909~1976)도 미국인의 화력 우위 때문에 골머리를 앓고 있었다: "그렇습니다. 이 작은 수리산(修理山)을 공격하기 위해 단지 1개 미국 대대가 100문에 가까운 무반동포·박격포·21대의 탱크와 10문의 자주고사포 등 대대급 화력 지원을 받고 있습니다. 이는 연대급·사단급 및 공군의 화력 증강을 아직 포함시키지 않은 것입니다!"

정쩌성은 탁자를 두드리며 말했다: "나는 우리 병사들을 믿습니다. 우리는 반드시 지켜낼 수 있습니다!"

제50군단 장병들은 군단장의 믿음을 저버리지 않았다. 하늘 가득 거센 폭풍우가 몰아치는 가운데, 그들은 화약 연기와 뜨거운 열기 속에서 수리산의 주진지(主陣地)를 꼬박 7일 동안 굳게 지켜냈고, 미군 제25사단을 박살냈으며, 다시 한 차례 터키 여단을 격파했다. ……전투가 끝난 후에, 미군은 중국 병사들의 생명력을 감히 믿을 수조차 없었다. 그들은, 네이팜탄으

저지전(沮止戰)을 벌이고 있는 지원군 병사들

로 태워버리고 포탄으로 갈아엎은 중국 군대의 진지에 어떻게 여전히 사람이 있어서 저항을 하는지를 정말로 알지 못했다. 1개 소대의 공격을 보장하기 위해, 반복해서 화력 준비를 한 다음, 한번에 20정의 중기관총·5문의 자주고사포를 가지고 40~50명의 병사들이 중국 군대의 진지를 향해 돌격했다. 그 미국인들이 아무도 아직 살아 있을 수는 없을 거라고 생각한 저 폐허 위에서, 기적처럼 다시 일어난 한 무리의 중국 병사들이 이들 40~50명의 미국 병사들을 절반이나 쓰러뜨렸다.

2월 6일, 미군에게 대단히 큰 피해를 입힌 다음, 정쩌성은 명령에 따라 부대를 이끌고 수리산 진지에서 철수했다. 이어서 다시 인민군 제1군단과 함께 한강 이북으로 철수해 돌아갔다. 어지럽게 날아다니는 포화와 함께, 이미 봄이 거의 다 되어, 한강에서는 서서히 얼음이 녹았다. 중국 군대의 진지는 한강에서 매우 가까이 떨어져 있었기 때문에, 만약 미국인들이 강변으로 돌격한다면, 바로 물을 등지고 싸워야만 했으므로, 여차하면 전군이 몰살당할 수도 있었다.

온 몸에 화약 연기를 뒤집어쓴 정쩌성이 지원군 사령부에 와서 전투 결과를 보고했다. 펑더화이는 과거에 국민당 중장이었던 정쩌성의 손을 꼭 잡으며 말했다: "제50군단은 잘 싸웠고, 당신의 지휘는 훌륭했소. 나는 당신에게 병력을 보충해줄 것이고, 소련식 무기가 도착하면, 우선 당신들 제50군단의 무기를 교체해주겠소!"

정쩌성은 이 말을 듣자 눈물이 나오려 했다. 국민당 군대에서 20년을 지내면서, 전계(滇系: 윈난성을 근거지로 한 지방 군벌의 일파-옮긴이) 부대 소속의 한 장교로서, 그와 그의 부하들은 장제스 직계 부대로부터 차별과 무시를 당했다. 병력 보충이나 무기를 교체해주는 것 같은 좋은 일은 말할 것도 없었고, 장제스는 몇 차례 그의 이 윈난 부대의 악랄한 수단을 쓰려고 했었다. 고작 2년 전만 해도, 그는 아직 부대를 이끌고 해방군(마오쩌둥이 이끄는 공산당 군대-옮긴이)과 동북 지역에서 혈전을 벌이고 있었다.

정쩌성은 눈물을 글썽이며 말했다: "우리는 온 힘을 다했습니다. 우리는 형제 부대 앞에서 고개를 들 수 있게 되었습니다!"

펑더화이는 이 말을 듣자 감정이 격앙되었다: "이게 무슨 말이오? 제50군단이 국민당 군대를 개편한 부대라서 하는 말입니까? 나 펑더화이도 당신과 마찬가지로 구군대의 비정규군인 상군(湘軍)[183] 출신이오. 펑더화이는 지금까지 당신들을 계모처럼 대한 적이 없습니다. 제50군단에는 공산당원이 매우 많습니다. 당신이 부대에 돌아가면, 펑더화이가 제50군단의 동지들에게 허리 굽혀 경의를 표했다고 알려주시오."

펑더화이는 진짜로 정쩌성에게 허리를 굽혀 경의를 표했다.

정쩌성은 뜨거운 눈물을 흘리며 펑더화이에게 깍듯이 경례를 올렸다.

1955년 화이런탕(懷仁堂)[184]에서, 정쩌성은 산전수전 다 겪은 옛 홍군 및 팔로군 출신들과 함께 서서 마오쩌둥과 저우언라이가 수여하는 계급장을 받았다. 그는 중국 인민해방군에 있는 200명의 중장(中將)들 가운데 한 명이 되었다.

183 만청(滿淸) 시기의 후난(湖南) 지방 군대를 통틀어 일컫는 명칭으로, 상용(湘勇)이라고도 한다. 태평천국 운동이 일어난 후, 청나라 정규군이 막아내지 못하자, 어쩔 수 없이 지방 무장 세력을 이용했는데, 상군은 바로 이때 조직되어, 태평천국의 난을 진압하는 주력으로 활동했다.

184 마오쩌둥 주석의 집무실이 있던 중난하이에 있는 주요 건물들 중 하나이다.

14

인근 부대들이 잇달아 한강 북안으로 철수한 뒤, 오직 제38군단만이 철수하지 못했을 뿐만 아니라, 유일하게 강을 건너지 못한 제114사단도 곧 한강 남안으로 이동하려 했다. 그들의 진지는 동부전선과 서부전선의 적들이 인접한 지대에 있었으므로, 동부전선에 있는 덩화 집단의 반격을 보장하기 위해 그들은 반드시 한강 남안에서 배수진을 치고 싸워, 서부전선에 있는 적군 주력의 공격을 결사적으로 막아냄으로써, 동부전선과 서부전선에 있는 적들이 연결되는 것을 막아야 했다.

현재 서부전선의 거의 모든 적군은 공격의 창끝을 제38군단에게 겨누고 있었다. 미국 기병 제1사단·미국 제24사단·영국 제27여단·그리스 대대·한국 제6사단 등등이 모두 제38군단의 보잘것없는 방어 진지를 향해 돌진했다.

제38군단에게 창군 이래 가장 엄혹한 시련이 닥쳐왔다.

1월 28일부터, 제38군단 장병들은 더 이상 잠을 잘 수 없었다. 공중의 무수한 적기들이 진지 상공에서 수천수만 톤의 고폭탄·소이탄·조명탄 등등을 쏟아부었기 때문이다.

지상에서는 수천 문의 각종 포들이 밤낮으로 끊임없이 강력한 폭약을 가득 채운 탄환들을 퍼부었다.

포화는 고지 위의 땅을 쟁기질하듯이 완전히 갈아엎어, 방어 진지가 있는 산 정상이 전반적으로 1미터나 깎여 나가 낮아졌다.

포격을 가한 후, 무리를 이룬 탱크들과 무수히 많은 적군이 돌격을 개시했다. 패배하고 물러난 다음에는 다시 폭격·포격·돌격의 과정이 반복되었다. 이것이 리지웨이의 '불바다[火海] 전술'이었다.

국민당은 타이완 섬에서 매우 기뻐하고 있었다: "이것은 불바다가 사람바다[人海]를 쓸어버린 거야!"

얼마나 많은 사람들이 일본인들과 백병전을 벌여, 장제스의 군대를 동북 지역에서 남쪽 바다로 몰아냈으며, 또 조선에 들어가 싸운 얼마나 많은 영웅호걸들이 저 이름 없는 고지들에서 희생되었는지 알 수 없다. 어떤 때는 미군이 한바탕 폭격을 하고 나면, 하나의 진지에서 무참하게 날벼락을 맞아 죽은 중국 병사가 20여 명이나 나오기도 했다.

전황이 끊임없이 악화되면서, 제38군단의 많은 진지들에서는 한 사람도 남지 않고 모두 전사했는데, 후방에서는 전혀 병력 보충이 이루어지지 않았다. 제38군단의 위기는 사방에 도사리고 있었다.

2월 4일, 리지웨이는 지원군의 전술 경험을 받아들였다. 그리하여 미국 제24사단 제19연대는 의외로 야간에 돌격하여, 제38군단 방어선의 후방으로 침투했다. 미국인들도 야간에 우회하여 침투해 들어가는 작전을 사용하기 시작했다.

이 미군 부대는 곧장 제113사단의 측후방에 있는 산중리(山中里)와 세월리(洗月里) 지역으로 돌격해 들어갔다. 포탄이 포위된 제113사단의 지휘소를 에워싸고 작렬하자, 제113사단은 매우 위급해졌다.

군단 지휘부는 다급해지자, 모든 노력을 아끼지 말고 이 적군을 섬멸하라고 명령했다. 제338연대 2천여 명의 병사들은 밤을 새워 달려가 기습적으로 역습하여, 이 적군을 역으로 포위했다. 돌진하던 미군은 물러설 곳이 없어지자, 끝까지 혈전을 벌이는 한 가지 길밖에 없었다.

이틀 밤낮이 지난 뒤, 산중리와 세월리 지역의 총성이 점점 잦아들었다. 미군 2개 대대가 거의 섬멸되고, 제338연대 장병들의 시체가 이 일대의 산골짜기와 구릉에 가득 깔렸다. 중국 군대는 무전기로 미군과 연락하여, 그들이 안전하게 시체와 부상자들을 운송하도록 보장했다. 미군은 과연 약속한 대로 와서, 헬리콥터가 한나절 내내 시신들을 실어 날랐다. 미국 공군도 보기 드물게 중국 군대의 시신 수습 대원들에 대해 공격을 가하지 않았다.

명령을 매우 결연하게 집행하는 많은 간부들은 참혹한 사상자들을 대하고, 매우 부족한 탄약과 식량에 직면하자, 분개하여 울부짖기 시작했다: "과연 제38군단이 필요한가 필요하지 않는가? 반드시 제4야전군의 정예 주력을 적과 함께 모조리 목숨을 걸게 해야 했는가? 이렇게 싸운 적이 있었는가? 만약 린뱌오 총사령관이 지휘했다면, 어찌 이렇게 기꺼이 제38군단을 다 바쳐, 핵심 전력이 모두 없어지게 했겠는가!"

펑더화이가 지휘하던 옛 부대의 밑바닥에서부터 발전해온 이 강철 같은 군대에서 뜻밖에도 누군가가 린뱌오 총사령관이 어쩌고저쩌고 하면서 파벌주의 색채가 농후한 불평불만을 말한 것이다.

2월 7일, 량싱추 등 군단·사단·연대의 지휘관들이 마침내 선양에서 제38군단 사령부로 돌아와, 밤새도록 군단과 사단의 고급 간부 작전 회의를 소집했다.

량싱추는 차분하게 여러 장수들을 둘러보았다. 그는 이 모든 것이 아직 시작일 뿐이라는 것을 알고 있었다. 오늘밤 제50군단과 인민군 제1군단이 모두 한강에서 철수를 개시하기로 되어 있어, 한강 남안에서는 장차 제38군단만 남아 고군분투해야 했다. 이전까지의 방어전은 여전히 형제 부대들이 함께 압력을 나누어 졌지만, 이제 모든 무거운 부담이 곧 제38군단을 짓누를 것이다.

"……내가 이미 공병 중대에게 기한 내에 한강대교를 복구하고, 식량과 탄약을 서둘러 운송해오도록 명령했습니다." 량싱추는 먼저 간부들에게 군단장은 모두의 고충을 알고 있다고 말했다. 그는 온 힘을 다해 문제를 해결하고 있었다.

"병력이 우리에게는 없고, 지원군 사령부도 지금은 보유하고 있지 않지만, 곧 안둥에서 합동 훈련을 하고 있는 병사들이 부대에 보충될 거요. 사단의 지휘관들은 반드시 일부 핵심 인원을 보존하여, 진지 위에 있는 병사들이 모조리 전사하기 전에, 가능한 한 소대장·부소대장·중대장·정치지도원 및 대대장과 정치교도원 가운데 한 명을 선출하여 반드시 부대의 핵심 인원을 보존해야 하오. 그러지 않으면 신병이 보충된 다음에, 사람이 없어 어떻게 싸움을 지휘하겠소!"

량싱추의 이 말은 경험 많은 베테랑 병사가 한 부대에 대해 갖는 중요성을 더할 나위 없이 매우 심각하게 설명해주고 있다.

한차례 위로의 말을 한 다음, 량싱추는 과감하고 단호하게 명령을 내렸다:

"어려움이 크더라도 진지를 지켜내야 하오. 만약 아군의 저지선이 무너지면, 동부전선의 반격은 말할 필요도 없고, 전체 전선이 모두 붕괴될 거요. 모두들 제38군단의 전통을 잊지 마시오. 상부에서 부여한 임무는 반드시 완수해야 하며, 다른 말은 필요 없소. 동부전선의 부대에게 승리의 출격을 보장하기 위해, 제38군단은 반드시 한강 남안에서 혈전을 벌여야 합니다! 어느 누구도 더 이상 철수의 '철'자도 꺼내는 것을 허락하지 않을 것이며, 어느 누구도 더 이상 파벌주의적 불평을 말하는 것을 허락하지 않겠소!"

량싱추는, 이런 때는 부대를 절망적인 상태로 몰아넣을 뿐이므로, 절대로 파벌주의적 독소와 철수를 해야 하느냐 마느냐의 요행을 바라는 생각들로 인해 군심을 해이해지게 만들어서는 안 된다는 것을 잘 알고 있었다.

더욱 처절한 전투가 또 제38군단의 진지에서 시작되었다.

15

지원군 사령부에 주재하며 지키고 있던 펑더화이는 초조했다. 제38군단이 서부전선에서 미군의 주력을 저지한 대가가 너무나 참혹했다. 다시 이렇게 싸운다면, 설령 '만세군(萬歲軍)'일지라도 그 병력 소모를 견뎌낼 수 없었다.

펑더화이는 계속 덩화에게 전보를 쳐서, 반드시 2월 11일에는 동부전선의 적군에게 반격해야만 한다고 했다. 그는 이것도 어려운 일을 억지로 강요하는 것이라는 걸 알고 있었다. 동부전선의 각 군단들은 모두 이미 전선에서 100킬로미터 물러나 휴식을 취하며 정비하려고 했다. 막 휴식을 취하며 정비하려는 곳에 도착했는데 다시 반격하라는 명령을 받자, 황급히 돌아갈 수밖에 없었다. 전선에는 단지 인민군 김웅(金雄) 집단군의 제2군단과 제5군단만이 북진하는 적군들을 차례로 반격하며, 덩화가 지휘하는 집단군이 전진하도록 엄호하고 있었다.

2월 9일, 덩화 집단군의 4개 군단은 많은 어려움을 극복하고 거의 예정된 위치에 도달했고, 인민군 제3군단도 신속히 전진했다. 그런데 한국 제8사단은 이미 횡성 서북 지역에서 저지당했고, 한국 제3사단과 제5사단은 횡성 동북 지역에서 저지당했으며, 미국 제2사단 제23연대와 프랑스 대대는 지평리(砥平里) 지구에서 저지당했다. 전체 전선의 관점에서 보면, 지평리와 횡성의 적들은 이미 태세가 노출되었고, 측면이 드러났다. 이는, 한셴추가 서부전선의 제38·제50군단·인민군 제1군단을 지휘하기에 매우 불리한 조건하에서, 장병들 특히 제38군단 장병들의 혈전에 의지하여 바꿔놓은, 동부전선의 적을 섬멸할 수 있는 기회였다.

동부전선의 반격이 곧 시작될 텐데, 펑더화이가 아끼는 두 명의 장수, 즉 서부전선을 통솔하는 한셴추와 동부전선을 통솔하는 덩화가 뜻밖에도 공격 목표를 두고 견해 차이를 보였다.

지평리는 동부전선과 서부전선의 적군이 인접한 지대에 있었고, 횡성에는 많은 수의 미군과 한국군이 있었다. 횡성을 치면 많은 수의 적을 섬멸할 수 있는데, 지평리를 치면 섬멸할 적의 수는 매우 적었다. 그러나 지평리는 바로 요충지였다. 지평리는 횡성과 서울 사이에서 동쪽으로 치우친 곳에 위치한 작은 마을로, 그곳은 거의 조선 반도의 '배꼽'에 해당하는 곳에 위치했다. 만약 지평리가 함락되면, 서부전선에 있는 미군 제9군단의 우익과 동부전선의 원주에 있는 미군 제10군단의 좌익이 모두 드러나게 된다.

펑더화이는 당연히 지평리와 횡성을 동시에 점령하려 했으나, 안타깝게도 이 두 곳을 잇는 선상에는 미군 5개 연대·한국군 3개 사단이 있었고, 또 일부 유엔군에 배속된 부대들도 있었다. 중국 군대의 실력으로는 단지 각개격파만이 가능했다. 먼저 지평리를 치고 나서 횡성을 치든가, 아니면 먼저 횡성을 치고 난 다음에 지평리를 치든가, 둘 중 한 가지만 선택하여 공격할 수밖에 있었다.

먼저 어디를 칠 것인가?

펑더화이는 보기 드물게 망설였다. 제팡과 함께 깊이 의논하고도 결론을 내리지 못하자, 할 수 없이 각각 덩화와 한셴추에게 전보를 쳤다. 덩화는 먼저 횡성을 쳐야 한다고 말했는데, 그 이유는 확실하게 대량의 적을 섬멸할 수 있다는 것이었다. 만약 먼저 지평리를 치면, 동부전선과 서부전선의 적군이 뒤로 후퇴하여, 아군은 다시 추격할 수 없으니, 섬멸전을 하는 편이 좋다는 것이었다. 그 이유는 매우 일리가 있었다.

그리고 한셴추도 답신을 보내왔는데, 그는 먼저 지평리를 쳐야 한다고 생각하고 있었다. 그래야만 전쟁 전체의 형세에 관련된 요충지를 일거에 장악할 수 있다는 것으로, 그 이유도 역시 매우 일리가 있었다.

이렇게 되자 펑더화이는 더욱 망설이며 결정을 내리지 못했다. 8일 오후, 그는 지평리를 먼저 치기로 결정했으나, 이날 심야에는 다시 먼저 횡성을 치는 것이 더 좋겠다고 생각했다. 이튿날 밤, 한셴추가 다시 전보를 쳐 이유를 설명하자, 펑더화이는 여전히 지평리를 먼저 치는 것이 좋겠다고 다시 결정했다.

전보를 보내고 나서, 펑더화이는 다시 의문과 근심이 들기 시작했다. 덩화가 동부전선을 지휘하고 있으니, 그가 전선에서 보면 좀더 잘 알 수 있지 않을까? 그래서 다시 어쩔 수 없이 덩화에게 전보를 쳐, 덩화와 한셴추 두 사람이 제시한 방안의 장단점을 설명하고, 그에게 어느 쪽을 먼저 칠 것인지 결정하게 했다.

덩화가 횡성을 먼저 치자고 회신을 보내오자, 펑더화이가 동의했고, 마오쩌둥도 전보를 보내 "계획이 매우 좋다"고 했다.

전투 계획이 마침내 확정되자, 한셴추는 서울 북한산 지휘소 안에서 소식을 듣고 마구 담배를 피워댔다.

펑더화이는 배치를 끝내고, 즉시 마오쩌둥에게 비밀 전문을 보냈다. 어쩔 수 없이 치르는 이번 전역 과정에서 그는 이미 최악의 상황을 준비했다:

"……만약 적 5~6개 연대를 섬멸할 수 있다면, 일시적으로 전선을 보름 정도는 안정시킬 수 있으리라 예상되는데, 만약 반격에 성공하지 못한다면, 적들은 미친 듯이 추격하여, 아군은 38도선에서 안정적으로 자리 잡기도 매우 어려울 것입니다……."

전역이 시작되기 전에는 36도선까지 공격해야 한다고 했던 마오쩌둥은 어쩔 수 없이 참혹한 현실을 직시하고는, 지금은 전선을 안정시킬 수만 있어도 좋다고 여겼다. 그의 이때 심정을 이해하기는 매우 어렵다. 그러나 이 거인의 마음속 깊은 곳에서는, 틀림없이 미국인들의 역량을 재평가하기 시작했을 것이다.

16

1951년 2월 11일 밤, 제38군단이 여전히 한강 남안에서 혈전을 벌이고 있던 같은 시각에, 덩화가 지휘하는 집단군의 4개 군단은 횡성의 적군을 향해 맹렬하게 돌진해 갔다.

대승이었다.

전투는 순조롭게 진행되었다. 지원군 4개 군단과 인민군 2개 군단은 적 후방으로 우회하여 공격하는 전술로, 야간에 적의 빈틈을 이용하여 대담하게 깊숙이 들어가, 하룻밤 사이에 횡성 지역에 있던 한국군 3개 사단을 격파했다. 한국 제8사단을 전멸시켰고, 한국 제3사단과 제5사단도 박살냈다.

13일 이른 아침, 항미원조의 개막전을 시작한 덩웨 사단장 휘하의 제352연대는 미군 제2사단의 1개 대대를 단숨에 몰살시켰다.

미군의 군사가(軍史家)는 눈물을 흘리며 이렇게 기록했다: "당시, 미군 1개 포병 중대가 호위 부대의 엄호를 받으면서 횡성 서북쪽 3마일 지점의 좁은 도로를 따라 북상하고 있었는데, 분명히 아무런 측면의 보호도 없었다. ……이어서 중국인들이 갑자기 미군 포병을 향해 벌떼처럼 몰려왔다. 500여 명 가운데 겨우 세 명만 요행히도 살아남았다."

이것은 전체 조선 전쟁에서 미군의 인명 손실이 가장 막심했던 전투로, 대략 530명이 목숨을 잃었다.

미군과 한국군의 4개 포병 대대도 전멸했다.

이 전투에서 노획한 대포는 매우 많아서, 중국 군대의 1~2개 포병 사단을 무장시키고도 남았다. 필자는 운 좋게도 항미원조에 참여한 포병 제1사단의 노병을 알고 있는데, 그가 횡성에서의 반격전을 회상하면서 말한 첫마디는 이랬다: "아, 대승이었지요. 도처에 대포가 있었는데, 우리는 그 대포들 위에 올라탔다가 내려오기가 아쉬웠어요."

한국의 전쟁사는 상심하여 이렇게 기술하고 있다: "2월 11일 밤, 중공군 2개 군단과 북괴군 1개 군단이 대규모 반격을 시작하자, 전선의 국군 3개 사단이 순식간에 궤멸되어 뿔뿔이 흩어졌다."

리지웨이는 또 한국인들을 매섭게 꾸짖기 시작했다: "중국 군대의 공격 앞에서, 미군 제2사단은 다시 한번 맨 먼저 그 공격을 받아 중대한 손실을 입었으며, 특히 화포의 손실은 더욱 심각했다. 이러한 손실은 주로 한국 제8사단이 황급히 후퇴했기 때문에 야기된 것이다. 이 사단은 적들의 한 차례 야간 공격 앞에서 완전히 붕괴되어, 미군 제2사단의 측면을 남김없이 드러나게 했다. 한국 군대는 중국 군대의 공격을 받아 손실이 막대하자, 흔히 중국 병사들에 대해 매우 두려워하는 마음을 갖고 있으며, 거의 그들을 신병(神兵)이나 신장(神將)으로 여기곤 한다. 그러므로 매우 긴 시간이 지나야만 한국 군대로 하여금 적의 야간 공격을 물리칠 수 있다는 자신감을 갖게 할 수 있을 것이다. 고무 밑창 신발을 신고 있는 중국 병사들이 만약 갑자기 한국 군대의 진지에 나타난다면, 반드시 수많은 한국 병사들은 무서워서 머리도 돌아보지 않고 재빨리 도망칠 것이다."

2월 13일, 유명한 횡성 반격전이 끝났다. 중국 군대는 이틀 밤낮의 전투에서 1만 2천 명의 적을 섬멸했다. 그 가운데 한국 병사 7,100명과 미군 병사 500명을 포로로 잡았다. 이것은 항미원조 전쟁 과정에서 포로로 잡은 한국군의 숫자가 가장 많은 경우였다.

덩화는 전과를 확대하기 위해, 승세를 타고 지평리를 공격했다. 3개 군단에 소속된 6개 연대 총 1만여 명이, 제40군단장 원위청의 통일된 지휘하에 지평리로 돌격해 갔다.

17

동부전선에서 큰 전투가 벌어지고 있을 때, 제38군단의 저지전은 더 없이 뜨거운 정도에 이르렀다. 절반 이상의 보병 중대들은 이미 병력이 40명도 채 안 남았고(1개 중대의 정원은 대략 120명-옮긴이), 각 분대에는 단지 서너 정의 소총밖에 작동하지 않자, 나머지 병사들은 수류탄밖에 사용할 수 없었다.

제38군단의 모든 장병들은 눈을 부릅떴고, 수많은 진지들이 최후까지 싸웠다. 한 중국 병사는 폭약 꾸러미와 수류탄 묶음을 안고 적의 무리들에 돌진하여 최후를 마쳤다. 이러한 장렬한 모습들이 수시로 일어났다.

미국 군대는 비록 제38군단보다 수백 배의 화력과 아홉 배의 병력을 갖고 있었지만, 매우 허약한 전투력을 보여주었다. 제38군단의 용감한 전투는 그들을 깜짝 놀라게 하여, 이처럼 우세함에도, 리지웨이는 하루에 1~2킬로미터밖에 밀고 나아갈 수 없었다. 이 1~2킬로미터의 노정은 순전히 폭약으로 뚫은 것이었다.

제38군단 장병들은 자신이 맡은 직책을 잘 알고 있었다. 모든 부대들은 동부전선으로 차출되어 반격을 가했고, 서부전선에서는 오직 제38군단의 이 취약한 저지선밖에 남아 있지 않았다. 일단 제38군단이 돌파당하면, 서부전선의 적들은 이 틈새를 통해 중국 군대의 후방으로 종대를 이루어 돌격해 들어가, 동부전선의 덩화 부대를 포위하여 섬멸할 수 있었다. 설령 동부전선의 부대가 달아날 수 있다 하더라도, 전체 전선이 곧 붕괴될 것이다.

정치위원·정치교도원·정치지도원[185]들은 굳게 지키고 있는 병사들에게 문제의 심각성을 끊임없이 들려주었는데, 실제로 싸울 때가 되자 나약한 겁쟁이들마저도 이미 용감한 전사가 되어 있었다.

희생은 참혹했다. 2월 12일, 제38군단이 공인한 가장 우수한 '강철 대대

185 정치교도원은 줄여서 교도원이라고도 하며, 대대급 단위의 군대나 무장경찰에 설치한다. 정치지도원은 줄여서 지도원이라고도 하며, 중대급 단위에 설치한다. 임무는 군사 훈련이나 임무 수행 과정에서 정치 업무를 담당한다.(정치위원에 대해서는 95쪽 각주 참조)

장' 차오위하이와 정치교도원 팡신(方新, 1925~1951)도 함께 진지에서 쓰러졌다.

차오위하이가 웅거하며 지키던 350.3고지는 제38군단의 전체 방어 진지의 중요 거점으로, 그 의미가 특히 중대했지만, 또한 지키기도 매우 어려웠다. 이것은 최전방의 세 방면에서 돌격해오는 적을 맞이하는 작은 고지였다. 이 작은 고지의 진지를 위해 부군단장 장융후이가 직접 차오위하이를 불러 이야기했는데, 차오위하이는 조금도 두려워하지 않고 장융후이의 눈을 바라보며 말했다: "우리 대대는 지금까지 전투에서 패한 적이 없습니다. 부군단장님께서는 마음 놓으십시오. 반드시 임무를 완수하겠습니다."

장융후이는 차오위하이가 떠나는 것을 눈으로 전송하면서, 마음이 몹시 괴로웠다. 이러한 '강철 대대장'과 영웅적인 대대를 가지고 미군과 소모전을 치르는 것은, 그럴 만한 가치가 없었다.

미국의 최정예 기병 제1사단의 공격에 직면하여, 차오위하이와 그의 좋은 친구이자 정치교도원인 팡신은 7일 밤낮을 잠도 못 자고 쉬지도 못한 채, 적군의 100차례가 넘는 공격을 격퇴했다. 매일, 차오위하이의 제1대대 병사들은 미국인들로부터 수만 발의 포탄과 수백 발의 폭탄을 맞아야 했다. '강철 대대'의 진지 앞에, 미국인들이 얼마나 많은 시체들을 남겨 놓았는지 알 수 없었다. 그러나 영웅적인 제1대대도 거의 다 소모되었다.

2월 12일, 최후의 순간이 마침내 닥쳐왔다. 차오위하이는 진지에 올랐을 때 바로 대대 지휘소를 주봉(主峯)인 제3중대 진지 위에 설치하여, 진지와 생사를 함께하겠다는 뜻을 나타냈다. 이날 새벽, 차오위하이는 주봉에서 충혈된 눈을 크게 뜨고 산 아래를 바라보았다. 그 아래는 이천·수원·용인 등 세 도시들로부터 서울로 통하는 세 갈래 도로의 교차점으로, 이곳은 사수하지 않으면 안 되는 곳이었다.

차오위하이는 화약 연기와 피비린내 나는 아침 안개를 한 모금 깊이 들이마셨다. 오늘을 견뎌낼 수 없을 것 같다고 차오위하이는 마음속으로 생각했다.

어제는 제2중대에서 단지 네 명의 병사밖에 살아남지 못했는데, 오늘은 주봉에 있는 제3중대 차례였다. 인민군대에서 성장해온 고아로서, 차오위하이는 오래 전에 이미 자신의 모든 것을 제38군단이라는 이 영웅적인 부대에 바치기로 결심한 상태였다. 죽음은 이처럼 진정한 군인에게는 아무것도 아니었다. 혹시 단 한 가지 그의 마음에 걸리는 것이 있다면, 그것은 바로 그를 정성껏 키워준 형수였다.

포탄이 날아가면서 내는 윙윙거리는 소리가 기병 제1사단의 공격이 또 시작될 것임을 예시했다.

정치교도원 팡신과 병사들의 선서 소리가 전체 주봉에 울려 퍼졌다.

"……신중국을 보위하기 위해, 조선 인민을 지키기 위해, 제1대대의 영광을 지키기 위해, 진지와 생사를 함께할 것을 맹세합니다! 진지와 생사를 함께할 것을 맹세합니다! 진지와 생사를 함께할 것을 맹세합니다!"

일곱 번에 걸친 적의 공격을 거듭 물리쳤는데, 오후 3시에 연대장 순훙다오로부터 전황을 묻는 전화가 왔다. 차오위하이는 매우 침착하게 대답했다: "인원은 갈수록 줄어들고 있지만, 연대장님께서는 마음 놓으시기 바랍니다. 차오위하이가 있으면, 곧 진지가 있습니다."

차오위하이는 전혀 구원병을 요구하지 않았다. 비록 그에게는 30여 명밖에 없었지만, 전체 연대에도 겨우 100여 명밖에 남아 있지 않다는 것을 그는 알고 있었다.

순훙다오는 차오위하이의 침착함에 영향을 받아, 자기도 모르게 약간 마음이 놓였는데, 뜻밖에 전화기 속에서 차오위하이의 목소리가 갑자기 다급해지기 시작했다:

"연대장님, 적들이 저의 대대를 포위했습니다. 저는 이만 작별 인사를 드립니다. 연대장님!"

"차오위하이, 정말로 버틸 수 없으면 내려왔다가, 날이 어두워지면 반격하라. 무리하지 마라!" 순훙다오는 발을 동동 구르며 크게 소리쳤다. 그는 차라리 진지를 잃을 수는 있어도, 이렇게 매우 출중한 대대장을 잃을 수는 없었다.

"이미 늦었습니다. 안녕히 계십시오. 저의 훌륭하신 연대장님!"

차오위하이는 전화기를 내던지고 적과 혈전을 벌였는데, 두 발의 총탄이 정면으로 그의 머리와 가슴에 명중했다. 그는 억지로 눈을 뜨고 분대장 쉬진(徐金)에게 마지막 한마디 말을 했다: "반드시 진지를 굳게 지켜라. 기회가 되면 형수에게 이렇게 전해라. 내가 형수님의 체면을 손상시키지 않았다고!"

말을 마치고 장렬하게 산화했다. 그의 나이 겨우 28세였다.

'강철 대대장'이 희생되었다는 소식이 아직 지휘소에 전해지지는 않았는데도, 연대장 순훙다오는 이미 눈물을 펑펑 흘리며 대성통곡했다. 몸소 이미 수많은 전쟁을 치른 그는 앞으로 무슨 일이 일어날지를 너무나 잘 알고 있었다. 순훙다오 연대장이 큰 소리로 울면서 필사적으로 진지로 달려가 부하와 전우를 위해 복수하려고 하자, 정치위원 왕피리(王丕禮)가 그를 필사적으로 껴안고 만류했다.

차오위하이가 희생된 뒤, 그의 친한 친구이자 단짝이며 정치교도원인 팡신은 말을 하지 않고 침묵한 채, 단지 필사적으로 적을 죽였다. 이 정치 활동의 모범적인 간부는 선동하는 구호를 한마디도 외치지 않았다. 그는 단지 친한 친구를 위해 복수하려는 한 가지 마음밖에 없었다.

다시 몇 차례 반격을 물리친 뒤, 중대장 자오롄산(趙連山)은 여러 번 팡신에게 진지를 내려가라고 재촉했다. 군대의 규정에 따르면, 팡신은 진지를 내려가지 않으면 안 되었다. 이것은 무조건 지켜야 하는 명령이었다. 대대장이 희생되면, 정치교도원은 반드시 진지에서 내려가야 했다. 두 명의 주요 지휘관이 모두 희생되면, 영웅 대대는 이후에 누가 통솔하겠는가? 이는 부대의 사기를 손상시키는 것이므로, 한 명의 주요 간부는 반드시 보존해야만 대대의 전통이 유지될 수 있었다.

자오롄산 중대장이 보니, 팡신은 연대장을 포함하여 재촉하는 말들을 전부 못 들은 척하고, 오로지 침착하게 참호 안에 앉아서 마우저(Mauser) 권총[186]에 총탄을 가득 채워 넣고 있었다. 그가 한 발 또 한 발 총탄을 눌러 넣고 있는데, 격렬한 총성이 다시 울려 퍼졌다. 자오 중대장은 두 개의 수류탄을 들고 큰 소리로 "정치교도원님 안녕히 계십시오!"라고 외치면서 화약 연기 속으로 돌진해 들어갔다.

팡신은 즉시 진지로 뛰어 올라가, 총에 남아 있는 총탄을 다 사용한 다음, 그는 신관을 제거한 박격포탄 하나를 주워 들고 적들의 무리 속으로 돌진해 가서 내리꽂았다.

진지는 마침내 굳게 지켜졌다. 그날 밤, 다른 2개 중대가 진지를 인계받았을 때, 진지에는 단지 두 명밖에 남아 있지 않았다.

차오위하이와 팡신은, 생명으로 진지와 생사를 함께하겠다던 맹세를 실천했다. 7일 밤낮의 혈전 과정에서, 그들이 통솔한 대대는 680여 명의 미국 병사들을 섬멸했다. 이는 지원군의 대대급 부대가 적을 가장 많이 섬멸한 사례이다.

팡신은 전사할 때, 마음속으로 아마도 단지 제1대대의 이후 운명만을 걱정했을 것이다. 그는 마음을 놓아도 되었다. 전투가 끝난 뒤, 그와 차오위하이가 최후의 전투를 벌일 때 소속되었던 제3중대는 특등의 공을 세운 것으로 기록되었으며, 아울러 '2급 전투 영웅 중대'라는 영광스러운 칭호를 수여받았고, 제1대대는 중국 군대 총사령부로부터 '항미원조 영웅 대대'라는 영광스러운 칭호를 받았다. 이 전쟁의 이름으로 하나의 보병 대대를 명명하는 것은 더없는 영예이다. 중국 군대에서는, 그 무엇도 영예보다 더 중요한 것은 없다.

2000년 4월, 전우의 우의를 매우 중요시하는 제38군단은 중도에 포기하지 않고 수십 년간 추적하여, 마침내 50년 만에, 산둥성 쥐난현(莒南縣)에서 차오위하이의 형수인 왕웨화(王月花)를 찾아내어, '강철 대대장'의 소원을 이루어주었다. 이때, 왕웨화는 이미 84세였는데, 이 노인은 그제야 비로소 자

186 독일의 마우저 사가 1896년에 개발한 마우저 C96 자동 권총을 가리킨다. 흔히 '모제르 권총'이라고도 한다.

신이 수십 년 동안 걱정해온 시동생이 특등 공신이자 1급 전투 영웅으로, 황지광·양건스·추샤오윈(邱少雲, 1926~1952)과 이름을 나란히 하는 영웅적 인물이라는 것을 처음으로 알게 되었다.

장병들의 경천동지할 용감한 정신력에 의지하여, 제38군단은 서부전선의 이 취약한 방어선을 필사적으로 유지했다.

18

"결정적 순간이 왔다!"

14일 오전, 군단장 량싱추는 끊임없이 이 말을 하면서 수면이 부족하여 극도로 몽롱해진 대뇌를 일깨웠다.

전화벨이 다시 울렸다. 량싱추가 수화기를 들자, 뜻밖에도 호랑이 연대장인 판톈언이 직접 전화로 군단장에게 병력을 요청했다:

"군단장님, 미국인들의 포화가 너무 지독해서, 제1대대가 전멸하여, 제3대대가 올라갔는데, 한 시간도 안 되어 다시 전멸하자, 저의 경호 중대까지도 모두 올라갔습니다. 다시 병력을 좀 보내주실 것을 부탁드립니다."

량싱추는, 이 호랑이 연대장이 어려움을 호소한다면 정말로 위급한 경우이고, 이 사람은 어쩔 수 없는 상황에 도달하지 않고서는 어려움을 호소하지 않는다는 것을 알고 있었지만, 량싱추에게도 병력이 없었다.

량싱추는 어쩔 수 없이 마음을 굳게 먹고 자기 자신도 하고 싶지 않은 말을 했다: "자네 판톈언은 자꾸 죽는소리를 하여, 구원의 손을 내밀지 말도록 주의하게. 어제 내가 군단의 정찰 중대까지도 자네에게 줬잖아."

정찰 중대 같은 특수 병과 부대를 데리고 가서 진지를 지키는 것은, 절체절명의 순간이 닥쳐오지 않았다면, 어떤 지휘관도 이처럼 어리석은 짓을 하지 않을 것이다.

량싱추는 결국 1개 대대를 보내 판톈언을 보강해주었다.

제114사단 제341연대 제3대대장 류바오핑(劉保平)과 정치교도원 류더성

(劉得勝)이 부대를 이끌고 군단 지휘부에 갔을 때, 량싱추가 숫자를 세어보니, 이 대대에는 단지 50~60명밖에 없었다.

량싱추는 겉으로는 태연했지만, 마음속으로는 오히려 피를 뚝뚝 흘릴 정도로 힘들었다. 이 대대는 단지 1개 증원된 소대를 편성할 정도밖에 안 되었지만, 이제 이 대대의 이들 씨앗조차도 먹혀버릴 것이다.

그는 대대장과 정치교도원 옆으로 가서 단 한마디만 물었다: "듣자하니, 자네 둘은 전투에 참가하면 일관되게 용감하고 죽음을 두려워하지 않는다지?"

류바오핑과 류더성도 쓸데없이 말을 많이 하지 않았다. 군단장의 물음이 이미 모든 것을 말해주었다.

"군단장님, 알겠습니다. 사람이 있는 한 진지는 있습니다. 진지와 생사를 함께할 것을 맹세합니다!"

이 몇 십 명밖에 남지 않은 대대를 보내고 몇 분 지나지 않아, 한 발의 포탄이 제38군단의 지휘소에 떨어졌다. 막 지도에서 떨어져 전화를 받던 량싱추는 폭발로 머리가 어지러워 방향 분간을 못했다. 정신을 차린 다음에야 비로소 그 포탄이 정확히 지도가 있는 곳에 떨어졌고, 땅 위에 1미터 깊이의 큰 구덩이가 파였다는 것을 발견했다. 그런데 량싱추는 엎드리는 동작조차 취하지 않았는데도, 뜻밖에 기적처럼 무사했다.

이 피비린내 나는 저지전 과정에서, 한 명의 군단장 목숨과 한 명의 대대장 목숨은 동등한 가치를 가졌다.

다음날 오후, 류바오핑 대대장은 한 손으로는 몸 밖으로 흘러나오는 창자를 붙잡고, 다른 한 손으로는 기관총 방아쇠를 당겨 적들을 향해 발사했다. 줄곧 마지막 한 방울의 피마저 다 흘릴 때까지…….

16일 아침이 되자, 판톈언의 580고지 위에 있던 3개 대대와 량싱추가 보낸 제38군단의 경비 대대는 모두 다 합쳐도 겨우 수십 명밖에 남지 않았다. 이렇게 위급한 시기에, 사단장 양다이가 보낸 포탄을 다 써버린 사단의 포병 대대 100명이 지원하러 왔다. 판톈언은 본래 900개의 수류탄을 가지고 진지에 올라온 100명이 적어도 한나절은 버틸 수 있을 거라고 생각했는데, 뜻밖에 한 시간도 안 되어 이들 100명도 모두 전사했다.

최후의 순간이 왔다! 판톈언은 연대 본부의 통신 분대를 파견하기로 결심했다. 현대적인 통신 수단이 부족한 중국 군대에서, 통신 분대에 선발되어 들어갈 수 있는 사람들은 모두 가장 우수하고 가장 영리한 젊은이들이었다.

판톈언은 이 야무지고 영리하며 용모가 준수한 청년 병사들을 보자, 마음속으로는 수많은 화살이 가슴에 꽂히는 것처럼 고통스러웠다. 철석같이 냉정한 판톈언은 결국 그들에게 억지로 진지에 올라갈 필요가 없다고 말했다. 그들의 자존심을 상하게 할까봐, 그는 심지어 몸에 병이 있는 사람은 남아도 좋다는 말도 했다. 그의 이 말은 분명히 진심이었다.

통신병들은 580고지 위에는 무엇이 자신들을 기다리고 있는지 알고 있었다. 그토록 많은 부대들이 연대 본부를 거친 다음 고지로 돌진해 올라갔지만, 아무도 살아서 돌아오지 못했다. 그들은 아직 20세도 안 되었고, 연대장이 가지 않아도 된다고 말했는데, 흔들리는 사람이 한 명도 없었고, 짧은 대열은 우뚝 선 채 동요하지 않았다.

한참이 지나서, 오직 한 병사가 이렇게 소리쳤다: "연대장님, 연대장님의 총탄 스무 발을 저에게 더 주십시오!"

통신 분대 젊은이들은 판톈언의 평소 총애를 저버리지 않았으니, 미군의 한 차례 공격을 멋지게 격퇴하고, 오후까지 버텼다.

오후에 580고지는 다시 급박해졌다. 판톈언은 이제 막 식량을 마련하여 돌아온 20여 명을 파견했다. 그들은 지금까지 총을 쏴본 적이 없는 문화교원(文化教員)[187]들이었다. 진지에 오르기 전, 판톈언은 차근차근 직접 그들에

187 군대 내에서 과학·문화 지식 교육에 종사하던 인원을 가리킨다. 중국공산당의 혁명 전쟁 시기에 부대원들의 문화 수준이 보편적으로 낮아, 문화 교육은 글을 가르쳐 문맹을 일소하는 것을 위주로 했다. 항일 전쟁이 시작되면서부터, 중대에 전임 문화교원을 설치하여, 정치지도원과 협력하에 중대원의 문화 교육 작업을 관리했다. 중화인민공화국 성립 후에는 연대 이상의 각급 부대에 전문적인 문화 교육 기구를 설치했다.

게 어떻게 수류탄의 안전핀을 뽑고 투척하는지 가르친 다음, 이들 20여 명의 각자 허리띠 위에 다섯 개씩의 수류탄을 꽂은 문화교원들이 580고지의 하늘을 뒤덮은 화약 연기 속으로 돌진하는 것을 눈으로 전송했다.

580고지는 마침내 어두워질 때까지 버텨냈다.

이날 밤, 내일을 어떻게 보내야 할지 알 수 없는 판톈언은 사단장 양다이의 전화를 받았다: "동부전선의 반격전이 승리로 끝났고, 적 2만여 명을 섬멸했으니, 저지하는 임무는 끝났다. 자네 부대는 철수해도 좋다."

양다이의 전화는 마침내 판톈언을 녹다운시켰다. 이 강철처럼 굳센 사나이는 땅에 벌렁 쓰러져 의식을 잃었다.

철수한다는 소식을 접하자, 판톈언뿐만 아니라 제38군단의 많은 장교들도 그 자리에서 졸도했다.

조선 인민들은 모두 지원군의 운이 좋다고 말했다. 제38군단의 마지막 2개 대대가 한강을 건너 철수하고 난 다음날, 한강의 얼음이 녹았다. 제113사단 부사단장 류하이칭과 제114사단 부사단장 송원홍(宋文洪)은 모두 일단 한강을 건너 철수하지 못하면 산으로 올라가 유격전을 벌일 준비를 이미 하고 있었다.

전술에 정통한 판톈언은 이미 한 가지 간단한 문제를 생각할 정력과 체력이 없었다. 사단장이 동부전선에서 대승을 거두었다고 했다. 그렇다면 어째서 미군이 동부전선에서는 대패했는데, 서부전선에서는 여전히 대담하게 진격하고 있단 말인가? 만약 동부전선의 반격전이 정말로 목적을 달성했다면, 판톈언을 공격한 미군은 아마도 진즉 며칠 전에 목숨만 부지한 채 남쪽으로 도망쳤을 것이다.

나중에야 판톈언은, 동부전선의 작은 마을인 지평리에서 중국 군대가 조선에 들어온 이후 처음 패배했다는 것을 비로소 알았다.

19

매우 유감스럽게도, 덩화가 먼서 횡성을 공격하려고 몰두하고 있을 때, 리지웨이의 견해는 뜻밖에 한셴추와 같았다. 리지웨이는 "지평리는 중국 군대의 전진을 막는 매우 중요한 곳"이라고 단정하고 있었다.

만약 중국 군대가 지평리를 점령한다면, 서부전선의 미국 제9군단 우익은 전부 노출될 것이다. 중국 군대가 지평리로부터 계속 돌진해 내려오면, 리지웨이의 전선은 전부 균열될 것이고, 서부전선의 미군들은 곧 공격 거점을 잃게 되어, 빠르게 후퇴하지 않을 수 없었다.

덩화와 한셴추가 제시한 두 방안이 다툰 핵심이 바로 이 점에 있었다. 한셴추는, 서부전선에서 그렇게 큰 희생을 치른 것은 바로 동부전선이 반격할 기세를 올리게 하려는 것이었고, 동부전선 반격의 목적은 틈새를 내 서부전선의 미군 측면을 우회한 다음, 리지웨이의 모든 전선을 후퇴하도록 압박하여 전세를 안정시키겠다는 것이었다. 이번 전투의 목적이라는 관점에서 보면, 지평리야말로 전세를 뒤바꾸는 매우 중요한 곳이었다. 횡성을 공략하면, 얼마나 많은 적을 섬멸하든 관계없이, 그것은 단지 전술적인 승리일 뿐이고, 지평리를 공략하는 것이야말로 전체 전세를 변화시킬 수 있었다. 먼저 횡성을 공략하고 나서 다시 지평리를 공격하면, 아군의 날카롭고 강한 기세는 이미 사라져버려, 미군은 강대한 기계화 역량을 이용하여 신속하게 지평리를 증원하여 틈새를 막아버릴 것이다. 그리하여 동부전선의 반격을 통해 리지웨이로 하여금 공격을 멈추게 한다는 목적을 이룰 수 없게 된다.

과연 한셴추의 말이 불행하게도 적중했다. 횡성에서 패배한 뒤, 리지웨이는 필사적으로 병력을 이동시켜 지평리를 지원했다. 이와 동시에, 중국 군대의 지평리를 포위 공격하는 부대는 3개 군단에 나뉘어 소속되어 있었으므로, 6개 연대가 하나로 편성되지 못해, 작전을 할 때 여러 가지 혼란이 발생했다.

동부전선의 반격이 시작되었을 때, 지평리에는 단지 프랑스군 1개 대대만이 지키고 있었다. 프랑스인들은 전쟁에서 먼저 외국인들을 죽이는 전통에 따라, 일반적으로 해외에서 작전할 때 가장 먼저 파견하는 것은 명성이 자자한 프랑스 '외인 부대'였다.

외인 부대는 전형적인 잡탕이었다. 세상 끝까지 목숨을 걸고 모험을 하는 무리도 있었고, 프랑스의 명예를 걸고 자원하여 입대한 본국의 청년들도 있었다. 또한 병역에 복무함으로써, 법적 처벌을 면하려는 범죄자들도 있었고, 프랑스 국적을 취득하기 위해 기꺼이 일정 기간 동안 군대 생활을 하겠다는 투기꾼들도 있었다.

그러나 이 잡탕 대대를 통솔하는 사람은 뜻밖에도 전형적인 용장(勇將)이었다.

랄프 몽클라(Ralph Monclar, 1892~1964)[188]는 총소리를 들으면 곧 흥분하여 부들부들 떠는 베테랑 직업 군인이었다. 그는 조선에 오기 전에는 프랑스 외인 부대의 감찰관이었고, 계급은 중장이었다. 조선의 화약 연기 냄새를 맡기 위해, 이 중장 감찰관은 계급과 직책을 강등하여 중령 계급의 대대장이 되겠다고 자원했다.

그러나 만약 동부전선에서 먼서 지평리를 공격했다면, 이 노련한 중령이 아무리 용맹하다고 하더라도 중국 군대가 난사한 총에 맞아서 죽을 수밖에 없었거나, 조선 전장에서 중국 군대가 포로로 잡은 유엔군 계급 중 가장 높은 장교로 유명해졌을 것이다(프랑스로 돌아간 다음, 랄프 몽클라는 중장 계급을 회복했다).

랄프 중령은 프랑스 대대를 거느리고 지평리를 지키고 있을 때 사실은 놀랍고 두려워서 벌벌 떨고 있었다. 동쪽 횡성 방향의 포성이 천지를 진동하고 있었으니, 그쪽의 전투가 얼마나 격렬한지 상상할 수 있었다. 만약 중국 군대가 곧바로 지평리를 공격한다면, 1개 대대가 어떻게 지켜낼 수 있을 것

188 본명은 라울 샤를 마그랭 베르느레(Raoul Charles Magrin-Vernerey)이며, 랄프 몽클라는 개명한 이름이다. 헝가리에서 출생한 프랑스 군인으로, 제1차 세계대전 때는 중동 지역에서 활약했으며, 제2차 세계대전 때는 자유프랑스 소속으로 노르웨이의 나르비크 전투(Battle of Narvik, 1940) 등에 참가하여 큰 공을 세웠다.

인가?

"참호를 파라, 빌어먹을, 빨리 참호를 파라고!"

랄프는 삽을 내려놓고 동쪽을 바라보고 있는 병사들을 불편한 발로 끊임없이 걷어차면서 말했다.

"보기는 뭘 봐! 참호를 파지 않으면, 네가 중국인들을 똑똑히 볼 수 있게 되었을 때, 제기랄 너는 이미 뒈져 있을 거야!"

일찍이 60곳에 부상을 입어 한쪽 다리를 절뚝거리는 이 대대장은 욕을 하면서 병사들을 일으켜 세우는 것이, 중장 같지도 않고 중령 같지도 않았으며, 마치 성질 급한 중사 같았다.

다행히도 랄프 중령의 걱정은 오래가지 않았다. 곧바로 미국 제2사단 제23연대장 프리먼(Paul L. Freeman Jr., 1907~1988) 대령이 부대를 이끌고 지평리로 왔다. 작은 지평리는 갑자기 미국과 프랑스의 4개 보병 대대, 1개 포병 대대, 1개 탱크 대대 등 모두 6천여 명의 병사들로 북새통을 이루었다.

횡성 쪽의 포성은 이틀 밤낮 동안 들려왔고, 프리먼 대령도 이틀 동안 벌벌 떨었다. 사흘째 되는 날 정찰 보고가 전해오기를, 사방팔방에서 온통 중국 군대가 지평리로 돌진하고 있다는 것이었다. 프리먼은, 지평리가 이미 고립되어 있어, 도망치지 않으면 포위되리라는 점을 알고 있었다. 그는 빨리 달아나기로 결정했다.

미군 제10군단장 알몬드는 비행기로 날아와서 "철수에 동의한다"라는 한마디를 한 다음 다시 날아갔다. 프리먼은 즉각 철수 준비에 착수했다.

바로 이때, 리지웨이의 전보 명령이 도착했다.

"철수를 불허한다. 지평리를 굳게 지켜라! 자네가 만약 철수하면, 나는 자네를 해임할 것이다!"

리지웨이는 지평리의 중요성을 간파했다. 지평리를 잃는다면, 그의 서부전선에서의 공세인 '선더볼트 작전'이 물거품이 되는 것은 말할 필요도 없고, 자칫 잘못되면 전체 전선도 붕괴될 것이다. 그는 다음과 같은 결론을 내렸다:

"적군은 지평리를 공격하여 점령하는 것이 절대적으로 필요하다고 생각하고 있다. 따라서 아군은 아무리 많은 희생을 치르더라도 상관없이, 어떻게 해서든 지평리를 확보해야 한다."

물러설 길이 없는 프리먼 대령은 지도에 직경 1.6킬로미터의 원을 그리더니, 모든 부대를 둥근 테두리 안에 몰아넣고 환형(環形) 방어선을 형성했다. 환형 진지 중앙에는 6문의 155밀리 유탄포·18문의 105밀리 유탄포·12문의 4연장 자주고사포가 있었고, 그 외에 20대의 탱크와 51문의 박격포를 추가했다.

예상되는 중국 군대의 공격 지점에서, 프리먼은 심지어 병사들에게 물을 뿌려 얼음판을 만들어 중국 보병의 돌격을 저지하라고 명령했다. 헬리콥터는 또한 10일치의 식량과 산더미 같은 탄약을 실어왔다. 프리먼의 배치로, 주로 보병 공격에 의존하는 중국 군대에 대해 말하자면, 지평리는 이미 갉아먹기 어려운 강철 호두가 되었다.

2월 13일, 서부전선에서 차오위하이 대대장이 희생된 다음날 밤, 중국 군대는 지평리를 포위 공격하는 전투를 시작했다. 그것은 참혹하기 짝이 없는 혈전이었다.

지휘 계통은 매우 혼란스러웠다. 전장의 통일된 지휘를 책임지고 있던 제40군단 제119사단장 쉬궈푸(徐國夫, 1914~2004)는 자꾸 고개를 가로저었다. 임무를 부여받으면서부터 그는 불길한 예감으로 가득했다. 우선 지형이 보이지 않았고, 지도와 실제 지형은 늘 차이가 있었으며, 적의 정황을 알지 못해, 동부전선의 지휘부가 지평리에는 단지 살아서 도망친 한두 개 대대의 적군밖에 없을 거라고 말했지만, 정찰 보고에 따르면 적들은 도망칠 준비를 하고 있지 않을 뿐만 아니라, 도리어 대대적으로 참호를 파고 굳게 지키고 있으며, 인원도 한두 개 대대를 훨씬 넘어선다고 했다.

쉬궈푸 사단장을 더욱 불안하게 한 것은, 지평리를 포위 공격하는 부대의 편제가 혼란스러운 점이었다. 잇달아 3개 군단의 8개 연대를 투입했는데, 몇몇 연대장들의 이름은 쉬궈푸조차도 잘 몰라서 부를 수 없었고, 또한 통신수단이 낙후되었기 때문에 전투가 시작되면 각 연대는 거의 합동 작전을 펼칠 수 없어 각자 싸울 수밖에 없었다.

이날 밤, 쉬궈푸는 공격을 개시하기로 모질게 마음 먹었다. 군인이 명령을 집행하는 데 어찌 조건을 따질 수 있겠는가?

밤을 새워 혈전을 벌였는데, 쉬궈푸의 2개 연대는 밤새도록 결국 단 하나의 적군 주진지도 점령하지 못하고, 수많은 사상자만 냈다. 그 피해가 예상보다 훨씬 심각했다.

그날 밤, 지평리의 다른 몇 방향에서, 다른 몇 개의 중국 연대들도 전진이 순조롭지 못했다. 운산에서 적을 저지한 제39군단의 왕푸즈 연대장은 산봉우리 하나를 공격하여 점령한 다음 기뻐서 크게 소리쳤다: "지평리에 도착했다!"

지휘관 왕푸즈는 매우 기뻐하며, 지도를 펼쳐 대조하여 확인해보았다. 아아, 제기랄, 여기는 마산(馬山)[189]이었다. ……칠흑같이 어두웠고, 이 일대는 모두 산악 구릉으로, 지형과 구릉의 높이가 별로 차이가 없었다.

제42군단의 장즈차오(張志超) 연대장은 왕푸즈 연대장보다 더 터무니없는 실수를 범했다. 한 무리의 미군들을 격파한 다음, 그는 흥분하여 이렇게 보고했다: "이미 지평리를 점령했습니다!"

맙소사, 이곳은 전곡(田谷)이라고 곳으로, 개활지·집·도로·철도가 있었다. 빌어먹을 철도가 뻗어 있다는 것을 제외한다면, 이곳은 지평리와 생김새가 완전히 빼닮았다. 전곡과 지평리는 조선 중부 지방에 있는, 외관이 모두 별 차이가 없는 수천 개에 달하는 산촌들 가운데 두 곳이었다. ……이렇게 정황이 밝혀지면서 날도 밝았다.

낮은 미국인의 것이었다.

지평리를 포위 공격하는 중국 병사들은 모두 제일 먼저 조선에 들어온 경험 많은 병사들로, 미국인들의 비행기를 많이 보았지만, 하나의 보잘것없는 곳에 의외로 이렇게 많이 몰려드는 것을 본 적이 없었다.

189 지평리를 가로지르는 지평천 근처에 있는 작은 산으로, 지평리의 남쪽 외곽에 있다. 현지에서는 '말뫼'라고도 부른다.

지원군 병사들이 참호 안에서 적에게 사격하고 있다.

무수히 많은 적기들이 오전 내내 폭격을 가했다. 오후가 되자, 지평리에 포위되어 있던 미군과 프랑스군이 뜻밖에 탱크로 길을 열고 공격해 왔다. 중국 병사들은 몇 개의 공격 출발점을 고수할 수밖에 없었다. 중국 장교들은 조급해졌다: "제기랄, 공격 출발점이 모두 없어졌는데, 여전히 이 보잘것없는 지평리를 치다니!"

서부전선의 참혹한 저지전 장면이 여기에서 다시 연출되었다. 한 무리 또 한 무리의 중국 병사들이 진지에서 미국인들의 화력에 쓰러져갔다.

마침내 밤까지 견뎌내자, 낮에 출격했던 미국과 프랑스 병사들은 모두 환형 방어선으로 물러갔다.

밤은 중국인의 것이었다.

14일 밤, 미군 비행기가 대량의 조명탄을 터뜨렸다. 눈이 부신 밝은 빛 아래, 1만 명이 넘는 중국 병사들이 사방팔방에서 2평방킬로미터도 안 되는 지평리의 방어선을 맹렬하게 공격했다. 미군이 중국 병사들이 공격해 오는 도로에 포화를 사용하여 화력 방어벽을 치자, 무리를 이룬 중국 보병들이 땅바닥에 쓰러졌다.

중국의 포병들은 애가 타서 눈에 핏발이 섰다. 대포와 포탄만 있다면, 그들은 포화로 저 돼지우리만한 진지를 포격하여 쑥대밭으로 만들고, 6천 명의 미군과 프랑스군을 폭파시켜 가루로 만들어버릴 수 있었다. 그러나 그들은 그저 눈만 동그랗게 뜨고 지켜볼 수밖에 없었다. 화력 지원을 책임진 주력 부대와 제42포병 연대의 말들이 놀라 겁을 먹은 데다, 참혹한 공습을 받아, 폭격으로 엉망진창이 되어버려, 빨리 올 수 없었다. 공격 부대는 단지 3개 포병 중대가 보유한 10여 문의 화포밖에 없었고, 전체 포탄은 400발도 안 되어, 2분도 못 가 바닥나버렸다.

용감무쌍한 정신에 의지하여, 자정 무렵이 되자, 중국 보병은 참혹한 희생을 치르고 나서 마침내 포화의 장벽을 돌파하고, 환형 방어선 가까이 접근했다.

참혹한 백병전이 시작되었다. 두개골을 깨부수는 "퍽" 소리가 쌍방이 육박전을 벌이는 곳에서 울려 퍼졌다. 목숨을 돌보지 않고 포악하게 구는 프랑스 외인 부대 무리들은 머리에 붉은 천을 묶은 채, 중국인들과 필사적으로 백병전을 벌이면서, 한쪽에 숨어서 벌벌 떨고 있는 미국 병사들의 엉덩이를 거칠게 걷어찼다: "병신 같은 미국 놈들아, 어차피 너희는 죽게 되어 있으니, 똑바로 서서 진지로 올라가란 말이다……."

백병전으로 근접전을 벌이는 프랑스인들이 어떻게 중국인의 적수가 되겠는가! 프랑스 대대의 반격은 조선에 와서 목숨을 돌보지 않고 모험을 한 포악한 무리들의 수많은 시체들을 남겨놓은 것 말고는 아무런 효과도 없었다. 지평리의 환형 진지는 이미 매우 위태로웠고, 프리먼 대령조차 총탄을 한 방 맞았다. 미국인들은 버틸 수 없을 것처럼 보였지만, 중국 병사들이 가장 무서워하는 일도 일어났다. 제기랄, 빌어먹을 하늘이 다시 밝아진 것이다.

15일, 지평리의 전세는 철저하게 불리해졌다. 리지웨이의 엄명하에 미국 기병 제1사단 제5연대장 크롬베즈(Marcel G. Crombez, 1900~1982) 대령은 필사의 신념으로, 23대의 탱크에 160여 명의 보병을 태우고 직접 인솔하여 지평리의 포위를 풀려고 마지막 안간힘을 쓰며 공격해 왔다.

한바탕 혈전을 거쳐, 크롬베츠 대령은 마침내 제39군단의 제116사단과 제42군단의 제126사단이 도중에 저지하는 것을 돌파하고, 탱크 10여 대 외에 10여 명의 보병과 13명의 부상병 13명의 잔여 병력을 추가하여 지평리의 환형 방어선으로 돌진해 오자, 지평리를 수비하던 적군은 일시에 사기가 크게 진작되었다.

환형 진지 맞은편의 중국 군대는 탄약이 곧 바닥나버렸고, 병사들의 식량인 차오멘 자루도 텅 비자, 사람 그림자가 보이는 멀건 죽 한 대접밖에 먹을 수 없었다.

15일 오후, 덩화는 제40군단장 원위청에게 지평리를 포위 공격하는 부대를 통합 지휘하여, 16일에는 반드시 지평리를 점령하라고 명령했다.

그러나 말단 병사들은 잇달아 "싸우지 말자"는 요구를 쏟아냈다. 이것은 중국 군대의 역사에서 보기 드문 일이었다. 전투에 뛰어난 원위청의 쌓인 불만도 폭발했다. 무슨 이런 싸움이 있는가? 그도 전투에서 철수하자고 건의했다.

마음이 침통한 펑더화이는 직접 철수 명령을 내렸다.

이날 밤, 온통 하늘에서 큰 눈이 내리는 가운데, 중국 병사들은 친한 동료들의 시체를 묻어주고, 부상병들을 들것에 태워, 북쪽으로 철수했다.

1989년 5월 12일, 유엔군은 중국과 조선 측에 지평리에서 막 발굴한 중국 병사들의 유해를 건네주었다. 소식이 전해지자, 백발이 성성한 제39군단의 전 군단장 우신촨 중장은 눈물을 흘렸다. 이 전투에서 중국 군대는 사상자가 막심했다.

"지평리 전투는 미군이 중공군과 벌인 작전들 가운데 전술적으로 거둔 최초의 성공적인 전투 사례로서, 전체 군대의 자신감과 희망을 고무시켰고, 미군 정책 결정 당국이 전쟁 형세의 추이에 대해 품고 있던 의구심과 우려를 해소했다. 이 승리의 의미는 영국군 제8군단이 엘 알라메인(El Alamein)[190]에서 거둔 승리와 비교할 수 있으며, '제2의 인천'이라고도 할 수 있다." 『한국전쟁사』는 이렇게 과장하면서, "제2사단이 지평리에서 용감하게 지켜낸 것은 훗날 공산당의 공격을 막아내는 전환점이었음이 증명되었다"고 기록하고 있다.

미국 육군 제8집단군의 간사(簡史)에서는, 이는 그다지 규모가 크지 않은 전투였다고 평가하고 있다.

리지웨이는 시체들이 겹쳐 쓰러져 있는 지평리 전장을 시찰하고 이렇게 말했다: "운이 좋은 셈이다. 전체적으로 보면 중국인들에게 무너졌다고 할 수 없다."

지평리라는 이 작은 산촌은 이때부터 조선 전쟁에 관한 역사책에 기록되었다. 이 마을을 둘러싸고 발생했던 쟁탈전의 규모가 비록 크지는 않았지만, 대단히 중대한 전략적 의의를 갖고 있다.

중국 군대는 비록 공격을 잠깐 중지하고 자발적으로 포위를 풀어 철수했지만, 미군 앞에서 자신의 주요 약점을 완전히 드러내고 말았다. 이때부터 미군 쪽에서는 지원군의 화력이 매우 약하고, 공격 능력이 매우 부족하여, 설령 돌격하여 돌파하더라도 크게 종심으로 공격해 들어오기 어렵다고 단정했다. 조선에 들어온 미군은 더 이상 이전처럼 한번 우회 공격을 당하면 모든 전선에서 후퇴하지 않고, 과감하게 거점을 고수하기 시작했다. 미국 정부는 이 전투 이후부터 조선에서 싸우겠다고 결심을 굳혔으며, 리지웨이도 이 전투로 자신이 펑더화이의 적수가 될 만하다고 증명했으며, 곧바로 청운의 길이 그에게 열렸다.

지평리 전투 이후, 한 시대의 명장인 펑화는 지원군 사령부에서 깊이 반성했다. 그리고 그의 진실한 친구이자, 중국 군대의 패전사를 말하기를 좋아하던 명장 한셴추는 죽을 때까지도 당연히 먼저 지평리를 공략해야 했다고 생각했다.

190 엘 알라메인은 이집트 북부의 도시이다. 제2차 세계대전이 한창이던 1942년 11월 4일, 영국의 몽고메리 장군은 이곳에서 무모한 작전을 펼치는 히틀러 독일의 아프리카 군단을 크게 격파하여 최후를 맞이하게 만들었다.

지평리를 먼저 공략해야 한다고 고집했던 한셴추는 여러 차례 말하기를, 그는 줄곧 지원군의 약점이 조만간 드러나겠지만, 먼저 지평리를 공략한다면 전세를 뒤엎을 수 있어, 지원군의 약점이 조금 더 늦게 드러나도록 할 수 있다고 생각했다. 한셴추는 지평리의 교훈을 거듭 반복하면서, 친한 친구인 덩화의 체면은 조금도 고려하지 않았다. 비록 덩화가 훗날 곤경에 빠진 이후에도 마찬가지였다.

바로 이렇게 매우 겸허하게 실패를 직시하며 끊임없이 교훈을 총결해내는 이런 우수한 장교들이 있었기 때문에, 오성홍기가 비로소 중국의 오래된 대지 위에서 나부낄 수 있다. 바로 이렇게 군사학에서 더욱 더 깊이 연구하고, 어떤 개인적 요인으로 인해 비록 털끝만큼이라도 일에 결코 영향을 미치지 않는 이런 뛰어난 명장들이 있었기 때문에, 공화국의 군대는 비로소 그런 환경에서도 유엔의 16개국 연합군을 무찌르고, 비로소 오늘날의 강력한 군대의 강철 같은 장성(長城)이 있게 되었다.

역사는 모습을 감출 수 있지만, 개국 장수들의 풍모와 재능은 영원히 존재할 것이다.

지평리의 패배는 전황을 안정시키려는 펑더화이의 희망을 깨버렸다. 동부전선의 반격이 적군의 방어 병력 배치를 파괴하는 목적을 달성하지 못하자, 서부전선에서의 저지도 그 의의를 잃어버렸다. 1951년 2월 16일, 제38군단이 전부 한강을 건너 철수하면서, 잔혹했던 제4차 전역의 제1단계가 끝났다.

2월 17일, 중국과 조선 연합 사령부는 모든 전선에서 방어로 전환하기로 결정했다.

20

몇 차례의 전역은 모두 이미 중국 군대가 미군의 강대한 화력 아래에 있다는 것을 증명해주었다. 임시로 땅을 파서 만든 야전 진지를 고수하다가는 곧 막대한 살상을 당할 것이므로, 이후에는 기동 방어(최소한의 병력만 전방에 배치하고, 기동성 있는 주력 부대는 후방에 배치해 두었다가, 적이 공격해 오면 상황에 따라 후방의 주력 부대 병력이 출동하여 적을 물리치는 방어-옮긴이)로 전환하고, 더 이상 한곳을 사수하지 않기로 확정했다. 그러나 국제 정세와 조선의 협소한 전장도 중국 군대가 중국 국내에서 작전할 때처럼 크게 전진하고 후퇴하는 것을 허락하지 않았다. 펑더화이는 어쩔 수 없이 '후퇴 지표수(指標數)'를 하달했다. 이는 모든 군단이 매일 이 지표수 이내의 거리에서만 후퇴할 수 있다고 규정한 것으로, 대략 하루에 1~2킬로미터 정도였다. 지원군 장수들은 방어 작전을 통해 2개월 동안의 시간을 벌어 병력을 집결시키고, 수송을 개선하고, 작전 물자들을 모아, 먼저 적군을 깊숙이 유인하여, 증원 부대가 오기를 기다렸다가 다시 적군을 한강 앞에서 격파할 준비를 했다.

리지웨이는 기세를 얻자, 양보하지 않고 전체 전선에서 한강을 넘어 계속 북진했다. 애석하게도 미군의 전투력은 매우 형편없어서, 그렇게 우세한 화력도 유명무실하여, 하루에 단지 1킬로미터 정도밖에 전진하지 못했다. 리지웨이는 한 차례 중국 군대의 후방으로 우회하여 공격해 들어가는 전술을 시험 삼아 사용했다가, 제38군단에게 참패한 다음, 다시는 감히 중국 군대처럼 대담하게 깊숙이 돌진하지는 못했고, 단지 전체 전선에서 나란히 나아가며 천천히 북진했다.

2월 20일, 리지웨이는 다시 '킬러 작전(Operation Killer)'을 개시하여, 계속 북진했다. 으스대며 만족해 하던 리지웨이가 명령을 내리자마자, 흥을 깨는 소식이 전해졌다. '태상황(太上皇)' 맥아더가 또 조선에 와서 전선을 시찰하려 한다는 것이었다. 리지웨이는, 막 체면을 완전히 구긴 이 유엔군 사령관이 자신의 머리 위에 있는 영예로운 월계관을 빼앗으러 온다는 것을 알고 있었다.

맥아더는 지금 매우 난감한 상황이었다. 중국 군대가 38도선을 공략할 때, 책임을 회피하기 위해, 그는 이미 트루먼이 자신의 손발을 묶어두고 있기 때문에 조선의 전세는 반드시 패배할 것이라는 것을 전 세계가 모두 알 수 있도록 떠들어댔다. 생각지도 않게 지금 리지웨이가 뜻밖에도 중국인들을 물리쳤으니, 세상 사람들이 자신을 어떻게 대할 것인가? 놀라 허둥대며 어쩔 줄 모르다가, 실제보다 과장되게 말했던 것이다…….

설마 당대의 뛰어난 명성이 결국 전 세계 사람들의 웃음거리야 되겠는가?

체면을 되찾기 위해, 맥아더는 도쿄에서 언론계에 오직 그만이 할 수 있는 허풍을 떨었다. 그는 미군이 이전에 철수한 것은 "일종의 교묘한 전략적 행동"으로, "중국인들의 보급 라인을 길게 늘이려는 것"이었다고 말했다.

자신은 펑더화이에게 패배한 것이 아니라, 새로운 전략적 승리를 거두기 위해 일부러 적의 눈을 속이는 가짜 병력 배치를 한 것처럼 말했다.

그런 다음, 그는 재빨리 리지웨이의 모든 노력의 성과를, 자신이 거짓으로 꾸며내어 중국인들의 보급선을 길게 늘이기 위해 일부러 후퇴했던 교묘한 전략적 행동 덕분으로 돌렸다. 그는 이렇게 말했다: "지금의 전쟁 형세는 나의 전략이 유효했음을 증명해주고 있습니다!"

세상 사람들에게 자신이 말하는 교묘한 전략적 행동의 성과를 보여주기 위해, 맥아더는 다시 중국에 보복할 일련의 조치들을 제안했다. 그는 중국 본토를 폭격하고, 장제스를 부추겨 동남 연안을 공격하게 하여, 중국의 모든 해상 교통을 봉쇄하려 했다. 듣는 사람을 가장 놀라게 한 것은, 맥아더가 세계에 공언한 말인데, 그는 핵 폐기물로 중국과 조선의 국경에 방사선 폐기물 지역을 설치하여, 조선을 만주와 격리시키겠다고 했다. 어떤 핵 폐기물을 사용할 것인지도 자신이 다 생각해 놓았다고 했다. 그것은 바로 코발트였다.

맥아더는 이미 미쳐 있었다. 이 70대 노인은 자신의 허영심으로 거의 제정신이 아니었다.

미국 워싱턴의 고위 관료들은 분노를 억제하지 못하면서 이 어릿광대의 연기를 바라보았다. 애치슨은 이렇게 빈정대며 말했다: "어떤 사람이 이보다 더 가증스럽고 더 어리석은 성명을 낼 수 있을지 상상하기 매우 어렵습니다. ……가장 분명하고 가장 어리석은 시도를 하여, 우리가 한반도에서 줄곧 후퇴한 것이, 정말로 중국인들을 속였다고 우기려 하는데, 참으로 황당하기 짝이 없습니다."

이어서 맥아더는 또 조선에 가서 연기를 했다. 가슴 가득 분노로 넘쳐났지만 어쩔 수 없던 리지웨이는, 이 죽지도 않는 늙다리가 자신 앞에서 자신의 머리 위에 있는 영예를 빼앗아가는 것을 비통하게 바라볼 수밖에 없었다.

10여 년 뒤, 리지웨이는 분노의 감정과 경멸하는 마음이 여전히 말에서 넘쳐났다: "제10군단의 전술 지휘부 안에서, 나는 뒤쪽에 있는 한 탁자에 기대고 있었는데, 맥아더가 전선을 방문한 10여 명의 기자들을 마주보고 태연자약하게 말했다: '나는 막 공격을 재개하라고 명령했습니다.' 비록 특별히 인칭대명사를 강조하지는 않았지만, 그 말이 암시하는 의미는 분명하고도 쉽게 알 수 있었다. 즉 그가 도쿄에서 비행기를 타고 여기에 오자마자, 시기와 형세를 판단해보고, 또한 이 문제를 부하들과 토론한 다음, 제8집단군에게 공격을 개시하라고 명령했다는 것이다."

맥아더는 이렇게 기자들과 리지웨이 앞에서, 공격의 공로를 자신의 것으로 돌렸다. 그러나 사실 제8집단군의 모든 장교들은, 공격과 맥아더는 전혀 관련이 없다는 것을 다 알고 있었다. 집단군이 37도선까지 패퇴할 때, 맥아더는 오직 기자들에게 성명을 발표하여 실패는 자신과 무관하다고 선언하는 데에만 정신이 팔렸을 뿐, 부대의 사활에 대해서는 관심을 가져본 적이 있었던가? 지금은 반대로 호전되자, 반격을 요구하여, 공로는 모두 그의 것이 되었으며, 심지어 이전의 패퇴조차도 그의 공로가 되어버렸다.

제8집단군의 장병들은 직접 자신들을 전쟁 지옥으로 보낸 이 유엔군 사령관에게 상상할 수도 없는 욕설로 저주를 퍼부었다.

맥아더가 한바탕 연기를 펼치고 나서 다시 비행기를 타고 도쿄로 돌아가자, 비행장에서 억지로 환한 얼굴을 지으며 배웅나온 리지웨이는 멀리 날아가는 비행기를 바라보면서 마음속으로 이렇게 기도했다: "이 늙고 파렴치한 자아도취증에 걸린 놈을 떨어뜨려 버리소서!"

허영심과 연기 욕구가 충족되었기 때문에, 다시 기분이 좋아진 맥아더는 미국 국내에서 도쿄에 온 한 무리의 귀부인들을 유쾌하게 접견했다. 그는 이 귀부인들이 자신의 늠름한 자태와 서사시 같은 경력을 흠모해서 온 것이라고 생각했는데, 뜻밖에도 이 귀부인들은 오히려 자신을 마주보고 그들이 사랑하는 남편·형제·자녀들을 전쟁으로 몰아넣지 말았어야 한다고 꾸짖었다. 미국 국내의 반전 정서는 이미 대단히 높은 정도까지 상승해 있었다.

한 숙녀가 맥아더에게 "무고한 청년들의 죽음에 책임을 져야 한다"고 질책할 때, 남자들의 온화하고 우아한 모습만을 보아왔던 이들 귀부인들은 마침내 남자의 추악한 일면을 보았다.

맥아더는 펄쩍 뛰면서, 그는 신사의 풍모라고는 털끝만큼도 없이 큰 소리로 욕설을 했다: "존귀한 부인 여러분, 안심하세요. 나는 반드시 여러분들의 가족들을 보살필 겁니다. 내일 내가 직접 전선으로 가서, 내가 반드시 여러분들의 가족들을 돌보겠습니다. 다시 말하면, 내가 그들의 지휘관에게 명령하여, 여러분들의 아들이나 남편을 모두 최전선으로 보내버릴 겁니다! 그들을 돌격하게 할 겁니다! 가다가 지뢰를 밟을 겁니다! 알겠습니까?"

깜짝 놀라 아연실색한 귀부인들이 언제 이런 장면을 본 적이 있었겠는가. 그 귀부인들은 허겁지겁 맥아더의 접견실을 빠져나왔고, 큰 소리로 울부짖는 소리가 미국 극동 사령부에 울려 퍼졌다.

언제나 대중적 이미지에 극도로 주의를 기울였고, 신사의 풍모와 기사도 정신을 과시하기 좋아하던 맥아더는 이미 자제력을 잃어버렸다.

안하무인격인 맥아더는, 자신이 이미 워싱턴이 가장 싫어하는 문제아가 되었다는 것을 알지 못했다. 그의 "뛰어난 명성"은 이미 "어릿광대"라는 말과 동일시되었다. 그리고 리지웨이가 승리함에 따라, 백악관과 펜타곤에서 보기에 그의 가치는 갈수록 낮아지고 있었다. 지금 그들은 단지 리지웨이라는 이 새로운 총아의 공격 작전에만 관심을 가졌다.

21

미국의 한 군사학자(軍史學者)는 무슨 뜻인지 알 수 없는 말을 했다: "'킬러 작전'은 더뎠다. 적군은 유엔군이 공격하기 전에 이미 철수했기 때문에, 작전 과정에서 적군을 매우 적게 만났다……."

적군의 저지는 없었지만 전진이 느렸다고? 미국인들은 사실 중국인들에게 겁을 먹고 있었다.

2월 24일, 미국 제9군단장 무어(Bryant E. Moore, 1894~1951) 소장은 헬기를 타고 한강 상공으로 가서, 자신의 부대가 강을 건너는 것을 지켜보았다.

"정말 장관이야!" 무어는 매우 기뻤다.

한바탕 광풍이 불어와 헬리콥터가 좌우로 요동치자, 무어는 쓰러질 듯이 비틀거렸다.

헬리콥터 사고로 인해, 무어 군단장은 워커의 뒤를 이어 조선에서 사망한 또 한 명의 미국 고위 장성이 되었다.

이어서 한국의 명장이자 미국인들에게 호감을 받고 있던 한국 제1군단장 김백일 소장도 전선을 시찰할 때 3천 미터 상공에서 추락하여 사망하고 말았다. 이 일이 있은 후, 한국군 측은 김백일의 유골을 한 점이라도 수습하여 그를 위해 사후 뒤처리를 하려 했지만, 애석하게도 확대경을 들고 백방으로 찾아다녔음에도 김백일이 이 세상에 살았었다는 어떠한 실물 증거를 단 하나도 찾아내지 못했다.

리지웨이의 '선더볼트 작전'이 진행될 때, 또 하나의 중국 부대가 이미 은밀하게 조선에 들어와 전선으로 집결하고 있었다. 이 부대는 양더즈의 제19병단이었다. 저우언라이는 삼양개태(三陽開泰)[191]라는 말에 빗대어, 양더즈·양청우(楊成武, 1914~2004)·양용(楊勇, 1913~1983) 등 세 사람을 가리켜 삼양개태(三楊開泰)[192]라고 했다. 이들 세 명의, 이름이 널리 알려진 양씨(楊氏)의 용

191 주역의 양효(陽爻) 세 개(☰)가 나란히 있다는 뜻으로, 절기상으로 정월(正月)을 가리킨다. 이로 인해, 삼양개태는 중국에서 새해의 복을 바라는 말로 사용된다.

맹한 장수들을 조선에 보내 현대화된 전쟁의 세례를 받게 하려 했다.

안타깝게도 지금 한창 병력 부족에 시달리고 있던 펑더화이는 단지 지도상에서 도로를 따라 분주히 오고 있을 제19병단을 보면서 침만 삼킬 수밖에 없었다. 원시적인 운송 수단 때문에, 양더즈는 적어도 아직 2개월은 더 지나야 비로소 전선에 도달할 수 있었다.

미군의 공격이 한창 맹렬한데, 중국 군대의 총사령관 펑더화이는 도리어 이렇게 중대한 고비에 방향을 바꿔 귀국했다.

발등에 불이 떨어진 펑더화이는 한번 귀국하지 않으면 안 되겠다고 결심했다.

반드시 주석에게 조선 전장의 실제 상황을 분명하게 설명하고, 반드시 지원군을 위해 필요한 증원을 쟁취해 오려고 했다. 부대가 너무 힘들게 싸우고 있었다.

20일, '선더볼트 작전'이 시작되어 콰르릉거리는 포성 속에서, 펑더화이는 몹시 아쉬워하며 전선을 떠나, 불에 타들어 가듯이 초조한 마음으로 귀국길에 올랐다.

22

21일 새벽, 미군의 여러 차례 공습을 피한 뒤, 펑더화이의 지프차가 마침내 중국의 국경 도시인 안둥으로 달려 들어왔다. 그는 오는 동안에 차오멘 몇 입 말고는 단 한 끼의 식사도 하지 못했다.

비록 총사령관 신분으로, 안둥의 상황에 대해서는 일찍이 들은 바가 있었지만, 펑더화이는 뜻밖에도 눈앞에 펼쳐진 광경을 보고는 깜짝 놀랐다. 압록강변에는 식량이 산처럼 쌓여 있었고, 돼지·소·양·닭들이 무리를 이루고 있었으며, 탄약 상자는 끝이 보이지 않았고, 방한복이 수만 묶음씩 한데

192 陽과 楊은 중국어에서 발음이 같다.

쌓여 있었다. 펑더화이는 눈물이 핑 돌았다. 얼마나 많은 병사들이 이러한 물자들이 자동차로 하루면 닿는 거리 내에 있음에도 비참하게 추위와 배고픔으로 죽어 갔으며, 또 얼마나 많은 병사들이 실탄이 바닥난 소총을 들고 적군에게 돌격할 때 총탄을 맞고 쓰러져 갔던가!

가슴 가득 분노를 품고, 펑더화이는 동북 군구의 한 병참 물자 수송 중계 기지를 점검했다. 수송 중계 기지의 울타리 안에 들어갔다가, 악취 때문에 펑더화이는 거의 토할 뻔했다. 수십 더미의 돼지고기가 전부 썩고 있었다.

식사를 하고 있던 한 병사가 옆에서 식사를 하면서 불평을 했다: "또 빌어먹을 기름진 고기야!" 그러면서 그릇 안에 있던 커다란 고기 덩어리를 개수통에 던져 넣어버렸다. 펑더화이는 격분하여, 갑자기 매섭게 이 병사에게 달려들어 멱살을 틀어쥐었다: "너 이 나쁜 놈아, 전선의 장병들은 한 달 동안 고기 한 점도 못 먹었는데, 너는 감히 고기를 개수통에 던져버리다니!"

이것은 펑더화이가 십수 년 만에 두 번째로 일반 사병에 대해 크게 화를 낸 것이었다. 첫 번째는 타이항산에서 가장 힘들었던 1941년에, 그의 마부가 기근 중에 백성의 감 두 개를 빼앗은 다음, 분대장과 양보하지 않고 다투는 과정에서 두 그루의 나뭇가지를 부러뜨리자, 격노한 펑더화이는 손으로 마부의 두 따귀를 때렸다. 그 백성은 그 감나무들에 의지하여 목숨을 부지하고 있었던 것이다.

식사를 하던 병사들은 무슨 일인지도 모르고, 깜짝 놀라 그릇을 내던지고 멀리 도망쳤으며, 기름진 고기를 내던진 병사는 겁을 먹어 거의 까무러칠 듯했다. 만약 펑더화이가 그의 멱살을 잡고 있지 않았다면, 아마도 이미 꼼짝 못하고 땅바닥에 널브러졌을 것이다. 펑더화이는 이 병사를 붙들고 고함쳤다: "너희들에게 일을 맡긴 망할 자식을 오라고 해!"

책임 간부가 뛰어오더니 온 몸에 흙탕물을 뒤집어써 매우 지저분한 펑더화이를 보면서 경멸하듯이 말했다: "너 누구야? 뭐 하는 거야? 감히 여기에서 제멋대로 굴다니!"

펑더화이는 그 병사를 놓아주며 말했다: "나는 펑더화이다!"

그 간부는 즉시 온 몸을 부들부들 떨었다: "펑 총사령관님……."

펑더화이는 이 간부를 매섭게 노려보며 꾸짖었다: "전선에서는 배를 곯고 피를 흘리며 싸우고 있는데, 너희들은 고기를 삶아 먹으면서도 기름지다고 싫어하다니, 양심은 개에게 먹이로 줘버렸구나!"

펑더화이는 꾸짖으면서 눈물을 흘렸다.

그 간부는 감히 고개를 들지 못한 채, 중얼거렸다: "사실 방법이 없습니다, 펑 총사령관님. 고기는 여기에 두고 내보낼 수가 없어서 전부 썩어버렸습니다. 먹지 않으면 더 낭비입니다. 어제 30대의 자동차가 출발하여 강을 건넜는데, 신의주에 건너가자마자 전부 폭파되고, 겨우 세 대만이 봉쇄선을 통과하여, 기지 내에는 자동차가 한 대도 없습니다……."

"아아!" 펑더화이는 하늘을 올려다보면서 길게 탄식하더니, 한마디도 하지 않았다. 그는 여기서 식사하려던 생각을 포기하고, 굶은 채로 다시 베이징으로 가는 비행기에 올랐다.

비행기가 선양에서 급유를 위해 착륙하자, 영접 나온 군대와 정계의 지도자들이 그에게 식사를 하고 휴식을 취하도록 요청했다. 펑더화이는 비행기 옆에 멍하니 선 채, 단 한마디만 했다: "나는 피곤하지 않소. 나에게 신경 쓰지 마시오. 나는 먹지도 않고 자지도 않겠소."

비행기가 급유하고 나서 곧바로 이륙하자, 소식을 듣고 달려온 가오강은 멀리 날아가는 비행기의 모습을 바라볼 수밖에 없었다.

그날 오후 1시, 펑더화이는 비행기에서 내리자마자 곧바로 자동차를 타고 중난하이로 갔다. 마오쩌둥의 비서 톈자잉(田家英, 1922~1966)이 주석은 서쪽 교외에 있는 위촨산(玉泉山)의 징밍위완(靜明園)에 있다고 알려주었다. 거기에 도착했을 때, 마오쩌둥은 낮잠을 자고 있었다. 비서와 경호원들은 펑더화이를 들어가지 못하도록 저지했다. 마오쩌둥은 심각한 불면증이 있어, 잠에 드는 것이 매우 힘들었으므로, 잠든 다음에는 어느 누구도 감히 방해할 수 없었다.

펑더화이는 조급하여, 눈을 부릅뜨고서, 손을 뻗어 만류하는 직원들을 모두 한쪽으로 밀치며 들어갔다: "너희들이 빌어먹을 내시라도 되느냐? 나는 급한 일로 주석님께 보고할 게 있다!" 말을 마치고는 다짜고짜 문을 밀치고 들어갔다.

마오쩌둥은 이미 바깥에서 왁자지껄 떠드는 소리에 잠에서 깨어나, 자기도 모르게 화를 냈지만, 고개를 돌려 펑더화이의 모습을 보자 즉각 마음이 누그러졌다.

펑더화이의 수염은 덥수룩했고, 안색은 검고 윤기가 없었으며, 눈은 움푹 들어가 있고, 입술은 온통 물집이 잡혀 있었다. 입고 있는 헤진 솜옷은 곳곳이 터져 있고 흙탕물 자국인 것이, 마치 막 전장의 참호에서 기어 나온 분대장 같았다.

마오쩌둥은 탄식했다: "오직 당신 펑더화이만이 내가 자고 있을 때 뛰어와서 의견을 제시하는군요."

펑더화이가 지휘소에서 베이징까지 오면서 도중에 단 한 끼의 식사도 하지 않았다는 말을 듣자, 마오쩌둥은 손사래를 치며 말했다:

"식사하러 갑시다. 당신이 먹지 않으면, 난 의견을 듣지 않겠소."

펑더화이는 식사의 마지막 한 입의 음식을 씹으면서, 마오쩌둥에게 전장의 엄혹한 사실을 보고하고, 빠른 승리가 불가능하다는 관점을 자세히 밝히기 시작했다.

마오쩌둥은 전장의 모습을 듣고는 감동하는 표정이 역력했다: "나는 후방에 있어서 아무래도 전선의 절실한 체험을 할 수가 없습니다." 이어서 그는 펑더화이가 가장 듣고 싶어 하는 말을 꺼냈다: "속전속결로 승리할 수 있으면 빨리 끝내고, 그럴 수 없으면 승리를 늦추세요. 서둘러서는 안 됩니다."

펑더화이는 이 말을 듣자 자신도 모르게 거친 숨을 길게 내쉬었다. 마오쩌둥이 생각을 바꾸기만 한다면, 많을 일들을 처리하기가 쉬워진다. 그러나 아직 마오쩌둥에게 말을 하기 더욱 어려운 일이 한 가지 있었다.

펑더화이는 말투가 무거워졌다: "주석님, 안잉(마오쩌둥의 아들인 마오안잉-옮긴이)이 희생당한 건 제가 그 아이를 잘 보호하지 못한 탓입니다."

마오쩌둥은 담배를 "꿀꺽"하는 소리가 나도록 빨아들이더니, 한참 동안 침묵하고 나서야 탄식하면서 한마디했다: "전쟁에서는 언제나 사람이 죽기 마련이오."

23

마오쩌둥에게 작별 인사를 하고, 펑더화이가 숙소에 갔는데, 주더가 소식을 듣고 찾아왔다. 이들 두 사람은 중국 군대에서 사람들이 "자애로운 총사령관과 엄격한 부사령관"이라고 부르는 원수(元帥)들로, 매우 두터운 전우애를 갖고 있었다.

펑더화이가 온 몸에 전장의 먼지를 뒤집어쓰고 있는 것을 보자, 온화한 주더가 말했다: "목욕을 하십시오. 고생이 많습니다."

"씻기는 무얼 씻습니까. 갈아입고 세탁할 옷도 없습니다." 펑더화이는 멍하니 바라보며 대답했다.

주더는 잠시 앉아 있다가 일어나서 떠났다. 10대 원수들[193] 가운데 나이가 가장 많은 주더는 매일 밤 9시 전에 시간에 맞춰 쉬어야 했다. 그러지 않으면 밤에 다시 잠을 이루지 못했다.

그날 밤 2시, 펑더화이는 몇 가지 잡무를 처리하고 나서야 비로소 욕조에 들어갔다. 욕조에서 일어났을 때, 펑더화이가 손을 뻗어 온통 땀으로 찌든 자신의 속옷을 집었다. 피어오르는 수증기 속에서, 한 손을 쭉 뻗었는데, 그의 손에 잡힌 것은 비록 낡긴 했지만 깨끗하게 세탁된 옷이었다. 주더가 욕조 옆에 서서 물었다: "이건 내 것인데, 몸에 맞습니까?"

펑더화이는 고개를 끄덕였다: "아주 좋습니다."

이튿날, 펑더화이는 각 방면의 지도자들을 찾아가 전선을 지원하는 문제

193 1955년 2월 8일, 중국에서 군대의 조직과 계급을 개편하면서, 주더, 펑더화이, 린뱌오, 류보청, 허룽, 천이, 뤄룽환, 쉬샹치엔, 녜룽전, 예젠잉에게 원수의 직함을 주었다. 이들을 가리켜 10대 원수라고 한다.

를 협의하기 시작했다. 숙소에 돌아와서 다시 깜짝 놀랐다. 세심하고 빈틈이 없는 녜룽전 원수가 시안(西安)으로부터 그의 부인인 푸안슈를 모셔온 것이다.

셋째 날, 펑더화이는 직접 중국 주재 소련 군사 총고문인 자하로프 대장을 찾아가, 소련이 반드시 지원군에게 공중 지원과 아울러 지원군의 병참 지원 보급선을 대규모로 엄호해주기를 바란다고 말했다.

자하로프는 어찌 감히 자기가 마음대로 처리할 수 있겠냐면서, 스탈린이 "소련은 조선 전쟁에 개입하지 않는 것이 좋다"고 했던 틀에 박힌 말을 다시 되풀이했다. 펑더화이는 매우 분노하여, 한바탕 크게 언쟁을 벌인 다음 흥이 깨져 돌아갔다.

넷째 날인 25일, 저우언라이가 군사위원회 확대 회의를 주재하여 개최했다. 회의에 참가한 군사위원회의 각 총사령부·각 군의 병종 및 국무원 유관 부서의 지도자들이, 어떻게 지원군을 효과적으로 지원할 것인지에 대한 일을 함께 논의했다. 펑더화이가 조선 전선의 전황을 소개하고 나자, 몇몇 지도자들은 자기 부서의 어려움을 강조하기 시작했다.

"병참보급을 보장하려면 돈이 필요하니, 먼저 돈을 보내주십시오……."

"국내의 행정기구들은 이제 막 건립되어, 곤란한 점들이 수두룩합니다……."

펑더화이는 책상을 치며 일어나 말했다: "이것도 어렵다 하고, 저것도 하기 어렵다고 하는데, 여러분이 온종일 하는 것은 뭡니까? 나는 여러분이 애국을 안다고 생각합니다. 설마 수십만 지원군 병사들이 돼지란 말입니까? 그들이 애국을 모르겠습니까? 여러분이 조선의 전선에 가서, 병사들이 머무는 곳이 어떠하고, 먹는 것이 어떠하고, 입는 것이 어떠한지 한번 보시오! 저 사랑스런 병사들은 적의 비행기와 탱크와 대포가 번갈아가며 가하는 폭격하에서, 눈밭 속에 엎드린 채 배고픔을 참고 동상을 견디면서, 적들의 맹렬한 공격에 맞서고 있습니다. 미군 병사들은 눈 위에 담요를 깔고 그 위에 엎드려서 총을 쏘는데, 우리 병사들은 영하 40도의 추위에 맨발로 적을 추격하느라, 발이 모두 얼어 시커멓게 되어, 한번 손으로 건드려 움직이면, 살점이 떨어져 나가 뼈가 드러나 버립니다. 그들이 그러고 있는 건 국가를 보위하기 위한 것이 아니란 말이오?"

모두가 숙연해졌다. 펑더화이의 말에 담겨 있는 울음 섞인 노호를 들을 수밖에 없었다: "전체 조선은 전쟁의 파괴로 인해 물자와 식량은 전혀 해결할 수 없습니다. 지금 최전선의 부대에서는 식량이 부족하고 부식이 부족하고 의복이 부족한 현상이 매우 보편적이며, 그 어려운 정도는 심지어 홍군이 장정을 하던 시기보다도 더합니다. ……설마 국내에서 긴급 조치를 취할 수 없단 말입니까?"

모두들 쥐 죽은 듯이 조용했다. 이들은 모두 장정을 경험한 사람들이었는데, 지금 전선이 장정 때보다도 더 어렵다는 말에 그들은 깊은 충격을 받았다.

잠시 후, 저우언라이가 가벼운 기침을 한번 하며 정적을 깼다. 저우언라이는 펑더화이의 이 말이 국내의 일을 주관하는 총리인 자신이 들으라고 하는 질책임을 알고 있었다. 저우언라이의 어조는 엄숙하면서도 차분했다: "지원군은 펑 총사령관의 영도하에, 이렇게 어려운 조건에서 많은 승리를 거두었습니다. 이는 우리 후방의 모든 사람들이 배울 만합니다. 우리 후방의 역할은 충분히 잘 하지 못했으니, 계속 극복하고 개선해 나가야 합니다. 일부 구체적인 어려움은 전방의 동지들이 이해하지 못하고 있는데, 이는 우리가 충분히 소통하지 못했고, 설명이 부족했기 때문입니다."

그런 다음, 저우언라이는 국가 전체적인 입장에서 삼총부(三總部)[194]가 맞닥뜨리고 있는 어려움과 실행하고 있는 노력을 설명했다. 펑더화이는 국가가 이미 재정 수입의 60% 이상을 항미원조에 쓰고 있다는 말을 들었을 때, 얼굴에 감동하는 표정이 역력했다.

객관적인 상황을 이야기한 것 외에, 저우언라이는 펑더화이가 크게 화를 낸 것에 대해서는 단 한마디도 나무라지 않았다. 알아 두어야 할 것은, 저

194 중국 인민해방군의 총참모부(總參謀部), 총정치부(總政治部), 총병참부(중국식 명칭은 總後勤部)를 가리킨다. 1998년 이후에는 총장비부(總裝備部)가 창설되어 4부 체제가 되었다.

우언라이는 중국공산당을 창당한 당원의 한 명으로서, 직무로 보나 자격으로 보나 펑더화이는 그의 아랫사람이었다는 사실이다.

객관적인 상황을 설명하고 나서, 저우언라이는 펑더화이의 요구에 대해 항목별로 전담자를 확정한 다음, 펑더화이에게 물었다: "펑 총사령관, 이런 배치에 만족하시오?"

마음에 꺼림칙함을 느끼던 펑더화이는 연거푸 대답했다: "저는 지원군 장병들을 대표하여 모든 분들께 감사드립니다!"

산회한 다음, 저우언라이의 군사 부문 비서인 레이잉푸는 총리 집무실로 돌아가서 직원들에게 당부했다: "오늘 펑 총사령관이 발끈 화를 냈는데, 우리는 총리께서 다시 화를 내시지 않도록 모두 주의합시다."

저우언라이가 집무실로 돌아왔지만 모든 것이 평소와 같자, 직원들은 조용히 레이잉푸에게 물었다: "정보가 맞지 않는 것 아닙니까?" 레이잉푸는 길게 감탄했다: "총리님은 도량이 넓으시네. 큰 인물은 도량이 큰 법이네."

펑더화이가 베이징을 떠들썩하게 하자, 마오쩌둥은 이 사실을 알고 나서 담담하게 한마디했다: "머리카락이 관(冠)을 들어 올릴 정도로 대장이 화를 내면서[大將衝冠怒], 꿈속에 있는 사람들을 깨우는 건[警醒夢裏人], 나쁜 일이 아니네[不是壞事]."[195]

3월 1일, 펑더화이는 다시 전선으로 돌아갔다. 그의 이번 귀국은, 당중앙으로 하여금 조선 전선에 대해 지원을 증대시키는 다음과 같은 일련의 결정들을 신속히 내리도록 촉구했다: 서부전선의 부대들을 보충할 5만 명의 신병과 7천 명의 고참병을 즉시 조선으로 보낼 것; 동부전선을 보충할 제19병단의 4만여 병력이 3개 사단의 소련식 무기를 휴대하고 병영을 떠나 출발할 것; 양더즈의 제19병단은 신속하게 전선으로 이동할 것; 천겅과 왕진산

195 중국 고유의 시가문학 장르인 사(詞)에서 유래된 말이다. 머리카락이 관을 들어 올릴 정도로 화를 낸다는 말은 악비(岳飛)의 사 작품인 「만강홍(滿江紅)·발노충관(發怒衝冠)」에 나오는 문구이다. '꿈속에 있는 사람[夢裏人]'이란 말은 '꿈을 꾸고 있는 사람' 혹은 '꿈속에서 만난 사람'이라는 뜻으로, 사에 자주 사용되는 표현이다. 마오쩌둥은 문학 창작에도 소양이 있었는데, 특히 사 창작에 뛰어났다.

중군 군대의 대규모 증원 부대가 조선에 들어갔는데, 사진은 제15군단이 직접 허베이성(河北省) 싱타이(邢臺)에서 항미원조 출국 전에 전투 결의 대회를 개최하고 있는 모습이다.

(王近山, 1915~1978)의 제3병단은 즉각 스촨을 떠나 동북 지방으로 이동할 것; 공군은 조선에 가서 비행장을 건설할 것; 포병은 즉각 1개 고사포 사단·1개 방공 사단·3개 로켓포 연대 및 2개 유탄포 연대를 출동시킬 것; 곧 중국에 도착할 5,500대의 소련제 자동차는 지원군에게 4천 대를 나누어줄 것; 동북 지방에 10만 개의 병상을 준비하여 부상병을 치료하게 할 것 등등이다.

자동차가 대유동을 지나자, 펑더화이는 수많은 부대와 포차(砲車)들로 도로가 꽉 막힌 것을 보고 한마디 중얼거렸다: "양더즈가 참 빨리도 왔구나!"

성격이 온후한 저우언라이를 생각하면서, 펑더화이는 자기 자신을 꾸짖었다: "이 더러운 노새 같은 성질머리 하고는, 에이!"

9일, 펑더화이는 지원군 사령부에 도착하자마자, 즉시 서울에서 철수할 준비를 했다. 그는 실력을 보존하고, 크게 후퇴하여, 보급선을 단축시키고,

원군이 오기를 기다렸다가, 리지웨이가 깊숙이 북진하기를 기다린 다음 그에게 매서운 공격을 가하여, 일거에 전체 조선을 장악하려 했다.

'킬러 작전'과 '선더볼트 작전'의 뒤를 이어, 리지웨이는 다시 '리퍼 작전(Operation Ripper)' 등 일련의 공세를 개시하여 북쪽으로 전진했지만, 전진하는 속도는 여전히 더뎠다. 마주하고 있는 중국 부대는 매우 분명히 싸우면서 후퇴하고 있었다. 3월 15일 밤, 한국의 한 순찰대가 서울에는 이미 중국 군대가 없다는 것을 확인하자, 한국 제1사단이 이미 폐허가 된 수도에 진입했다. 전쟁이 발발한 지 9개월 동안, 서울은 네 차례나 임자가 바뀌었는데, 중국 군대가 한국의 수도를 점령한 기간은 70일이었다.

서울 방어를 포기한 것을 김일성은 납득하지 못했다. 펑더화이는 이 소식을 듣고 탄식했다: "나도 납득이 안 돼! 나에게 비행기와 대포가 있고, 식량과 탄약이 있다면, 내가 서울을 포기했겠나? 누가 그를 애당초 맹목적으로 낙관하게 했는지."

(《하권》으로 이어짐)

세계의 미술 5
THE HISTORY OF INDIAN ART
인도미술사
인더스 문명부터 19세기 무갈 왕조까지
왕융(王鏞) 지음
이재연 옮김
다른생각
세계의 미술 5
인더스 문명부터 19세기 무갈 왕조까지
인도미술사
THE HISTORY OF INDIAN ART
왕융(王鏞) 지음 | 이재연 옮김
다른생각

세계의 미술 4
ART of CHINA
衛
중국미술사 4
다른생각
세계의 미술 3
ART of CHINA
美
중국미술사 3
다른생각
세계의 미술 2
ART of CHINA
國
중국미술사 2
다른생각
세계의 미술 1
ART of CHINA
中
중국미술사 1
다른생각
중국미술사
(전4권)

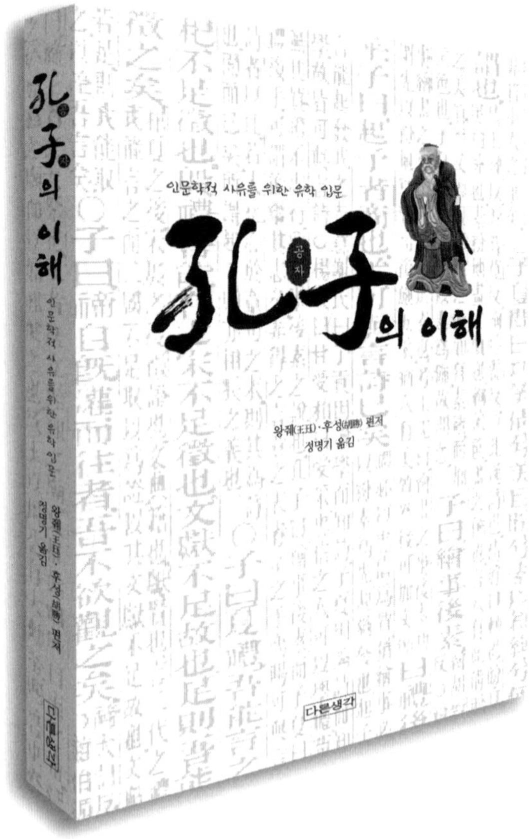
인문학적 사유를 위한 유학 입문
孔(공)子(자)의 이해
왕줴(王珏)·후성(胡胜) 편저
정명기 옮김
다른생각